北京古籍叢書

［清］周家楣　［清］繆荃孫　編纂
左笑鴻　點校

光緒順天府志

第五册

圖書在版編目（CIP）數據

光緒順天府志．第五册 /（清）周家楣，（清）繆荃孫編纂；左笑鴻點校．— 北京：北京出版社，2018.2
（北京古籍叢書）
ISBN 978-7-200-13601-2

Ⅰ．①光… Ⅱ．①周… ②繆… ③左… Ⅲ．①北京—地方志—清代 Ⅳ．① K291

中國版本圖書館 CIP 數據核字（2017）第 284880 號

項目策劃：安　東　　項目統籌：許　可
責任編輯：喬天一　許　可　　責任印製：宋　超
裝幀設計：郭　宇

北京古籍叢書
光緒順天府志
第五册
［清］周家楣　［清］繆荃孫　編纂
左笑鴻　點校

出　版　北京出版集團公司
　　　　北京出版社
地　址　北京北三環中路六號
郵　編　一〇〇一二〇
網　址　www.bph.com.cn
總發行　北京出版集團公司
經　銷　新華書店
印　刷　北京京華虎彩印刷公司
開　本　八八〇毫米×一二三〇毫米　三十二
印　張　十一
字　數　一九七千字
版　次　二〇一八年二月第一版
印　次　二〇一八年二月第一次印刷

書號　ISBN 978-7-200-13601-2
定價　128.00 圓

光緒順天府志三十六

河渠志一

水道一

德清傅雲龍纂　江陰繆荃孫覆輯

畿輔五大河，南運河外，逕順天府境者凡四：一、永定，一、北運，一、清，一、子牙。它水分合不下五百餘水，今以大水包小水綱曰過，目曰逕；小水入大水曰注；大水合小水曰受；㫚來曰從；同流曰合；分流曰出，水穿山亦曰出；水有所止曰至，桑經酈注例也。兩水敵曰會；小注大曰入；因水入水曰達；正絶流曰亂；順流而下曰沿；此則禹貢通例。凡水先源，次詳逕境分合里數，出界則舉厥歸宿，又次敍故道，若坿考，若集證，悉入夾注。水以今爲主互受之通稱，隨地之易目，弗敢遺漏，懼淆舛也。故道則從其時之名。清河、子牙無專書，北運河明有吴仲秦金之通惠河志均未見，惟永定有志，載案牘較詳，續志以圖勝，蓋招錫恩用測量法繪也。今以光緒九年爲斷。志水道。

永定河

永定河舊名盧溝，上流曰桑乾。

盧溝河之源三：一、桑乾泉即漯湄水亦曰繩水，發源靜樂漢汾陽境管涔山天池，亦謂之祁連池。洑流百有二十里，七泉涌併。一、洪濤泉漯水也，亦曰治水，今謂之黄道泉。水經漯水注，所謂出累頭山者是。一、灰河，灰一作恢，出管涔山之分水嶺，水經漯水注，所謂馬邑川，俗謂磨川者是。三源之水會於故馬邑縣西南，過此通目桑乾河。通鑑南桑乾水云者，蓋誤讀隋禮志，顧祖禹方輿紀要尚沿其誤。黄水河注之，有小黄河目。渾源川注之，又有渾河目。凡此皆互受兼名，於本源無與。桑乾東逕順聖廢縣曰順聖川，又會洋河曰燕尾河，又逕縉山下曰縉山河，是皆隨地易名。又曰清泉河。其曰盧溝者，以逕盧師臺故也。盧之言黑，故又名黑水河。或曰盧菰河聲之變轉，或曰逕宛平葫蘆溝故名蘆溝。水徙靡定，又謂之無定河。康熙三十七年，賜名永定。按：隋禮志：大業七年征遼東，煬帝遣諸將於薊城南桑乾河築社、稷二壇，設方壝，行宜社禮。而通鑑云：大業八年春正月，四方兵皆集涿郡，宜社於南桑乾水上。胡三省注云：薊城南桑乾，即今盧溝橋下之水，胡注不誤，然未知通鑑所云南桑乾水係誤讀隋禮志，以南字屬下然也。方輿紀要遂云：桑乾水亦謂之南桑乾水。此不可據。山西通志：黄水河發源雁門關之東，廣武之西，流出三泉口，至山陰縣朱家莊，入於桑乾。孫國敉燕都游覽志：桑乾下流爲渾河，渾河下流爲盧溝河，以其濁故呼渾河，以其黑故呼盧溝河。按一統志云：永定又名清泉河，蓋本水經注漯水自南出山謂之清泉河而言也。盧師臺詳下。周煇北轅錄：盧溝亦謂黑水河。范成大石湖集：盧溝河去燕山三十五里，宋敏求謂之盧菰河，即桑乾河。陳全之篷窗日錄：京師朱雀水爲盧溝河。顧炎武天下郡國利病書卷二，北直一：桑乾、渾水合爲一河，逾山而東，別名清泉河。其稱盧溝者，以至宛平縣境從葫蘆溝東南入潞，故爾。按：今水經盧作蘆，唐詩無定河即此。陳儀直隸河渠志：盧溝河前人謂之無定河。綱目三編：桑乾河入宛平縣界，爲永定河。一統志：康熙三十七年賜名永定河。傅雲龍永定河上流考：桑乾水隨地異名，互受通稱，然厥源有三：一曰桑乾泉。酈道元漯水注：陰館縣西北上平，洪源七輪，謂之桑乾泉，即漯湄水者也。其水潛承太原汾陽縣，北通燕京山之大池。池在山原之上，世謂之天池。相傳有人乘車池側，忽遇大風，飄之於水。人獲其輪於桑乾泉，知二水潛流通注矣。漢汾陽今静樂縣境，隋開皇三年移置岢嵐縣，十八年更名汾源，汾水出管涔，見酈注，汾源之名以此。是桑乾與汾水異流同源，而桑乾獨洑。大業四年，改汾源曰静樂。唐屬嵐州，又置天池縣。李吉甫元和郡縣志：嵐州静樂縣天池，在縣北燕京山上，周回八里。魏孝文帝以金珠穿魚七頭放此池，後於桑乾泉得之。據知酈注獲輪之不誣。太平寰宇記：代州雁門縣下，引水經注，潛通燕京山之天池。趙一清注釋本據補通字，是也。據改大池爲天池，則下文何又言世謂之天池耶？方輿紀要：燕京山卽管涔山，大池在管涔山北原上，卽汾水之源，北人謂天爲祁連，亦謂之祁連池，潛通桑乾。此謂大池爲天池之碻左。池東隔阜一石池，曰元池，二池津脈潛通，伏流百二十里，至故馬邑縣雷山之陽，七泉湧出：曰上源，曰玉泉，曰三泉，曰司馬洪濤，曰金龍池，曰小蘆，曰小蒲，合爲一流，是爲桑乾河。一統志：司馬泊卽司馬洪濤也。七泉並承天池洑流。永定河李志專言金龍池，非也。山海經，北山經：天池之山，繩水出焉，潛於其下。據知桑乾水源有繩水目。一曰洪濤泉。酈注所謂㶟水出累頭山，一曰治水，東北流出山，逕陰館縣故城西者卽此。洪濤山以泉名，俗名神頭山。方輿紀要云：洪濤山一名累頭山，然則神頭其累頭之譌與？永定河李志：洪濤泉亦謂之黃道泉是也。然云出馬邑縣西北十里，則非。按一統志，縣西北十里爲金龍池，而黃道泉則在縣西八里，蓋其水南流逕故馬邑縣西，而桑乾河七泉湧併自西來會之。酈注所謂㶟水東北流，左會桑乾水者，此也。一曰灰河。一統志：灰河入桑乾河，卽古馬邑川。水經㶟水注：馬邑川水出馬邑西川，俗謂之磨川矣。其水東逕馬邑縣故城南。永定河李志：灰一作恢，出管涔山之分水嶺北麓。今攷其水東流，逕甯武府南折，北逕陽方口，又東流，逕朔州南，又東流，逕故邑縣西南，桑乾、洪濤兩泉曲折由西北會之。酈注所謂桑乾自源東南流，右會馬邑川水者，此也。灰河在桑乾之右，洪濤在桑乾之左，今古無異，如指掌矣。安瀾志謂洪濤山下七泉，統名洪濤，誤也。元史河防志云：桑乾河出大同桑乾山。古無桑乾山名。安瀾志又以洪濤山當之，非也。曰出，言其源也。未會以前，桑乾之源則曰㶟水，出管涔山也。會流而後，通謂之桑乾河。其水東流，逕三家店北，馬跑泉西北來入之。又東北逕西河底，雁門關水自西南來入之，又東北流，鄯河西北來注之。鄯河者，崞川水也。酈注所謂淳川水南出崞山縣北，逕劇陽縣東注於㶟水者此也。又東流，泥河自泥河邨西北來入之。又東流，逕陽河堡東南，尾河西北來入之。又東逕安營子南，羅家莊北，又東南逕新莊子南，又東北逕山陰縣北、黃花岡南，黃花岡卽酈注黃瓜阜也。新莊子河出大于口，自西入之。又東逕應州北，黃水河南來注之。五代志：黃水河在山陰縣城西，出龍灣峪口，東北流至應州西北八里莊注桑乾水，而元河渠志因以盧溝爲小黃河，明蔣一葵遂有黃河洑流之説，非也。又東流，白泥河自榆林峪東北流入之。逕大營邨，木瓜河西南來入之。又東折北，逕曹孃子堡，又東南，逕北賈家塞，磨道河自西北來入之。又東逕臧家塞，又東逕懷仁縣城西南，清水河西北來入之。又東逕應州北八里莊河，逕屯兒邨東北南流入之。又東南逕西安堡東南渾源川，合亂嶺關、磁窯峽、李峪、凌雲口、遠望峪、神溪、乳泉、唐泉八水，逕邊耀山北注之，桑乾之兼渾河目，以此。潞水客譚謂桑乾水發源於渾源州，行水金鑑謂渾水源出桑乾山下，水部備考謂盧溝河發爲渾泉，流而爲桑乾，類皆以流概源，誤也。又東逕鄭家莊，入大同縣界，大石峪水合小石峪水，西北來注之，金龍山水鎮子海，聖水泉入焉。又東逕大同東南高家店，如渾水挾諸閏澤、靈泉、得勝河、八墩口水、十里河諸水，會武周川，東南流，注之滄頭河，南大河、兔毛河、廖家河、新莊河、石窟寒泉、水磨河諸水入焉。又東逕甕城驛古定橋北，明嘉靖時御史宋儀望請疏桑乾河通宣大糧餉，所稱古定橋卽此。又東逕聚落山南，有堡，明天順三年築，今王官屯近之。又東逕于家塞卜郮。又東北逕西册田北，而貴仁堡，而西堰頭，而梁家馬營，入陽高縣界，漢爲白登臺地，北魏置高柳郡。又東逕蟠羊山，又東黃土梁南。又東逕西馬營入天鎮縣界，又東逕蘆子屯、北嘴兒頭，南石門溝水合五泉河注之。又東逕六稜山北。又東入直隸西甯縣，與蔚州分界。又東逕西甯縣南，柳園泉、一突泉合澢河西北來入之。西甯，卽漢陽原也。又逕揣骨疃北、沙河堡南。又東逕蔚州北蔭子溝南。又東北逕太白嘴北。又東逕馬房。又東北逕東城堡南。又東流，逕順聖廢縣，又名順聖川。又東南至小渡口郮，壺流河卽祁夷水，合廣靈縣之莎泉、瑞泉、百家泉、灑雨泉、枕頭泉、集興疃池、作疃池、蔚州之唐山泉、滋泉、煖泉、乾沙河、金河、飛狐關水、飲馬泉、靈泉、七里河、金波泉、海子泉、横澗泉、太平河、會子河、蓮花池、扶桑泉諸水西南來注之。又東北逕大渡口南。又東入宣化縣界。又東南逕馬家灣東。又東逕筆架山入保安州西南界。又東逕南北兩孤山間。又東逕温泉屯。又東逕保安州城南。又東南逕河南堡。又東逕新甯堡。又東南逕焦家營南。又東逕包家營南。又東北逕虎頭山北雞鳴驛，南洋河自西北來會之，曰燕尾河。又東北逕新安驛東南，八寶山水注之。又東逕蘇家營南。又東逕西水泉郮，西水泉注之。又東流逕沙城堡南，東水泉北來注之，老君山在其南。又東逕河神祠北。又東北逕豬窩源北，礬山水自西北來入之。又南流縉山下，曰縉山河。又東南逕豬窩堡北，望聖山水西南來注之。又東南逕水門北，嬀河承長安嶺乾沙河南流，合溪河、神仙溪、河周四溝堡乾河、乾石堡河、閔河、沽河、小溥沱乾河、桑園屯乾河、佛峪口水、黑龍河、大柳河、板橋河注之，曰合河口。嬀河者，水經清夷水，亦謂之滄河者是，俗曰嬀河，蓋因唐移嬀州來治而譌也。明地理志：俗名清水河。又南逕後羊坡郮東，小清河西南來注之。又東南逕水峪溝北，入宛平縣界。雲龍㶟水考：㶟水非濕水，亦非灅水，文譌誼舛，厥水滋溷。水經㶟水注：俗本㶟譌濕，引者多沿厥譌。許用賓石經山碑云：山又稱濕，經亦誤以爲濕水所經而名。魏書：道武帝西幸馬邑，觀灅原。桂氏說文解字義證引此文以證㶟水。通鑑晉愍紀：建興元年，代公又作新平城於灅水之陽。胡注又从而爲之說曰：新平城不在此灅水之陽，蓋出於馬邑而東北，流逕平城之南，意道元所謂濕水，卽灅水也。集韵：漯、㶟、灅同。注，水出雁門。水道提綱：桑乾河古曰治水，亦曰濕水，亦曰灅水，類此，皆不知㶟與灅、濕難可强通者也。說文：濕水出東郡東，武陽入海。从水，㬎聲。桑欽云：出平原高唐。又日部，㬎讀若唫。桂氏云：此出欽所作地理志，漢地理志，濕作漯，高唐下云：桑欽言漯水所經，續漢郡國志武陽濕水出高唐濕水出，水經河水注故瀆又東北入東武陽縣東入河，又有漯水出焉。張參五經文字水部，濕，他帀反。然則濟漯之漯，本作濕，濕、漯古今字隸書改曰省系作漯，于是㬎、累、濕、隰，古多通叚。左哀二十三年傳：杜注：犂隰，隰也。釋文作濕也。云本又作隰。漢書王子侯表：濕成侯忠。史記作隰。後漢襄階傳：平原隰陰人。注云：隰陰在隰水之南。北魏鄭羲碑作隰，建成鄉侯劉靖碑作隰，武德于府君義橋碑作隰，皆隸之變體。荀子不苟篇：弃而儑。楊注：儑當爲濕。韓詩外傳云，弃而累也。此亦濕、漯變轉之證。或又以漯爲㶟之省文，遂誤㶟水爲濕水。又攷說文，灅水又西南流，灅水注之，水出右北平俊靡縣。然則以灅水與㶟水爲同出雁門，是丁度之疏也。又攷說文，㶟水出雁門陰館絫頭山，東入海，从水纍聲，一曰治水也，與水經㶟水出雁門陰館縣，酈注出於累頭山。一曰治水，並合殿本、戴本、趙本，均據以正㶟之非濕，是也。濕、溫形近，後漢書王霸傳所謂溫水者，當是誤㶟爲濕，又誤濕爲溫。注引水經注溫餘水，即水經注㶟餘水。治，台通用。治水，漢五子傳云台水；燕刺王傳亦云台水；晉灼曰：地理志，台水在雁門；漢地理志：代郡且如下，于延水，東至廣甯入治。平舒下，祁夷水，北至桑乾入治，小顏：治並譌沽。

東南過順天宛平縣西。

其水從懷來縣之豬窩口、竇家營，入宛平縣境，在縣治西北二百餘里。東南流逕安家灘東北，一名安家漩，又十里逕沿河口東北，都司以下官駐此。石港口在其西，初爲巡檢治，後移青白石。按方輿紀要云：沿河口在懷來縣百九十里，東南達宛平縣之王平口九十里。蔣一葵渾河記云：從保安舊城過沿河口通石港口。今考沿河口在安家漩東北十里許，爲宛平縣境。又五里逕向陽口南。又五里逕馬家套西。又屈曲流二十餘里，逕楊樹底北。又十餘里逕傅家臺西，清水河西南來注之。

水出京城西一百三十里宛平境，東北流八里，逕杜家莊東，又七里逕上清水邨東，又三里逕下清水邨東，又四里逕高窩鋪西，又六里逕西齋堂倉東、青龍澗南，又三里逕東齋堂北，又東一里逕平羅營南，把總駐此；又四里逕西護林北，又東北里許逕東護林北，又里餘逕軍上南，又半里逕軍下南，又十里逕青白石北石港司，巡檢駐此。又東注永定河。

永定河又東南流十里，逕大子木南，又屈北折東南流七里逕芹峪，又東二里餘逕下馬嶺南，又東南折，向東北七里，逕雁翅南，又東二里逕河南臺北，又東南流五里，逕安家莊西，又屈東北流五里，逕妙峯山南，在山南十里許。又一里逕三叉澗邨南，又東折西南流二里餘，清水澗西南來注之。

水出千軍臺南叢山中，在京城西九十里，黑龍潭北十里。東北流六里逕千軍臺北，又里餘逕莊窠北，又五里逕板橋北，又四里逕窄石臺北，又十里逕東西桃園北，又三里逕桃園倉北，又三里注永定河。

永定河又東南三里，逕王平邨北，又東北流三里逕色樹墳北，又東南流三里逕石空眼北，又東北流三里逕韭園北，又東南三里逕橋兒澗北，又三里餘逕牛角嶺北，又二里逕水峪邨北，又半里逕冷各莊南，又半里逕棗林邨北，又東二里餘逕陳各莊南，又東南四里逕龍泉務東，又逕盧師山西，自是水名盧溝。宋史宋琪傳所謂盧師禪祠是桑乾出山之口，即此。兩唐書師作思，今寺曰清涼。唐書韋挺傳：貞觀十九年，將有事遼東，運糧，挺至幽州，漕渠壅塞，遂下米臺側。韋懷質奏，挺至盧思臺，方知渠門。新唐書：自桑乾水抵盧思臺，行八百里。宋史宋琪傳：端拱二年，將討幽薊。疏言：從安祖砦西北有盧師禪祠，是桑乾出山之口，東及幽州四十餘里。趙德鈞作鎮時，欲遏西衝，曾塹此水，河次半有崖岸，不可輕渡。方輿紀要：香山之東，接平坡山，其並峙者盧覺山、盧師山。孫承澤春明夢餘録：翠微山寺，舊平坡寺也。顧炎武北平古今記：今京城西三十里盧師山，相傳爲隋沙門盧師馴青龍處。以唐書考之，當即盧思臺，師乃思之誤。其水又東南流二里逕三家店西琉璃局東，分爲二，並東南流，八里餘，逕五里坨，西把總駐焉，水至此復合。又一里餘逕麻峪西大峪東，又一里逕北辛安西，又半里逕小園邨東，又二里餘逕瓦窑邨西、新城邨東，又里餘逕北金溝、南金溝西，又逕石景山西，山亦名石徑。周夢暘水部備考：盧溝河在京城西四十里石徑山之東。一統志：石徑山在宛平縣西三十七里，上爲金閣寺，亦名石景山。水自入境至此，東南屈曲，流西山間一百五十餘里，諸山泉注之。吴道南集：桑乾河過懷來，行兩山間。潘自叔紀纂淵海：西山在順天府西三十里。畿輔安瀾志：西山自沿河口以南屬宛平縣界，重岡疊巘，名稱既繁，桑乾水貫其中者幾二百里，所注之泉不一，束於兩山，別無他道。方輿紀要：分水嶺府西四十五里，山澗諸水至此分而爲二：一入盧溝河，一入房山縣界。東岸河隄始石景山西，是爲第一號。已上據畿輔圖説、采訪册，參縣志。已下參朱其詔永定河續志、招錫恩測量法圖。其圖用工部尺丈量，縮爲四萬五千分之一，以一分當四十五丈，四分當一里，每里一百八十丈，工汛每號大約一里。又東南流三里，逕麗邨西，其四號也。又五里逕夏家莊西，其九號也。又十一里逕拱極城西，在宛平縣治西三十里有奇，明崇禎間築，曰拱北城，國朝更名，游擊以下官駐此。其西則西路廳同知、司獄及宛平巡檢治焉。破夢間譚：議者謂畿輔咽喉宜設兵防守，又須築城衛兵，於是當橋之北規里許爲斗城，名拱北。一統志：拱極城在宛平縣西四十里，盧溝橋東，明崇禎間築，名拱北。本朝更名拱極。按：拱極城在水之東，橋之東北，在宛平治西三十里有奇。自北金溝至盧溝橋之北雁翅，是爲二十號。之中凡十八里五分有奇。西岸一號始，此其水自二十號中出盧溝橋下，逕盧溝司西。据招錫恩測量圖：水至此寬一百五十餘丈，又東南流四里二分，逕二十四號，其西爲六號，水寬二百二十丈，又東南流，是爲東岸北頭上汛一號。又九里，逕北天堂邨西，是爲東岸北頭上汛九號。又南二里逕稻田邨東，是爲西岸十四號。自一號至此，凡十四里七分，接南頭上汛界，水寬一千一百丈有奇。又二里，是爲南頭上汛二號，水寬五百四十丈，有灰壩減河出焉。又一里逕北公所西，是爲北頭上汛十四號，南頭上汛三號。又一里是爲北頭上汛十五號。自一號至此，凡十有五里。接北頭中汛界，水寬六百丈有奇。又三里逕高嶺邨東，是爲南頭上汛七號，其東則北頭中汛三號也，水寬八百五十丈有奇。在胡家莊之西，又里許逕鸄房邨西，是爲北頭中汛四號。又五里逕閻仙岱東，是爲南頭上汛十三號，其東岸則北頭中汛九號也，水寬五百丈。又三里逕六合莊西，是爲北頭中汛十二號。又里許逕南莊西，是爲北頭中汛十四號，其西岸則南頭上汛十七號也。自一號至此，凡十七里，接南頭下汛一號界，水寬四百五十丈。又里許逕馬邨西，是爲北頭中汛十五號。自一號至此，凡十有五里，接北頭下汛界，水寬六百二十丈有奇。又西南流四里，逕夏場邨東，是爲南頭下汛六號，其東則北頭下汛四號，在馬房邨西。又四里逕公義莊東，是爲北頭下汛十號，南頭下汛十一號，出宛平界，水寬四百五十丈。

又南過良鄉縣金門閘，減河出焉。南過宛平縣、涿州，又東南過固安縣。

從宛平南流入良鄉縣東境，是爲北下汛十號，南下汛十二號。按方輿紀要：盧溝河在良鄉縣東三十里。今亦無異。而畿輔輿圖云：自宛平公議莊入縣西南境。方輿紀要又云：廣陽水經廣陽故城南流，與鹽溝水合注桑乾。今考廣陽河爲牤牛河，其注永定河處，不在良鄉縣境。而畿輔安瀾志云：逕良鄉縣東，廣陽鹽溝水入焉。亦誤。永定河李志云：南岸二工三號入良鄉界。今據朱其詔續志。又南流，逕趙家營，即趙莊。在南下汛十三號之北。又南二里逕任家營，南下汛十四號。其北岸東，是爲南頭下汛十四號。又南里許逕任家南場東，是爲南下汛十五號，接南二汛一號界，其東禿尾隄，在北頭下汛十四號之北，曰北張邨，在北頭下汛十四號之南，水寬四百九十丈有奇。又南三里，逕窩兒裏東，是爲南二汛三號，其東則爲北頭下汛十六號，在南張邨北又里許，是爲北頭下汛十七號。自一號至此，凡十有七里，接北二上汛界。又南里許，逕寶南邨西，亦曰寶安莊，在北二上汛一號之南，水寬三百一十丈有奇。又南三里餘，逕南二汛九號，水寬一百八十丈有奇，金門閘減河出焉。詳下。又南流，逕趙邨小渡口，爲北二上汛七號。至此，出良鄉界，入宛平西境。按：北汛在水之西，自此至北三汛十三號，皆宛平境。其東爲南二汛二號，仍良鄉境也。又二里爲南二汛十四號，入涿州，東界陶家營，距治四十五里，水寬二百二十丈有奇。按：永定河李志云：南至南岸二工十九號入涿州界。今依朱其詔續志。畿輔安瀾志：涿州本非渾河所經，自渾河南徙，奪琉璃、胡良、挾活諸河而東南趨於玉帶河。據一統志云：永樂後改。今考明史河渠志：洪武十六年濬桑乾河，自固安至高家莊。則不始永樂朝矣。元史本紀：仁宗延祐元年六月，涿州范陽、房山二縣渾河溢，壞民田四百九十餘頃。則渾河之決涿州，并不自明始，大抵元時既廢金口河，渾河之流經高麗莊，下入通州白河者，漸已淤塞。迨明初，南出之流益盛，故洪武中遂濬治之。高家莊卽新城之高橋窪，流爲高村河，亦卽白溝河之支流也。琉璃、胡良、挾活諸河之水，既爲渾河所奪，益徙而西南，出自康熙三十七年開永定新河以後，渾河之西南衝突者皆東北注，清濁乃分路矣。是在宛平裏河邨西五里，又南二里，逕南二汛十五號，本汛良鄉丞治此。又南三里，是爲北上二汛十三號。自一號至此，凡十有三里，接北二下汛界。西爲南二汛十八號。自一號至此，凡十八里，接南三汛界，其地爲南蔡邨，水寬四百丈有奇。又南四里，逕劉家邨西，是爲南三汛三號。又南流里許，爲南三汛四號，水西之南汛，自此亦出涿州界，入宛平境，按：永定河李志云：南岸三工五號入宛平界。今依朱其詔續志。水寬四百五十丈。又南三里，是爲南三汛七號，涿州州判治此，水寬一百八十丈。又二里，是爲北下二汛十號。自一號至此，凡十里，接北三汛界，仍宛平境也。其西岸爲南三汛十號，出宛平界，入固安境，水寬二百六十丈。又東南二里，逕北莊爲南三汛十一號，有灰壩減河東南出，俗呼太平河者是。（今淤，詳故道。）其東岸逕求賢邨，一名求賢莊，是爲北三汛三號，灰壩減河東北出。（詳下。）又東南五里，逕西玉莊東西玉，一曰許余，是爲南三汛十八號。又二里，逕胡林邨西，是爲北三汛十一號。又二里，是爲南三汛二十號。自一號至此，凡二十里，接南四汛界。其北爲三汛十三號，水之在宛平境盡此，寬四百五十丈。（畿輔安瀾志：宛平縣境南北工汛，沿河邨莊：大嶺，四里；高店，二里；南讀易，三里；北讀易，四里；長新店，六里；玉米店，五里；茨頭邨，七里；趙新店，八里；北岡窪，十里；稻田，二里；董家庵，八里；高嶺，近隄；軍流莊，五里；牛家場，五里；保合莊，四里；朱家岡，二里；閻仙垈，二里；葫蘆垈，二里；夏場邨，一里；佛家邨，二里；滿洲邨，四里；公義邨，一里；玉皇廟附隄坎壇，三里；胡家莊，一里；狼垈，四里；立垈，近隄；盧邨，八里；鵞房，近隄；後辛莊，五里；前辛莊，五里；宋家莊，十里；大付邨，九里；周家莊，二里；羅琦營，十里；新立莊，八里；北臧邨，十里；大減村，九里；小減邨，九里；桑垈，一里；馬房，一里；大營，近隄；王家莊，二里；宋家莊，一里；皮各莊，七里；前官營，一里；留民屯，四里；梁家務，十里；定福莊，八里；趙邨，一里；曹各邨，四里；常各莊，九里；石垈，三里；里河，五里；流石莊，七里；麻各莊，近隄；東麻各莊，三里；西麻各莊，半里；太平莊，四里；小煉莊，三里；魏各莊，六里；小北莊，五里；黃各莊，四里；長安城，二里；煉莊，四里；新莊，附隄；求賢邨，三里；西胡林，一里；東胡林，三里；榆垈，三里；太子務，九里；倉谷莊，九里。按：趙邨店在長新店南河隄西八里。安瀾志：邨謁新公義邨，今名公議邨。大付邨，付當作傳。里河之里，今作裏。）北汛至此，亦入固安縣界。（自此可稱南北者，水流向東居多也。）水南爲南四汛一號，本汛固安丞治此。又東四里，是爲南四汛五號，公所在焉。又一里，是爲北三汛十六號。自一號至此，凡十有六里，接北四上汛界，水寬四百九十丈有奇。又里許，是爲北四上汛，涿州州同治此，其治固安境者，蓋北四上汛官也。又二里餘，逕小鳳窩北，在南四汛九號之東南，水寬三百一十丈有奇。又里許，逕馬家屯南，是爲北四上汛五號。又三里，逕大鳳窩北，在南四汛十三號之南，水寬五百四十丈。又里許，逕曹家莊南，是爲北四上汛九號。又里許，逕竇家莊北，是爲南四汛十五號，其北則四上汛十號也。又二里，逕習莊北，爲南四汛十七號，水寬四百丈有奇。又里許，逕瓦地郈南，爲北四上汛十三號。又二里，爲北四上汛十五號。自一號至此，凡十五里，接北四下汛界，水寬四百五十丈。又里許，逕丁莊北，是爲南四汛二十一號。又三里，逕河津北，爲南四汛二十四號，水寬五百八十丈有奇。又三里，逕爲南四汛二十八號。自一號至此，凡二十七里七分，接南五汛界。又里許，逕良各莊南，是爲北四下汛八號，其南則五汛一號也，在辛務莊之西北。又里許，逕太平莊北，爲南五汛二號。又里許，爲南五汛三號，其北則北四下汛十號也，水寬五百丈，兩岸並出固安縣，東界水之逕境凡三十八里有奇。

又東南，過永清縣。

從固安入永清西北境，是爲南五汛三號，其北則北四下汛十號也。又里許，逕眼照郈南，是爲北四下汛十一號。又里許，逕孫家務北，爲南五汛五號。又一里，逕習莊子南，爲北四下汛十三號。又二里，爲北四下汛十五號，本汛固安丞治此，水寬二百二十丈有奇。又二里，爲北四下汛十七號。自一號至此，凡十六里九分，接北五汛界。又一里，逕北戈奕南，是爲北五汛一號，水寬三百丈。又里許，逕孟家莊北，爲南五汛十七號。又三里，逕曹家務北，爲南五汛十四號，本汛永清丞治此，水寬四百五十丈有奇。又里許，逕泥安莊南，爲北五汛七號。又二里餘，逕何麻子邨南，在北五汛九號之南。又里許，是爲北五汛十號，本汛永清丞治此，水寬三百六十丈。又東南流里許，逕郭家務北，爲南五汛十八號。又里許，逕盧莊子南，爲北五汛十二號，水寬二百二十五丈。又里餘，逕小梁邨北，爲南五汛二十號，水寬三百六十丈。又一里，逕前盧莊子南，爲北五汛十四號。又一里，逕張家莊南，爲北五汛十五號，水寬二百七十丈有奇。又里餘，逕一箇腰北，爲南五汛二十三號。又里許，逕尚莊子北，爲南五汛二十四號。自一號至此，凡二十四里六分，接南六汛界。其北則五汛十六號也。自一號至此，凡十六里四分，接六汛界，水寬二百六十丈有奇。又一里，逕董家務南，是爲北六汛二號。又二里，逕夏家務北，爲南六汛三號，水寬三百一十丈。又二里，逕小京華南，爲北六汛六號。又里餘，逕三間房北，爲南六汛六號，水寬一百八十丈。又一里，逕李黄莊，爲南六汛七號。又二里，逕半截河邨南，爲北六汛十號，本汛霸州州判治此。又三里，逕雙營北，爲南六汛十二號，本汛霸州州判治此。其北則六汛十三號也，在趙百户營西，水寬二百七十丈。又二里餘，逕賀堯營西，爲北六汛十五號，水寬一百八十丈有奇。又三里，爲十八號。自一號至此，凡十六里三分，接七汛界。按：北七汛四十六號，凡四十六里。一號至十八號，永清境；下至四十號，東安境；以下武清境。其南亦爲六汛十八號，水寬二百一十丈。又四里，是爲南六汛二十二號。自一號至此，凡二十二里，接七汛界，水寬二百二十丈有奇。此後以南汛爲主，其水淤衍散漫。又里餘，逕南柳坨東，在南七汛二號南。又五里，逕崔家鋪，是爲七號。又六里，逕辛安莊東，是爲十三號。又里許，逕西埽東，是爲十四號。又二里，是爲十六號，本汛東安主簿治此。永定河續志招圖列之十七號，誤也。又里許，逕趙家樓之東北，是爲十七號。又二里，逕閘口東北，是爲十九號。又二里，是爲二十一號，出永清界，凡逕境六十四里有奇。

又東過東安縣。

從永清入東安境，在治西南二十里。又東南流里許，逕胡家莊，爲南七汛二十二號。又一里，逕佟家莊，其二十三號也。又一里，逕惠家莊，爲二十四號。又三里，逕郭家場北，爲二十七號。又一里，爲二十八號。自一號至此，凡二十八里，接南八上汛界。按：南上八汛，永定河續志招圖譌南六汛。又東流一里，逕馬家場北，是爲南八上汛一號。又二里餘，逕辛莊子北，其三號也。又三里，逕四鋪北，其六號也，本汛武清主簿治此。又三里，逕郎二埝北，爲九號。又里許，逕西埝北，爲十號。又二里，逕南泊北，爲十二號。又一里，逕南陶河北，爲十三號。又里許，逕西陶園北，爲十四號。水至此出東安東南界，凡逕境二十有一里。

又東過武清縣。

從東安入武清縣境，在治西南五十里，是爲南八上汛十五號。又東流一里，逕東陶園北，爲十六號。又一里，爲十七號。自一號至此，凡十七里三分，接南八下汛界。又九里餘，逕王二店北，其十號也。又一里，逕望敵樓北，爲十一號。又一里，逕倒鉤子北，爲十二號。又三里餘，逕三河罾北，爲十五號。又一里，逕小三河罾北，則十六號也。又里許，爲十八號。出武清東南界，水逕武清境二十一里有奇。其水之逕順天府境凡四百里，至此入天津縣境，合鳳河，又會大清河、子牙河、北運河，爲三汊河。又會南運河入海。雲龍永定河尾流考：永定河東流出武清界，入天津境，自魚壩口而東，鳳河西北來，入之，過此有鳳河名，無永定河名，然則鳳河尾流亦即永定河尾流也。又東南，逕韓家樹北，注曹家淀，水在鳳河東隄之西，葉淀之東南，南至韓家樹，北至雙口，長十五里，寬二三里不等，受永定河、鳳河之水，合大清河，又東南，逕西沽，俗曰西河，水經沽水注所謂沽河。又東南至漁陽雍奴縣，西入笥溝是也。雍奴今武清。漢雍奴縣屬漁陽郡，後魏爲郡始，故酈注直云㶟水東入漁陽，所在枝分。又云：笥溝，沽水別名也。方輿紀要云：三角淀東會於直沽港，一名笥溝水。一統志：西沽形如丁字，故又名丁字沽。其上，今總名淀河。畿輔唐志云：淀河在天津縣北，永定、子牙、清河之會流也。自河頭至丁字沽，入北運河，長四十里。畿輔安瀾志曰沽河，即西沽，浮橋下之河。從前永定、子牙、清河三水會流。今子牙自爲一河，由天津縣北之紅橋下會北運河，而淀河則總會永定河，仍歸於西沽，會北運水。一統志曰：南則衛河，受南路之水；北則白河，受北路之水；西則丁字沽，受三角淀之水；皆至城東北三汊口，合流東注，舊名小直沽，其東南十里曰大直沽，即通典所謂三會河口也。然則導永定河者，亦當視此，尾流之水又東入海河，達於海。

鳳河源出南苑。

形如鳳，故名，其水出大興縣境。

南苑團河詳京師水道。在西紅門之東南，黄邨門之東北，東南流二十六里，出南苑東南隅，逕閻家營東。又里許，逕垡上營西。又里許，逕石州營東。又里許，逕留民營西。又里許，逕新七營西。又里許，逕沁心營西。又一里，逕趙縣營東。又一里，逕長子營西。又里許，逕鄭家營東。又里許，逕北蒲州營東。又半里，逕潞城營西。又里餘，水出崔家橋，又半里，逕申隄營西。又半里，水出北橋。又一里，逕周家營東，水出橋下。又一里，逕采育營西，巡檢及都司駐此。水出大板橋，又半里，水出小板橋。又里餘，水出南石橋。又半里，逕北沙窩營西。又半里，逕沙窩營東。又三里，逕蔡新莊西、在城營東。又二里，逕包頭營東，水出小紅橋。又里餘，逕大、小皮匠營東。又二里，逕利市營東。又東流三里，逕段家營北。又二里，水出紅橋。又四里，逕苑家口南，其水北則鳳河營把總駐焉。又五里，出東南界。凡逕大興境，六十里有奇。

又東過東安縣北。

從大興縣入東安縣境，在治北三十六里。東流里許，逕隄上營北。又東北流六里，逕龍門莊西。又四里餘，逕半壁店西。又三里，出界。凡逕東安境，十三里有奇。

又東過通州南。

從東安入通州境，在治南少東五十餘里。東流里許，逕小甸屯南。又四里，逕回回營南。又里許，逕馬房西，涼水新河西北來注之，水詳北運河。

鳳河又東南流二里，逕三垡西，又里許出界，凡逕通州境九里。

又東南過武清縣，至天津縣入海。

從通州入武清境，在治西北二十里。東南流六里，逕堠上邨西。又九里，逕巨城鋪北。又東流三里，逕韓邨北。又二里，逕治北九里。又四里，逕扶頭邨南，水出扶頭橋下。又半里，逕桐林北，港溝西北來注之。詳北運河。又東北流三里，逕三間房南。又東折南四里，逕大小王莊西。又二里，出漫漫橋。又六里，出楊店橋，在治東十里。又東南六里，出程校尉橋。又東南十里，出泗邨店橋。又五里，出南宮橋。又二里，逕南宮東。又八里，出柳巷橋，在柳巷之東。又三里，逕東洲東。又半里，逕寺兒上西。又屈西南流五里，逕土城東，又出城上橋。又里許，逕艾甫莊西，水出艾甫莊橋。又五里，水出龐莊橋。又五里，水出蕭莊橋。又二里，出界，在魚壩口東，凡逕武清境一百二十餘里，入天津西北境，與永定河合。

減河之存者，凡三。

金門閘減河，由童邨入清河。據永定河續志二，餘詳故道。

求賢邨減河，在宛平縣境，引入鳳河。據畿輔安瀾志，參永定河續志二。

南上汛減河，出二號，逕稻田邨，又保和莊，入清河。據永定河續志二。

巨馬、琉璃、牤牛諸河，詳清河。

其故道，灅水東過昌平縣，温水注之，又東過昌平縣故城北。按桑經酈注，與今水異道者，皆故道也，安瀾志多奪。水經灅水注，桑乾與灅水並受通稱，灅水東逕昌平縣，温水注之，水出南墳下，三源俱導，合而南流，東北逕灅水。灅水又東逕昌平縣故城北，王莽之長昌也。又東北谷河注之，水出昌平縣故城南。又東北入祁夷水，祁夷水又逕昌平郡東。又北連水入焉，水出雊瞀。雲龍水經灅水注昌平縣攷：水經灅水注，一則曰東逕昌平縣，再則曰東逕昌平縣故城北，三則曰祁夷水逕昌平郡東，魏太和中置，然則灅水與桑乾水互受通稱，昌平爲厥故道矣。趙氏注釋曰：一統志，昌平故城在蔚州北，魏太和中置。漢昌平縣屬上谷郡，今順天府昌平界是也。今蔚州乃漢代郡地，漢時桑乾爲代郡治，不應上谷之縣反在其西，昌平縣是後魏所僑置，水經注以爲卽牽招所屯，非是。地形志失太和置郡縣事也。趙說甚辨。然攷酈注，昌平郡縣不同治，在漢昌平縣西所謂故城者，卽漢昌平縣治也。紬繹酈注，參之史志，自知漢地理志上谷郡下，云縣昌平自注，莽曰長昌，續漢郡國治廣陽郡下，云昌平故屬上谷，其後魏屬燕國，黄初中，屬燕郡。晉屬燕國。入石趙，屬燕郡。地理韵編今釋曰：今順天府昌平州東南，是後魏以前無徙置昌平縣事。酈云故城，卽此。故下云，王莽之長昌也。昔牽招爲魏鮮卑校尉，屯此。酈不述此於昌平縣下，而述之於故城，至爲明碻。據韵編，魏昌平郡，今順天府昌平州西十七里。考昌平郡昌平縣，置於太和，陷於孝昌。天平中復置，爲平昌郡治，有地形志、寰宇記、方輿紀要可證。太和所置郡，地形志雖未之載，然魏書京兆王傳云：羅侯家於燕州之昌平郡，就拜昌平太守，此後魏置昌平郡之碻。左酈注：由縣及郡，明同置也。先縣後郡，著異治也。曰縣，曰郡，不必其治。如謂上谷之縣，必不在代郡屬縣之西，則㶟水注何又云佟水逕且如縣，又東南逕馬城縣故城耶？犬牙交錯，水逕曲折，不足疑矣。如謂僑置，則後魏僑治昌平境有廣武、沃野二縣。地形志不云昌平爲僑，此無足深辨者也。其爲今州境與否，仍於酈注證之。昌平縣下云：東逕昌平縣故城。据知，太和中所置昌平縣，在今昌平之西，與天平中置縣相距不甚遠也。昌平州在蔚州東北，與一統志亦無大異。宣化府志謂漢魏以至後魏之昌平縣，爲西甯縣地，亦非也。今西甯在漢爲桑乾、陽原、東安陽三縣地，後漢爲桑乾、東安陽二縣地，晉爲代、安陽二縣地，皆與昌平無涉。

又南爲清泉河。

㶟水又東南，謂之清泉河，俗亦曰干水。水經：㶟水又東南出山。注：㶟水自南出山，謂之清泉河，俗亦謂之曰干水，非也。

又東南過良鄉今房山。縣北。

㶟水又東南，逕良鄉之北界，歷梁山南，高梁水焉。㶟水注。高梁水詳下。

又東過廣陽今良鄉。縣故城北，又東北過薊州故城南。

水經云：㶟水過廣陽、薊縣北。注云：東逕廣陽故城北，㶟水注：謝承後漢書曰：世祖與銚期出薊，至廣陽，欲南行，即此城也。謂之小廣陽。又東北，逕薊縣故城南。魏土記曰：薊城南七里有清河，而不逕其北。蓋經誤證矣。

按桑經酈注，南北異説，或水流變遷各有所据，亦桑乾水下流無定之一證，遽謂經誤，亦可不必。

又東與洗馬溝合，其水西注太湖，合玉淵潭、燕家泊，流爲西湖。

㶟水又東，洗馬溝合，水上承薊水，西注太湖。湖有二源，水俱出縣西北平地，導源流結西湖。湖東西二里，南北三里，蓋燕之舊池也。㶟水注。玉淵潭、燕家泊諸水入焉。名勝志：洗馬溝在府西南四十五里，相傳光武北巡，洗馬於此，故名。太湖在府治西四十里，南流入洗馬溝，與玉淵潭、燕家泊諸水匯而爲西湖。畿輔安瀾志：水經注：上承薊水，即今柳林河是。洗馬溝、太湖、西湖，皆舊爲㶟水所匯，不可略也。今渾河不由府東，其水始流爲玉河，合於大通河。

燕家泊入玉淵潭，亦曰丁家潭。方輿紀要：燕家泊在府西北二十五里，廣袤五十餘畝，東南流入府西十里之玉淵潭，亦曰丁家潭。西湖源出玉泉山，詳京師水道。東流爲洗馬溝，其水又東入灤水。

又東，過燕王陵南。

灤水又東逕燕王陵南，陵有伏道，西北出薊城中。灤水注。又注：景明中，造浮圖，建刹，窮泉，掘得此道，王府所禁，莫有尋者。通城西北大陵而是二基趾，磐固猶自高壯，竟不知何王陵。趙一清注釋：按魏書地形志：燕郡薊有燕昭王陵、燕惠王陵，後人遂因此誤以燕刺王旦戾陵當之，非。戾陵在薊西南，此陵在薊東南，觀道元所敍高粱河甚明。按鮑邱水注：梁山燕刺王旦之陵，故以戾陵名。安瀾志：據以證此燕王陵，非也。

又東南，高粱水從燕王陵北、戾陵南東流注之，其水分流爲車箱渠。

灤水又東南，高粱之水注焉。水出薊城西北平地，泉流東注，故俗諺曰：高粱無上源。

灤水注。天下郡國利病書二，昌平州志云：高粱河自并州黄河之別源，東逕州治沙澗，又東南，逕高粱店入都城海子。按水經注：高粱水出薊城西北平地泉。是高粱水不出并州，況可云黄河別源乎？雲龍高粱無上源之説，或者疑之，灤水注，水出薊西北平地上。文又云：灤水歷梁山南，高粱水出焉。鮑邱水注，又引劉靖碑遏表云：高粱河者，出自并州，黄河之別源也。酈注近歧，此可疑者也。長安客話：高粱河發源西山，匯流爲西湖，東爲小渠，由此入大興，稱玉河，水急而清。一統志：高粱河在宛平縣西。舊志：高粱河在西直門外半里，自昌平州沙澗東南流，逕高粱店，又東南流入都城積水潭。遼時，耶律沙與宋兵戰於高粱河，卽此。金時渭之阜河。上有高梁橋，今爲玉河上流，卽玉泉山水所經，別曰高粱者，存古名也。諸説源歧，此又可疑者也。灤水注既云水出薊西北，又引魏土記曰，薊東一十里有高粱河之水者，其水又東南流，入灤水也。太平寰宇記：高粱河在薊縣東四里。明地理志：大興縣有梁河，在西北，與一統志引舊志在西直門半里，或東西互異，或里數不同，此又可疑者也。今按灤水注云：高粱微涓淺薄，裁足津通，憑藉涓流，方成川甽。此指薊西北平地時言。歷梁山，逕燕王陵之北、戾陵之東，是爲東注灤水之始，里數參差，其變遷也。沙澗、玉河皆其憑藉，與酈注泉流東注正合。入灤水後，卽爲灤水支流。灤水與桑乾水互受通稱。五代志：黄水河至應州西北，注於桑乾水。元河渠志，以盧溝爲小黄河，是卽以所入水目之，然則劉靖碑別源云者，亦因高梁無源，姑以入桑乾之黃水河爲其源耳，與長安客話所云發源西山，一統志所云玉泉山水以玉河源屬之高梁，意同。高梁憑流藉源，與它水自有源者異，故酈注云高梁無上源。

逕燕王陵北，㶟水注。戾陵堰南。據鮑邱水注。雲龍水經注燕王陵非戾陵考：㶟水注云：㶟水東逕燕王陵南，又東南高梁水注之，水逕燕王陵北。鮑邱水注云：高梁水首受㶟水於戾陵，水北有梁山，山有燕刺王旦之陵，故以戾陵名堰。據知，逕燕王陵南者，㶟水也。逕其北者，高梁水也。高梁水北有戾陵，則水逕戾陵南，明甚。燕王陵，酈云不知何陵，戾陵則鑿鑿言之。而畿輔安瀾志乃云燕王陵卽戾陵，而不知何王陵者，又一陵也，其説近謬。燕王陵二：一靈王，一康王。趙氏注釋已據蔡珪傳辨之，故不贅。

水自堰枝分，東逕梁山南，又東北逕劉靖碑北。碑云，魏劉靖以嘉平二年立遏於水，導高梁河，造戾陵遏，開車箱渠。其遏表云：高梁河積石爲遏，北岸立水門。景元三年，樊晨更制水門，水流乘車箱渠，自薊西北昌平，東盡漁陽潞縣。晉元康四年，子宏監幽州軍事，五年車箱漫溢，修治刊石。鮑邱水注。方輿紀要：車箱渠在府西北，元康五年，靖子宏復修治之，後廢。後魏正光二年，裴延儁刺幽州，案戾陵諸遏，廣袤三十里，表求修復營造。畿輔安瀾志：車箱渠引高梁之水以成者。地形志：燕郡薊有戾陵陂，卽車箱渠也。按酈注，梁山或云卽石徑山支麓。車箱渠在府西北。詳上注。又東南，逕薊縣北。鮑邱水注。按㶟水注云，又東，逕薊城北。又東至潞縣，注於鮑邱水。又東，逕潞縣故城西，王莽之通潞亭也。鮑邱水注。又注：漢光武遣吴漢、耿弇等破銅馬於潞東，謂是縣也。按：此卽㶟水注所謂又東南流者是。屈而東南流，逕潞城南。鮑邱水注。按：高梁河金人謂之皁河，大通河卽高梁河下流也。㶟水又東至漁陽雍奴縣，西入笥溝。笥溝，沽水別名，㶟水注。此魏前故道也，在今宛平、大興、昌平、房山、良鄉、通州、武清境。

北齊導高梁會潞。

幽州刺史斛律羨，導高梁北合易京，東會於潞。據北齊書斛律羨傳。其後改流分派二：一東南；一西南。東南流，金引爲金口河，尋塞，元開之，復塞。金口河卽今東西金溝。畿輔安瀾志。金大定十年，決盧溝通溝，已而罷之。十一年復自金口導至京城北入壕，東至通州之北，入潞水，二十七年塞。金河渠志。元開金口河一百二十餘里，放西山金口水東流至高麗莊，合御河，沙泥壅塞。據元河渠志。方輿紀要：金口河在府西三十五里東麻谷，卽盧溝河東岸。金人於此，分引盧溝河一支，東流穿西山而出，以通漕運，視都城高十四丈餘。金末恐暴漲爲患，塞之。春明夢餘録：金口在京西，通盧溝河。畿輔安瀾志：金口河卽今東西金溝。金元來，此河雖開，而終未成。渾河水濁，甯可出於僥倖，且自來紀載，以爲渾河至看丹口分爲二，方輿紀要引元史爲東麻峪。考元史河渠志，盧溝河至都城四十里東麻峪，分爲二。不言方向。明史、明史稿兩河渠志删此三字。吴道南集、吴訥集、河防志、方輿紀要，今水經薈叢諸書，皆云至看丹口分爲二。河防志明指爲在盧溝橋下。紀要、明史地理志又因之。今河隄二工汛，有東西麻峪村，宜在盧溝橋下矣。第金口河，似水出金山口得名。一統志：金山，甕山之北。則此河口定在盧溝橋上。觀元史郭守敬傳及名臣事略，俱云燕京之西麻峪村。而金史河渠志，又云孟家山金口牐，下視都城。詳其形勢，斷不在盧溝橋下分水。且山谷不變，而村或屢移，亦未可據今之村定昔之地也。竊意麻峪村有二：在金口山爲西麻峪，此金人導水之處；在盧溝橋下者爲東麻峪，此元人引渾河會白、榆二河爲通惠河者也。明一統志，清河源自昌平縣西南一畝泉，經燕丹村東南，合榆河，則是上下相去七八十里，豈可并而爲一？而紀要前既引元史，證看丹口爲東麻峪，而於金口河復云在順天府西三十餘里東麻峪村，卽盧溝河東岸，是金口河與看丹口又無別也。又明實録：成化七年，户部尚書楊鼎、工部侍郎喬毅請開通惠河，奏云：今其水從皇城金水河流出，難尋故道，其白浮、一畝泉、三里河、草橋、金口諸水，皆不可引導。又云：元人開此河，曾用金口之水，其勢洶涌，衝没民舍，船不能行，卒爲廢河。是此河久不與通惠相流通，今東麻峪村惟永定河經由其地，更不復有他水口開引東向，古今水道之一變遷也。元引爲通惠河，文明河注之，明三里河爲文明河故道，出大興縣西，又東南注於盧溝河。

渾河自宛平東流，逕大興南，卽桑乾故道也。一統志。三里河上淤，詳京師水道。出都城，西逕都城東南十里，至煙墩港入渾河，傳澤洪行水金鑑。元時名文明河，接通惠河，爲糧儲運道。一統志。直通張家灣。注詳下。明湮。一統志。自濠三里至八里莊，始接渾河。明疏議輯略：漕運總兵官都督楊茂上言：京城南原有三里河，直通張家灣煙郭橋，自橋往西疏濬，深闊二十餘里，卻將煙郭木橋改作弔橋，糧船到彼灣泊，可免漂流之患。若將此河濬深，直至三里河，作平水壩，壩三四截，于內置扁淺剥船，令運船由此盤壩，以達京師，歲可省車腳數百萬。明憲宗實録：成化十年十月，户部尚書楊鼎、工部侍郎喬毅上浚河事宜。上命同漕運參將袁佐踏勘。勘得城南三里河至張家灣運河口，袤延六十里，舊無河源。正統年間因修城濠，作壩蓄水，慮恐雨多水溢，于正陽橋東南低窪處開通濠口，以泄其水，始有三里河名。自濠口三里至八里莊，始接渾河舊渠，兩岸多人家廬舍墳墓，流向十里迤南，全接舊河，流入張家灣白河。其水深處止有二三尺，淺處一尺餘，闊處僅丈餘，窄處未及一丈，又有走沙，天旱則淤壅淺澀，雨澇則漫散衝突，勢不易開。桂文襄集：正陽門外東偏，有古三里河一道，繞出慈源寺、八里莊、五箕花園一帶，直抵張家灣煙墩港，地勢低下，故道俱存，冬夏水脈不竭。見今天壇北蘆葦園、草場九條巷，其低下者，俱河身也。高者舊馬頭，明白易見，不假經畫，稍加修治，卽可復也。但坿近勢家莊園，故成化六年楊茂雖嘗建議，而不敢盡言，但請置壩而已，後亦竟沮不行。成化十二年踏勘，而勢家賄通欽天監，以地居京師子午方位爲説，不知三里河乃在都城巽巳，實非子午方也。今誠按此修濬，則公私大船俱可直抵三里河，不但便剥船而已。畿輔安瀾志：又一支自宛平縣東流，逕大興縣東南，三里河水注焉。案明憲宗實録：命户部尚書楊鼎、工部侍郎喬毅查勘通惠河故道，故鼎等有此奏，此成化七年事，然云接運河舊口，則東流一支時已湮涸矣。桂萼請開三里河事，在嘉靖六年。

盧溝河東南流過大興、東安、武清，入白河。

自宛平東流，逕大興縣南，至東安、武清，入白河，卽桑乾故道。一統志。元河渠志：渾河從大興縣流至東安州武清縣，入漷州界。

其分流由看丹口過通州，合潞河。

明盧溝河出盧溝橋東南，逕看丹口，分爲二，此其東流一支也。南流入霸，詳下。吴文恪集：桑乾河至京城西四十里石徑山之東，地平土疏，衝遷徙不常，至看丹口，分爲二：一東流至通州高麗莊入白河，是爲渾河；一南流至霸州，合易水，又南至丁字沽，入渾河。逕通州西十三里高麗莊，又東南，逕州南十五里之張家灣，與潞河合，此即灅水注清泉河，東流與潞河合之故道，今無水。明外史河渠志：桑乾河至看丹口分二：一東流通州，入白河；其一南流霸州，合易水。河防志：渾河出盧溝橋下，東流至看丹口分爲二。方輿紀要：高麗莊，通州西十三里，盧溝河所經。通州渾河在州西南，自盧溝分流，經州南十五里，謂之張家灣。明河渠志：宣德七年，侍郎王佐言：通州至河西務道淺狹，張家灣西舊有渾河，請疏濬。帝以役重，止之。燕録：白河至州東折而迤西處，曰張家灣，蓋盧溝河與白河會流處也。行水金鑑：白、榆河，二河之水合流，名曰潞河。一統志：和合驛在通州東南三十五里，舊名合河驛，以白、榆、渾三河合流而名。明永樂初置。萬曆間，移置張家灣，改今名。舊聞考：舊自宛平縣東逕大興縣南，至東安、武清入白河，即桑乾故道也。元時自宛平分流爲二，舊渠堙塞，其南出者，明永樂間改西南流，嘉靖初徙固安北，東入永清，經霸州東北，達信安入海。萬曆中，徙固安西十餘里。尋復徙城南，泛溢固安、永清之境，後徙固安北。畿輔安瀾志：又東南流，逕通州高麗莊、張家灣，與白、榆二河合，是爲潞河。此即水經注高梁河東流與潞河合之故道，今無水。酈道元以沽河爲西路，鮑邱水爲東潞，高梁之水注之。明代渾河舊流適與古合，鮑邱水上承大榆河，故行水金鑑、一統志皆以榆水易之。

又改流，東過永清東。

今永定河逕永清趙百户屯，東南流。詳前。其東出者，故道也，逕河西屯南，又東逕萬金營南，又東逕南人營出界。據采訪輿圖。

又東過東安、武清，合鳳河。

故道從永清縣東逕東安縣西麻子莊南，又東逕石橋郙南，出小石橋，又東北，逕御碑亭南，又東，逕吉安屯，吉安屯在挑河頭南。分爲二：一東北流，逕楊官屯南，又逕莊夥南，又逕羅官屯北，又逕沙窩南，又逕東辛莊北，出界，入武清西境，又屈北，逕解口東北，又逕七字隄東北，又逕雙廟北，又逕南宫郵南，爲入鳳河故道。一東南流，逕東安金官屯北，又逕史家莊北、羅官屯南，又迤司莊北，又逕響口北，出界，入武清西境，在東北支流之南五里許。又東北逕李莊南，又迤辛店南，又逕馬家營南，黄花店在其南，外委駐焉。又逕石各莊，有倉，又逕龐莊南，亦爲合鳳河故道。據采訪圖册。按畿輔輿圖，謂東南流者，爲東北流，今不敢沿此，東南流乃東安境支流，非入霸州之一派。先是，東流逕通州，武清縣西南境，又東龍河之水入焉。據畿輔安瀾志。按：其水後入鳳河，詳下。

其一支西南流，過涿州東，固安縣北，又徙縣西，又徙縣南，奪廣陽、鹽溝、琉璃、挾活、胡良諸河道。

涿州茨邨西，琉璃河東岸有渾河決入之口。一統志：琉璃河南入涿州界，自琉璃橋東行可四十里，折而東南，可二三里，得挾河口，又東南二十里，得巨馬河口，又東南七八里，爲茨村，正西去涿州三十里，東岸有渾河決入之口。土人云：舊時渾河從固安之故城村決，而西南至茨村東北，合琉璃河，遂直衝茨村，分爲二。後渾河漸徙而東，至康熙戊辰，始盡掩塞，不復相通，而琉璃河遂南入新城縣界。其故道由涿州東逕固安、永清、東安、霸州界，皆爲渾河所奪。元末、明初，自盧溝流入固安縣境。嘉靖初徙縣北十餘里，東流至縣東紀家莊北，分爲二。萬曆中又徙縣西十餘里，東南流，逕黄垈北而東南入霸州界，尋又徙縣南城隄下。四十一年，泛漲彌甚。後又徙縣北榆垈店，又徙龐家莊。據畿輔安瀾志、陳崇砥固安縣志。方輿紀要：桑乾河自良鄉流經固安縣界，又東南流入東安縣境，合巨馬河。志云：正德中，桑乾河隄潰決，嘉靖初，徙流縣北十里，入永清縣界。一統志：渾河，元時自宛平分流爲二，後舊渠堙塞，其南出者，永樂後改西南流，經固安、新城、雄縣至霸州。嘉靖初，徙於固安縣北十餘里。萬曆中，又徙固安縣西十餘里，尋徙城南，泛溢固安、永清後，又徙固安北。畿輔安瀾志：水經㶟水篇，又東南出山，過廣陽薊縣北。酈道元注引魏書土地記，在南之文，證其誤，終不及涿、固以下，可知此水雖南，而下流未之改也。隋大業七年，征高麗，行宜社禮于薊城南桑乾水上。桑乾之在薊南，可知也。金史本紀：世宗大定二十六年五月，盧溝決於上陽村，湍流成河，遂因之。盧溝之決而西南出，實始於此。大抵水性就下，亦東趨。金元之世，以其偪近都城，恐有衝突，不得不閉東流，使之西南注，拂逆其性，乃告厥災，然止及於東安之境。元河渠志，書渾河決溢在武清者二，在東安者一，卽鳳河所行之一支，猶未及固安也。明洪武十六年，濬桑乾河，自固安至高家莊八十里，見河渠志。永樂二年十月，修固安渾河決岸，見實録。則固安之被水，殆元末明初之會乎？本朝自康熙三十七年開河，但令不使直奪琉璃諸河，更不使漫入白溝爲京西南之患，然自固安以下，導入霸州玉帶河，計其方位，終不離乎西南也。旋有柳岔之改，則漸移而東向。及范甕冰窖，屢改下口，至今北大隄之放水，東趨之盛，於斯而極，且又合於古入笥河之故道，然而上流仍出固安，則其西南一折，未能全改，所以今日防河之患，全在於此。每年伏、秋大汛，總督移駐固安防守。又固安舊道有二：一支由西南入新城，抵雄縣，合白溝河；一支迤南抵霸州，合巨馬河之下尾，又會南易水。其入新安者，順治十一年所徙。其入霸州者，謂之故道，自縣西北境北村，遷楊僊務北岸爲西徐村、公田村、馬大人村、金撥拉，又分二支，一由公主府對岸爲唐陽村，又東北逕縣城十里鋪隄下，又東南逕劉村，其中曰柳泉，東南爲西時村、嚴村、韓寨村、馬房村、王旗營、焦垈、賀家營、乂家鋪，而東入霸州界南岸，爲新莊村、翟村、沙陀村、雞城、方村，與金撥拉一支分派，其中爲家移村，北岸爲石家務、無爲村、高吴村、琉璃村、半邊店、沙垈、翟村、趙家莊，南岸爲彭村、白隄村、黄垈村、楊家莊、城郭村，其中爲牛墕壁。一統志：牛墕壁在固安四十里，與霸州接界。又東北逕王龍村、紀家莊而入霸州界，此明萬曆年所徙也。並在縣城西南境。康熙三十七年所開之新河，則在縣城東北境。固安築城記：崇禎八年時，渾河直抵城南十里鋪隄，間或水溢，殆與隄平，故築甕城以備水。

又過新城縣、雄縣，而東過永清縣南、東安縣西，又從固安縣南流過霸州，奪巨馬河道。

渾河西南逕新城縣東北，合白溝河，又南逕雄縣，入柴禾淀，卽西淀也。東決則漫永清縣城南，而東逕東安縣西界。又自固安縣南決，入霸州境，奪巨馬河之尾，而合易水。

據畿輔安瀾志。一統志：故渾河在新城縣東三十里，舊自固安縣分支流入逕雄縣東北界入霸州。自明以來，遷徙無定。柴禾淀在雄縣東南十餘里，長三十里，白溝河諸水皆匯此淀。陸隴其畿輔地圖記：桑乾河一支入新城縣境，東轉，流入霸州。新城縣志：白溝在縣南三十里，源出山西代郡淶山，至淶水、定興，爲巨馬河，至新城，爲白溝河。明實録：宣德六年正月，順天府尹李庸奏：永樂中，渾河決新城縣高從周口，衝激泥沙，遂塞霸州桑園里、牛家莊，約四里餘。□年水漲，無所通洩，涌漫倒流，并灌海子凹、牛欄等處，請量起民丁修理。從之。按霸州志：渾河順治間決于新城之九花臺、南里諸口，即十年事也。據知，新城水患不自明，止南里社在新城縣治東北四十里九花臺。新城志云：菊花臺在治東三十里。畿輔唐志：西淀跨雄、新數邑之境，自雄縣來者曰白溝河，巨馬下流也。雄縣志：邑令姚文燮曰：由東北而決雄之馬家務、洪城等村者，涿之琉璃河、胡良河、渾河也。光禄郭守謙言其要在開茆兒灣之十王、中亭二河，以分殺琉璃等河。春明夢餘録：盧溝一南至霸州，合易水。王瓊漕河圖志：盧溝河又逕霸州苑家口。方輿紀要：盧溝河在東安縣西，自固安縣入境。元志：皇慶初，渾河水溢決東安境黄堝隄一十七所，是也。又東南合霸州之拒馬河。拒馬河自霸州流經東安縣境，又東入永清縣界，而注於武清縣之三角淀，即盧溝河及易水下流也。永清舊志：明萬曆三年，撫臣王一鶚築河隄，障水東流。三十三年復抵縣界，直逼城垣。李光昭東安縣志：縣治舊在常道城東，耿就橋行市南，經渾河衝決，洪武三年移治於常道鄉張李店，即今治也。畿輔安瀾志：巨馬河自定興縣東、南、北，中易三水，會於河陽渡，名曰白溝河。入新城、容城二縣之境，下入雄縣之柴禾淀，與西北諸水相亂。即其在西淀中，亦不能確指何水爲巨馬之正派，蓋不過随其方位而斷之，以爲巨馬河亦經由此也。藉曰合流，亦在霸州城北，即是巨馬河之下尾，不得延及於州東北境上。夫巨馬，即淶水也。班志，代郡廣昌下分注云：淶水東至容城入河。又涿郡，涿下分注云：桃水首受淶水，分東至安次入河。然則巨馬於容城入河，而桃水首受淶水，乃於安次入河，東安之水爲桃水，而非淶水矣。故水經淶水篇云：又東北，過渤海東平舒縣北，東入於海。酈道元注，即明之曰：地理志曰淶水東南至容城入河，即濡水也。蓋互以明會矣。濡即北易，淶水舊與之合，與今水道無殊，其爲桑乾所奪，則元明以來事。況會大清河及霸州而傳送於東淀，支分益多，下尾愈隱，古以信安之地爲劉琨拒石勒而得巨馬之名，本屬傳聞之謬。酈注淶水以此事係之固安西南界，且不及雄、鄚之間，而況益津以東乎？今永清縣在固安之東南，霸州之東北，巨馬河豈能同繞曲折如此耶？詳其逕道，直是渾河，而概以巨馬之名，易之也。然則霸州而東北流，則先經永清，後經東安，蓋東安又在永清東北，若以爲元時由東南一支出經東安，而後入永清，則東安又非巨馬河所得行之道。記載如此，何以傳信？今宜斷爲渾河故道，而不當名之曰巨馬也。釋水者終當以漢志、水經注爲正。又按霸州志：渾河，明正德初在南門外，嘉靖中徙州城北，後徙固安縣北十里鋪，其支流州自半壁店、李家口，繞州東北境内鋪疙瘩、白墳、采木營，繞信安半壁店，在通濟橋西，鋪疙瘩在城北二十里，白墳村在城東二十里，采木營在城東三十里。按：安瀾志之説甚辨。然於水經注亦未之審，即如水經巨馬水注曰東逕益昌故城南，所謂益昌者，在今霸州東北，即今永清也。乃云巨馬河豈能回繞曲折？如此何與巨之作拒，原謬。然酈汪引石勒事在常道城東，安次故城西下。常道、安次皆在今東安縣境，是固安東北，何云西南界耶？巨馬河故道，詳下。

又東流，過保定縣。

渾河從霸州西來，逕玉皇閣經臺山，合玉帶河，達東淀。據成其範保定縣志、畿輔安瀾志。

又東南過文安縣。

逕口頭邨，合琉璃諸河，會於會通河。楊朝麟文安縣志：自霸州至者爲廣陽水、涿水、范水、鹽溝水、盧溝河、胡良河、拒馬河、挾河、琉璃河、沙河、龍泉河、玉帶河、磁河、沮河、霸水，共十五河。其自霸州注者鹿疃下不數里，至口頭村，又會桑乾、改歸柳岔口。琉璃等河，會於會通河，直射南隄，此口頭所以易潰也。苑家口一河匯巨浸者七十，往時桑乾逕方城北，今經益津，南注會通河，橫截西來諸水，波濤涌溢，益津首罹其災，餘波及於豐利矣。渾河決口，是益津受害固甚，而文安之受害尤甚。康熙三十七年築隄，四十年成功，霸州、文安永無渾河之患。

又南過大城縣。

南逕大興縣界，幾欲潰子牙河西北岸而與之合。築隄防流，乃東徙。畿輔安瀾志。按文安楊志：順治十年，河決大城分汛。此亦順治前水逕大城之證。國朝，渾河改道固安縣西。

先是，明渾河流徙固安、永清，又徙固安縣北。詳上。國朝順治八年，從永清縣界徙固安縣西七十里，與白溝河合流，此第一次改道也。據永定河續志二。十一年復改流縣之公邨西，與清水合流，西南入新城境，至霸州城南，溢爲巨浸。據一統志，參諸書。固安陳志：永定河出盧溝橋下，流縣界，順治十一年始從公村溢流，與清河會。按一統志曰：順治十年，水大漲，由固安縣之故城邨南，泛濫縣之東北，下入雄縣。康熙十一年，復歸固安。三十七年，永定河告成，始不入縣境。據此，知十年水已漫決。霸州志曰：順治中，每決於固安之巨羅垡，由州至西城北，東入清河。後更決於新城之九花臺、南里諸口，而州城之西南境成巨河。天下郡國利病書三：順治十七年八月，御史陸疏言：霸州城南之地，保定縣河北之田，文安縣東窪等處，俱坐落隄外，向時止有琉璃河水道，故十年五潦，以五年之收，賠五年之潦，民止勞其力，而未嘗盡其財。自順治十年間，渾河南注，從霸州城下達口頭村，而赴東泃，渾波所過，蕩爲巨津，三處之地，皆成水府，淵深不測，一望汪洋，數十里千頃之良田，久已問諸水濱矣。此第二次改道。

又改道霸州善來營。

康熙二十七年，改道善來營，入玉帶河，俗謂之霸渾河。善來營在霸州城東南十五里。據周乃大霸州志、畿輔安瀾志。永定河續志二：康熙二十七年，河從善來營入玉帶河，舊從固安縣之故城村，決而西南，至茨村，合琉璃河，直衝茨村，分爲二。後漸東，至是築塞，不復相通，琉璃河遂南入新城。其故道由涿州、固安、永清、東安、霸州者，悉爲渾河所奪。此第三次改道。先是，七年七月，渾河決盧溝，逕雄縣，復改道宛平之龐哥莊，類此皆徙流之小者，難可次計。雄縣志：康熙七年七月地震，大水，渾河決盧溝，遂東奔雄縣，先及高阜，四溢村莊。舊志載本邑之何哥莊，後遷宛平縣之龐哥莊，淤塞不可議復，水發率無故道可歸，泛流成河，不可勝計，向來民居耕穫之地，今則帆檣四達。

又復永清縣東北故道。

在三十一年。詳河工，下同。此第四次改道。

又改道良鄉、固安、永清。

三十七年，河改自良鄉老君堂舊河口，逕固安北十里鋪，永清東南朱家莊，受東安狼城河，又逕霸州牛眼邨、柳岔口，注三角淀，達於西沽入海。賜名永定。此第五次改道。按：柳岔口亦曰柳汊口。東安李志：康熙三十七年，疏濬並施，自盧溝以下，由固安之楊村圪頭，經永清之郭家務，霸州之牛眼，大城之辛張歸淀。畿輔安瀾志：康熙三十七年開河，由狼城淀入東淀。三十八年漸淤。明年於縣北之郭家務別開新河，長六十里。又明年，河成，以舊河南岸爲北隄，更築南隄，引流於舊下口之南，霸州牛眼村北，出柳岔口歸淀，此爲第一次改移之始。畿輔唐志、一統志均未之詳。東安李志又合二事爲一，皆非。按霸州志：柳岔口在城東北七十二里。文安志：去口頭村約七十里。

又改道永清縣郭家務，過霸州牛眼邨、柳岔口，注大城縣辛章淀，在三十九年。此第六次改道。

又改道柳岔口少北。

雍正四年諭：引渾河別由一道，於是改柳岔口少北爲下口。此第七次改道。畿輔安瀾志：霸州、文安之界，舊爲渾河衝決，自康熙三十七年，河由柳岔口霸州志：去口頭村七十里。歸玉帶河，會大清河。雍正四年，改挑新河，河身漸遠。又云：四年由王慶坨入長甸河，經三角淀注之，河頭與清河會，至天津三岔河，由海河入海。

又自開引河。

雍正十二年四月諭：據直隸河道總督顧琮奏稱：永定河渾流洶涌，全賴下口深通，庶上流得以暢注入淀，乃淘河以南漸積填淤，河流梗塞，正擬挑濬深通，以資宣洩。仰蒙天賜引河，自然開刷二十餘里之程，畚鍤不勞民力，四千餘丈之遠，疏排悉出天工，顯著嘉祥，萬民觀忭，等語。朕因畿輔河渠，關係重大，時時軫念，莫釋於懷。今於河臣籌議挑濬通疏之地，仰蒙天賜引河，自然開刷，不勞民力，順軌通流，河神福佑羣生，功用顯著，虔誠展祀，以答靈貺。

又改道冰窖、草壩。

在乾隆十六年，此第八次改道。

又改道北六汛二十號。

十九年六月決隄奪溜，逕津水窪，入勝芳淀，即初立隄時之故道。又逕永清武家廠、三聖口，霸州、信安等處入口。二十年諭：改由調河頭入海。此第九次改道。畿輔安瀾志：乾隆十九年，伏秋汛漲，東老隄一帶水勢奮激，全河濁泥悉輸送於下口之外，竭力挑濬，而德勝口以下水道間段淤阻，難期暢達。擬於安瀾城下挑築引河，北埝附隄居民，以惠家莊等十餘村四面環隄，瀝水無歸，引河北趨，勢必倒漾，兼地本斥鹵，咸願讓地行水，遂移北大隄爲水口，而廢永清縣之冰窖舊口，此爲第四次改移下口也。

又改道毛家窪。

三十七年，由東安調河頭逕毛家窪，注沙家淀。此第十次改道。明年三月諭：調和頭改條河頭。

又下口改道北六汛十八號。

在四十三年，此第十一次改道。永定河志一：乾隆四十三年，因河出下口，逆折北趨，北六工十九號以上隄身，裹外汕刷，爰就水勢改自十八號出口，向東滿流。

又改道條河頭北。

嘉慶六年，河徙由條河頭之北入母豬泊，乃由沙家淀達津歸海。此第十二次改道。

又改由竇淀窰復故道。

道光十一年，改東北，逕竇淀窰六道口、雙口，注大清河入海。堵汪兒淀水，復故道。

此第十三次改道。

又開引河，過葛漁城北合鳳河。

二十四年，南七汛決口，自南六汛開引河，逕葛漁城北魚壩口郵，南入天津縣，合鳳河入海。據永清續志。此第十四次改道。

又開河，由葛漁城南過三鳳眼。

三十年，合北七汛決口，由葛漁城南魚壩北，逕三鳳眼達津。據永清續志。此第十五次改道。

又北徙，尋復故道。

河日北徙。同治三年，截北流使歸中泓，遂逕魚壩口北，又逕三鳳眼入海。蓋復咸豐九年前故道也。此第十六次改道。永定河續志二：嘉慶二十年後，北岸七八工均成險要。二十三年，下口南移，大溜從南隄缺口，向三河頭橫漫而出，致東淀、楊芬港以下漸淤，遂由楊芬港東南之岔河，經杜家道溝，歸韓家樹正河入海。杜家道溝卽千里長隄身也。道光三年，改由汪兒淀入大清河，漸由三河罾出口，直衝静海、天津接壤之千里隄邊。偶值盛漲，清渾交并，大清、子牙、南運諸河，幾與永定河合爲一矣。十年，於南八工十七號至汪兒淀，築隄一千七百八丈，以挑溜勢，仍流入淀金門三百五十餘丈，其明年，凌汛改溜，漸入中洪，由竇淀窰，歷六道口、雙口一帶入鳳河，嗣復折而南趨，在南入下汛二十號以下衝成缺口。二十二年凌汛後，往歲由大范甕南去之水，轉而由稍北之鄭家樓後東下，是以二十三年北遥隄卽漫溢成口，治之者於北六工築壩堵截，以遏其勢，於柳坨村疏濬中洪，以順其性，溜走中洪者十餘載。咸豐九年，河勢漸形北徙，東安屢被水災，故同治三年又於柳坨地面開濬引河，由舊河形歷叉光、二光、魚壩口、天津溝，達津歸海。此卽咸豐九年以前之正河，而河流善徙，旋復道光二十三年之故道。雖曰溜勢無定，然自道光二十二年迄今皆東抵鳳河以達津，未嘗失河之正道，則謂治之者得行水之法也，亦宜。

又漷河分自盧溝。

分流至漷縣西，析爲三：一、漷河，繞漷縣城，逕張家灣入白河。一、新莊河，先逕水南邨，曰水南邨河，至新河店，亦曰新河，逕倉頭邨，亦曰倉頭河，逕武清縣韓邨。一、黄漚河，入飛放泊，漚一作匯。明地理志：漷縣有漷河，一名新河，東入白河，卽盧溝下流。春明夢餘録：新河在漷縣西，一名漷河，自盧溝河分流至縣界，析而爲三：其一東入白河；其一爲新莊河，南流入武清界；其一爲黄漚河，東至馬家莊之飛放泊。畿輔唐志：自盧溝分流至漷縣西，析爲三：一爲漷河，東入白河；一爲新莊河，流武清界；一爲黄匯河，入飛放泊。通州舊志：漷河源出桑乾山，經盧溝橋分爲三派，漷其一也。至張家灣，入白河。又經水南村，曰水南村河。至新河店，曰新河。至倉頭村，曰倉頭河。至黄匯村，曰黄匯河。隨地立名。今漷護城河多淤，漷河之名亦廢。又曰新莊河，卽新河，入武清縣韓村。漷縣舊

志　漷河繞漷縣城，故名。在縣西二十五里，經水南村，曰水南河。至新河店，曰新河。至倉頭村，曰倉頭河。至黃漚村，曰黃漚河。隨地立名，皆此水也。黃漚河東至馬家莊之飛放泊。漷水店在縣北三十里。新莊河水今匯於窩頭河，在昔則鳳河道也。詳鳳河故道及窩頭河。

鳳河故道過漷縣故城、東安縣、武清縣。

桑乾河舊分一派，東流爲鳳河，出南苑海淀中，東南流，逕漷縣故城，爲新莊河。又逕東安東北四十里鳳窩集，爲鳳河。又東逕武清縣西北，爲漷水鋪河，又繞城北，折而東南八十里，爲安沽港河。南入三角淀，即元時渾河故道。明時渾河南注，奪琉璃河，經流下達霸州，其東流一道，不復相通，遂名鳳河。據齊召南水道提綱。名勝志：鳳河水，一渠從西流至鳳窩村，雖隆冬沍寒，水亦不冰。明地理志：順天府東安縣鳳河，即桑乾，分入三角淀。畿輔唐志：鳳河堠上村，河身深廣，以下填淤斷續，一遇伏秋水潦，散漫無歸。雍正四年，怡賢親王奉命修水利，欲加疏濬，而源細不足以爲恆流。有涼水河可南引至堠上村入鳳河故道。次年河成，宛平、漷縣、武清、東安一帶，積潦盡消。桐村、牛鎮、三間房等渠，引水營田。東安李志：境内渾河南岸間淹，下口不無水佔之處，然患不在渾水，而在瀝水。蓋東安西北受宛、大、固、永之水，從前東南多係淀泊，數道分流，引歸三角淀，不致爲害。今自狼城至穆家口，俱爲渾河所佔，南面無受水之區，惟賴鳳河出口，一遇霪雨，瀝水驟至，宣洩不及，東南各村一帶沮洳。鳳河在縣東北四十里鳳窩村，其水自縣西北草橋來，又南流過縣之漂流淀，又南入武清三角淀。畿輔安瀾志：鳳河自大興縣東南，雍正四年導涼水河之水入之，又東逕東安、武清二縣，下入天津縣西北丁家莊。南行導水自葉店分溝競納，至韓家樹西，歸於淀池之大清河，面寬二丈，深二三尺不等。元河渠志：盧溝河至都城四十里東麻峪，分爲二。明代言渾河者，皆云至看丹口分爲二，惟孫承澤春明夢餘錄有新河至漷縣析爲三派之說。通州志亦云桑乾河至看丹口分爲三派。元史所記二派，鳳河其一也。明人以盧溝橋下者爲一支，東入潞者爲一支，雖同分二派而有別，蓋其時鳳河水已斷流故也。永定河舊由勝芳、臺頭等處入淀。雍正三年，老河頭改歸王慶坨，抵三角淀，後復淤平。乾隆十六年，自秉教村即冰窖口，東添開引河，分流渾濁，由安光入葉淀。二十年復自北岸第六工改移河流，專由葛漁城入沙家淀，散漫歸於鳳河，出鳳口，歸入大清河。而鳳河久無來源，向由隄上村、二光歸三角淀。雍正四年，挑引涼水河至堠上村，入鳳河改由韓村、桐村等處。今通流之水，即永定河下口所出之水也，向屬永清縣，雍正八年始改屬天津府。其岸隄一切工程，仍歸永定河道屬三角淀通判管轄。蓋鳳河水上係渾河舊渠，下爲永定河出水要津。雙口上下，每苦淺狹，歷年濬治深廣，居然巨流，而葉家莊以上，沿北埝之外而下者，復有求賢草壩之減水河，以及龍河、啞叭河，皆入焉。沿南埝之內而下者，則有內減河。至青光入鳳河之下口，每至伏秋，衆流奔趨，咸資宣洩，乃永定河之尾閭，積潦之去路。講求全局形勢，舍鳳河別無出水之處。東安李志：鳳河源出南苑，自大興縣鳳河營入東安境，由隄上營計長八里餘至下莊頭，入武清界，舊河由堠上村至二光歸淀，因故道淤塞。雍正四年自堠上村以下，改流至天津之雙口入淀，改河後不特渾河由沙家淀至東蕭家莊南歸鳳河，而東、武西北一帶瀝水，亦自北大隄減河至龐各莊東歸鳳河。

又有龍河諸水。

龍河出海子東南，按：諸書謂龍河無來源，今考畿輔輿圖説，謂源出海子，東南流至田家營，而畿輔安瀾志云起田家營，非也。在鳳河之西南，又東南流，逕田家營。凡逕大興縣境二十餘里。出界，入東安縣西北境，逕簸箕營，又東南流五里餘，逕屯民潘邨，又四里，逕北皋；又四里，逕大五龍；又四里，逕劉各莊；又七里，逕祖各莊；又六里，逕常鋪；又四里，逕永豐邨，在治北七里許；又七里，逕治東；又四里，逕張家務；又六里，逕丈房河，在治東南十四里；又里餘，逕七字隄；凡逕境七十餘里。出界，入武清西南境，逕羅鍋判，又逕解口邨，復入東安縣東南境，逕響口邨。今永定河逕響口邨北，蓋卽龍河故道也。龍河又東南流六里，逕穆家口，復入武清縣境。自羅鍋判至此，凡十餘里，初逕六道口入三角淀，後因六道口衝淤，遂逕石各莊，循北大隄之北埝減河，入鳳河。畿輔安瀾志：龍河自大興縣之田家莊入東安縣，由簸箕營、屯民潘村、邢家營、北皋、大五龍、劉各莊、小祖各莊、南易、于家常鋪、王家常鋪、永豐王家鋪、皮家務、張家務、丈房河、七字隄，至武清縣之羅窩判，長七十餘里。又自武清縣屬解口村入東安縣屬響口村，長十三里，至定子務、穆家口，復入武清縣境，長十餘里，向於六道口，歸三角淀。雍正六年，築三角淀北隄，建設涵洞，以消瀝水。嗣因六道口民隄衝淤，又加築北埝，遂由石各莊循北埝減河，歸鳳河。東安李志：龍河自大興入東安境，長七十餘里，入武清界，又入東安境，十三里，仍入武清，歸淀。

啞叭河出固安縣華各莊，東流出界，入東安縣境四里餘，逕張家野雞莊，入永清縣境。逕橫亭，又入東安縣境，逕濟南屯，合乾溝，又逕葛漁城，東入淀，凡長四十里有奇。乾隆五年，改會北埝減河。二十八年，築越隄後，改道惠家鋪，合北埝減河，沿北隄入鳳河。據畿輔安瀾志，參永清周志。

乾溝出東安縣小韓郈，又逕濟南屯，凡長十餘里，合啞叭河。東安李志：乾溝並無上游，長十餘里。畿輔安瀾志：龍河、啞叭河、乾溝，皆分減瀝水之區也。今龍河尚有河漕，亦多淤淺。啞叭、乾溝半已淤成平陸，河溝多被佔種。此三河者，東邑境内疏洩所資之要道也。畿輔安瀾志曰：舊縣志，盧溝水至東安過耿就橋一分，東至界河，入土樓東南一分，西至界河，入左奕西南。今自盧溝橋下流，從固安縣逕永清縣北東注，自孫家垈一分派永清之南，一分派東安之西。至隆慶末年，分派於東安者又分爲二：一由韓郈至管家屯迤東，離縣二十里卽停不行；一從韓郈東南下歷衡亭、左奕、朱郈、馬子莊至挑河頭。萬曆二年，水溢，築隄。六年，馬子莊隄口決，淹駱駝灣，塞之。九年，舊口復決。自是屢修屢決。二十三年，河徙於霸州，泥沙舊址，盡成沃壤。名勝志：土樓在東安縣西六里，宋時爲土兒衛。奕臺在縣西八里，宋爲左奕衛，其西有倉，如土樓制，元時點軍於此。此卽啞叭、乾溝二河之水道，蓋永定河故迹矣。

半截河、新河在永清縣東北北六汛，乾隆十二年塞。據畿輔安瀾志。按：開河詳河工，乾隆二年。

飛放泊三，均在通州。初爲漷縣境，一馬家莊，在縣故城北八里；一南辛莊，在故城南十五里；一栲栳垈，在故城西南二十五里，其水皆入鳳河，今淤。據畿輔安瀾志。方輿紀要：飛放泊在府東南，地名北成店，廣三十餘頃。又西有黃埃莊飛放泊。

柳林海子在漷縣西，其水入鳳河，今淤。據畿輔安瀾志。方輿紀要：柳林在漷縣西，元至元十八年如漷州，又如柳林，是後皆以柳林爲游畋之地，建行宮於此。

延芳淀在漷縣西，廣數百畝，其水入鳳河，今淤。方輿紀要：延芳淀在漷縣西，廣數百畝，中多菱、芡、雁、鶩之屬，遼時每春季弋獵於此。

東畔河出東安縣城外南壇，逕田家莊，穿啞叭河，逕甄家莊，東入儻子淀。西畔河出東安縣北大尹，逕北馬子莊，穿啞叭河，逕孫家坨北。今並淤。據畿輔安瀾志。二河明主簿向瑛所挑，以洩渾河暴漲。東安李志。

東沽港出東安縣西南五十八里，渾河分流而東入武清縣三角淀港，南有垂楊渡，下通河間府靜海縣。據方輿紀要。東安李志：垂楊渡在東沽港北，上自東安，下逕靜海，岸有垂楊，故名，今淤。

徐孟泊在東沽港東南，亦名上下接口。畿輔安瀾志。東安李志。國初圈爲網户地，後漸淤平。雍正四年，怡賢親王奏請歸復原業，即今續地糧是也。

響河在穆家口北，北逕解口，宋時東川分派，今淤。東安李志。按畿輔安瀾志曰：永定河自盧溝橋而下，水聲忽大，奔流二百餘里，高可四五尺，沙石爭趨，林木響應，明于奕正詩：捲土成濤飛赤雪。賦其實也。

穆家口河出葛漁城東北，上承響口解口，下逕八里橋入六道口，今淤。畿輔安瀾志。

長淀泊在葛漁城東，今淤。同上。

黨子淀在甄家莊東北，今淤。東安李志。

蓮花泊出東安縣南三十里，東南流，逕葛漁城，入武清縣境，今淤。畿輔安瀾志。東安李志：泊在甄家莊南。

淘河，宋何承矩曰：自淘河至泥沽口，屈曲二三十里，天設險阻，真地利也。淘河泊在東安治南五十里，今並淤。東安李志。

母豬泊在武清縣南三十里廢遥埝内，廣二十餘里，爲瀝水匯歸之區，東逕瓦口泊，入北埝外舊減河，爲嘉慶間永定河達津之道。據永定河李志。按畿輔安瀾志云：母豬泊。

沙家淀在武清縣南五十里，西至敖子嘴，東至陳家嘴，南至二光，北至永定河廢北埝，長十里，寬八里，爲容納永定河水處。據同上。畿輔安瀾志：沙家淀爲宛、大、東、武四邑瀝水之匯，永定河於乾隆四年自鄭家樓北折，逕葛漁城入淀，水勢盈溢，五年接築北埝四十餘里，沿鳳河邊圍之，始無北軼。

朱家淀在武清縣南五十餘里，西連沙家隄，東至鳳河邊，南至九道溝，北至龐家莊，周八里許，亦容納永定河水之區。據同上。

葉家淀在武清縣南六十里，半入天津縣境，西北接朱家淀，東南連鳳河。乾隆十五年，永定河改移下口沿南埝入此淀，合鳳河達大清河。據同上。按畿輔安瀾志云：葉淀在雙口西，交天津、武清兩縣境，西北接沙家淀，匯永定河入鳳河。葉淀周一百三十餘里，永定尾閭全入此淀，勻蓄泥沙，清澈而後入鳳河，而永定河。李志云，長寬五六里，恐誤。安瀾志輯至嘉慶十二年，永定河志輯至嘉慶二十年，中間僅八年耳，何至大小懸殊若此？

三角淀今淤。方輿紀要云：在武清縣南，周迴二百餘里，古雍奴水，四面有水曰雍，不流曰奴，其源曰范甕口。王家坨河、掘河、越深河、劉道口河、魚兒里河，皆聚於此，東會於直沽港入海。一名笥溝水，齊召南水道提綱曰：當西沽之上最大，後漸填淤，袤延霸州、永清、東安、武清，南至静海，西及文安、大城之境，東西百六十餘里，南北二三十里，爲七十二清河所匯。永定河自西北來，子牙河自西南來，並注之。今曰東淀，以其對任邱趙北口之泊爲西淀也。東淀在武清縣南八十餘里王慶坨之南，東西四五十里，南北十餘里耳。又東爲西沽，三十里合運河達天津。一統志曰：三角淀最大，諸水皆會，漸淤而小，合相近諸淀泊，總謂之東淀云。李逢亨永定河志曰：按水經注，南極滹沱，西至泉州雍奴，東極於海，謂之雍奴藪，其澤野有九十九澱，枝流條谷，往往逕通，則雍奴澤非僅今之三角淀，特三角淀在武清爲古雍奴地耳。雍正四年，引永定河水由柳岔口入三角淀，久漸受淤。乾隆十六年，改移下口，河流通入沙家淀，而三角淀遂淤爲平壤。清沽港在武清縣南八十里，西接安沽港，東接丁字沽，由直沽入海。畿輔安瀾志。

劉家河在武清縣南七十里。同上。

叉光在武清縣南九十里。同上。

黄花套在武清縣南九十里。同上。

狼城河、呂公河、磨汊港、琅川淀，詳清河。

凡此皆與渾河東南流一支合。

又有百泉溪諸水。

百泉溪在宛平縣西南十里麗澤關平地。一統志。方輿紀要曰：有泉十餘穴，滙而成溪，東南流爲柳邨河，下流注盧溝河。按畿輔安瀾志屬之西南流一支。

義井泉在宛平縣西十里，或曰蜜井。一統志。又十里，逕盧溝橋入渾河。長安客話：義井在天甯寺西，復十里至盧溝橋。或曰蜜井，相傳成祖駐蹕甘其泉，故名。宋褧燕石集：百泉地卑泥濘，四時不乾，一僧誓填之，功未就旋壞。

玉帶河出良鄉張邨，南流入固安縣境。先逕縣西二里許，有橋。萬曆四十二年，渾河水泛，溝道爲沙所壅，後徙縣西十五里孝感邨之東，至冬冰結，繞邨如玉帶然，知縣秦士奇名曰玉帶河，今涸。據固安陳志。畿輔安瀾志：此似即清河，爲琉璃、胡良、挾活諸河下流，而以玉帶之名被之，非保定之玉帶河也。馬慶河，渾河分支也，逕固安馬慶屯，故名。又逕解家務入永清縣境，逕見小營、北大王莊，俗呼屢淘，其故道也。固安陳志：馬慶屯在縣東二十餘里，雨集則盈，無則涸。畿輔安瀾志：渾河自知子營東南分一支，逕馬慶屯下流至解家務，入永清縣界之見小營、北大王莊，今俗名屢淘河，乃故道也。

東湖、西湖，在固安縣東八里，相傳白蘆等口水，逕炒米店東南流瀦於此，南北十里，東南盡縣境，乃九河支流入渾河，其地有東湖、西湖邨。據固安陳志。九河者，畿輔安瀾志謂大約指廣陽、鹽溝、琉璃、胡良、挾活諸水也。畿輔安瀾志：東湖、西湖亦舊時清河之水，瀦而成河，後爲渾河所奪，其地北接新安莊，蓋淵而不流，故土人以湖名之。

志以爲九河支流，不知所指，大約廣陽、鹽溝、琉璃、胡良、挾活諸水，然欲確鑿定爲九名，亦不可得。

凡此皆與渾河西南流一支合。

金門閘減河，西出閘口，在良鄉縣東南二十餘里。西南流，逕韓家營，凡四里有奇，出良鄉界。入涿州東北境，在永定河西六里許。西南流二里，逕陶家營東；又南三里，逕渠洛邨東。又三里，逕北蔡邨西；又半里，逕羅家營東；又四里，逕南蔡邨西；又三里，逕白家莊東。畿輔輿圖。入宛平長安城、屯子頭草壩，引河之水入焉。據畿輔安瀾志。又南六里，出界。凡逕涿州境二十里有奇。入固安境，東南流里許，逕岡頭邨東；又四里餘，逕楊先務東；又二里，逕吴屯薛西；又七里，逕宫邨東；又西屈南六里，逕蘇家橋東；又東南七里，逕畢家莊，分爲二：西股西南流一里，逕無量店北；又二里，逕王馬莊北；又二里，逕白的碾北出界。入新城縣東北境，西流折東，凡十里有奇。按：其水入新城縣界西三里，逕小新莊南；又三里，逕李各莊北；又折南屈東七里，出界。復入固安西南境三里餘，逕禮讓邨北；又三里，逕屈家營北；又三里餘，逕白元胡莊東；又一里，出獨流邨橋；又二里，逕柏林莊東；又五里，逕南小營西南；又一里，出界。入霸州西北境，南流里許，逕趙家務西；又七里，逕葉家莊西，亦曰蜈蚣河，蓋以形氏也；又里許，出界。復入新城東南境三里，西南折東，凡九里。按：其水復入新城境，西流三里，逕官各莊東；又折東南四里，逕雙堂鎮北；又二里，逕下汊河北出界。復入霸州境，東南流，逕下岔河邨北；又三里，逕杜各莊北；又三里，逕牛各莊北；又三里，逕張貴莊南，又逕六郎隄、老隄頭，入中亭河，凡長一百二十里。據畿輔安瀾志，參圖志。乾隆四年，議金門閘之西引河，改由東道，使不入中亭，以免壅決。會典事例七百一。十七年，於固安分流處橫築欄水壩，後遂絶流。霸州周志。其東股引河，自固安畢家莊東南流里餘，逕石各莊北；又三里，逕鄭家莊南；又六里，逕北落垈南；又二里，逕曲溝店北；又二里，逕翟邨南；又三里，逕琉璃邨西；又四里，逕南流邨北；又三里，逕南流邨東；又三里，出牛坨鎮，橋在鎮西，俗呼牛坨店，亦曰牛窩堡，鎮北受北莊南三汎減河，鎮南分一支東出者，黄家河也。詳下。又里許，逕紀家營西；又三里，逕林城鋪東，出界。入霸州北境，南流三里，逕王邨東；又二里，逕北洛店東；又二里，逕塔上邨東；又里餘，逕南孟鎮東；又二里，逕金各莊東；又南少東四里，逕范家莊西；又二里，逕西樓東；又里餘，逕州城東關倉東；又二里餘，逕關王堂東；又九里餘，逕西栲栳圈，西入中亭河，長六十里有奇。按畿輔安瀾志云：八十餘里。今考實，止六十餘里。此二支河道，皆牤牛河故道，自牤牛河改道賈河邨，入琉璃河，此二道遂爲東西減河所逕，而或者仍以牤牛氏之，則誤矣。

黄家河卽乾隆二年所開黄家灣引河也，出自東股減河，在固安牛坨鎮南，其水東流少東七里餘，逕趙各莊東出界。入永清縣西南境，逕楊家務，入霸州陳廚營，又逕鋪疙瘩邨、采木營，至高橋津水窪，於下六汎涵洞入東淀。據畿輔安瀾志。霸州周志：黄家河在州東南，永定分支也。舊有黄家村，逕鋪疙瘩、陳廚營、頭頓村至信安，凡五十餘里入清河。今在頭頓村西北者，微有河形，自頭頓村至信安，不可尋求矣。永清周志：黄家河乾隆二年開，十五年淤，二十八年濬，三十七年復濬，上接金門閘。屯子頭草壩引河，自涿州白家莊東，按：康熙三十年改流，三十七年開新河，舊河遂廢。乾隆二十五年建壩出水。逕固安縣朱各莊，與金門閘減河合，長七百五十五丈。據畿輔安瀾志。

北埝減河二：一出宛平求賢邨北三汎草壩，入永清縣境，逕野雞張家莊，又逕五道口，又逕鳳凰莊，入東安縣境，逕惠家鋪，合啞叭河，又逕穆家口，入武清縣境，又逕麗各莊東入鳳河後，逕蕭家莊入鳳河，凡長一百五十里有奇。東安李志：北大隄減河入東安境，約長二十六里，入武清界，歸鳳河。南北減河就築隄方坑，挑濬成河，以洩永定河草壩分減之水也。一出固安盧家莊北五汎草壩，逕重隄內，又逕范甕口，入永定河下口，經流凡長七十里有奇。又遥隄小河一道，自東安縣辛莊入武清縣西南境，逕黄花店、太子務、高東營，又逕南宫邨入鳳河，凡長三十里有奇，卽龍河之下尾。據畿輔安瀾志。永清周志：北岸減河本係古河，乾隆四年，北岸三工四號築草壩，卽疏爲草壩減河。九年濬。嗣因四號閉，二十七年，三號另建草壩，於壩下挑引河，仍歸原舊減河。二十年北六工二十號改河自圈築埝，越埝後，減河下游卽循北隄減河入鳳河。二十七年疏，三十七年淤。於三號草壩上開小引河一段，達於舊河。

南埝減河二：一自五汎曹家務草壩起，沿隄外水溝入南埝内，減河凡長五十餘里。一自六汎郭家務草壩起，出永定舊河，逕牛眼邨，沿南埝，又逕青光入鳳河下口，凡一百十里有奇。據畿輔安瀾志。安瀾志又云：永定河由北大隄放水，南埝減河不復疏濬，以上諸河既開後，亦有旋廢者。鳳河爲下口出水要區，修濬在所宜急，而龍河、啞叭諸河引水分支，以消京東瀝水，形迹尚存，涓流未絶，緬想前規，必加之意。

坦坡埝減河，出永清縣郭家務草壩，逕霸州李家鋪，入東安縣境。逕水大王邨，長五里有奇，仍入霸州境。又逕靜海縣，入武清縣界，又逕天津縣界，至老河頭入清。據東安李志。

又有良鄉縣長安城，固安縣清涼寺，永清縣雙營城、張仙務、馬家鋪、冰窖各減河，均在南岸。冰窖，乾隆十六年改爲出水下口。又有固安縣胡林寺、崔營，永清縣六道口、小惠家莊各減河。長安城之水，注玉帶、中亭二河。餘皆消隄内瀝水，後恐奪溜，閉之。畿輔安瀾志：南北岸減水河凡十有六。其在南者爲良鄉縣金門閘、長安城，固安縣曹家務、清涼寺，永清縣郭家務、雙營城、張仙務、馬家鋪、冰窖。在北岸者，爲宛平縣求賢村，固安縣胡林寺、崔營、盧家莊，永清縣六道口、小惠家莊，惟金門係石閘，餘皆草壩。金門、長安城之水直達玉帶、中亭二河，求賢村、曹家務之水引入鳳河，餘皆僅消隄内瀝水。後因河流逼近，恐奪溜爲患，經河臣奏准，隨時闔閉，所存惟金門、長安城、求賢村、盧家莊四河通水，以消異漲，後曾閉長安城西股，蓋上游分水，則下口漸弱，沙停易淤也。永定減河圖説：近永定河南北岸各有減河以消水。北岸自固安十里鋪至葛漁城北岸，長一百三里。京南一帶瀝水，並求賢、胡村二壩減河之水歸之。又自葛漁城至蕭家莊北埝外，小河一道，長四十七里，接連減河，歸入鳳河，均展拓寬深，即以所挑之土加培於各隄埝之上。南岸霸州牛眼村至馬家鋪土埝，馬家鋪至龍尾坦坡埝，共長五十里，河坿埝外，永霸一帶瀝水，並清涼與張仙務二壩減河之水歸之。今間段淤塞，應挑者共約長二十七里。又自龍尾以下至鳳河十一里許，并開挑成河，以鳳河爲出路，將減河所挑之土加培舊埝，龍尾以下新河所挑之土，延緣南岸堆積，以障蔽東淀。南北兩減河既均歸鳳河，而永定河入沙淀、葉淀之水，又全恃鳳河爲下口，所有鳳河間段淺窄之處，總計長十五里，復開挑，一律深通，俾宛平、固安、霸州、永清、東安、武清瀝水與永東下游，俱藉鳳河轉輸入大清河。再金門閘、長安城壩下引河，東股自畢家莊歸津水窪，長四十九里；西股自金門閘石壩至張貴莊，歸中亭河，長一百二十里，均加疏濬，以消雨潦及壩下分減之水。按：盧家莊減河今亦閉。永定河續志卷二云：兩岸減河水壩凡十七，今兩岸仍資分洩者，惟金門閘與南上、求賢，餘俱先後堵閉，基址亦湮没者半。

河渠志二

德清傅雲龍纂　江陰繆荃孫覆輯

水道二

北運河上

北運河者，白河、潮河、榆河、沙河諸水之匯流也。其水未逕通州以前，非漕運所經，無北運河名。詳下。

白河源曰沽河。

沽河，水經曰：從塞外來。注曰：出禦夷鎮西北九十里丹花嶺下，又西南，逕赤城東，河有赤城之號。雲龍沽河上流考：源出今赤城縣北邊城外。水道提綱云：源出赤城縣東邊外五郎海山西麓。今考實出縣北。桑經所謂從塞外來者是南流。逕水泉溝西，又十餘里，逕神明鏡溝東；又八里許，逕滅虎溝西；又十里，入邊城，即獨石口也，在縣治北百里。又南十里，逕獨石廳城西，同知、縣丞及協鎮、都司、防守尉、守備、千總、把總駐焉。有西柵口，水自西北來入之，亦曰西河。又南折東，二里許，逕廳城東，有東柵口，水自東北來入之，亦曰東河。又東南流十里許，逕頭堡子西；又八里許，逕半壁堡西；又八里許，逕三山堡西；又八里許，逕猫峪堡西；又八里餘，逕舊站堡；又二里許，出龍門峽，是爲龍門川。又南三里許，逕雲州堡東；又南少西九里，逕關門口；又西折南九里許，逕黄土嶺東；又二里許，逕七里河村西；又七里，逕赤城縣城東；又二里餘，繞流城南，水泉河合湯泉河西來注之。水泉河者，源出口外，入赤城西三十餘里邊城野雞山門之西南；又東南七里餘，逕鎮甯堡南，把總駐此；又四里許，逕玉石溝墩東；又五里餘，逕鶯窩西；又五里，逕右所堡南；又八里餘，與湯泉河合。湯泉河出縣西南二十里丁家路南，東北流十里，逕左所堡南，合于水泉河；又東少南十里，入沽河；沽河又東南七里餘，剪子嶺水合浩門嶺水，自西來注之。翦子嶺水出龍門縣城東北三十里之翦子峪，東北流入赤城界；又三里許，逕沃麻坑鋪南；又東北流五里餘，逕糖房堡北；又東十餘里，逕興仁堡北，會浩門嶺水。浩門嶺水出龍門縣城東北三十餘里，東北流入赤城縣城南二十里，又十里，與翦子嶺水合；又東三里許，入于沽河。沽河又東南十餘里，逕樣田堡西；又七里餘，逕上馬鞍山西；又三里餘，逕下馬鞍山；又十里許，逕合河砦，東龍門河自西來注之。龍門河出龍門縣西二十里娘子山，東流五里，逕玉泉堡南；又十里，逕黑土溝北；又五里，逕城南，又曰南河，亦曰楊田河；又八里，逕八里莊南；又六里餘，逕三岔口鋪；又東南二十里，逕鵰鶚堡南，把總駐焉；又二十餘里，入赤城縣境；三里許，入于沽河；又東南二里許，逕河西堡東；又南折西十里，逕白龍潭東；又西南五里，逕滴水崖西；又折東七里餘，逕常勝堡南；又五里餘，逕石峽北；又十餘里，入延慶州北境，屈曲東南流十里，逕靖安堡西南，又折東十里，出邊城；又東北流二十餘里，逕千家店北；又五里餘，珍珠泉注之。泉出州北邊城外，北流十餘里，入于沽河。沽河又東北，入獨石廳境，又東南，入灤平縣境，又十餘里，入密雲縣境。舊聞考

按：大清一統志：白河源出赤城縣。漕河考乃云發源靈霧山，誤。吴道南河渠志指潮河爲白河。又云，與七渡、桑乾諸河合，名曰白河，舛謬殊甚。

又東南過密雲縣西北，合白馬關河，曰白河。

沽河自灤平縣降棚山入邊牆密雲縣西北五十五里，東南流逕鹿皮關，在黄巖口之西南五里有驃騎堡，又東南五里，逕石塘路城之東北。按：白河、潮河所受諸水，圖説各異，惟密雲丁志，張鼎華所訂開方圖較晰，今據以參采訪圖册，不敢廑襲舊説。密雲丁志：鹿皮關，縣北五十五里，在黄巖口西南，石塘路城西五里有驃騎堡，白河由口入邊南流。按方輿紀要，廑云自縣北石塘嶺流經縣界，殊未之晰。其嶺尚在石塘城南一里有奇，距入縣境處亦里許矣。又東南三里，逕趕河廠西南；又四里餘，逕小河西，與白馬關河合。

水爲沽河支流，水道提綱所謂一水自北來會，即此。導源獨石口之西南。按：密雲丁志云：白馬關河源出灤平縣西之長梁思家，東南流逕千石塘，曲流至梵字牌，橫山之陰諸水注之，又東南，逕大平臺，由關入縣境，與舊説微異。從密雲縣治北百里之白馬關入境，水名以此。折西屈東四里，逕葛條谷南；又東南三里，紅土谷水東北來注之。按：谷或作峪，它谷亦然。考古有谷無峪。説文：泉出通川爲谷，从水半見，出于口。爾雅釋水：水注谿曰谷。韻會：兩山間流水道也。集韻：峪音欲，今人遂以峪爲欲音，谷爲穀音，不知谷自有欲音也。易井谷，陸德明一音峪。書暘谷，一音欲。左傳南谷中，一音欲。史

記樊噲傳，橫谷正義音欲。貨殖傳，谷量牛馬，索隱音欲。苦縣老子谷神釋文，河上本作浴神。問奇集平峪，縣名，今屬順天府，峪讀如裕，此皆谷、峪音同誼通之證。今谷、峪隨所見書著録之，特發凡于此。

水出塞外桃兒山，在密雲縣治北一百一十里，西南流，從紅土谷口入境，又西流，逕石片嶺東，注白馬關河。

白馬關河又東南流二里，逕趙敖嶺西；又屈曲東南流五里，逕響水谷西；又一里，逕下營西；又里許，逕瑶玉山東；又南六里，逕白蓮峪西；又二里，逕高家堡東；又二里逕雞鳴谷西；又折西而南里許，逕滴水崖東；又半里許，逕孤山西，山在治東南五里。馮家谷水注之。

水在密雲縣北八十里，亦曰馮家渡河，導源口外橫山鋪，東南流，從馮家谷口入境。又東逕滴水崖東南孤山，西入白馬關河。密雲丁志：馮家峪口在白巖峪口西南，有東西二堡，馮家渡河由口入邊，東南流入白馬關河。

白馬關河又西南流里許，逕青龍潭西；又二里，逕東堡東；又南折西三里，逕石佛堡南；又南流屈東四里，逕石佛嶺西；又東南五里，逕寶玉嶺；又三里餘，逕董伯谷西；又折西屈東五里，逕小河口，與黄巖塘水合。

水出口外楊木窪南嘟嚕谷，東南流，從黄巖口入密雲縣境，在治東北六十里，鮎魚溝、蛇魚川夾之。溝出黄巖口南二里餘，川在溝東北三里黄巖口之東，黄巖塘水曲流其間，凡十里許，逕小河西入白馬關河。

白馬關河又東南流，注于沽河，過此，通稱白河矣。而遼前未聞。畿輔安瀾志：白河之名儻古有是稱，酈注水經徵引最博，何不一及？寰宇記亦無聞。遼時始有是名。王曾上契丹事，始有白嶼河目。王曾上契丹事：順州東北過白嶼河，北望銀冶山。遼地理志曰白遂河。遼史地理志：順州歸化郡有白遂河。王善橚畿輔治水策：白河亦曰白遂河。金地理志曰潡水。金史地理志：順州溫陽舊名懷柔，有潡水。嶼、遂、潡，一聲之轉。按順義縣志云：金史有兔兒山、潡水，今不得其處，蓋不知潡水卽白遂河也。或曰：對黑河言。據畿輔安瀾志、武清吴志。或曰：兩岸白沙，不生青草，故名。據方輿紀要。然白河未受白馬關河已前，無白河名，是沽河之被白河稱以此。又名白狼河，據畿輔安瀾志。一名外河，對通惠言也。亦曰北河，俗謂之自在河。據同上。又或曰卽古廣硎水，或曰發源滴水崖及霧靈山，爲潮河川，非也。

白河南過密雲縣西北，與潮河合。

東南流四里，逕花山西，又逕尖山東；又四里，逕尖廠凹西；又半里，逕東嶺東；又二里餘，逕黃山頂東；又南屈西里許，逕户部莊西，渤海泉水注之。

水在密雲縣城東北四十五里，源二：一出渤海塞東北；按密雲丁志：塞在縣東北三十八里。又云：泉在縣北四十五里。今考實在東北四十五里。一出其西，分流二里許，逕塞南而合，又二里，逕馬房東與清水潭之水合。水出渤海塞之東南四里許，西南流而合，又西南屈向西北六里，逕户部莊西入白河。

白河又折西二里餘，逕莊窩西南，水峪川河自西來注之。據張鼎華圖。按水道提綱謂：又南一水注之，卽在石塘路南十數里。而畿輔安瀾志謂合水峪河入石塘路，失南北矣。

水出口外小西天山南，東流，從密雲縣西北四十里之水峪口入境，里餘，逕水峪山南，即俗呼滴溜挂山者是。又二里餘，逕水峪口堡南。又三里，逕客衛梁北、鄧家莊南。又里許，逕李各莊南；又里許，逕王各莊南；又三里，逕青甸南、杏子嶺北；又屈曲東南流四里，逕莊窩西入白河。據張圖。密雲丁志：水峪山，縣西北四十里，一名滴溜挂山，水峪口險，僅通步，在西石城口南有堡水峪，川由口入邊東流入白河。

白河又南折西二里，逕杏子嶺東；又六里，逕户部嶺西；又二里餘，逕棒椎崖西，又逕柏崖東，黑城川注之。

水出平頂山陰，在密雲縣治西北三十餘里，東南流十里，逕柏崖南，又二里，入白河。密雲丁志：黑城川，縣西北四十里，源出平頂山陰，南流逕黑山廣慧洞西，東流逕大良峪堡至柏巖南入白河。通志作入潮，誤。按丁志山門又云：平頂山，縣西北三十里。

白河又二里餘，逕旗鼓莊西；又里許，逕金叵羅西；又里許，逕馬頭山西，分支西南流。密雲丁志：馬頭山，縣北十八里，其西爲白河分流處。白河當明中葉，全勢西趨，由馬頭山西過龔家莊，逕懷柔縣東，至牛欄山，匯潮南下。逮嘉隆間，疏引故瀆，循城利漕，東道方通，西流乃殺。然懷柔西北諸水，仍恃彼爲歸墟，春漲秋霖，分途並駛，舊圖於分支處顧從闕焉。此旁流之宜正也。其經流又西南三里，逕神山西；又二里，水分爲二：中距里許，並東南流。三里餘，逕卧虎山東；又三里餘，逕惠安山東，雙流合一，逕白嶺西；又三里，逕李各莊東；又三里，逕沙河石壩西，沿隄向西南三里，逕西渡，在良鄉城西三里餘；又五里，逕白河渡，又逕漕河莊，東會潮河。蔡新直隸河圖説：潮河自古北口入白河，自獨石口入會密雲。其支流逕懷柔界龔家莊東，又逕卸甲山西，白道峪河注之。

水出口外蓮瓣山龍潭，東南流，從水峪口入密雲縣境，在治西北三十里。又西南流，逕懷柔縣卸甲山西，入白河支流。據密雲丁志，張圖。按圖作谷。良鄉志：河門作谷，關隘，又作峪。密雲丁志曰：又逕牛欄山，合正流。據此，則白河分支之下流，即今懷河注潮河水道也。密雲丁志：白河漕莊匯潮，直趨西南出境，中間凡歷騾山莊、太平莊諸邨落，始達牛欄驛道，水程班班可考，舊圖既缺分支水道，而於合潮後又復屈注西北，强幹埘枝，此下流之宜正也。按丁志所謂舊圖，指薛天培密雲志圖言也。

潮河，又北運河東北一源也，即古鮑邱水。水經：鮑邱水從塞外來。酈注：出禦夷北塞中，俗謂之大榆河，又南逕鎮東南九十里西密雲戍西。按：西密雲非昌平州之密雲縣。

今考其水源出豐甯縣西北一百二十餘里水泉子。雲龍潮河上流考：潮河出豐甯縣治西北一百二十餘里水泉子，在鶯窩梁南、紅石巒西，又南流十里，逕四岔口西；又二十里，逕赫山東六十里，逕西土城西；又十餘里，逕南溝門西；又十里，逕趙家營西；又四十里，逕大閣兒汛東，把總駐焉；又二十里餘，逕榆樹林西；又十餘里，逕長閣兒東；又二十里，逕窄兒嶺東；又十餘里，逕朝雲洞東；又二十里，入灤平縣西北界，距治一百六十餘里，東南流二十里，逕虎什哈東；又四十里，逕虎頭嶺東北；又二十里，逕大十盤西；又十里，逕三岔口西；又十里，逕傅家岩東；又十里，逕古城川西，又逕古北口，入密雲縣境。自發源至此，凡二百九十里有奇。此畿輔輿圖之可按者。而丁符九密雲縣志云：潮河源出承德府豐甯縣草碾溝南山下，東南流至喇嘛山，西南諸水右注之；至豐甯小土城城根營，水右輔之；南流逕白塔至大閣鎮，鎮西諸水右注之；東南流至蘇武廟，復東流，廟西水注之；逕龍潭鎮溝，迤朝陽洞，趨黑山嘴、環窄嶺、遼東營，又北匯鞍匠屯、十八盤水，南匯關門山廟兒溝水，始成巨流。至虎什哈營東西流，逕北甸至吴家營，桃兒山陰諸水右注之。又東南流入陰山，馬山夾之，河流一東，曰外對山口，又東南逕瓦房，繚曲往復，至馬山西南隅，復東南流古城川，三岔口水合注之。又二里，由古北口入密雲境。此出張鼎華手敍，合流較詳，而惜無里數，互有異同，故並錄存參。按吴景果懷柔縣志曰：潮河亦名濡河，非也。濡水有二，胡渭禹貢錐指：濡音入朱切，出涿郡故安縣。春秋昭七年，齊、燕盟于濡上，即此。一音乃官切，從塞外流至絫縣入海，即今灤河，均與潮河無涉，故安縣今易州東南。其水從灤平古城川入密雲縣古北水口，在治東北一百有五里，古北口正關西二里。密雲丁志：古北河口通車，縣東北一百五里，在古北口正關西，潮河由口入邊南流。直隸提督駐此。綱目三編：水流湍悍，其聲如潮。方輿紀要邊防考：潮河寬處可一二里，狹處僅二三丈，昔人每以木石縱橫布列，以限戎馬。其水南流里許，逕卧虎山東。按：水在山東二里有奇。又里許，逕萬壽山東麓；又二里，逕上營東；按：郇在盤龍山西麓。又折西二里，逕陰山北；又里許，逕柳林營南；又西南二里，逕穿山洞北；又南二里，逕潮河關西；又屈折東南流半里，逕北山東；又半里，逕梹榔溝東北。又東一里，逕東山北；又四里，逕羊各莊北；又東南二里，逕南天門東北。據張圖。密雲丁志：繞潮河關西，仍折而東南流八里，逕南天門。又東十里，逕火石嶺西南；又半里，逕車谷道北；又半里，逕練軍五營南；又東五里，逕北甸之西南，湯河東北來注之。據同上。按：水道提綱所謂一水東北自土牆入邊來注者，此也。

湯河出灤平縣南石窖谷，入密雲縣湯河口，在治東北一百二十里。按密雲丁志關隘云：湯河口通騎，縣東北百二十里是也。而河門又云百里，蓋有奪譌。西南流四里餘，逕旱門山西；按：水在山西四里餘。又六里餘，逕司馬臺東，按：或云西北者，誤也。把總戍此；又折西八里，逕楊兒嶺北；又四里，逕司馬莊南；按：莊在大嶺南。又四里，逕北山北；按：山在北臺莊北。又里許，逕北甸西，與紅門川水合。水導源盤龍山，在密雲治東北百五里，東南流二里，入紅門口，乃礮子口，內牆也。密雲丁志：盤龍山，縣東北一百五里，在古北口東紅門口，通步，礮子口，內邊也。縣東北一百五里，在窨子峪口西，其西八里曰潮河川保，紅門川水出口入邊，南流歸潮河，通志在黑峪關東，誤。又折西南二里，逕東山南；又西二里，穿古北口城東而南；密雲丁志。按通志，乾塔河、湯河，皆云貫古北營城，誤。貫城者，紅門川也。又南三里，逕南山西福峯山東；又屈東四里，逕秋千峪西南，亦曰秋千峪，水又東南折西四里，逕北甸，西入湯河。湯河又里餘，注于潮河。方輿紀要：水在兩間房之南，西南流入邊，經司馬臺南臺，北入潮河。

潮河又東南七里，瓦山、白梁窪山夾之，河流一束，曰內對山口；又二里，逕下會邨東；又二里，逕南臺北；又二里，逕新莊南；又五里，逕牧馬峪東南；又四里，逕城子莊北，乾塔河注之。水道提綱所謂一水自東來會，即此。按：乾塔小于潮河，而曰會，非例。水源凡三：一、出口外觀雞山北流十八里，逕摩天嶺，從黑峪關入密雲縣境，在治東北百六十里。又西南流八里，逕水谷堡南、石塘山北；又五里，逕大角谷堡南；又二里，逕曹家路城南，都司以下官駐此。其水與中源合。中源出口外霧靈山清涼界。按：山在密雲縣芍香峪口外南三十里。密雲丁志曰：霧靈山，縣東北塞外百八十里。一名伏淩山，一名孟廣硎山，其陽曰萬花臺，其陰曰清涼界，連跨薊州、遵化、遷安、承德四府州縣。通志屬密雲，蓋以灤陽當日未隸承宣，特從混一，今非縣境。山下別有白河，東入柳河，趨灤入海，一細流耳。漕河考指爲運河，通志誤仍之。黑峪關通車，在芍香峪口北，通志在曹家塞西南，誤。北流少東三十里，從芍香峪口入密雲縣境，在治東北百五十里，密雲丁志：芍香峪口通步，縣東北百五十里，在鐮把峪口東北。又西北流十里，與觀雞山之水合。又西南六里，逕遥橋山東；又西里許，逕遥橋谷堡南；又四里，逕段明山南，與分水泉一源合。水從大蟲峪口入密雲縣境，在治東北百二十有五里。密雲丁志：大蟲峪口通步，縣東北百二十五里，在南峪口東北。東北流八里許，逕坑臺山東；又里餘，與二源合。水經濡水注三藏川，即此。密雲丁志即所謂三藏川也。畿輔唐志曰：一名三城水，在密雲東北，其水三川派合，曰西藏川、東藏川、中藏川，合處曰三藏口，下流，入于潮河。三藏川，舊入濡洋故道。然則方輿紀要廑云，水東出鞍子嶺西南山，西流入燒香口，猶未之晰。三源既導，屈曲西北流五里，逕南山南坑臺谷北；又折西南三里，逕將軍臺南；又半里，逕新城堡東南太湖石北；又三里，逕吉家營北，把總駐此；又西三里，逕小八角莊南大樹窪山北；又七里，逕養河二莊南；又西南三里，逕要兒峪北要兒峪莊；又三里，逕塔兒溝北；又二里，逕馬家山北、橫城後山南；又三里，逕莊窩南；又六里，逕三道梁南令公莊北；又三里，逕七各嶺南沙谷北；又三里餘，逕車頭谷南；又三里餘，逕三道河郝南；又半里，逕牛角山北；又三里，逕松各莊南、蕭各莊北；又三里，逕北莊山北；又里餘，逕松樹谷北；又屈北里許，逕桑園西小山東；又里餘，入潮河。

潮河又西南三里，逕小漕郝西北，右合黑龍潭水。在潮河西北。

水出雙山，在密雲縣治東北八十里，突泉南流，積而爲潭；又東南流四里，逕八里嶺東；又四里，逕覆鐘山東；又二里，逕龍山東北；又里許，逕白河澗西南；又三里，逕高嶺莊西；又折西屈曲東南流三里餘，逕鳳山東南，入潮河。

潮河又西南三里，逕五家會東南；又二里，逕稅局南；又三里餘，逕石匣城東南；又三里餘，逕其西南石匣，三溪水自西北來注之。

水在密雲縣治東北六十里，源三：一出馬家溝，在石匣城北少西八里，其東南二里餘即芹菜嶺也。嶺水互流，故或謂之芹菜嶺水。一出塔山，在馬家溝西南三里，東南流四里，逕五里莊西，與馬家溝一源合；又四里，逕印靈山西；又二里，逕大、小二屯東；又半里，逕石匣城西，與東來一源合。東源出大窩鋪西，流至城西而合，又東南三里，逕山安口東，入潮河。據密雲丁志、張圖，參采訪圖册。

潮河又西南流七里，清水河自東南來注之。水源凡三：一出霧靈山翻水泉，西流五十餘里，從大黃巖口入密雲縣境，曰大清水河，在治東北一百十里，外委戍之。密雲丁志：大黃巖口通騎，縣東北百十里，在小黃巖口東北，外委戍之。大清水河由口北入邊西流，注潮河。又西流五里，逕黃巖山北；又里許，逕楊公堡西北；又西南里許，逕石門水口東。一出塞外好地石潮，從大黃巖西南十里之小黃巖口入密雲縣境，在治東北百里，曰小清水河。密雲丁志：小黃巖口通騎，縣東北百里，在石灰峪口東北有堡，小清水河由口南入邊，西流入大清水河。西北流五里，逕龍潭水口東；又三里，逕河南營東，與大清水河合；又東五里，逕北會南；又屈南折西三里，逕北莊南；又里許，逕煖山梁南，與南清水河合；其源出塞外黃龍潭，從牆子路關水口入密雲縣境，在治東九十里，曰南清水河。密雲丁志：牆子路關，通連騎，縣東九十里，在牆子路城東三里有堡，東南通薊州將軍關道南，清水河由關北入邊，西北流注清水河。西流里許，逕堡北；又三里，逕牆子路城北，都司以下官駐此；又西南流三里，逕沙嶺北；又屈折西北二里，逕柏查山東；又里餘，逕草茨莊東；又三里，逕雙虎石西、魚骨嶺東；又三里，逕後山東；又里餘，逕梯子峪西；又半里，逕蒼朮會西；又一里，逕西谷溝東；又二里，逕石灰谷口西；又三里，逕惡山西；又三里，逕葦子谷西；又二里，逕蜂兒山東；又三里，逕南莊東；又二里，逕煖山梁南，與二源之水會。水經濡水注：要水三川並導，謂之大要水。詳故道。方輿紀要：要水亦曰清水，卽此水也。又西少北三里餘，逕盧各莊北；又里許，逕五峯山南；又六里，逕田各莊北；又五里，逕塔寺會；又三里，逕金扇莊南；又里許，逕波光谷北；又西南三里，與道人溪合。

水導源龍門山，在密雲縣治東北六十里。密雲丁志：龍門山縣東北六十里，出道人溪，爲白龍潭來源。西北流，逕龍潭溝西青都山東；又三里，逕馬圈西；又二里，逕青洞山東、分水石西；又六里，逕雕崖溝西；又里許，逕白龍潭山西，卽石盆峪也。有龍潭，形肖石盆，周百步許，水鑑毫髮，淵無底，故又謂之石盆峪水。畿輔輿圖：石盆峪水，縣東北五十里，有龍潭，狀若石盆，周百步許，水清無底，西南流入潮河。密雲丁志：白龍潭山，縣東北六十里，卽石盆峪，有龍潭，狀肖石盆，明戚繼光詩碣尚存。按：石盆峪水西北流，畿輔輿圖云西南流，非。又西北流五里，注清水河。

清水河又西北流里許，逕化家店東南，入潮河。據密雲丁志、張圖。

潮河又屈曲西南六里，逕釣魚臺東；按密雲張圖：釣魚臺北三里許有一小水，自牤牛河口東南流八里許，入潮河，而其志未之及，采訪圖說並無。又五里，逕黃各莊西北；又五里，逕羅家橋東；又南流三里，逕南省莊北，金溝水自西北來注之。據密雲丁志。

水出金溝莊，在密雲縣治東北四十五里。密雲丁志曰：宋有金勾館，亦謂之金鉤淀。其水東南流二里，逕東嶺東；又三里，逕超渡莊東；又折西南六里，逕羅家橋東；又二里餘，逕南省北，恆河水自東西恆河邨之間東南流七里注之。恆一作横，亦謂之清水潭。金溝水少南，又有扎窩山水，東南流五里，逕北省莊注之，即密雲丁志所謂三河水也。又東南里許，入潮河。按：密雲東横河邨，在治東北二十六里，南省莊、北省莊並在治東北三十里，扎窩山在治東北二十餘里。

潮河又折東南四里，逕九松山莊東北；又曲東北五里，逕城廠南；又六里，逕小十八盤山西南；又折南四里，逕莊頭谷西；又二里，逕荆子谷西；又折西半里，逕柳樹溝西；又西十里，逕鄧家灣北，黄門口河水注之。

水出塞外，從黄門口入密雲縣境，亦曰黄門子河，在治東八十里。按密雲丁志：關隘門曰黄門口，通步，縣東八十里，在北水峪口東北。黄門口河由口入邊北流，而河門又曰黄門口河，縣東九十里。源出平頂山東南陲，西北流，逕梨花鎮錐山南折而西流，逕行客鎮至鄧家灣入潮河，所謂平頂山，疑誤也。密雲縣平頂山，在治西北三十里，與黄門口相距百數十里，其云由口入邊，則合黄門口在南峪口西南五里，或謂此爲南峪水，非也。茲據張圖，參采訪册。西北流二里，逕胡盧嶺南；又二里，逕黄門堡北；又里許，逕帽兒山南；又折北四里，逕陳各莊東；又西北一里，逕孝女臺西南；又西四里，逕錐山南楊各莊北；又西南三里，逕高家莊南；又西北三里，逕王各莊南聶家谷；又四里，逕河下莊南、後廠莊北；又七里，逕行客嶺北、大谷南；又四里，逕沙廠石北；又西南里許，逕帽石南；又二里餘，逕柳樹溝南；又四里，逕樊家嶺北；又一里，逕樊家邨北；又西南屈向西北流六里餘，逕鄧家灣，西入潮河。

潮河又西南二里半，逕水谷莊北；又半里，逕羊山莊南；又二里，逕水谷山北；又二里，逕毛家河灘南；又三里，逕石嶺南；又三里，逕白巖山北；又三里，逕三台山南；分支西出爲引渠，其經流又二里，逕孤山南，按密雲丁志云：湖河逕白巖，五里繞孤山。又云：孤山，縣東南五里，左禦潮河，而張圖孤山未注名。提轄莊北；又五里，爲潮河渡，在縣城南六里許；又一里，逕河南寨北；又五里，逕漕河莊東南，會於白河；白河會流之北一里，受引渠，其水在潮河經流北里餘，西流二里，逕孤山北；又半里，逕池家莊南；又四里，逕密雲新城南；又里餘，逕舊城南菜邨北；又五里，注白河。

白河既會潮河，自此兼受潮河目，未合以前，白河在潮河西，逕境凡百餘里，潮河逕境凡百五十里，合流，又西南十里，逕臺下西北出界，入懷柔境。水經鮑邱水注曰：南逕傂奚縣故城東，又西南，逕獷平縣故城東，王莽之所謂平獷也；又東南，逕漁陽縣，漁郡治也，秦置，王莽更名通潞，縣曰得漁。鮑邱又西南流，公孫瓚既害劉虞，烏丸思劉氏之德，迎其子和，合衆十萬破瓚於是水之上，斬首一萬。按：漁陽、傂奚、獷平諸縣，皆今密雲境。懷柔縣置自明，析密雲縣西屬之，其水逕懷柔境，未必概非酈注水道。懷柔吴志：金名縣爲温湯，以其在温榆河之陽也。温榆河即昌平榆河下流，爲沙河，入順義西南界，至通州，入潞河。今縣治去温榆河稍遠，地已改屬，而名仍其舊。太平寰宇記：燕太子丹使荆軻獻督亢之地圖於秦。

督亢即懷柔地，故跡無可考。而順義縣西有燕王塚，意即水經注所謂濕餘河在燕王陵南者也。又順義有太子念頭，昌平有燕丹邨，大抵懷柔、順義皆昔之温陽，爲燕北境。

又西南，過懷柔縣南。

白河從密雲入懷柔縣東北境，逕龔家莊南，又逕平頂山南，又逕北房莊西，又逕葛各莊東，合雁溪河水。畿輔安瀾志：白河與潮河合，又南逕懷柔縣東南，雁溪河西北來注之。餘據義倉圖及采訪册。水出灤平南，流逕神堂峪東，入懷柔境，在治北少東三十里。據今圖、義倉圖。又東南，逕柏崖莊；又南十五里，逕馬家墳西；又南五里，逕陳各莊東；又南六里，逕小張各莊東；又里許，逕王化莊義倉東；又五里，逕葛各莊東，入白河。據圖册。

白河支流又爲疊道洩水溝。據畿輔安瀾志。其經流又南，逕高家兩河東；又三里，逕張自口西；又里許，逕李家兩河西；又里許，逕杜家兩河東；又西南四里，逕蕭家兩河東；又二里，逕解家邨西，出界。按義倉圖：逕李家兩河西，又西南，逕杜家兩河東，蕭家兩河東，與今道又異。

又南過順義縣東，懷河入焉。

白河從密雲南入順義縣境，在治東北二十五里，西南流，逕胡家營西，又逕牛欄山東，合懷河。按：自入境至受懷河，凡十餘里。

其水爲七度河、九度河、小泉河，合流於懷柔城東南八里之霍各莊東，故俗呼懷河。

七度河，即水經沽水注所謂水出北山黄頒谷，亦謂之黄頒水者是。俗謂朝鯉河，亦曰水谷河，出延慶州東南。其源四：一、荒坡梁，一、蝎子石，一、鳳凰坨，一、黑山寨。荒坡梁水自塞外東南流，逕白龍潭，又東南，右合蝎子石水，又東入邊牆，逕昌平州西北六十里之水關口；又五里，逕洞臺邨東北，即黄花鎮也。水至此，左合鳳凰坨水，水導源塞外鳳凰坨，南流入鎮口，逕昌平州黄花鎮，與荒坡梁諸水會於黄花鎮東，故通謂之黄花鎮川。又五里，逕南冶邨東北；又三里，逕大榛峪口西南；又八里，逕黄花汛北，把總駐焉；又東南，逕九度河邨南，右合黑山寨水；又東南，逕五度邨，又東逕白家莊南，出界。（昌平宋志：黄花鎮川一名水谷河，源四：一、荒坡梁，一、蝎子石，一、鳳凰坨，一、黑山寨。以其同會於黄花鎮前，故以黄花鎮名。荒坡在塞外，水東南流，至白龍潭内，又東南，右合蝎子石水，又東入邊牆，逕西水谷至黄花城前，左合鳳凰坨水，其水導源塞外鳳凰坨下，南流入本鎮口，至黄花城前，與荒坡梁諸水會，又東南。逕九度河邨南，又合黑山寨水，又東逕花木團泉等邨，至谷口邨前。又曰：黑山在川城東北五十里，爲明陵往來黄花鎮通衢，山如列屏，下有泉澌。）又東南，逕懷柔縣西北境；又東南，逕路各莊西，又逕梁家務西，與九度河合。未合以前，凡逕昌平州境三十餘里，懷柔縣境十餘里。

九度河，源二：一、出昌平二道關西之西水峪口，在治北一百一十餘里，義倉圖謂九道河，本境發源者即此。或曰出口外白龍潭，非也。東流折西，復東逕黄花鎮東，又逕九度邨。一、在其南，出銀山之蒙泉，在西水峪之南，東流逕九度邨，而二水合。自此有九度河之目。度俗作渡，今依酈注七度河之度正。又東逕四度河邨北，又東逕一度河邨南，又逕口頭邨北，又逕黃坎邨南，又逕雷家新莊南，九屈曲流逕昌平州境百餘里出界。按：九度河圖說互異。畿輔新輿圖載，水二源：一、出昌平西北之西水峪口，東西屈折，至九渡邨；一、出州西北銀山之蒙泉，東流至九渡邨。二泉合流，又東逕四渡邨、口頭邨、霍家新莊、峯山，北入懷柔境。義倉圖言：九道河本境發源，水西逕黃花城北莊、一道河、九道河、花水邨、口頭倉，水東逕黃花路、五道河、三道河、四道河、黃坎邨、南崖邨、雷家新莊，與采訪圖冊又未盡同。茲加稽訪，擇不懸殊者著於篇。昌平宋志：蒙泉在銀山下。又東南，逕懷柔西；又東南五里，逕峯山口東北，與七度河合，自此通呼七度河。又東南里許，逕潘各莊東；又里許，逕釣魚臺東，在治東三里許，據畿輔圖說。與渤海水合。

水源四：一、響水湖，一、水泉溝，一、珍珠泉，一、慕田峪。響水湖在磨石口外，東南流入，自水關逕昌平州南、冶邨北，右合水泉溝水，水入自昌平縣南冶口，東南流，會響水湖之水；又東南，逕渤海所南，左合珍珠泉、慕田谷二水，珍珠泉出田仙谷東南，流逕新營城；左合慕田谷水，又西南，逕渤海所南，而四源合。渤海所者黃花路城舊名也，水名以此。又南逕八度河嶺；又東南，逕懷柔縣釣魚臺，入七度河。據昌平宋志，參采訪圖說。七度河又五里，逕南園子西；又東三里，逕石廠莊東；又里許，逕霍各莊北，凡十餘里，而與小泉河合。

小泉河在七度河、九度河之東北，導源懷柔縣北二十五里紅螺山，俗又呼紅螺山水。水經沽水注：沽水又南與螺山之水合。水山，漁陽城南小山。魏土地記曰：城南五里有螺山，其水西南入沽水。然則今之小泉河，卽古之螺山水矣。東南流逕盧各莊，又逕紅螺鎮東，鎮以山水氏；又南五里，逕路各莊西；又二里，逕劉各莊東；又南，逕中富七里大屯西；又一里，逕下園莊東；又三里，逕懷柔城東；又二里，逕南富樂東；又五里，逕霍各莊東北，與七度、九度兩河之水合。自螺山至合流處，凡三十里許。三水並導合而東南，統名懷河。其水又東南二里許，逕趙各莊東南，出懷柔境，入順義界，在治北少西二十有五里。據今圖，參義倉圖。黃成章順義縣志謂之大水潞河；又東南六里，逕孫家莊北，與大水峪河合。

水出口外前山鋪南流，從大水峪入密雲境，在治西北三十五里，在小水峪西五里，東南流，逕大水峪堡東，據密雲丁志。又逕懷柔縣，入順義界，逕孫家莊注懷河。

懷河又東南三里，逕梭草莊南；又一里，逕四季屯南；又里許，逕泉河屯南；又里許，逕治北二十里之牛欄山北山麓，有鎮，漕河汛把總駐焉。又有堡、有鋪、有渡；又二里，逕史家口東北入白河。按：入順義境至入白河處，凡十餘里。義倉圖：牛欄倉在牛欄山之西，距孫各莊三里，梭草莊五里，四季屯六里，泉河屯七里，史家口十里。

白河既受懷河，又東南十里，逕杏落郙東；又屈東六里，逕馬辛莊西；又東南五里，逕郝家疃西；又三里，逕順義城東八里之風伯郙，俗謂之俸伯郙，水出橋下；又六里，逕河北郙西；又屈曲四里，逕河南郙東；又四里，逕臨河郙東，東府郙泉注之。

水出治東北，南流，逕柳各莊入白河。按：東府郇泉，見順義黃志。柳各莊在治東南十七里。白河又屈東二里，逕後角西；又四里，逕李家橋；又里許，逕北河邨西；又五里，逕張家新莊東；又五里，逕南半壁店東；其水屈曲流順義縣境，凡五十餘里。

又南過通州。

白河從順義縣南，逕通州北。水經沽水注曰：沽水南逕安樂縣故城東，俗謂之西潞水，又南，左會鮑邱水，世謂東潞也。又南，逕潞縣，爲有潞，名潞河也。魏土地記：城西三十里有潞河。鮑邱水注曰：鮑邱水入潞，通得鮑邱之稱矣。按：潞縣，漢初作路，改自後漢，後魏省安樂入潞，皆今通州境。西潞，今白河；東潞，今潮河。然則潞河卽白河合潮河之下流，未入潞境，難被厥名。而杜佑通典謂：密雲郡，檀州密雲縣有潞水，自塞外流入。太平寰宇記：潞河一名沽河，一名鮑邱水。明一統志：潞水自塞外丹花嶺，合九泉水，南逕密雲東北。陸隴其畿輔八府地圖記，言：白河又名潞河，在密雲縣南十八里。皆源流名混，不考之甚者也。近人又謂白河、潮河未會潞河之先，不得被以潞河之名，又似潞河自有其源，亦難可從。畿輔安瀾志：北方諸水，爲沽河源流最混，名稱亦亂，以其下至通州，會東西二潞水，故謂之潞河；以其與潮河合，故謂之鮑邱水，亦曰潮河；又以其與白馬關入之白河合，故又謂之白河，要皆非其本名。說者當以漢書地理志、水經注爲據。漢志、水經注惟有沽河名，別無他號，其合潞處在下尾，安得追被上源。白河既名潞河，亦曰露河，爲漕運所經，故謂之北運河。武清蔡志：白河卽北運河。路史：潞縣有潞水，卽露河也。俞理初癸巳存稿卷五：糧自坌口北轉白河，達順天通州，自分水口至板閘，今爲水程三百二十三里，北流水改六分。嘉慶丁巳記。又南逕通州西北境小營之西五里，按：入境處在通州城東北三十里。又南六里，逕平家疃西，司漕外委駐此，疃一作灘；又一里，逕闞家莊西；又一里，逕小堡西；又南二里，逕溝渠東；又五里，逕杜家莊西；又二里，逕劉家莊西；又三里，逕隆旺莊西；又三里，逕石壩東；又一里有奇，逕土壩東；又三里有奇，逕東嶽廟東，地卽羅家口，亦曰羅家擺，有水撥；又三里，逕流水溝；又三里，逕楊家坨西，有水撥；又六里，逕郝家鋪西，有水撥；又二里許，逕茶棚東，在通州城東南隅，榆河西北來注之。通州高志郿鎮圖：潮白河入境水，東逕平家疃、翟裹、翟家莊、高各莊、蘇家坨、隆旺莊、王家莊、王家場、劉家莊、魏家莊、永豐屯、楊家坨、橋頭坡、郝家鋪、小台水；西逕内軍莊、小龐郿、大龐郿、溝渠莊、雙埠頭、尹各莊、富河馬莊、東浮橋、茶棚。按：江北運程所云石壩前自北來入運者，温榆河，非今水道矣。今據光緒通州高志圖，参以目驗，石壩在州城北里許，而榆河入北運河則在州城東南之茶棚東，相去十有八里。高志山川門云：温榆水清，單行經過石壩至東嶽廟迤南，方與潮、白會流，歸北運河。與漕運全書温榆河爲石壩樓前起糧之所正合，如已入北運河，則不必舉榆河矣。餘據采訪册。

榆河，古㶟餘水，譌㶟爲濕，復譌濕爲温，後漢書注引水經注云：温餘水是傳寫之誤，其水有榆河目，榆、餘音同，世遂謂之温榆河。金人乃名縣曰温陽。遼史：順州有温榆河。皆未之審。春明夢餘録復以非駁，是尤不學之甚者。詳永定河注，㶟水考。

水經：㶟餘水出上谷居庸關東。酈注：其水導源關山，南流歷故關下。今考水出居庸上關西北十七里之八達嶺，嶺在延慶州城南三十里。明一統志謂之濶河，其水東南流，入昌平州西境，東南十餘里，逕龍虎臺而伏。水經注謂㶟餘水逕軍都縣界，水流潛伏十許里者此也。方輿紀要：南口而東六里，有龍虎臺，與積粟山相對。榆河源出軍都山，至舊縣西而伏。昌平山水記：水出居庸關，爲濕餘河，至舊縣之西而伏，又南復出，亦謂之榆河，今涸。按義倉圖，入昌平界六里許，有龍虎臺倉。逕昌平州西南舊縣邨復出，曰月兒灣。或曰水經注㶟餘水故瀆，東逕軍都縣故城南，又東，重源潛發，積而爲潭，謂之㶟餘潭，即此。方輿紀要：濕餘河又南復出，謂之榆河。其發處爲月兒灣，今上流已涸。畿輔安瀾志：南流逕龍虎臺而伏，至昌平州西南舊縣邨復出，曰月兒灣。昌平本漢軍都縣，月兒灣當即濕餘潭。唐魏王泰括地志：月兒灣在州西南四十里。昌平宋志：㶟餘水即今南沙河，㶟餘潭今之北辛立屯一畝泉也。而水出居庸關者，與㶟餘無涉。易荆水今北沙河也，千蓼泉今之亭子莊小埝頭諸泉也。或問：水經固明明言㶟餘河出上谷居庸關東，東流過軍都縣南，而注則云其水南流出關，謂之下口，水流潛伏十里許也。又云：㶟餘水故瀆，東逕軍都縣故城南，又東，重源潛發，積而爲潭，謂之㶟餘潭。是㶟餘潭即居庸水復出處也。以地勢考之，其下流當爲沙河店之北派，而子反以爲今之南沙河，又指一畝泉爲古㶟餘潭，豈有說乎？曰：居庸水發源八達嶺之西，明一統志謂之澗河，而未嘗言及㶟餘字，此後人之著作，原不足以駁古人，但其源在關之西北，而非在關之東，此水經未嘗深考，而不能無差，可見也。南流出關潛伏，固然矣，但不解何以十許里外之潭，爲此潛伏之水也？此不免穿鑿附會，又可見矣。此吾所以謂㶟餘潭與居庸水無涉也。而以今之一畝泉爲㶟餘潭者，其說亦本之水經注，其言㶟餘水故瀆，東經軍都縣故城南，又東，重源潛發，積而爲潭，明明言其潭在軍都縣故城東南也。今考軍都故城，即雙塔西之古城邨，新立屯在其南，吾所以指一畝泉爲㶟餘潭也。且今南沙河上流，有大榆河、小榆河兩邨，水逕兩邨之間，又必俟一畝泉交會以後，而始有榆河之名，吾所以以㶟餘爲南沙河也。然則南沙河不曰發源一畝泉，而曰發源鰲魚溝者，何也？曰：今昔水勢不同也。鰲魚溝水勢較大，論今之水道，當以大者爲綱，豈可泥古而廢今乎？或問：自水經注言㶟餘水出居庸關，又咸以北沙河爲㶟餘，南河爲易荆。乾隆府廳州縣圖志，明明言易荆水今之南沙河也，今子既以㶟餘爲南派，北派固爲易荆矣，其詳可得而聞乎？曰：水經注不云乎：㶟餘潭又東流，易荆水注之，其水導源西北千蓼泉，亦曰丁蓼水，東南流，經郁山西，謂之易荆水。易荆水又東，左合虎眼泉，水出平川，東南流，入易荆水。又東南，與孤山之水合，水發川左，導源孤山，東南流入易荆水，謂之塔界水；又東逕昌平縣故城，謂之昌平水；又東流注㶟餘水。夫曰導源西北，曰東南流，又曰東左合虎眼泉水，合孤山水，曰又東流注㶟餘水，明明在㶟餘之西北，向東南流注㶟餘也。假若㶟餘在北，易荆在南，安有西北向東南流之水，而尚能注于其北河者乎？是不待辨而明矣。況又有虎眼泉、孤山水爲證乎？虎眼泉，舊縣西北，人所共知。孤山雖不敢確指爲白浮山，然其山不與他山相連，謂之爲孤山，未嘗不可也。以方向言之，既如彼，以證據考之，又如此，吾是以知其爲北沙河也。且水經注原未嘗明言㶟餘爲北河，易荆爲南河，後人泥㶟餘水在居庸關東之文，遂以其爲北河也，既以㶟餘水爲北，勢不得不以易荆爲南。以㶟餘爲北，猶可說也，以易荆爲南，不可說也。易荆既不可爲南，㶟餘亦安得爲北乎？蓋水經注論天下之水，或考諸載籍，或得之傳聞，原不無差，後人尊古人之書而不敢辨，所以使南北易置也。雲龍北沙河爲㶟餘水考昌平宋志，以北沙河爲易荆，以南沙河爲㶟餘，不得不以一畝泉爲㶟餘潭，厥説似是實非。水經注：易荆水又東左合虎眼泉，又東注㶟餘水，今之受虎眼泉，合南沙河者，北沙河也。以北沙河爲易荆之説職此。然水經注明明言㶟餘出上谷居庸關東，東流過軍都縣南。酈注曰：南流出關，謂之下口，潛伏十許里，東逕軍都縣故城南，又東，重源潛發，積而爲潭，謂之㶟餘潭。故以北沙爲㶟餘，舊無異議。伏流往往而有，昌平志乃以穿鑿詆之。道元，涿人也，注南或疏，注北則審，涿距昌平近甚，昌平志又以得之傳聞，南北易置譏之，此無足辨。惟既謂水出居庸關者，與㶟餘無涉。而又云居庸關外入北沙河，且指一畝泉爲㶟餘潭，而又云發源鰲魚溝，左合一畝泉，自相矛盾，何所徵信？如果㶟餘導源一畝泉，則一畝泉卽榆河矣，何以元郭守敬開通惠河，必言引榆河一畝泉諸水？虎眼泉今昔異同，姑弗深論，而昔之虎眼泉，先合易荆，今之虎眼泉，徑注北沙，變遷則然，執所受以疑所入何與？而或據洪亮吉乾隆府廳州縣志，以易荆爲今南沙河；或援王履泰畿輔安瀾志，以南沙澗水卽古易荆水；則又未免貽昌平志譏矣。此可兩言決之，謂南沙河非易荆則可，謂北沙河非㶟餘則不可。 東南逕畚奄屯汛西，外委駐此，水南直雙塔邨，一水西北注之。

水出桃峪窪，在州治西二十八里。義倉圖謂之龍眼泉，東南流，逕北馬房南，又逕四家莊北，又逕亭子莊南、八溝邨北，又逕雙塔邨，入榆河。

榆河又東南，逕史家橋；又三里，逕白水窪；又里許，逕梅所屯北；又里許，逕西閘；又里許，逕東閘；又二里，逕樓子莊北；又一里，逕馬市口南；又二里，逕踩河北；又七里，出北沙河橋。水至此，被沙河名，對南支言，又曰北沙河。昌平山水記：榆河出月兒灣，下流爲沙河。畿輔唐志：温餘河今曰北沙河，在昌平州南十八里。 虎眼泉北來注之。

水經注：虎眼泉水出平川。畿輔安瀾志謂之龍泉水，卽幢幢水也。今考導源虎峪山東南，出如瀑布，然旋隱不見，虎眼泉是其復出。一統志：幢幢水在昌平西北虎峪山，下流入榆河。燕都遊覽志：幢幢水如瀑布，三四里至鵓鴿巖，隱而不見，或謂舊縣西北虎眼泉是其復出也。方輿紀要云：一作馬眼泉，其水南流，逕大埝頭邨東，左合暖泉水。

水出舊縣城東百餘步，西南流，入虎眼泉。

虎眼泉又東南，逕小埝頭北，（小埝頭有二，此在紅橋北，非四家莊西南小埝頭。）馬池口西，樓子莊南，左合百泉水。水出昌平州治西南四里許，泉難枚舉，大者曰原泉，澄流澈底；曰黃泉，沙流渾漫；曰響泉，厥聲肖聞，合流入虎眼泉。

虎眼泉又東南，逕蹕河邨，亦曰蹕河，又南流入北沙河。（據昌平宋志。按宋志有黃泉谷，在城東北二十里，當是黃泉導源處。）

北沙河又東，逕東沙屯南，又逕鞏華城北，在州東南二十里，初名沙河店，明嘉靖十九年築城更名，（明地理志：鞏華城，嘉靖十九年築。方輿紀要：鞏華城在昌平州東二十里，其地本名沙河店。）今北路同知及都司以下官駐此。又東折北五里，逕龍王山南；又東五里，逕泥窪東南，天壽山泉注之。

天壽山泉，一出天壽山東老君堂南，流逕明長陵西，又東出七空橋；一出灰嶺口；一出天壽山西北賢莊口，合流出明泰陵橋；一出雞嶺口，逕明康陵橋，又出明泰陵橋南數十步而合；又出明定陵橋，東出七空橋；一出德勝口，東出明昭陵橋；又東出七空橋，合而爲一；又東南流，逕工部廠東北，與九龍泉合。

九龍泉出明昭陵西南千山崖麓，鑿石爲龍首，泉出其吻，瀦而爲池，曰九龍池。東南屈曲，流十八里，逕碑樓南；又十一里，逕工部廠，東北注於天壽山泉。諸泉既合，南流十里，出東山口；又五里，逕北邵窪東；又南折東五里，逕何家營北。一水出東山口，南流五里注之。昌平山水記：天壽山東西通黃花鎮路口，其水一自老君堂逕長陵前而西，又東至七空橋；一自灰嶺口；一自賢莊口，合而下泰陵橋；一自雞嶺口，下康陵橋，至泰嶺橋南數十步而合，下定陵橋東至七空橋；一自德勝口來，逕昭陵橋東下七空橋，總爲一流，出東山口，至鞏華城東，北入沙河。一統志：天壽山，昌平州北十八里，明陵在焉。其間衆水環流，自諸山口而入匯爲一，出東山口，入鞏華城東北之沙河。按義倉圖：九龍泉出錦屏山南，又東南逕小峪山、大峪山之南，又逕閆家店東，其餘據采訪圖説。昌平宋志：九龍池在昭陵西南千山崖下，鑿石爲龍頭，泉出其吻，瀦而爲池，上有粹澤亭，嘉靖十五年建，峭壁清流。明程敏政、劉侗皆有九龍池紀略。又東南流，翠屏山泉、百仙莊、水龍王山泉並注之。據采訪圖。畿輔安瀾志：翠屏山泉、百仙莊水龍王山泉，流合於沙坨郗之東石橋。

翠屏山泉亦曰永液泉，出昌平州西北翠屏山，東南流入北沙河。一統志：翠屏山泉在昌平州西南十五里，東南流入沙河。畿輔唐志：永液泉在州西北翠屏山下。按：翠屏山泉在州西北，而一統志云西南，何與？昌平宋志云：翠屏山在城西北三十九里，永液泉在翠屏山下。

百仙莊水，導源平地，南流十二里，逕沙坨郗與龍王山泉合。龍王山泉卽白浮泉也，出龍王山東南，在昌平州治東南五里餘。山半一洞，洞北一潭，其西北泉鳴石竇，東南流十餘里，出沙河東石橋，合百仙莊水，又南入北沙河。畿輔安瀾志：龍王山泉水自山南南流十里逕小寨村；又南十里，至沙河東石橋，與百仙莊水合。百仙莊河發源平地，南流十二里，逕沙坨村，與龍王山泉水合流，十二里至沙河東石橋，與四各莊北沙河水合，入于三岔口。畿輔唐志：龍王泉在昌平州龍泉山龍王祠下，自麓滴出石竇，流入溫餘河。昌平宋志曰：龍王山水，右合涼水河。然則百仙莊水又有涼水河目。昌平宋志：白浮泉卽龍王山水，南流逕西沙屯，右合涼水河；又南流，至朝宗橋東，入北沙河。又曰：龍泉山卽白浮山，州城東南五里，山半一洞，北麓有潭，潭西北泉出亂石間。

北沙河又受白羊水。水導源白羊城西十五里釣明湖，出山潛伏，山水發時，東流入北沙河。據昌平宋志。

北沙河又東南五里，逕三岔口，會南沙河。按畿輔安瀾志：東流十里，逕三岔口，與南沙河會。今驗之采訪圖册，僅五里許。

南沙河導源宛平西山鰲魚溝，東流入昌平境，右合黑龍潭水。水出宛平縣西北虎峪，薊邱集所謂玉斗潭即此，亦南沙河一源也。昌平宋志：南沙河發源西山鰲魚溝，東流逕龍泉寺前，又東，合黑龍潭水。潭在太舟務西，即薊邱集之玉斗潭也。東北流入南沙河。東流一里，入昌平州治西南四十五里大州務之西北，據畿輔輿圖。結而爲潭，東北流數里，逕後沙澗邨，左合岔河水。其水出州治西南三十里白虎澗，東南流入南沙河。又東數里，逕前沙澗邨，右合滿井水。水出前沙澗邨南，東流入南沙河。據昌平宋志。

南沙河又東北五里，逕長樂邨北，有南沙澗水西南來注之。按：長樂邨在治西南三十里，距前沙澗五里。畿輔安瀾志：南沙西南自宛平縣黑龍潭發源，東流一里，入州境之太州務村北；又東流四里，逕屯尹村北；又東流三里，逕馬房村北；又東流二里，逕長樂村北，有南沙澗之水合之。畿輔分圖：南沙河自宛平縣黑龍潭東流一里，入昌平州南境之太州務北，又東北逕周家巷西北，又逕長樂村北，有南沙澗水，西南逕蘇家坨東合之。水即俗呼沙澗泉者是。畿輔安瀾志謂古易荊水，亦名昌平河，非也。詳上北沙河爲㶟餘水考。東北流，逕蘇家坨東，入南沙河。畿輔分圖：入南沙澗水，自西南逕蘇家坨合之。按：岔河滿井，即沙澗泉支流。

南沙河又東八里，逕大榆邨南，曰大榆河；又逕小榆邨南，曰小榆河。元史英宗紀：至治元年七月，通州榆邨水決。即此。畿輔安瀾志：又東流八里，逕大榆村、小榆村南。昌平宋志：大榆河州城南二十三里，小榆河三十里。按義倉圖：榆譌玉。又東四里，逕沙河店南，出南沙河橋，即安濟橋也。按：小榆邨距安濟橋不及五里。義倉圖與今采訪圖説並同，而安瀾志云八里，誤。又東五里，逕鞏華城南之半壁店；據義倉圖，參采訪册。昌平吳志：半壁店距州二十六里。又東屈北十里，逕白各莊南；又八里，逕城東南十五里之三岔口，與北沙河會。據采訪圖説。

水自此通稱沙河。又東三里，逕吕各莊北；又東里許，逕上僧郇北；又東四里，逕冷坑北；又東里許，逕官牛房北；又東里許，逕藺溝郇東；義倉圖：合流後，水北逕界山北仰村、白蛇村、牛房闌、瓦子衛；水南逕東沙屯、半邊街、吕各村、上僧村、冷坑、官牛房、藺溝村。按畿輔安瀾志云：南北二沙河，合流於三岔口；又東流八里，逕鄭家莊北；又東流八里，逕馬家房；又東流八里，逕藺溝郇。今考義倉圖，自合流至藺溝郇僅十四里許，與采訪圖説正合，然則安瀾志計里凡二十有四，難可概據。絳州營河、抱榆泉、龍泉寺水、湯山泉合流注之。畿輔安瀾志：大小湯山泉、龍泉寺水、抱榆泉水、絳州營河合流，北來注之。

絳州營河，出順義縣治西北，厥源二：一、導源范各莊東南屈，逕梁各莊，而南出板橋與東支合，長二十有五里；一、導源寺兒上北，西南屈，流逕絳州營西，河名以此；又屈逕鄭家莊西，出板橋合流，名曰西河，亦呼榆河，有南石槽、三角店界二河間，熱河御路所經。畿輔安瀾志謂即芹城水，非也。水經㶟餘水注：㶟餘水又東南流，左合芹城水，水出北山，南逕芹城，又東南流，注㶟餘水。昌平山水記：芹城水出芹城北，南入沙河。畿輔安瀾志：絳州營河在順義縣西南，水有二源：一、出西北苑各莊東南，逕梁各莊，至板橋，與迤東一支合，長二十五里；其一支亦出西北，逕寺兒上，西屈逕絳州營西，西流逕鄭家莊，又西流出板橋合流，名西河，亦謂榆河，有南石槽、三角店界二河之中，即水經注之芹城水矣。順義黄志：板橋在治西三十里。凡逕順義境二十餘里。又西屈，南出界，入昌平州境，在治東二十餘里，逕高麗營西，又名高麗河；又東三里，逕官莊東；又西南六里，逕東流郇，與龍泉寺水、抱榆泉水合。畿輔安瀾志：絳州營河西南出境，入昌平州南之高麗營，名高麗河。又東流三里，逕官莊村，又西流六里，至東流村，與大小湯山泉、龍泉寺泉、抱榆泉諸水合流而南。按：絳州營河入昌平州東境，在州城東少北四十五里。安瀾志云：州南，非也。東流郇合流者，有抱榆池、龍泉寺水。至湯山泉之合流，在又南五里。安瀾志亦誤。

抱榆泉導源昌平治東北，南流十九里，逕東流邨，曰東流河，東與絳州營河合。畿輔安瀾志：抱榆泉河發源昌平州東北，南流十九里，逕東流村，名東流河。

龍泉寺水，導一畝泉，在昌平州治東北三十里，元雙塔河上流也。南流十里許，逕香屯西，其水西直蕭家邨；又九里，逕瓦作衛東；又三里，逕東流莊與絳州營河合；又東南屈曲流六里，逕葫蘆邨，又名葫蘆河，湯山泉東來注之。畿輔安瀾志：龍泉寺水發源一畝泉，元雙塔河之上源也，南流十五里，逕高屯村，又東南流八里，逕葫蘆村，名葫蘆河。

湯山泉源二：一、出昌平州城東二十有三里之大湯山，卽湯峪山；一、出大湯山東南之湯山，亦謂之小湯山。雙泉皆温，俗呼湯峪泉。逕葫蘆邨，合注龍泉寺水。又新湯池距舊塘里許，有海子水，益温，康熙五十年甃。又行宫内有泉，南流七里許，亦注龍泉寺水。畿輔安瀾志：湯山河有大小二源，合流七里，與龍泉寺、抱榆泉、絳州營諸水會。此河所出，爲大小湯山。大湯山卽湯峪山，小湯山卽湯山，在其東，二山所出之水皆温泉，合流入於雙塔河。又新湯池在舊塘，里許有海子，水益燠。康熙五十年甃。又行宫内有泉南流七里許，亦入於葫蘆河。按：雙塔河、葫蘆河皆龍泉寺水，詳上。昌平宋志：大湯山在州城東二十五里，又東里許曰小湯山，湯峪水發源湯峪石縫山，南流至古城村，西入沙河。諸泉合流，仍復微涓淺注；又南三里，逕藺溝邨入沙河。畿輔安瀾志：諸水合流而南，至藺溝村入於沙河。其所經流，僅微涓淺注而已。

沙河又合芹城水。

水出芹城邨北神嶺麓，嶺亦名三思，在昌平州治東北三十五里，高百餘丈，下有龍潭，卽其源也。西南流，逕南莊西，右合楊家巷水；又東南，逕葫蘆河邨北，惠澤龍潭水入焉。

水出大湯山西峯下，東流逕小湯山邨南，左合湯泉行宫内水；又東南，逕葫蘆河邨北，入芹城水。

芹城水又東南，逕小東流邨，西合桃谷水。

水出桃谷，在昌平治東北七十里，南逕西官莊西，左合暴榆泉水，卽白浪河也。又西南流，逕小東流邨西北，左合蘇家口水，又南，逕藺溝邨西北，入芹城水。

芹城水又南，逕藺溝邨西南注沙河。（據昌平宋志。）

沙河又東南四里，逕土溝邨東；又八里，逕南戚各莊東；又一里，逕沙子營北，亦名沙子營河；（畿輔唐志：昌平州東南五十里有沙子營，接大興縣界。畿輔安瀾志：東流四里，逕土溝村；又東八里，逕南戚各莊；又東一里，逕沙子營北，又名沙子營河。又曰：南、北二沙河，於昌平州東南，卽入大興縣之北境，亦卽順義縣之西南界。春明夢餘録、方輿紀要皆云，經順義縣西南者，蓋以河流二縣之間，以此分水，其實至沙子營東南爲大興縣屬，畿輔通志所言是也。昌平州志以爲南接宛平縣界，則又指清河之水自西北會，非沙河之正流也。按畿輔輿圖與安瀾志合。）出界，入大興縣西北境；又東南，逕海青廟；又六里，逕燕丹邨之清河營西南，清河注之。（按 清河營在安定門東南二十五里。）

清河出宛平治西北三十里之玉泉山，其源導自玉泉山西之雙泉山。玉泉出清河之南，義倉圖如是，目驗良然。又有官河目。或曰，源出昌平州一畝泉，分爲二：一爲雙塔水，卽龍泉寺水；一曰官河，固安陳志謂之小清河卽此。然流可變遷，源有從出，今清河與龍泉寺水雖同歸沙河，而其源則絕不相涉。明一統志：清河源自昌平縣西南一畝泉，經燕丹邨東南，合榆河。昌平山水記：出德勝門八里爲土城關，又二十里，爲清河，其水出玉泉山，分流而北，逕此又東會於沙河，入於白河。畿輔安瀾志：清河又有官河之一名。方輿紀要：官河在州西南二十里，源出一畝泉，分爲二流：一曰官河，流入宛平縣，入高梁河；一曰雙塔河，在州西南三十里，經雙塔店入榆河。昌平州志：官河在州治西南一十里，分爲二源：一由官河流入宛平，合高梁河；一由雙塔河逕雙塔店入榆河。據紀要，是分一河而爲二。據州志，則一河分爲二流耳，其實一也。元志以雙塔河至豐善村入榆河。州志以虎眼泉亦至豐善村入榆河。考其方位，似卽四各莊所出之一泉，東流爲北沙河者也。又一統志引州志，南沙河在州南二十五里，源出神頭嶺山。考神嶺山，卽神山也，爲通惠河發源。元史河渠志：通惠河導清水，上自昌平縣白浮村，引神山泉而折南，轉過雙塔、榆河、一畝、玉泉諸水，則似南沙河卽爲清河，且卽爲白浮神山泉也。又云：雙塔河源出昌平縣孟村一畝泉，則雙塔河卽一畝泉也。明一統志、昌平州志、蔣一葵記、方輿紀要，皆以爲清河出一畝泉，則清河又卽一畝泉也。又元史河渠志：金水河出玉泉山。昌平山水記、一統志，皆以爲清河出玉泉山，則清河又卽金水河也。昌平山水記：州西南三十里爲雙塔河，東流過雙塔店入榆河。出州東神嶺山下爲神山泉，出白浮山爲白浮泉。雙塔榆河之水，今皆入於沙河，意當日諸河導源各有所自，會流爲一，於是循流溯源，遂亦有互受通稱之目耳。病逸漫記云：白浮水今入清河，一畝泉在甕山後，已塞，則所稱清河發源一畝泉者，亦不可據。古今水道之變，難以臆度。昌平宋志：高梁河今之清河也，或問：據水經注，高梁河首受灅水於戾陵堰，水自堰枝分，東逕梁山南，又東北逕劉靖碑北。其碑有云，高梁河者，出自并州，黃河之別源也。水流乘車箱渠，自薊西北逕昌平，東盡漁陽潞縣云云。又有高梁水，出薊城西北平地泉，又東逕薊城北，又東南流入灅水。今清河發源京城西玉泉山一帶，與水經注高梁水出薊城西北平地泉者相合，但高梁水由薊城北東南注灅水，而不北逕昌平。高梁河雖北逕昌平，未逕漁陽潞縣，與今之清河似屬相符，而其源又大不相符也。一則源同而委異，一則委同而源異，不剖晰分明，而牽混引之，可乎？曰：劉靖碑所謂車箱渠者，金元之金口河也，在今京城之西。劉靖導灅水由此入自薊西北，逕昌平，與薊城西北之平地泉當必相近。高梁河水勢漲大，與平地泉必有相連之時。平地泉因而亦名高梁水也。宸垣識略不云乎：高梁水出薊城西北，乃車箱渠之下流也。其說先得我心矣。自魏晉以後，劉靖父子所立之堨，所開之渠，史傳無修治之文，當必歲久堨壞而渠閉，高梁河不復枝分矣，只有平地泉名高梁水者長存，水經注謂其東南流注灅水，與今之清河固不相符，當必有導之使北者也。北齊書斛律羡傳云：羡刺史幽州，導高梁北合易京，宜作荆。東會於潞。其明證也。然則今之清河，在魏晉時爲首受灅水之高梁河，在北齊後，爲北合易京之高梁水也，又安有牽混之處乎？曰：子之所論，固不爲無據，然昌平舊志云：高梁河出自并州黃河別源，東逕州治沙澗，又東南逕高梁店入都城海子。明一統志：清河源出昌平西南一畝泉。此二條子亦嘗辨之乎？曰：此元時水道誤之也。元郭守敬引昌平白浮神山諸泉，西折而南，過雙塔、榆河、一畝泉、玉泉諸水，經甕山泊，至西水門，入都城，匯爲積水潭，復出南水門，東至通州高麗莊，入白河，賜名通惠河。築堰，起白浮村，至青龍橋，五十餘里，以障諸水。明永樂初，兩修之，歲久湮廢。成化間欲開之，户部尚書楊鼎等言，元人引昌平白浮泉往西，逆流逕過山陵，恐於地理不宜。及一畝泉水逕過白羊口山溝，兩水衝截，俱難導引，遂止不用。而舊志之説，蓋始自元人，不考載籍，但就當時之水道觀之，昌平神山泉即今龍泉寺鼇魚溝水，東逕前後沙澗兩村，又東會雙塔諸水，又東南逕高梁店，即古高梁故瀆，自高梁店一帶言之，遂統名之曰高梁河也。問其源，則曰出自昌平，東逕沙澗云云也。又見水經注，有高梁河出自并州黄河別源之文，遂牽合爲一，以成莫解之疑。至於清河源出一畝泉，亦指通惠故瀆言之也。且明一統志又有官河源出昌平一畝泉，入宛平合高梁者，亦指通惠故瀆言之也。一通廢河，生此無數枝葉，以遺悮後人，甚矣，著述不可不慎也。雲龍清河源流考：此與大清河同名，溯源則其説各異。然明憲宗實録云：勘玉泉諸水，大半流出清河，從源頭將分水青龍閘閉住，引玉泉諸水，從高梁河分半從金水河出。據此，已可知清河之與玉泉水其流未始不合，而要不得謂清河即金水河，以今水參之，清河與玉泉河雖同出玉泉山，清河在玉泉水之北，雙泉山之名以此，金水河出玉泉水，非出清河也。昌平宋志謂：今之清河，在魏晉時爲首受㶟水之高梁河，在北齊後爲北合易京之高梁水，其説亦非。高梁河已詳高梁無上源考，齊前之高梁，不逕昌平，而魏後之清河，不入桑乾，二而一之，何與？固安陳志云：小清河在縣西二十餘里，發源昌平縣一畝泉，東流合榆水。然則清水又有小清河目，逕固安，其故道也。

又東七里，逕萬壽山北；又東南八里，逕圓明園北；又東五里許，逕大興縣西北；又東逕清河營，入沙河。據采訪圖册，參義倉圖。昌平宋志：清河源發玉泉山，東北流逕清河橋，又東逕立水橋，又東北至沙子營村，北入沙河。

沙河又東三里，出雷家橋；又東九里，逕黄港北；又東一里，逕新堡邨北；又六里，逕馬前營北；又二里，逕孫河屯北；其水名孫河以此，舊曰孫侯河。春明夢餘録：望京館在城東北五十里孫侯村。舊聞考：今地名孫河屯，或孫侯村轉音也，爲古北口孔道。畿輔安瀾志：舊名孫侯河，今曰孫河。義倉圖：沙河水南逕雷家橋、閔各莊、黄港、上新堡、何各莊、馬前營、新店、孫河。有橋。又東六里，逕馬達店南；又東二里，逕董溝邨南，有橋；又四里，逕岡山屯南；又里許，逕蒼頭邨南出界。昌平山水記：温餘河入順義縣界，順義縣西南三十里有葦溝村，東臨榆河渡。按：葦溝村今屬大興縣。畿輔安瀾志：東流三里，逕雷家橋；又東流逕安定門外，繞方澤壇；又東流九里，逕黄港；又東流一里，逕新堡村；又東流八里，逕孫侯屯；又東流七里，逕葦溝村；又東流五里，逕小店村；又東流一里，逕金盞村。義倉圖：孫河水南逕東營、康家營、金盞倉、雷家莊，水北逕鐵匠營、拉蘇營、薛大人莊、馬達店、天竺村、葦溝、蘆臺、岡山屯、蒼頭。又東南流，從順義縣南界入通州境，在治北二十五里，俗謂之富河。一統志：温餘河俗名富河。行水金鑑：富河昔稱榆河。畿輔安瀾志按通州志：富河在州北，源出甕山，自白羊口經榆河，流爲沙河，由順義縣南界流至州東北，與白河會。其言與諸書異。所指殆即清河來合之水，非南北二沙河之源。通州高志以水經注及今地勢考之，白河當爲古鮑邱水，富河疑爲古沽水。富或沽之轉音。況酈注云：沽水又南，溼餘水注之，溼餘即今昌平榆河下流爲沙河，入於富河。合此觀之，益見富河爲沽水之證。按通州志所言舛錯，何不考之甚！白河，沽水也。潮河，即鮑邱水，而富河，則今之沙河，古之㶟餘水也，何得言沙河入於富河耶？本不足辯，恐或執非疑是，附注於此。又四里，逕果渠邨西，果一作葛；又里許，逕寨里西；又八里，逕富河邨西，邨以河名；又三里許，出西浮橋，即明實録所謂富河橋者是；又三里，通惠河西來注之。

通惠河一曰大通河，俗呼裏漕河，亦名裏河，導源玉泉。方輿紀要：大通河俗謂裏漕河。玉泉亦曰玉河，出玉泉山，西南流，西山諸泉伏流注之，流爲高水湖、裂帛湖、西湖、昆明湖、長河前湖、高梁河；又逕京城西北，分爲二：一爲護城河；一入德勝門，爲積水潭；又入海子，穿東便門迴龍閘合流；詳京師水道。又東出大通橋，亦曰大通橋河；王在晉通漕類編：大通橋河東至通州，入白河，自橋至石壩四十里。鄭元慶七省漕程：通州城内有通流牐，過天橋、永通橋，十二里至普濟牐；十三里至平津下牐；四里至平津上牐；十一里至慶豐牐；五里至大通橋。又五里，逕慶豐閘；畿輔安瀾志：大通河東出大通橋，又東五里，逕王家莊之慶豐閘。又十一里，逕平津上閘；又四里，逕平津下閘；又三里，逕三間房南，爲大興縣通州毗連處，水出雙橋；通州高志：州正西，南北二道，南道至新橋二十里，界連南城兵馬司，係進東便門土道；北道至三間房二十里，界連大興縣，係進齊化門石道。按方觀承義倉圖：三間房距楊家閘倉九里。又十里，逕普濟閘高麗莊。元河渠志：通惠河東至通州高麗莊。此爲永定河故道；詳故道。又四里，出永通橋，畿輔安瀾志：通惠河逕高麗，又東四里出八里橋，即永通橋也。即三里河，舊入運河之八里莊也；詳永定河。又東里許，逕取燈莊南，在通州城北三里；又三里，逕通州新城西北，分流爲護城河南出，逕篩子莊西，又逕新城，西出橋下。城之西北有水渠，其涓滴所積也；護城河又折東，逕南水關外，分流入南水關爲一渠。護城河又東出南門糧橋、哈叭橋、南浦閘橋，與東水關南流一支合。其經流逕新城西北隅，東流五里許，分支南出，逕城北一里之天橋灣西，入舊城西水關；通州高志：天橋灣在舊城西水關外約半里許，於岸之東北西南駕浮梁，名曰天橋，灣在橋西南，水勢渟衍，其入西水關之水即此。分支北流爲一渠，曰西海，在潞河驛西；其東流出羅家橋，又分支，少西轉出無攩橋，曰倉溝，逕中倉西南爲一渠；其東流又出通流閘、通利橋，于東水關西分流，折南爲一渠，其東流穿東水關橋出，又分爲二：一、北流，逕土壩，壩西分支自東關北流，出善人橋，與東海水合；東海在通永道治東，其水東出城外善人橋，入于榆河；一、南流逕南浦閘，與新城西北一支合。其經流自西水關北分支，北出減水閘，與經流並東逕舊城北門外葫蘆頭、滚水壩，合流北出通濟橋，又東注于榆河。通州高志：通惠河經大通橋至通州，一、自舊城西水關流入城内，至東水關出，繞城南流，至南浦閘瀉水，至張灣入運河，其土壩運漕至中西兩倉水道，即由此；一、自舊城西水關分流，至北門外瓠盧頭，是爲石壩，又從滚水壩瀉入運河，其石壩運漕至京倉水道，即由此；一、自新城西門外南流，過新舊城南門，出南浦閘，與東水關繞城南流之水會入運河。按：通惠河支流分合，頭緒紛如，自來著錄家未經敘明，即通州高志，亦圖志互異。今就其異者，碻訪護城穿城之分支著于篇，蓋通州城中之水，悉關蓄洩，非它城溝渠比。逕葫蘆頭者，經流也，或曰分支，何轉巨于經流耶？又按明一統志，通州在府東四十五里，與安瀾志及今采訪册符。漕船志言：都城經通州六十里爲大通橋河。桂文襄集言大通河過大通橋又東五十餘里至通州入白河。明世宗實錄：張璁言，京城至通州五十里，地形高下五十尺。明史吴仲言：大通橋至通州石壩高四丈。

榆河既受通惠河，又東南八里，逕通州城東；又五里，逕茶棚邨北，入於北運河。㶟餘水注引地理志曰：㶟餘水自軍都縣東至潞南入沽，是也。昌平山水記：温餘河下至通州，入潞河。方輿紀要：沙河下流入白河。一統志：温餘河又東南至通州東北八里，入白河。河防志：富河由順義縣至通州北關外，與白河會。畿輔唐志：富河在通州西北，卽古濕餘水也，誤爲温餘河，亦曰榆河，源出昌平州，由順義縣界至通州東北八里西浮橋下，與白河合。餘據義倉圖，參通州志圖。

北運河既合榆河，南逕姜家場，西有水撥；又四里，逕小聖廟西，有水撥；按：小聖廟祀水神，清河道主祭，詳觀察畿南筆記。又三里，逕黎辛莊；又二里，逕劉各莊東；又一里半，逕老隄頭，有水撥；又三里餘，逕康家溝北口。據江北運程。初，漕運由張家灣正河，康家溝則温家莊一旱渠。嘉慶六年大水，冲刷甚寬，通舟，張家灣水道日淤。十一年，漕運暫由康家溝。十二年，濬張家灣。十三年，水溜仍趨康家溝，河底低於張家灣丈餘，水道已成，漕船遂不復由張家灣矣。按義倉圖：温家莊在大甘莊西。又六里，逕里二泗東北，與張家灣舊河合。曹學佺名勝志：張家灣置巡檢司，在土橋西。舊河上承通惠河，自通州南浦閘南流，出紅橋；又十二里，出土橋；又三里，逕張家灣城東南，畿輔安瀾志：大通河折而北，逕大通關，匯爲張家灣。方輿紀要：大通關在通州南張家灣之長店。舊聞考：長店距州城十三里，關廢。按通州高志邨鎮圖：自南浦閘而南，水東逕蠻子營、鬼王莊、喬家莊，西上馬頭，西逕教場、包家莊、小街、行宮廟、土橋、磚廠、張家灣。涼水河西南來注之。

涼水河出京城西右安門外西南據舊聞考：郊坰南。一統志：涼水河在宛平縣南。水頭莊，一統志：京城古蹟序：豐臺在宛平縣西草橋南，泉脈從水頭莊來，向西北，約七八里，轉東南，入南宛北紅門。大興張志：涼水河通南海子。鳳泉，東流逕萬泉寺，分二支：一南逕草橋，爲草橋河；據春明夢餘錄。一北逕廣恩寺並屈曲東流，出永勝橋，合爲一；又東南逕南宛，出沙底橋，折南會一畝泉及海子諸水，出五空橋，又東逕通州西境；又東二里，出馬駒橋，有乾隆三十八年禦製重修馬家橋碑記，指示源流；又東流，逕高各莊；又東逕隄上邨，南分爲二：一東北流，逕北隄上西，又逕太平莊東，又逕新河邨，有南新河名，又逕北火垡窰上東，又逕徐家莊東，又逕齊家場西，又逕前後牌樓營西北，又逕馬家營北，又東少北，逕張家灣南，出善人橋，入北運河。據通州高志，參采訪册。通州舊志：南新河上源曰涼水河，自大興縣流入，又東北流，至張家灣城南，東北流入白河。方輿紀要：通惠河自京城東至通州城南，會於白河，又南會直沽入海，凡二三百里，俱曰通惠河。一東南流曰涼水新河，逕堰上邨東北，又逕駙馬莊南，又逕後銀子西南，又逕西田陽東北，又逕牛房邨東北，又逕永和屯西南，又逕德仁務鋪西南，又南逕柴廠營東，又逕馬房西入鳳河。據畿輔新圖及采訪圖說。此即雍正三年怡賢親王請自高各莊導入鳳河，以清京西南瀝水者也。今永定河東截鳳河之尾，此河下流爲永定河所奪。畿輔安瀾志：此河自南海子流出，逕半壁橋，出馬駒橋，東抵高各莊，分流：一北入張家灣，舊道也；一南入鳳河，新開河也。雍正三年，怡賢親王請自高各莊導入鳳河，以清京西南瀝水。近時永定河東截鳳河之尾，此河下梢已爲永定河所奪。

北運河既受涼水河，東流三里，逕燒酒巷，北港溝出焉。通州高志：運河必須南流分洩，是以里二泗迤西舊有港溝一道，由漷縣下注武清鳳河。港溝洩北運河水，逕燒酒巷西，又南少西一里，逕海子窪東；又里許，逕姚家辛莊東；

又里許，逕吴家營東；又一里有奇，逕垡頭東；又一里，逕杜家園西；又一里，逕蘇家莊東；又二里，逕路觀東；又一里，逕靛莊西；又一里有奇，逕王家樓東；又二里，逕許各莊西；又二里，逕漷縣故城東；又五里，逕大香儀西；又五里，逕南屯西；又五里，逕神樹東；又十五里，逕半截河西；又二里，出界，據通州高志圖。入武清縣境，在治西北三十餘里；東南流，逕里羅東；又三里，逕田户邨東；又三里，逕大周邨東；又十一里，逕牛鎮東；又十里，逕桐林入鳳河。按畿輔輿圖奪，今據采訪册。

北運河又自燒酒巷東流三里，逕里二泗北，與自康家溝北來之北運新河合，又有泗河目，以榆河、潞河、通惠河、涼水河四水匯流，故名。通州舊志：泗河即運河四水會流，故名泗河。四水者，一潞河，一富河，一通惠河，一自京城右安門外草橋流入南海子，東出宏石橋，由水南新河至張家灣入白河。里二泗亦以水氏，或謂李二寺，以同聲字譌也，有水撥；按舊聞考：元史所載李二寺，卽今里二泗。王圻續文獻通考，亦作李二寺，義倉圖又作浬汇寺。明湯顯祖有登張灣里二泗道院高閣詩。北運河同知歲報河圖云：與張家灣城隔涼水河。通州高志云：里二泗有水撥。里道記：保運觀，亦謂之李二寺。又東南流里許，逕武家窑西；通州高志：武家窑在城東南二十五里。又半里，逕岔道西；又屈西轉南半里，逕沙古堆東、大豆各莊西；又屈東轉南半里，逕小豆各莊西、任家辛莊東；據通州高志。按：任家辛莊西爲供給店，里道記謂之公雞店。又屈西轉南半里，逕崔家樓，有水撥；據圖册。江北運程：武家窑二里崔家樓。又折東轉南三里，逕西馬坊東；又屈西三里，逕謝家樓北，有水撥；又西轉南里許，逕榆林莊東，有水撥；又南里許，逕小屯西，有水撥；按江北運程：謝家樓二里馬房，又六里小屯，又五里供給店，又五里榆林莊。與通州高志互異，今據高志，參采訪冊。又三里，逕長陵營東；據圖冊。灤縣志：白河濱有長陵營、馬頭店、白浮圈、曹家莊諸隄鋪，皆運河必經之道。又屈東二里，逕馬家隄東；又轉南折西四里，逕呂家灣北；又折南，逕馬頭東；又南折東二里有餘，逕金家坨西南；又二里，逕石槽東北；又二里，逕上武集東；又里許，逕耿家樓西；又里許，逕後營東；又里許，逕王灰莊北、和合站西南，有水撥；又東南三里許，逕楊家窪南，有水撥；據通州高志圖。按江北運程：以呂家灣列和合站下，與通州志異。又南三里，逕陳家辛莊北；按江北運程，有魯家務，無陳家辛莊。考通州高志圖：魯家務在陳家辛莊之西南，非濱河莊也。如謂舉其大者，則安平小街在陳家辛莊之東南，何必舉魯家務耶？又東南三里，逕小屯北出界。按：前有水撥之小屯，在州城南少東三十六里，此小屯與香河板罾口近在州城東四十八里。通州高志：州境運河自北關外石壩樓起，至香河縣板罾口交界止，計道一百三十里，下游歸海。七省漕程：運河自香河縣板罾口十里至蕭家林，十里至和合店，二十里至楊家莊，十里至灤縣馬頭，十七里至公雞店，七里至沙狐堆，六里至保運觀，卽李二寺，十里至張家灣，十五里至通州。畿輔安瀾志：通州河，或云長一百八十里，或云一百四十餘里，一統志引舊志以爲一百二十五里，自石壩以南，河防志，兩河，薛鏡皆云一百一十五里，則石壩以北河道止十里，太近矣，一百八十餘里，又太迂遠，惟一百四十餘里之説近是。按：北運河屈曲東南流，故水程難以陸程計。小屯而上，大致南行少東，過此東行少南。

又東南過香河縣。

北運河從通州入香河境，在治西北二十里，東南流，逕扳罾口；江北運程：魯家務四里扳罾口，通州香河界。又逕牛牧屯西，窩頭河分支南出，合扳罾口河注之。畿輔安瀾志：白河又南逕牛牧屯，則有窩頭河支分之水，會扳罾口河入之。又南入香河縣境，則有紙務河，又有牛家河、駱駝港河、新開河。按義倉圖：牛牧屯在香河縣西南，入境里許。采訪冊亦云屬香河縣，而安瀾志畫屬通州，誤矣。牛家務河卽窩頭河，安瀾志亦誤分爲二。紙務河、駱駝河、新開河，今皆淤廢，詳故道。

窩頭河分支，詳窩頭河。詳下薊運河。

扳罾口河，出通州孤山麓，上通密雲、昌平路，水流逕香河縣西，入北運河。一統志、名勝志、香河志説並同。一統志：扳罾口河在香河縣西十里，源出通州孤山麓，上通密雲、昌平路，至此入白河。名勝志：扳罾口河源自通州之孤山麓，流逕香河縣，西入白河。香河劉志：扳罾口河在城西十里，上通密雲、昌平兩路，水至此口入白河。孤山在通州城東三十里，方輿紀要謂：李景隆攻北平，燕王至孤山，列陣於白河西，即此。通州高志：孤山在州東三十里，與三河縣交界，高二十餘丈，山頂有塔，始建莫詳。塔圮，存中下幾層。舊志不及塔，然燕山紀游載：盤山除夕燈，出通州孤山塔上，則塔已古。舊聞考乃謂通州以南之水，匯於窩頭河，至扳罾口入運河，非；孤山麓別有泉源何與？

北運河又東南流二里，逕西望莊；江北運程：扳罾口二里西望莊。按香河劉志：望作汪，云在城西十里。又里許，逕荆棘城南；又里許，逕魯家莊南；又五里，逕石灰廠西；分支曰紙務河，在治西二里，東流注護城河。香河劉志：紙務河城西二里，水泛則上通火燒屯隄口、石灰廠隄口，下入縣城河内。北運河又屈西轉南三里，逕大寇灣西；又南少東二里，逕泗河莊西，水西直甘羅寺，亦謂之甘露寺；又二里，逕謝家屯東，有義倉；又三里，逕王家擺渡東；又逕張家莊西，葉青店河注之。

葉青店河在香河縣治西南十里，水漲則逕張家莊，注北運河。香河劉志：葉青店河在城西南十里，水泛則上通狼兒窩、張家莊運糧河口，下通甄家店、葉家屯、董家屯三路隄口；若甄家店隄開，則由趙家河入縣城河内；若葉家屯隄開，則由延寺莊、黄家院、井亭莊、顏家浴入高家坨河；若董家屯隄開，則由延寺、十百户、龐家營、彭家務入高駝子河。

北運河又里許，逕華家口北頭西，江北運程：張家莊一里燕家口北頭。川瀆異同：河西務三十里曰紅廟，又十里曰靳家莊，又十里曰搬罾口又東南流，出界。

又東南過武清縣，至天津縣，入海。

北運河從香河縣入武清縣境，在治東北四十里，東南流逕紅廟，紅一作洪；江北運程：華家口北頭二里，紅廟。武清蔡志：東北四十里，紅廟。又東南五里，逕莊河；畿輔安瀾志云：莊合；武清吴志云莊窠。吴翀武清縣志云：在坊一里。又三里，逕王家務西，有減水河東出，入薊運河。畿輔安瀾志：白河自通州牛牧屯南入香河縣西北境，起東義村南流，逕灰莊；又南流，逕高家屯東岸，爲李家淺、蕭家林上淺、蕭家林下淺、扳罾口淺、西汪莊淺、火燒屯淺、謝家淺；又南流，逕大王莊西岸，爲上王家樓；又南流，逕王家樓；又南流，逕王家擺渡；又南流，逕下坡莊西岸，爲支垡；又南流，逕紅廟西岸，爲莊合；又南流，逕木厰；又南流，逕李家莊；又南流，逕車營；又南流，逕寇家灣；又南流，王家務引河東出，注於寶坻之七里海；又南流，逕雙街西岸，爲功德林，南入武清縣界，其長四十四里。舊云三十一里，蓋河流屈曲，遷徙靡常故也。減河詳薊運河。

北運河又東南四里，逕土門樓西；武清吴志：土門樓在坊二里。又五里有奇，逕打魚莊西；又二里，逕李家莊東；武清吴志：李家莊在河西務里。又六里，逕雙街西；又三里，逕關門口東，有河西務城，北運河同知、管河主簿、巡檢及遊擊等官駐此。元史兵志：中衛屯田，至元四年遷於河西務等處。元史兵志：中衛屯田，世祖至元四年，于武清、香河等縣置立，十一年遷于河西務、荒莊、楊家口、青臺等處。食貨志：至元二十五年，於河西務置漕運司，領接海運事。方輿紀要：河西務在縣東北三十里，元以來爲漕運要途；明初，大軍由直沽敗元人於河西務。隆慶六年，築城環之，有驛，置巡司。長安客話：河西務，漕渠之咽喉也。春、冬之交病涸，夏、秋之交病溢，兩岸旅店居積，爲京東第一鎮。川瀆異同：河西務西南至武清縣三十里，自河西務以至通州張家灣，計百四十里，河峡水汎，路曲沙停，凡五十有九淺云。米萬鍾河西武廟記：距雍奴東北一舍而遥，有關市焉，以其在白河西，曰河西務，重鎮也。

按：康熙五十四年，以河西務城東有舊河形，對新河下口至三里屯，開直河一道，於是新河之溜移流於西，〔據一統志。〕俗呼新引河；〔畿輔唐志：新引河在武清縣東北河西務東，卽白河支流。畿輔安瀾志：白河南流入武清縣東北境，其分支一爲新引河，一爲王家務引河。〕又三里，逕三里屯西；又三里，逕蘇家莊東；〔武清吳志：蘇家莊在崔五里。〕又二里有奇，逕八百户西南；〔武清吳志：八百户在屯衛里。〕又二里，逕白廟西，其南有耍兒渡；又三里有奇，逕張家莊東；〔武清吳志：張家莊在河西務里，十百户在屯衛里。〕又三里半，逕十百户西，有蓮花池；又三里，逕蒙邨店，一曰大蒙邨；〔武清吳志：蒙村店在屯衛里。〕又東南二里，逕蒙邨，一曰小蒙村；又東南三里，逕王家莊；〔武清吳志：王家莊在河西務里傅官屯，四百户在屯衛里。〕又四里，逕傅官屯；又三里，逕四百户；又東南五里，逕邵家王甫；又四里，逕張家王甫；又四里，逕魯家王甫，卽方輿紀要黃家務也，七省漕程謂之王家務，〔方輿紀要：南北蔡邨十里曰磚廠，又十里曰黃家務，又十里曰蒙邨，又十里曰白廟兒，又十里曰河西務。輿程記：楊邨西北四十里爲黃家務。舊聞考：黃家務在河西務東南三十里，屬武清。〕是在三里淺之北；〔千總駐三里淺。〕又東南五里，逕火燒屯；〔武清吳志：火燒屯在屯衛里。〕又二里，逕元帝廟；又二里，逕北蔡邨西；又四里，逕南蔡邨東，在治南三十里；〔畿輔安瀾志：南逕南北蔡邨，直縣治東三十里。武清吳志：蔡邨在邱家莊里。〕又三里，逕定府莊東，府一作福，義倉圖作鋪；〔義倉圖：定鋪莊北距蔡邨倉二里。武清吳志：定府莊在屯衛里。圖册：定福莊。〕又二里，逕丁家圈西；又三里，逕聶家莊；又五里，逕郭官屯東；〔武清吳志：丁家圈、郭官屯在屯衛里，聶家莊在灰堝口里。按：聶家莊之莊，一作嘴，一作屯。〕又三里，逕筐兒港西，有減水河，東出入薊運河。〔詳薊運河。〕

北運河又東南二里許，逕白駒廠西；〔據義倉圖。〕又八里，逕孔官屯東；又三里，逕陳官屯東；

又四里，逕鄭家樓東；又三里，逕曹家園東；武清吴志：孔官屯、陳官屯、鄭家樓、曹家園在屯衛里。又東南四里，逕楊郵務，管河通判駐此；按：河東曰東楊郵，河西曰西楊郵。畿輔安瀾志：又南流，逕楊村務。一統志：楊村務在縣東南五十里。元世祖紀：至元十三年七月，以楊村至灣雞泊，漕渠洄遠，改從孫家務。方輿紀要：建文三年，平安敗燕兵於楊村；宣德初，征高煦，駐於楊村，即此；又五里，逕龍王廟；又二里，逕三里屯東；又四里，逕黄莊東；又八里，逕上老米店東；又三里，逕中老米店東；又二里，逕下老米店東；武清吴志：黄莊老米店，在趙甫莊里。又十里，逕馬家口東。水之逕武清縣凡百五十里，又東南至天津縣，入于海。雲龍北運河尾流考：白河合潮河逕通州，爲北運河。又東南，逕香河、武清而入天津縣北境五里，逕浮溝西，千總駐焉。義倉圖謂之旱口，蓋聲之轉。李廷瑞津門保甲圖説曰：漢口，非也，北運口與漢無涉。河東爲龐家嘴。又東南六里，逕上蒲溝東，把總駐此，或曰蒲口，亦曰浦口；又七里，逕下蒲溝東；又四里，逕辛莊東；又一里，逕屈家店東；又一里，逕桃花口東；又三里，逕黄泰莊；又三里，逕劉家園東北倉西；又三里，逕王家莊東莊北，有五空木橋；一又四里，逕吴家嘴東；又三里，逕唐家嘴東；又四里，逕丁字沽東，沽形似丁，故名；又四里，逕西沽東，有浮橋，永定河合大清西來會之，俗名上西河；又四里，逕窯窪，出大紅橋，子牙河西南來會之，俗名下西河；又五里，逕望海寺東；有望海樓，面海河，左白河，右衛河，是爲三岔河口。海河，禹貢所謂逆河是也。世謂渤海海之旁出者，爲渤水，東南流入於海。

德清傅范初校

河渠志三

光緒順天府志三十八

水道三

德清傅雲龍纂　江陰繆荃孫覆輯

北運河下（薊運河）

薊運河爲棃河、沙河、泃河、鮑邱河諸水匯流。

棃河即酈道元鮑邱水注庚水，亦謂之柘水。漢地理志，無終縣浭水也。一名雲浭水，以下流入沽，亦曰沽河。源出遷安縣界鹿兒嶺，入遵化州境，受大水峪、小水峪、松棚水三小泉水，雙泉寺水，南岡水，與沙河合。

沙河，古灅水。説文：灅水出右北平浚靡縣。酈注：鮑邱水，浚作俊。酈又云：世謂之車犇水。今按俗呼十河，源出遵化州北邊城外，曰馬蹏峪水，曰甘家峪水，曰秋禾峪水，曰山寨峪水，曰羅文峪水，曰白棗峪水，曰大河莊水，曰清水河，曰冷嘴河，曰大安口河，皆以出水處名，水派凡十，十河名以此。又受湯河、馬蘭河諸水，與棃河合，曰合河口，在遵化州西南六十八里，又西十一里入薊州東境。（雲龍薊運河上流考：棃河，酈道元鮑邱水注之庚水，世亦謂之柘水。説文解字所謂灅水入庚者是。卽漢地理志無終縣浭水也。一名雲浭水。以下流入沽，故名沽河。源出遷安縣界鹿兒嶺。西流入遵化州東境，大水峪、小水峪之水北來注之，源出遵化州南。大、小水峪南流入梨河。又西松棚河水北來注之。又西三小泉南北夾注之。又西雙泉寺水東南來注之。水出遵化州東南四十五里雙泉寺，雙湧合流，東北流七里，逕五户嶺東，又六里，逕七户東，又十餘里，逕高家莊西，入于梨河。梨河又西五里，逕金山寺鋪南，又四里，逕梨河莊南，莊以河名。又二里，逕雙城子鋪南，又四里，逕黄臺口南，又三里，逕北龍山北，又西南三里，逕遵化州城南，九里許，其南岸爲中灘，又三里，逕東西梨河莊之北，又十里，逕蔣家莊東南，南岡水北來注之。又西南六里，逕李家莊南，又西四里，逕宫裏莊北，又五里，逕夏家峪北，又五里，逕賈家莊北，又西十里，逕蒼山鎮西，沙河合諸水會之。沙河，古灅水。説文：灅水出右北平浚靡縣。酈道元鮑邱水注：灅水出右北平俊靡縣，王莽之俊麻也，東南流。世謂之車耷水，今俗又謂之十河。畿輔安瀾志曰：以其出口外諸山谷，衆水所匯，故名。溯考其源，並出遵化州北邊城外：一城北自馬蹏峪東南逕蔡家峪西，又南逕甘家峪東，甘家峪水合一源也。又西南逕唐家峪西，又逕邱家臺西，又逕駙馬砦西，與秋禾峪水合，又一源也。又西與山寨峪水合，又一源也。四水合流，又東南逕上巷西，羅文峪水西來會之，又一源也。羅文峪堡在州北十八里，水出西北口外，逕峪，故名，又與白棗峪水合，又一源也。又西南逕鐵山嶺北，又逕州城南，環城爲濠，又逕城西五里，與大河莊二水合，一自莊東，一自莊西，夾三王莊而南，合流出通遠橋，與環濠之水合，又一源也。又西與清水河合，又一源也。水出邊城外沙坡峪口，在城西北二十里入邊城，逕杏花砦東，又逕城子砦西，又逕張各莊西，又逕沙河鋪東，又逕七里鋪西，會于經流，又西南逕明月山北，與冷嘴口合，又一源也。水出冷嘴頭堡，在城西北二十五里，又西南十三里，逕十八里[illegible]東，又南七里，會于經流，又西南六里，逕北盤營北，又三里，與大安口河合，又一源也。水出邊城外大安口，在城西北三十五里，東南屈曲流八里，逕錢家屯西，又南八里，逕堡子店東，又折東屈，西五里，逕曹家砦東，又六里，紀各莊東，會于經流。圖説所謂十河源出東北，派凡十者，此也。又西南五里，逕水門口湯河，合馬蘭河會之湯河，有大小目。大湯河出邊城外鮎魚關，在州西北五十里，入關有堡，把總駐焉。又南折東十三里，湯泉出焉。又南十里，逕大湯河郙東，又南八里，與小湯河合。小湯河出鮎魚關南五里許，又南十五里，逕小湯河村，又五里，與大湯河合。又東二里，西與馬蘭河合。水出馬蘭峪，在州西北七十里，又南十二里，與西一水合。水出馬蘭峪西五里，又南六里，逕郭家橋東，又南二里，逕石門鎮東，通判治此，有把總。又南折東十里，逕馬各莊北，會于湯河。鮑邱水注：灅水又東南與温泉水合。水出北山温溪。卽温泉也。南流百步，便伏流入於地下。水盛則通注，所謂温泉，或曰卽湯泉，殊未敢據。又東南十里許，與沙河合于水門口。水西北有夾山，在石門鎮東南十餘里，州治西南四十里。夾山爲峽雙峙肖門，皆數百仞。其東懸崖露穴，亦曰水門口峽，與鮑邱注所謂灅水，又東逕石門峽，山高塹絶，壁立洞開，俗謂之石門口正合。又西南十五里，逕柳貫莊北，又四里，逕擂鼓臺南，又南九里，逕蒼山鋪西，梨河東北來會之，曰合河口。鮑邱水注：灅水又東南流，謂之北黄水。又屈而爲南黄水。又西南，逕無終山，藍水注之。水出北山，東屈而南流，逕無終縣故城東，又南入灅水，又西南入于庚水。據知，沙河與梨河合，今古無異。梨河既合沙河，又西南八里，逕田各莊南，又二里，出遵化州西境，入薊州境。明時歲運三百六十餘艘，至州南紀家窩，明季遂廢，河漸淤。

國朝濬之運漕，供陵糈。水入境處曰三岔口，在治東四十有五里，淋河北來注之。

淋河，出遵化州東陵昌瑞山西南，（山在州治西北七十里，本名豐臺嶺。）源凡三，並東南流，十餘里逕天台山西，合流而南，又南少東十五里，逕遵化與薊州交界處，又南少西十里，逕薊州東境三岔口入梨河。薊州張志稱梨河誤爲淋河，失厥源矣。亦曰陵河。

梨河又西三里，逕馬家崖南，珠兒峪水北來注之。

水出薊州治東北四十五里珠兒峪，（在隆福寺行宮東。）北流十五里，逕淋河莊東，史各莊西，又十里，逕龍王廟東，又七里，逕周官莊東，入梨河。

梨河，又西逕王官屯南，又逕仇莊子南，又逕崔各寨南，又逕二百户北，水南爲徐官屯，又逕下碾頭南，隅頭泉合諸泉水注之。隅頭泉，出薊州東三十八里陳家河莊，平地泉湧，南流逕馬伸橋，與黑泉、黄泉、大駝泉、桃源泉合。

黑泉，出薊州東三十五里蘇家莊北，平地泉湧，東南流逕馬伸橋，合隅頭泉。

黄泉，出黑泉西，東南流逕馬伸橋，合隅頭泉。

大駝泉，出薊州東三十六里高家橋莊之北，東南流，逕馬伸橋，合隅頭泉。

桃源泉，出薊州東三十五里馬伸橋北，西南流，合隅頭泉。

隅頭泉，又西南流，與天心泉、景家泉合。

天心泉，出薊州東三十三里侯家莊東，東南流，合隅頭泉。

景家泉，出薊州東三十三里，平地泉湧，東流，合隅頭泉。

隅頭泉，又逕巨各莊，與龍泉合。

水出薊州東北三十里川方峪北，東南流，逕臺頭寺，又逕窑鋪，又逕巨各莊，合隅頭泉。

隅頭河，又逕荒各莊，與定福泉、龍王泉合。

定福泉，出薊州東三十五里定福莊東，西流，逕荒各莊，合隅頭泉。

龍王泉，出薊州東二十三里小豪門山下，西南流，逕荒各莊，合隅頭泉。

隅頭泉，又逕下碾頭莊入黎河。自隅頭泉至此，據薊州張志，參采訪册。

黎河，又西逕三百户北，又逕上碾頭南，又逕六百户北，又西少北逕楊各莊南，又逕七百户北，又西少南逕八百户北，又西少北逕千家橋，又西逕六百户北、潮河莊南，在治東三十五里，據義倉圖。老廟泉南來注之。按：畿輔安瀾志云，西逕十百户莊、老廟泉、下莊泉、高家窪泉、桃花山泉、神仙泉注之，非也。注各有其所。今據義倉圖，參圖説册志。

老廟泉，出玉田縣李家莊西，北流逕薊州東南境，又西北逕六百户入黎河。據薊州張志。

梨河，又西逕上下碾頭南，又西逕七百户北，又西逕曹各莊南，又西逕八百户北，在治東南二十五里，又西逕楊各莊南，下莊泉注之。據薊州張志。按：義倉圖，楊各莊在州治東二十餘里，今考圖册，在治東十三里，與州志合。

下莊泉，出治東十三里大屯莊之東，南流逕楊各莊入梨河。

梨河，又西逕于家橋南，高家窪泉南來注之。

高家窪泉，出州東毛家莊南，又南流逕于家橋入梨河。

梨河，又西流，桃花山泉注之。

桃花山泉，出桃花山，在薊州東十八里，泉流碧澄，西入梨河。據薊州張志。

梨河，又西逕十百户北，神仙泉注之。

神仙泉，出州東南神仙山，一曰神山，一曰翠屏山，水東北流入梨河。據薊州張志。

梨河，又西逕州城東南，分支繞城爲濠，又南出，南五里橋陽泉，合諸水注之。

陽泉，亦曰陽河，在薊州治西五里，又曰五里河，又名西海子。導源治西鵝毛臺，俗呼紙坊者是。又有涼泉，水出地中，方逾丈，距陽泉里許，一當暑彌涼，一嚴冬不冰，故名。據方輿紀要，參畿輔安瀾志、薊州張志。陽泉曲折東南流，逕東七園莊，又逕西七園莊，與黑馬泉合。據志册。薊州張志謂水出州東北崆峒山東南，流逕城南里許爲龍池河，一名漁水，又出西五里橋，與白馬泉、花園泉、緑泉合。

白馬泉，出州西北三里漁山井，井涌山之東南，（據薊州張志，參圖說。）逕崆峒山麓。（成憲白馬泉記：白馬泉在崆峒山麓，泉源廣丈許，深可三四尺，水常以盛夏出，歷秋冬始涸。其停涵澄澈，鑑人毛髮，如寶鏡之出於匣，其清冷爽利，沁人肌骨，如冰壺之置於室。其流波噴湧而南注，激如喧豗，行如漱玉。家兄卜築于此，濬其源而廣之，甃以巨石，又于泉之西鑿渠，瀦水爲池。）

花園泉，出陽泉西南。

緑泉，出州西二里上逯家莊。

陽泉既合四泉，東南逕南五里橋，西入黎河。（據薊州張志。）

黎河，又南屈，東逕紫金泮，在治南八里，長逾里，寬十餘丈，水深，冬不竭，卽遼運河故道，梯子山下泉注之。（薊州張志：梯子山下泉，在玉田縣界內，合玉田之石河諸泉南流，由州境胡家樓又南入玉田境，至黃土坎，流入州境，由迷王會合遼運河下梢之水，至曹家口頭莊入沽河。按：此沽河卽黎河。）康熙三十七年七月十五日，皇太子祭陵歸，以魚進上。又賜知州張朝琮魚四，（賜漁人銀二十兩。）蓋取諸泮。（據薊州張志。）又逕板橋莊東，又逕溵流店，（流一作溜。）亦曰溵流河，水出橋下。康熙三十八年十月，皇太子謁陵，十八日臨泮，故事謂之打水圍。先于十七日駐此。（按：薊州張志，崇慶屯有溵流西店，溵流東店。）又南屈東，逕科科店西，又南流屈西折東，逕韓家壩東，（韓家壩在治南十四里。）又屈西，逕孟家樓西，又南屈東，逕上倉鎮西。按義倉圖，上倉在治南二十五里，水西爲蔡家莊。又屈西轉南，逕塔兒莊東，又南屈東，逕二王莊東，（按：義倉圖，二王莊在治南三十餘里。）又逕白廟莊西，按：義倉圖，白廟莊在治南四十里，在消流莊西五里。又南屈西，逕響水處，又逕石家莊西。按：義倉圖，康各莊尚在石家莊東，王家淺又在康各莊東，惟石家莊臨水較近。又西逕後屯北、後屯南，即下倉鎮也。又西南逕擡頭莊南，又逕西焦莊北，又西逕青甸莊南，又西南逕吴家套東，又西南逕嘴頭莊，與泃河合，曰白龍港。方輿紀要云在薊州南七十里，亦曰白龍江。自東三岔口至此，凡東南屈曲，逕薊州境一百三十里。

泃河，出薊州黄崖口外。

泃河，古廣漢川也。宋廣川郡之名以此。發源薊州黄崖口外，名黄崖川，俗謂之頭道河。从承德府界南流，逕薊州北境黄崖關西，在薊州治北五十五里，亦曰黄崖關堡，千總駐焉。方輿紀要：泃水一名廣漢川，宋廣川郡之名以此。竹書：梁惠成王十六年，齊師及燕戰于泃水，齊師遁。或以爲即是水也。又西南三里，逕上營西，又五里，逕高家莊，又二里，逕中營，有義倉。又西南四里，逕城兒莊，又折西，逕周各莊，又西逕桑園莊南，又西逕靠山集南，靠，義倉圖譌苛。今據采訪册及圖説。靠山集在將軍關西南，有一水自將軍關西南流二十里，逕靠山集東入泃河，又西出薊州西境。据志册。

又西過平谷縣。

泃河從薊州西流入平谷縣境，在治東北三十里，南流里許，逕紅石坎北，又西四里，逕韓家莊南，又里許，逕海子莊北，又里許，逕洙水莊南，又里許，逕胡家莊南，又西北三里，逕獨樂倉南，義倉圖獨作篤，今依水經注及畿輔圖説。獨樂河北來注之。

獨樂河，平谷朱志云在治東北二十里，與義倉圖篤樂倉在治東北二十里正合。倉北三里曰北獨樂邨。畿輔圖説：泃河亦名南獨樂河，蓋土人以獨樂水入泃河，故南北互稱。其水自平谷文家莊在城東北二十餘里。南流，屈折二里，逕四祖務莊西，又十里，逕北獨樂莊東，南入泃河。水經鮑邱水注曰：泃河西北流，逕平谷縣，屈西南流，獨樂水入焉。水出抱犢固，逕平谷故城，東南流入泃。今雖源難可考，而受獨樂水與昔無異。平谷朱志又曰：獨樂河或伏或見，斷續無常。然則此水難以淤塞論，以伏流故，俗又謂之獨漏河。畿輔安瀾志謂舊有獨樂河，合馬莊河、逆流河、盤山諸水入之。不知馬莊、逆流諸河在泃河南，獨樂水則在其北，安能合諸水以入泃？此不考之甚者也。薊州張志謂黃崖川又名獨樂水，尤謬。

泃河，又西五里，逕豐臺莊南，又三里，逕張家辛莊南，此上八里許，時伏時見。又西二里，逕瀝津莊南，又西南七里，逕橋頭營南，又三里，逕上紙莊寨東南，又西少南一里，出馬各莊橋，又西南一里，馬各莊河注之。

水出平谷縣東二十九里海子莊，上馬各莊在其東七里許，接薊州西界，其水今漸涸，然漲流有道。西流四里，逕水峪莊北，又八里，逕望馬臺北，又一里，逕甘營莊北，又六里，逕紀家務北，又五里，逕龍家務北，又里許，逕張各莊西北，入泃河。據義倉圖，參今圖。

泃河，又西南出楊各莊橋，又西三里，逕寺渠莊南，在城西南二里，逆流河注之。水出平谷縣治南八里之泉水山，一名小碾河，西北流五里許，九十九曲，出念頭莊橋，入泃河。方輿紀要：逆流河在縣東南，一名小碾河，源出泉水山，西北流，凡九十九曲，入泃河。平谷朱志：泉水山在縣南八里，有泉，逆流河發源處。泃河，又西南五里，逕西高邨北，又四里，出鹿各莊橋，逕東鹿各莊南，又一里，逕南臺頭北，又一里，出平谷西北境。据圖册。

又西過三河縣東，與洳河合。

泃河，從平谷縣入三河縣東北境，亦呼渠河。方輿紀要以渠爲泃之譌，非也。按：漢建安時鑿渠，又從泃口鑿入潞河，名泉州渠。石趙置城，名臨渠。晉永和六年，慕容儁遣慕容霸伐趙，會於臨渠。渠卽因鑿泃得名。按：燕山叢録，遼異僧洪源，重熙間來於渠水陽。至紅娘子港，則俗呼也。見三河陳志。其水逕青陽屯南，又西流與洳河合。水出懷柔縣丫髻山，在治東南八十里，東南流，曰石河。詳下。按：三河陳志，以石河爲另一河，非也。又十里，逕寅洞，其水西南卽栲栳山。又五里，逕王各莊西，又五里，逕唐洞，出界，凡逕懷柔縣境二十里。又南屈東，逕三河縣埝頭邨東北，在縣治東北四十里，據輿圖。其水曲流五里，出界，入平谷縣境。在治西北二十五里，逕牛兒峪莊西，又東南五里，逕蓮花潭莊西，又三里，出城子莊東橋，又里許，逕放光莊西，又里許，逕太平莊西，又里許，逕小辛寨莊西，又里許，逕白各莊東，水出橋下，又二里，逕大辛寨莊西，又三里，逕岳各倉西北，有橋，又四里，出周郈莊，橋曰周郈河，俗又呼錯河，又屈西四里，出界。凡逕平谷境十八里許，三河陳志：洳河即錯河。又西逕三河縣東北之掘山頭北，按：其水入三河境，在泃河之北。又西五里，逕唐回莊北，其西北爲洳口鎮，水至此始有洳河目，亦曰洳口。畿輔安瀾志、洳河名曰洳口，俗又謂之錯河。方輿紀要所謂嘉靖中有俺答突犯，營於孤山洳口，即此。畿輔安瀾志曰：泃河逕三河縣東北，則有周郈河，合石河西來注之，即洳河也。今按：洳河上流曰石河，⿱髟丫髻山之西南，巒疊澗通，石峩峙焉。西曰大石門，石河水源伏脈其中，故名。又曰周郈河者，隨地易名，非二水也，難可言合。自出水至入泃，⿸广童屈曲五十餘里，何遽源流莫辨？義倉圖則以泃爲洳，又譌洳爲汝，尤謬。洳河合天井莊溝水。

水出密雲界坨頭寺，入錯河。

洳河又合月池古溝、馬房溝諸水。

月池在三河縣胡家橋，有溝注洳。

古溝，出三河縣治西北十二里李家古溝，流逕趙家丁家古溝，又逕閻各莊，後入洳。

馬房溝，出三河縣塔兒寺，東南流逕馬房、小屯入洳。据三河陳志。

洳河自洳口鎮東屈南，與泃河合。據采訪圖。

泃河又西南屈曲流，逕紻城莊東。按：紻，圖志作央。畿輔安瀾志依一統志作紻，謂三河縣舊志，英城在城西北三十里。此卽紻城之訛。以爲元耶律英公城，更誤。其說是也。又云：水經注誤作紻，則非按水經注。趙氏定本，泃河逕紻城東，刊誤未之及，則各本不作紻，明甚。或以酈注又云平谷縣紻城爲疑，不知三河與平谷皆古潞縣地，紻城昔爲平谷境，今則三河境也。顧現河注之。

顧現河，出良鄉縣西北三十里後窪子里龍王廟下，東南流，逕顧現北石渠紻城入泃。據三河陳志，參采訪圖册。

泃河又受張各莊溝水。

水出蘇家橋山，水地泉，匯于乾渠，逕陳各莊，又東南逕馬昌營、雲峯寺、果各莊，又逕紻城入泃。据三河陳志、采訪册。

泃河又南二里，逕馬房倉東，有二橋，一在北務邨東，一在大屯西，水出其下。又南五里，靈山泉水注之。

靈山泉出靈山，在縣治東北十五里，亦曰小河。西流逕塘迴莊南入泃，自出水至入泃處，不及十里。水經鮑邱水注曰：五百溝水出匕山北，東逕平谷縣之紻城南，東入于泃。以圖說、志册考之，今靈山泉水似在古五百溝之南，然有無變遷，是一是二，難可臆斷。畿輔安瀾志乃云南逕紻城東，五百溝水靈山泉水注之，恐未免牽混矣。三河陳志：小河在縣北十五里，源出靈山，曲澗環流，西入泇河。又曰：靈山縣北十五里。明一統志：靈山之麓，三面有泉，清洌可愛。按：三河陳志引水經注，五百溝水出駝山。據知，匕一作駝。名勝志曰：駝山，卽香河縣駱駝港之源，水繞駝山而出，故名。

泃河又南二里，逕曹家莊東，出橋下，又東南九里，出城北橋，又屈曲東南流十里，出城東橋，逕石碑鋪，直城東南隅，續行水金鑑：碑謁牌。又四里，泇河支流西北來注之。三河陳志：城濠闊三丈，深半之。

泇河支流，俗稱七度水，上流久斷，流自城西北芮家營，亦謂之芮家營水，在泇口鎮之南。據畿輔輿圖。三河陳志：芮家營河自本境官莊起，始有水，由石橋至芮家營，入周村平谷縣。又東南逕蔡官營東，又五里，逕劉孝尉莊南，水出橋下，又三里，逕李家新莊南，又十七里，出城南錫河橋，不老淀水注之。

水在縣南五里，不，一作沶，一名南港，又呼南塘，積水數十頃，東流注泇。據三河陳志。

泇河支流又東七里，逕草橋東北入泃。據義倉圖，參志、册。

泃河既合泇河支流，東南出草橋，俗亦呼草橋河，又五里，逕杏仁莊東北，又三里，逕田家莊東北，又四里，逕胡家莊東北，又二里，逕新莊西南，又三里，出界，凡屈曲逕境九十里。

又東南過薊州，與沽河合，曰薊運河，又過寶坻縣。

泃河從三河縣入薊州西南境，東南流，逕桑梓莊西，又逕侯家營西，有橋，又折東，逕秦家莊南，其水南直寶坻燕各莊，以水界，北岸仍薊州境也。又東逕孟家莊南，限渠泉北來注之。

限渠泉，出薊州治西南十六里限渠莊之東北，限一作現，義倉圖作現，今據畿輔安瀾志、薊州張志。平地泉湧，西與盤山泉合。

盤山泉，出盤山下，南流，匯龍口泉，合于限渠。

龍口泉，出薊州治西北三十里沙嶺上，東南流，逕肘各莊。據義倉圖，肘各莊在治西北二十餘里，其水合盤山泉，達于限渠。

白澗泉，出薊州治西北盤山之西峪城西，三十餘里有白澗郵，以水名也。又逕羅家峪，又逕啞叭坑，按：義倉圖，啞叭坑在薊州城西三十里。又南逕捧莊屯，合于限渠。

瀑水泉，發源瀑水莊西北，在薊州西三十里，南流，合白澗達于限渠。

又有段家嶺沙河溝水，出白澗西諸山，東南流，逕柳子口，亦注于限渠。據薊州張志，參圖說。

限渠既合諸水，屈曲西南流，逕安各莊西，莊在龍灣莊西四里，又十餘里，逕柳子口汫，自龍灣至此，夏秋瀦水，俗謂之西窪，東西二十里有奇，其水南逕嘴頭莊，西入泃。薊州張志：限渠泉在城西南十六里限渠莊之東北，平地有泉涌出，南流，由興武鎮、都賽營、陳家橋等莊至柳子口汫內，南出嘴頭莊，西入沽河。盤山泉在盤山下，南流至限渠莊，與限渠泉合，同入沽河。龍口泉在州西北三十里沙嶺上，東南流至肘各莊，合盤山泉，同歸限渠泉，南流入沽河。白澗泉在州西四十里，源出盤山之西峪，經羅家峪，由啞叭坑南流至捧莊屯，合限渠泉，至嘴頭莊入沽河。瀑水泉在州西三十里，源出瀑水莊西北，南流合白澗泉。畿輔安瀾志：沽河逕嘴頭莊，則限渠泉合盤山泉、龍口泉、瀑水泉、白澗泉、沙河溝諸水入之，與泃河會于白龍港。按：沽河爲梨河下流，即運河上流。沽河受限渠泉，在與泃河將會未會處，謂入泃則可，謂入沽則不可。畿輔安瀾志則謂入沽會泃，亦倒置。

泃河與沽河會于白龍港，出白龍港橋，俗謂爲駱駝港橋。曰運糧河，今通謂之薊運河，以天津糧船泝薊州，故名。據圖說。寶坻洪志：水災向莫甚于三岔口，逼近薊州，薊水橫溢，自邑令丁應詔楗石塞之，繼以袁、黄、張兆先力，其患乃息，後勢殺于三岔口，乃專聚於白龍港矣。

薊運河又東少南二十里，逕薊州趙各莊南，又二十里，逕龐家場南，又十里，逕王家樓南，又十餘里，逕閘口樓莊南，水南直寶坻縣口頭，自燕各莊至口頭百里，皆寶坻北界，按：采訪圖，水北薊州南界，東逕秦家莊、丁新莊、孟家莊、嘴頭莊、白龍港、南石莊、何各莊、趙各莊、韓家道、安各莊、王良莊、龐家場、永安莊、王家樓、閘口、樓莊，其水南寶坻縣北界，東逕燕各莊、新集鎮、胡各莊、王甫營、何家營、老鴉寨、梁莊、吕家莊、馬家莊、陳家莊、大苑莊、小苑莊、三岔口、大盤莊、張西沽莊、網户莊、九王莊、西莊沽、芮家莊、紅帽莊、馬營莊，于八里莊、北潭、左家鋪、小談莊，捻北莊、艾家莊、新安鎮口頭。又屈曲南流，其東岸由薊州入玉田縣界小河口，有螺山水、藍泉水、小泉河水合流注之，其西岸仍寶坻東界也。又南五里，逕大沽莊，大沽水西來注之。

水三支合流，逕浚頭莊北，凡十里，入薊運河。

薊運河又南十里，逕大焦名莊南，灘沽西來注之。

水出小劉莊，東流八里，入薊運河。

薊運河又南十里，逕東王各莊南，有橋，大劉莊水注之。

水出大劉莊西南，屈曲流逕岳家橋南，凡九里，入薊運河。

薊運河又南十里，魯沽西來注之。

水出大米莊南，屈曲西南流，九里逕李英莊南，入薊運河，又南有二小水注之，一自長亭南，一自小靳莊南，又南逕長亭鎮東，鮑邱河合窩頭河注之。鮑邱河上流淤平，三河縣西境，嶺上莊東，（據義倉圖。）始有河形，説者遂謂非古鮑邱水。以水道稽之，今潮河爲古鮑邱水，合白河逕順義縣治東南，距今鮑邱水僅二十里有奇，流斷形接，泃河支流卽入古鮑邱水之七度河故道，故七度河之目猶存。今鮑邱河雖斷潮河之經流，獨存潮河之舊名。方輿紀要曰：鮑邱河自密雲縣流逕通州東境米各莊，又逕三河界，至寶坻縣，合泃河。蓋舊日潮河自密雲逕順義縣，合于白河，又分流由三河逕寶坻，合泃河。統而計之，總一鮑邱水也。明景泰二年，由北塘河口開引新渠，由是天津糧艘自直沽上泝薊州，卽今薊運河。（按：義倉圖謂鮑邱河發源本境，非也。三河陳志曰，鮑邱河自順義縣交界田各莊入境，至時管營，始有河形，由夏店東石橋下至葛中馬房，寶坻縣交界，止長七十餘里，旋發旋消。）

鮑邱河又東南流，出田各莊西二橋，又六里，逕康家灣東，又屈曲五里，逕孫家莊東南，出二橋下，又東南十餘里，逕夏店鎮東，有義倉水出橋下。雲龍按：夏店疑因古夏澤而名。據水經鮑邱水注：夏澤在潞城東南。今考夏店在三河縣治西三十里，爲通州東界之東數里。今三河，古潞縣地也，與酈注正合，特非入澤舊跡耳。（三河陳志：縣西三十里名夏店，舊有驛，鮑邱水環其下。疑夏店之名，固古夏澤，其東彌望皆陂澤，與水經注合。）鮑邱河受麻兒窩溝、尹家溝諸水。麻兒窩溝南流，轉東入鮑邱。（據三河陳志。）

尹家溝出鑾子營，與通州交界處，東南流，逕柳河屯，屯在夏店鎮之西南，又東流入鮑邱。據同上。

鮑邱河又東南十餘里，逕半壁店東，出西廠橋回回務橋，又六里，逕乾坤莊，水出橋下，又五里，出咎家新屯橋，又十五里，逕韃子屯西，出界。凡逕三河縣境六十里，縣名三河者，泃河、洳河而外，鮑邱河其一也。明地理志：三河北有泃河，西有洳河，西南有鮑邱。郡縣釋名：三河以地近七渡、鮑邱、臨泃三水名。李炳重修三河署記：源遠流長者河也，七渡是也。忽盈忽涸者，行潦也，泃與鮑邱是也。泃與鮑邱豈得與七渡並稱三河耶！七渡河自青陽屯入境南流，由舊城西北繞城而東，而南，而西，而北，南至料馬莊出境，形若半壁，而舊城當其缺，然則以三面環河名。按：李說甚辨，然鮑邱與泃名河已久矣，況今昔巨細又有異耶？又逕寶坻縣西北四里，竇各莊南，又東南里許，逕韓各莊南，有橋，又十四里，逕塘頭莊南，又里許，逕鄭各莊南，又三里，逕牛道口南，又五里，逕杜家莊南，又五里，逕小苑家莊南，又五里，逕北臺東，分一支南流六里，逕寶坻縣城北，出外渠陽橋，與窩頭河分支合，詳下。環城爲濠，從城東北，穿城南，少東出廣川橋，又南五里，出西石橋，又屈曲而南六里，合于窩頭河。寶坻洪志：莊襗浚池深二丈，廣倍之，又加一焉。作石堰二，北曰開源，南曰節流。内城河自城東北隅開源水門，入武曲橋，至文昌閣，經文明橋，折而西，抵階陛橋，入泮池。由池東出漱潤橋，過雲津橋，西南經通津橋，出城南節流水門，曲折約二里許。外城河周約六里許，廣十餘丈，舊有隄埝，自朱家鋪、朝霞寺至西鄺等莊，抵弘福寺，由平政橋接入城河，計長四十里，出節流門，東南注，經韓家橋，至南鄺等莊，由南石橋會入窩頭河。

鮑邱河經流出齊家務橋，又東十三里，逕前後白廟莊南，地扒拉淀在其北，又東南九里，出高八墊橋、楊家口橋，逕大角淀、小角淀南。又東南六里，逕王補莊，窩頭河西來注之。據采訪圖説。按：義倉圖，鮑邱河自三河縣入寶坻西北境，水南逕虎新莊、小三岔口、盧家莊、西黃沙鋪、談家甫、宜城莊、黃家集、李三店、大趙各莊、李家深子、翟家深子、高家深子、郭家深子、芮家莊、李家莊、前苑家莊、后苑家莊、管家莊、楊各莊、油葫蘆莊、賈家曲、艾各莊、橋頭、胡家新莊、李工莊、小趙各莊、前船各莊、后船各莊、張家新莊、潘家莊、岳家莊、羅家莊、李家莊、王家莊、苑家莊、梁家莊、小杜家莊、吴家莊、蘇家莊、福新莊、前五里鋪、后五里鋪、陳家菴、前曹家莊、后曹家莊、南四莊、大杜家莊、大張各莊、馬家莊、老鴉口，水北則寶各莊、謝各莊、盧各莊、龐各莊、溝頭、馬各莊、塘頭莊、鄭各莊、黃沙鋪、牛道口、焦中寺、杜家莊、小苑家莊、小陳家莊、梁家莊、張家莊、大苑家莊、小苑家莊、蕭家村、幫道沽、劉舉人莊、張鳳莊、前白廟莊、后白廟莊、高八莊、高八墅、大趙各莊、小趙各莊、王家莊、楊家口、大角淀、小角淀、劉家莊、郭家莊、城場莊、小杜家莊、苑家莊、楊家莊。

窩頭河俗呼漒漒河，又曰箭杆河，又曰牛家務河，又曰絳河。通州舊志所謂富坨者，即窩坨之譌。坨、頭聲轉。或曰上承窩頭莊水，故名亦曰渠河。寶坻洪志：渠河一名渠水，即窩頭河也。其水無專源，一出牛欄山水，一出新莊河水。新莊河即蒼頭河上流也。昔爲鳳河水道，今爲窩頭別源，故一統志有蒼頭河目。劉深香河縣志、洪肇楙寶坻縣志並云即蕭后運糧河。通州舊志：牛家務河一名絳河，出牛欄山，經西趙村，過絳橋，至王家渡，入潞河。通州高志：此即漒漒河，亦名箭杆河，上流從牛家務來，故稱牛家務河，現有石橋，即舊絳橋。香河劉志：蒼頭河，城西北二十里，係蕭后運糧河，上通牛欄山水、窩頭莊水，下通三路隄口，一由李家園坑隄口入北吴村，一由明星堂隄口入甘十八隄口，一由東凌莊、尹家河、沙務莊、張家灰店、杜家店、南吴村、牛家屯入搬罾口運河。按：寶坻洪志亦云窩頭河。一統志所謂蒼頭河也，即蕭后運糧河，上通牛欄山水、窩頭莊水。一出順義東北十六里狐奴山之西南麓，一出山之東北，一出山之東三里上莊郈，並西南流，合于仇家店西。按：此在窪里西南二里。又南四里，逕雙營西，又四里逕杜各莊西，水出橋下，又六里，逕久遠郈西，又五里，逕李遂店，又五里，逕西營西，又二里，逕沙務東，又三里，逕南河郈西，又里許，逕南桃園西，又六里，逕祖溝東已北，上流淤斷，然夏漲，河道猶存，凡流四十里有奇，出界，又東南流，逕通州東北境小馬各莊東，又東南三里，逕朱垡屯西，又五里，逕東牛鋪東，又五里，逕馮家莊東，又五里，逕任家莊義倉東二里許，又五里，逕北蔡各莊西，按：北蔡各莊之東，爲馬家鋪，又東爲趙家新莊，今輿圖廑舉趙家新莊，猶非臨水者。凡逕通州境二十餘里，出界。義倉圖：漒漒河入通州東北境南流，水東逕東各莊、吴家莊、朱垡屯、後趙村、東趙村、冀莊、北蔡各莊，水西逕小馬各莊、西南各莊、西趙村、東牛鋪、馮家莊、任家莊、倉台廟。按：漒漒河自此逕煙郊西，係三河縣境。義倉圖並列于通州，誤。逕三河縣西南界，又逕通州交界之煙郊西，煙一作燕。又逕田各莊，又逕于家莊南，凡二十里許，復入通州東境。又逕東儀邨北，又逕史家東儀北，又逕李家東儀北，凡十餘里，出界。據畿輔圖說。三河陳志：箭杆河自通州煙郊石橋交界起，由城子莊西北至半壁店出境，入香河縣界。又東南逕香河縣西北，曰尹家河，又曰五河，又逕半壁店東北，出鰕米眼橋，又四里，逕大沙務，又東二里，逕北吴邨南，又四里，逕陳家新莊北，水出橋下，又五里，逕小屯東北，亦有橋，又折南而東二里，逕百家灣，俗呼百家灣河，在香河城北五里。香河劉志：百家灣在縣北五里，俗傳舊有一村，聚姓百家，一老夫婦陰行善事，夜夢神謂村東石獅子眼紅，村當爲沼。有好事者，以紅脂塗獅眼紿之。夫婦徙去，村聚陷，故名百家灣。形如半壁，深不可測，至今晦冥，猶聞雞犬聲。一統志云：雲霧四起，常聞有雞犬聲者是也。水出橋下，又折北三里，逕萬駙馬新莊北，又六里，逕袁家莊南，水出橋下，又屈曲五里，逕馬家窩北，出安瀾橋，又三里，出雙惠橋，又三里，出青龍橋，又折東北，流數里逕葦各莊西，有橋，又南三里，逕渠口倉東，有橋，分支爲渠口河，即蒲池河也，亦曰蒲石河。在治東北十五里，上承百家灣水，又合牛家港河水；在治東十八里，又合黃土山諸水，黃土山水在治北二里，沙陀嶺水在治北四里，又合駱駝港河；在治北八里，逕荒莊，會于蒲池河，又逕葦各莊、齊里莊、三叉口，合七里莊河。渠口河已下，據香河劉志，參寶坻洪志。

窩頭河又東三里，逕七里莊東，七里莊河出焉，七里莊河合牛濟河水，在治東南三十里，與高駝子河合，水在治東南十五里，上承窩頭河，葉家屯隄口，董家屯隄口三水，逕清莊務、杜里莊，與牛濟河會于七里莊河，出界，入寶坻縣七里海。又有雙港河，在城東二十里，上承窩頭河，逕圈裏莊、戴家閣、紫陽院，出界，亦入寶坻七里海。據同上。窩頭河又東里許，逕魚羊院東，畿輔全圖之戴家閣，尚在魚羊院西，水逕香河縣境，凡六十餘里，出界。按：義倉圖，五河通窩頭河，水南逕鰕米眼、沙務、大王莊、陳家新莊、指務、羅家屯、小屯、北岡、萬駙馬新莊、康家莊、馬家窩、魏家□、黃沙府、七里莊、魚羊院、水北吴村、撓子莊、匠藕莊、百家灣、田各莊、袁家莊、艾家台、孤莊、石羊石虎莊、葦各莊、張家坡、魯家口、魏各莊。寶坻洪志：此水本無源，伏秋衆水會于窩頭，徑香河縣百家灣，東與渠水合流，東徑七里莊入寶坻縣界，東過城南之西石橋，至王鋪莊，與鮑邱河會。又東南流，逕寶坻西北界，又東南五里，逕蔡家莊南，又十里許，逕朱家鋪北，分一支東北流，逕辦子淀東南。

辦子淀，亦曰蘇子淀，在寶坻縣城西十三里，南北不及二里，東西六里有奇，窩頭河分支屈曲東北流，按：陸路計之十餘里耳，水屈曲流，程倍。逕朝霞店北，又逕蓮花莊，又折西北，逕西苑莊，又折東南，逕楊各莊，又屈曲東流，逕高家莊西渠，俗呼高渠河，又東逕李三園南，又折南屈東，與鮑邱支河合。據寶坻縣采訪新圖。

窩頭河經流又東南五里，逕艾各莊南，又十里，逕曹家園南，又分一支西南流，逕小屯莊西，又西四里，逕老君堂北，又十餘里，逕石佛營南，又七里許，逕綝淀南而止。

綝淀，亦曰麻淀，在寶坻縣治西南十三里，略小于辦子淀。

窩頭河經流又東南七里，逕縣城南，與鮑邱支河合，又東十里，出橋兒上邨，有橋。又二里，逕口東鎮義倉北，又東北流十一里，逕龍虎莊北，又東北三里，出張司馬橋，按：橋在治東南二十五里，橋在張司馬莊北。入鮑邱河。義倉圖：窩頭河入寶坻縣境北，南逕邸家新莊。

鮑邱河既合窩頭河水，東出張補莊橋，逕前後張司馬莊北，又東南十餘里，逕白家莊南，分支西出七里，又折南，繞六各莊而東，仍入本河，凡分流十六里。又東南二里，逕林亭口鎮北，又東南三里，分流東南出者，雍正四年所開新河也，舊河西出，又南逕南小橋，東繞張玉莊，屈曲東南，逕雙莊與新河合，凡分流十六里。其新河東南五里，逕八門城鎮北，褎鹹河注之。

褎鹹河出寶坻縣西，接香河縣界。曰桔槔窪，俗呼支河，亦曰小支河。東南五里，逕新開口鎮，又五里，逕西褎鹹口，褎鹹河之名始此，亦曰繡鹹口，故又有繡鹹河之目，寶坻洪志：支河自繡鹹口至梁家沽，入八門城大河，長八十餘里。又一里，逕東褎鹹口，分支東北流，逕大口屯鎮南，有義倉，其水繞十字港、趙家排、吴家排，凡十餘里，仍入本河。其經流東逕樹兒窪北，又東南逕户路東，又東南出牛家排橋，又東南受分支迴流，逕西老鴉口南，又十里，逕田家橋，又五里，逕李賢莊南，又五里，逕楊馬頭南，又七里，出苑紅橋。自户路至此，河淤，又折東北，逕于家沽東南，一水自水流莊西逕菱角莊西，凡十里，注褭鍼河。

褭鍼河又東北五里，逕苑家場北，月河淀東南來注之。

月河淀出縣治東南界，西北流十里，逕貉子沽東北，又西北十里，逕木札窩，又三里，入褭鍼河。

褭鍼河又東北，一水西北來注之。

水出小劉四寡莊東，又東南十六里，逕魯家沽，又二里，逕葫蘆沽，又九里，逕小塔沽西，又東南逕梁家沽東北，入褭鍼河。

褭鍼河又東北六里，逕瑪瑙沽東，一水西北來注之。

水出龍虎莊南十里，逕大小洛里沽，又東南十五里，逕塔沽西，入褭鍼河。

褭鍼河又東五里，逕尹家莊南，入鮑邱新河。

鮑邱新河，既合褭鍼河，又東南五里，逕八門城北。寶坻縣洪志所謂八門城河，卽潮河支流，而渠河下口者，其在是與？今爲鮑邱新河，昔爲潮河支流，亦鮑邱爲潮河之一證。洪志，渠河指窩頭河言，非泃河也。鮑邱新河又東一里，逕寬江鎮東南，入薊運河。

薊運河又東南五里，逕張頭窩東，還鄉河西支北來注之。又南十里，逕盛家莊西，還鄉河東支東來注之。

還鄉河，水經鮑邱注所謂巨梁水卽此。水西流，故名。明河渠志曰：環、香，同聲通叚。方輿紀要以還鄉爲浭水，非也。其水出遷安縣西之黄山麓泉莊，西南流逕豐潤縣，又逕玉田縣，受沙流河、雙城河諸水，分爲二支，曰雙岔口。一西流，自玉田縣西北之南小莊入寶坻縣境豐臺北，又西逕單家莊北，又西逕牛津頭北，又逕小盤龍北，又逕大盤龍北，又逕盛家莊北，凡十餘里，注薊運河。在南燕窩東。一南流，从玉田縣東南九丈窩，入寶坻縣豐臺南，又逕盛家莊南，注薊運河。雲龍還鄉河上流考：水大率皆東流，此獨西，故曰還鄉河。一名環香河，古巨梁水也。出遷安縣西黄山麓泉莊，西南流五里，逕臨河莊北，又三里，逕井山口南，又里許，逕田家峪北，又八里，一水西來注之。水出遵化州城東四十餘里之板城，西流五里，逕鐵廠南，又折東八里，出界；逕遷安縣西南境，東流十里，入還鄉河，又西半里，出界；逕豐潤縣東北崖兒口，又西南三里，逕皮古岫北，又五里，逕魏莊子北，又二里，逕腰帶山北，又里許，逕曹莊子北，又五里，逕張莊子北，又五里，逕邱家莊北，又七里，逕山頭莊南，又六里，逕左家務鎮南，又西折南六里，逕古石城西，又南五里，逕泉河頭西，又折西五里，逕東西馬莊南，又三里，逕城北，又三里，逕披霞山南，又屈曲西南三里，逕張馬莊南，又一里，逕魏各莊南，又九里，逕七樹莊南，又十里，逕白官屯北，又十里，逕張官屯北，又里許，出界。凡屈折逕縣境九十里。又逕玉田縣東二里欒子營，南沙流河北來注之。水出豐潤縣西北黨峪山，南流十里，逕兩山莊西，又屈曲西南流二十里，逕沙流河鎮，又十五里，出界；逕玉田縣東二里，入還鄉河，又四十里出鴉鴻橋，又西南五里，逕許家菴東，又南折東五里，逕軒湖泃西，又二里，逕半壁店西，又折西三里，逕周家莊北，又西二里，逕李家胡同北，又西南二里，逕邵家莊東，又南五里，逕王六菴西，又東南三里，逕果園西，又三里，出窩洛沽橋，又西南三里，逕客家營西，又三里，逕沈家莊西，又五里，逕西淮沽西，又四里許，逕趙家莊北，雙城河西北來注之。水出玉田縣東北三十里常山，西南流五里餘，逕許家莊西，又南屈曲東五里，出雙橋鋪橋，又折西南十里，逕散水頭東，又二里，出丁家橋，又三里，逕李家營西北，又二里，逕李官屯西北，又四里，出高邱橋，又六里，逕錢家溝東，又五里，逕孟欽莊西，又九里，逕于鑾鋪西，有二橋，水出其下，又五里，逕孟二莊西，又南折東二十餘里，入還鄉河。還鄉河自此分爲二，曰雙岔口，一西流六里，逕橡子莊南，又八里，逕南小莊南，北入寶坻縣豐臺北，又西入薊運河；一南流二里，逕九丈窩東，入寶坻縣豐臺南，又西南入薊運河。

薊運河受還鄉河西、南兩支，其間相距十里許，有小淀在其西，分支西出數里入焉。又有小月河，西出里許。

薊運河又南五里許出界，自縣西北屈東南流，凡逕境一百八十里。

又南過甯河縣。

薊運河又逕甯河縣北境，江潢口莊，潢一作窪，在城北少西十有六里，莊南渠一；甯河關志：窪口，縣西北十六里，莊南渠一道，環繞合莊。按：此在治北少西。畿輔安瀾志，窪作潢。又屈西二里，逕洛波亭莊東，渠一；又屈東五里，逕埋珠莊北，縣北八里。莊東九里爲東淮沽，又屈西五里，逕幫道沽東，渠一；縣西北八里。又折東五里，逕青泥莊北，渠一；縣北六里。又西南二里，逕板橋莊西，渠一；出薊運河，東逕王寶莊，又大麥沽西，渠一；在板橋莊東，薊運河又西二里，逕岳旗莊北，其西有渠一；又西里許，逕劉可莊東，渠一；又南二里，逕張新莊東，渠一；胡家莊東渠，高家臺後渠，在其西又屈東里許，逕田家莊頭南，渠一；又東里許，逕小楊莊，又里許，逕甯河縣城北，渠一；又城北七里之崔成莊渠，在莊北，薊運河又里許，逕齊家沽南，有東渠一；又東南三里，逕縣城東，有渠二；水西直東窩莊，渠一；又南里許，逕倒流窩莊，西有渠一；出莊北又南折西二里，逕南窩莊北，渠一；又西三里，逕城西南，其分支出城西北隅，南流五里，入於本河，蓋補護城西河，俗謂之西門外渠，城西北十六里，杜家新莊，渠一；東出入薊運河，薊運河又西流二里，逕西關莊，渠一；東出西逕任家泊，泊在任漢莊，夏雨水溜，輒逕楊四莊、劉可莊、幫道沽、青泥莊入薊運河，薊運河又屈東三里，逕南沽莊北，又東折南六里，逕後江右沽西，渠一；又折西里許，逕楊家莊北，渠一；又西里許，逕孟家莊南，渠一；又西折南三里，逕菜園莊東，渠三；一莊南，一西北，一莊北舊渠，其西十里，西朱莊北，渠一；又西五里，任千户莊東，渠一，通谷家、孫家、林家、西關、南沽等莊，入薊運河，薊運河又南折東三里，逕高家坨北，又東三里，逕孟舊窩南，渠一；又東二里，逕米廠莊北，前後莊，東、南、西渠各一；又逕東江右沽南，渠一；又里許，逕塌慈莊南，渠一；又東北里許，逕瓦房港，又里許，逕捷道沽，又折南里許，逕東朱家莊西，渠一；通捷道沽，又西南半里許，逕木頭窩莊，西、北渠各一；又西南半里許，逕苗家莊西，渠一；東出九里，逕柳家莊，又西南二里許，逕麥子沽；渠一；東出七里，逕苗棗莊，又西二里，逕沙窩莊北，前沙窩莊，西、北渠各一；西南出後沙窩莊西，渠一；西出並入薊運河，又東南折流，西北四里，逕馬家莊北，渠二；一南渠，自南而北，一北渠，自西而東，交流環莊，又西北流一里餘，逕大艇莊東，渠一；東出，入薊運河，又南逕劉家莊北，其南有渠二；西出，入薊運河，又半里有奇，逕王御史莊東，渠一；又逕党家莊北，渠一；東出，入薊運河，又東南八里許，逕小田家莊北，渠一；南出，入薊運河，又東三里許，逕大趙家莊東，渠一；南出，與田家莊渠通，又南折西五里，逕蘆臺鎮北，通判等官駐此，石橋三，水出其下，又西六里餘，逕北澗沽東，渠一；東出，又通中興沽，渠一；薊運河之受罾口河在此。采訪圖説：薊運河自江窪口入甯河縣境，水西逕洛波亭、幫道沽、青泥莊、岳旗莊、劉可莊、張辛莊、縣城西關莊、南沽莊、孟莊、菜園莊、高家坨、米廠莊、南岳旂莊、木頭窩、大艇、党家莊、大趙莊、北田莊、小趙莊、小崔莊、大楊莊、王御史莊、船沽，水東則埋珠莊、藍家莊、板橋莊、田莊頭、小楊莊、齊家莊、王良莊、東窩莊、倒流窩、南窩莊、梨園莊、後江右沽、楊家莊、孟舊窩、東江右沽、瓦房港、捷道沽、東朱莊、苗家莊、麥子沽、沙窩莊、劉莊、馬莊、尚塢莊、閆家莊、曹莊、田莊、蘆臺、黄沽莊、永興莊、北胡莊。義倉圖：水西江窪口、洛波亭、青泥莊、劉可莊、岳旂莊、張家新莊、南沽莊、縣城、高家坨、米廠莊、南旂莊、大艇莊、党家莊、崔家莊、趙家莊、王御史莊、後新莊、馬家菴、官莊、北澗沽、北東則埋珠、崔成莊、田家莊、西板橋、小楊莊、東楊莊、齊家沽、東窩、倒流窩、西瓦港、孟臼窩、梨園、南窩、楊家莊、江右沽、朱家莊、苗家莊、麥子沽、劉家莊、沙窩、小崔家莊、閻家莊、小蓿莊、蘆臺倉、皇沽莊、大蓿莊、北胡莊、張家莊、西莊坨。

罾口河出七里海東，東流邢家坨，又東十里，逕任鳳莊北，其莊南，渠一；罾口河又東北五里，逕船沽南，又里許，逕南澗沽北，又三里，逕北澗沽，南入薊運河。據甯河縣圖説。

薊運河又折東屈南，十餘里，逕勾樓沽東、李家沽北，有渠各一；入薊運河，又三里，逕馬杓沽南，在李家沽西十里，渠一；入薊運河，又三里，逕漢沽西，畿輔圖：韓沽，即此。漢沽莊之北與南，有渠各一；亦曰小鹽河，入薊運河，他如黄沽莊、趙家園莊、曹田萬莊、董家莊、靳家莊、南陳家莊、小薄家莊、大薄家莊、西莊頭莊、小胡莊、桐城莊、北胡家莊、張家莊、盧家務、南崔家莊、塞上莊、鐵師坨，皆有渠，或渠與渠通，大率注於薊運河，薊運河又西折東十餘里，逕營城汛北，渠一；南通張家河，北入薊運河，鹽溝水東來注之。

鹽溝爲二港莊，舊渠四道，西北流，入薊運河。按：二港莊在甯河治東南六十里。甯河闕志云，二港莊舊渠四道，俱東通大海，繞灘坨寬二丈，深五尺，取水曬鹽。

薊運河，又西流折東南十餘里，逕礮臺，又東南五里，逕塌淀莊北，渠一；南出，入薊運河，又東六里餘，逕茶棚西，又西折東十餘里，逕蟶頭沽，西有馬跑泉，又西南五里，逕青坨莊北，又六里，逕避風嘴東，減河合西減河注之。

東減河，卽王家務減水河也，舊名青龍灣，引河亦曰上引河，此目見王世綋請勘減水河疏。自武清縣王家務北運河東出，水出橋下，北岸直土門樓，又東南三里，逕紅廟西南，又三里，逕三百户西南之三邨，皆武清縣境。吴翀武清志載之，里社甚悉，或因界近香河縣，遂概屬香河，非也。其水自此逕香河縣西南境，按：武清吴志，王家務在崔一里，紅廟土門樓在坊一里，三百户在屯衛里，北運河過此，乃入香河縣境，逕二十四里，復入武清縣韓家口東北十里，逕樹兒窩南，入寶坻縣境。畿輔安瀾志謂：王家務引河在武清縣北，首起香河縣紅廟，東流入縣東北境，逕三百户、長林，又東流，逕塔兒寺、殷家莊、崔家莊、馬房、楊家場，又東流逕寶坻屬，此指紅廟以下，皆屬武清，非也。而或又概屬之香河，則尤非。寶坻洪志：青龍灣引河，由香河縣三百户青龍灣石壩分流，至西楊家場入境起，至甯河縣之甯車沽止，長九十里。舊志稿云，一百餘里。又東南五里，逕長林南，又五里，逕神機馬房北、周家莊南，又里許，逕柴家莊北，又二里，逕北務屯南，南岸直李大人莊，又里許，逕程家屯南，又二里許，逕張家莊北，又里許，逕楊家場北，又里許，逕劉慶莊南，又二里，逕中營南，義倉圖：王家務引河，水南逕神機馬房、柴家莊、李大人莊、史家莊、張家莊、楊家場、亢家莊、艾家臺，水北自長林而東，逕周家莊、北務屯、王家府、邢家莊、劉慶莊、中營。又東南，逕寶坻縣西境口下哨橋，凡流五里許，復入武清縣東北境，逕韓家口北，又五里，逕趙家莊南，又三里，逕大趙家莊北，又二里，逕樹兒窩南，出界。按：武清吴志，韓家口、趙家東莊、大趙家莊、樹兒窩，皆在崔五里。又東南，復入寶坻縣境，五里許，逕大口下哨東，又十一里，逕翟家莊東，又五里，逕李家排東，又六里，逕孫校莊東，又四里，逕小白莊東，又里許，流爲八道沽東，又三里，逕大白莊西，又六里，逕運家莊西，又里許，流爲油香淀，油一作遊，淀斜長七里許，寬可五里，直大唐莊南，又東南爲鯽魚淀，又程泗淀在其西，義倉圖謂之承司洵減水河，又五里，逕紅花嘴南，出界。據寶坻縣采訪册。畿輔安瀾志：王家務引河，逕寶坻屬大口下哨李家排，又東爲八道沽，又東逕趙家莊、樹兒窩、狼兒窩，又東流爲油香淀，又東逕高家莊、大白家莊、于家莊，又東流爲鯽魚淀。又東南逕甯河縣西北境五里許，逕潘兒莊東北，出屠公橋下，又里許，逕紀家莊西南，有渠一，入於減河，又四里，逕楊家莊西南，注後海，減水河之西，有同注者，爲寶坻縣東淀。

東淀上承黃花淀之水，黃花淀在寶坻縣治西南八十里許，南北長九里餘，寬得其半，寶坻洪志：東淀河向在東淀，自縣八里汀起，至甯河潘兒莊大道止，長七里，入七里海。按：今淀南北長九里餘。東南流五里，逕爾莊南，又里許，逕許家新莊東，苦鹽坨水西南來，十里許入焉。

黄花淀水又東南四里許，逕大、小二龍灣，小龍灣在大龍灣南，二水合流注之。方輿紀要云，相傳遼時海運故道。又里許，流爲東淀，俗謂東淀河，廣袤與黄花淀等。淀北逕潘兒莊，其北又有豬頭淀，其水東南出，逕東淀莊西南，又五里，逕八里汀，出寶坻界，又東南逕甯河縣境，出大木橋，逕王家務減水河西，注於後海。據采訪圖説。畿輔安瀾志：東淀又東流，注甯河之後海。後海詳薊運河。

王家務減水河之水，穿後海東南出，逕俵口莊西，凡流三里許，入七里海，又東南出，逕樂善莊西，又八里許，入曲海，七里海、曲海詳薊運河。又東南出十二里，與西減河合，又二里，流爲甯車沽，水出橋下，又東南四里，注於薊運河，畿輔安瀾志：王家務引河舊名青龍引河，與薊運河會於北塘莊入海，長百八十里，雍正九年開。方輿紀要謂龍灣河在香河縣南四十里，入永平府昌黎縣之七里海。考香河在寶坻之西，寶坻東爲玉田，東南爲甯河，正東爲豐潤，豐潤東爲灤州。昌黎又在灤州東，其間隔越灤河大川，是水安能流注於昌黎縣境耶？蓋昌黎縣東別有一七里海，紀要誤爲一也。一統志：王家務引河，南至七里海，長一百五十里，下流至北塘口，入薊運河，歸海。

西減河者，筐兒港減河也，亦曰下引河，此目見王世紱請勘減水河疏。東出自武清縣治東南五十里。北運河分二支，中限以隄，北支東流屈北，逕新莊南，又逕樊家臺南，又東南逕西掘河南，與南支合；南支亦東流十里許，出馬莊北橋，與北支合。又東南出陸掘河橋，又東南出朱馬頭橋，又東南逕張大宮莊北，又東南逕郭家臺北，東掘河南，又東南逕蔡楊莊南、周家莊北，又東南出六大莊橋，又東南逕梅廠北。續行水金鑑，梅謌海，其北岸爲小高官口，又東南出唐房橋，橋有二，其北岸直大高官口，又屈北折東，逕小康莊、大康莊，卽康裕莊也。大康莊有橋，水出其下，其北岸爲邱莊，又東南逕小任莊南、楊家河北，又東南逕九河印子西南，又逕蕭莊西南，又東南逕王三官莊東北，又出吴辛莊橋，又逕李鳳莊西南，又出韓勝莊，凡曲折逕武清境五十里有奇。武清吴志：新莊在坊二里，梅廠、高官口、大小康莊、李鳳莊在崔二里。又東南逕天津縣麥子淀，出腰河，穿塌淀東出，逕甯河縣西境。雲龍筐兒務減河穿淀考：筐兒務減河，北運河支流也。自武清縣入天津縣北界，南流三里許，逕韓勝莊西，又七里許，逕大張莊東，又八里，注麥子淀；未注時，距淀三里，分一支東出轉南流四里許，亦注淀麥子淀，在天津府城東北二十里，東西長十里，南北四里。筐兒務減河南出曰腰河，引逕蘆新河東，凡三里，入塌河淀。淀在天津府城東少北十一里，東西長十三里，南北七里，北出爲陳家溝引河。引河之北，出自淀者三，皆西流，七里入北運河，一逕白廟南，在丁直沽東，一逕席廠南，在西沽東，一逕隄頭南，礮臺北，陳家溝引河之南二里。又出一支，西流六里，合於引河。又西三里，逕陳家溝北，又三里，逕天津府城東北隅，入於北運河。又自淀西南出者，賈家沽引河也。水大畢莊橋逕趙沽里東，又三里，逕韓家臺東，又二里，逕鄧家臺東，又二里，出橋下，逕馮家口東北入海河。而筐兒務減河則塌河淀、東隄，逕劉快莊北，又東北流四里，逕西隄頭，又里許，入甯河縣西境。又里許，出東隄頭橋，又東流五里，逕趙溫莊南，又三里，逕田家莊南，又六里，逕造甲城南，又五里，逕馮家臺南，有渠一，又東隄頭莊南，渠一，俗呼張千溝，凡以宣洩西減河也。西減河入七里海，凡二十里復出，東南流逕淮魚淀，凡三十里，與東減河合流，六里入薊運河。

七里海，在甯河縣治西南五十里，始七里許，浸豬浸擴。明世宗時，圍二百五十有二里，見實録。今則南北二十里，東西四十里，深不及丈，行潦争歸，王家務、筐兒港、二減河是其著者。其西北三里許爲後海，南北八里，東西十有八里。其東南十里爲曲里海，東北至西南四里，西北至東南十里。甯河關志：七里海在縣西南五十里，無源，地窪，行潦歸焉。西接二引河水，東西分流入運河。海寬二十里，長四十里。海之西北爲後海，寬八里，長十八里。其東南爲曲海，寬四里，長十里。北淮魚淀，在七里海南，爲筐兒港水出海東南處，又東南三里，爲南淮魚淀，甯河四淀，此其二也。又塔淀亦曰塌淀，即薊運所逕塔淀莊，又阜淀在縣東南四十五里。甯河關志。

薊運河既受東、西引河水，又西折東五里，金鐘河注之。

金鐘河，出天津府城東二十里之塌河淀，東流十里入甯河縣西界，出西隄橋，又東南流六里，逕北于家堡北，又二里，逕南于家堡北，又三里，出赤城灘橋，又三里，逕傅家臺西，又三里，逕馬家臺西，又七里，出傅家官埑橋，又三十五里，出甯車沽橋，又十五里，入薊運河。

薊運河又折東十里，逕北塘鎮，新河注之。

新河，出直沽，今厪存入薊運河處六里許。詳故道。直沽河，通曰海河，南、北運淀河之匯流，自天津城東北隅三岔南流，逕大直沽，直沽河之目以此。又屈曲東南六十里，逕甯河縣車套圈南，自此東至大沽海口水，南界天津縣，其北則甯河縣界也。就水北邨鎮言，又東三里，逕王家莊，又三里，逕袁家莊，又六里，逕李家莊，又二里，逕鄭家莊，渠一，又屈曲折東，逕大、小楊莊，此二莊渠各一，又東北十里，逕田家沽，又屈曲而東六里，逕南劉莊，新河出焉，今斷，又十五里，逕新河莊南，又屈曲南流二十里，逕塘兒沽，有舊渠一，鹽溝水東北來注之。

鹽溝水四，一、內鹽溝，一、外鹽溝，並來自新河莊，餘三水來自塘兒莊，甯河關志：新河莊東鹽溝一道，東通鹽灘，西至莊南，寬二丈，深五尺，長八里餘。又莊東外鹽溝一道，東通內鹽溝，西通天津大河，寬二丈，深五尺，長五里。塘兒沽莊東南運鹽溝三道，東通海，西通鹽坨，均寬九尺，深四尺，長約十里，始挑年月無考。西南流，入薊運河。

薊運河又東南折北七里餘，逕于家鋪東，又東七里餘，入於海。其故道㶟餘水，出上谷居庸關東，又東過軍都縣南，又東過薊縣北。

㶟餘水注曰：逕軍都縣故城南，積爲㶟餘潭，又東流，易荆水注之。其水導源西北千蓼泉，亦曰丁蓼水，東南流，逕郁山西，謂之易荆水。又東，左右虎眼泉，又東南，與孤山之水合，水發川左，導源孤山，東南流入易荆水，謂之塔界水。又東逕薊城，又東逕昌平縣故城南，又謂之昌平水。魏土地記曰：薊城東北一百四十里有昌平城，城西有昌平河。又東北，注㶟餘水。又東南，左合芹城水，又東南，逕安樂縣故城西。雲龍按：㶟餘卽今北沙河，出居庸西北，曰東，其故道與？或以易荆水爲今南沙河，非也。或又以今虎眼泉注北沙河，遂謂北沙爲古之易荆，亦源流互異，詳上北沙河爲灅餘水考。必以今水應之，鑿矣。昌平州宋志：水經注云，灅水又東，逕昌平縣，温水注之。灅水又東，逕昌平縣故城北，王莽之長昌也。昔牽昭爲魏鮮卑校尉屯此。據此，則漢魏之昌平州，爲宣化府西甯縣地，此宣化府志所以謂漢魏以至後魏之昌平縣爲西甯無疑也。然水經注灅餘水條下有云：易荆水，又東逕薊城，又東逕昌平縣故城，故城南又謂之昌平水。魏土地記曰：薊城東北百四十里，有昌平城，城西有昌平河，又東流，注灅餘水。又高梁河條下引劉靖碑云：水流乘車箱渠，自薊西北逕昌平，東盡漁陽潞縣云云。據此，則漢魏以來之昌平，又確在今之昌平州矣。水經注前後兩歧，後人各持其一說而不敢斷。愚謂無難斷也，酈元之注灅水也曰：灅水，又東逕昌平縣故城云云，此一已之説也。其注易荆水，高梁水，引魏土地記劉靖碑，則確有典據，一已之説有誤乎？所引之書有誤乎？此不待智者而明矣。以水經注證水經注，而其説已斷，況乎昌平前漢屬上谷，後漢屬廣陽，初與代郡無涉也。西甯縣在前漢爲桑乾、陽原、東安陽三縣地，後漢爲桑乾、東安陽二縣地，晉爲代、安陽二縣地，皆屬代郡，與昌平無涉也。因水經注一言之誤，遂以上谷廣陽之昌平，入代郡之域中，不亦謬乎！甚矣，酈元之自誤誤人也！然酈元之説，亦非無因。元魏太和中，分恆州東部置燕州，領昌平郡，縣二：萬年、昌平，爲今西甯地。西甯志云：今縣城去北魏昌平故址不遠，在桑乾河北二十里，其渡河東南魏時有故城。酈注稱爲漢昌平故城，因元魏郡縣之名而誤也。觀此愈無庸疑矣。按：昌平已詳永定河故道注，昌平縣考西甯一說，難可據信。

又北屈東南，至狐奴縣西，入沽河。

灅餘水注曰：水於縣西南，東入沽河。雲龍按：酈注引地理志，灅餘水自軍都縣東至潞南入沽，與今沙河自昌平州逕通州入北運河合，而桑經酈注狐奴云者，今順義縣故道入沽，異矣。

沽河，東南至雍奴縣西入笥溝，又東南至泉州縣，與清河合，東入于海。清河者，泒河尾也。

沽水注曰：東南逕泉州縣故城東，又東南合清河也。今無水。清、淇、漳、洹、滱、易、淶、濡、沽、虖池同歸于海，故經曰泒河尾。按：今北運河與清河合，不在武清縣境。

漁水，水經沽水注曰：水出縣東南平地泉，流逕漁陽縣故城南。考諸地説則無聞。所識釋考地尋川，則有應氏自今城在斯水之陽有符應説，漁陽之名，當屬此。漁水又西南，入沽水。

陽重溝水，水經沽水注曰：水出狐奴山南，轉逕狐奴城西，王莽之所謂舉符也，側城南注，右會沽水。

鮑邱水，東西過滑鹽縣南，又西南過狐奴縣東，入沽河。

水經鮑邱水注曰：東南出峽，逕安州舊漁陽郡之滑鹽縣南，左合縣之北谿水。水出縣北廣長塹南，其水南流，逕滑鹽縣故城東，西北去禦夷鎮二百里，南注鮑邱水。又南逕傂奚縣故城東，又西南逕獷平縣故城東，又南合三城水，出臼里山，西逕平獷城，謂之三城水。又逕香陘山，又西逕石窟南，窟内有水，淵而不流，又西北逕伏凌山，桑谷水西南流注之，是水有桑谷之名，蓋沿出桑谿故也。又西南逕獷平城東南，右注鮑邱水。鮑邱水東南逕漁陽縣，又西南歷狐奴縣城東，又西南流注於沽河，亂流而南。按：滑鹽今平谷縣境，非今潮河所逕。桑谷水今無考。狐奴，順義也。今潮河合白沙河于密雲，順義其故道也。注又曰：鮑邱水又東逕右北平郡故城南，魏土地記：薊城東北三百里，有右北平城。又東，巨梁水注之。水出土垠縣北，陳宮山西，南流逕觀雞山，謂之觀雞水，又西南流，右合區落水。水出縣北山，東南流入巨梁水。巨梁水又西逕土垠縣故城西，左會寒渡水。水出縣東北，西南流至縣，右注梁河。梁河又南，瀾于水注之。水出東北山，西南流，逕土垠縣故城東，西南流入巨梁水，又東南，右合五里水。水發北平城東北五里山，故世以五里名溝，一名田繼泉，西流南屈逕北平城東，東南流注巨梁河，亂流入鮑邱水。巨梁自是水之南，極虖池西，西至泉州、雍奴，東極于海，謂之雍奴藪，其澤野九十九澱，枝流條谷，往往通逕，非唯梁河、鮑邱歸海者也。按：巨梁水卽今還鄉河，而道有異，所合區落、寒渡、五里諸水，亦難可考。

五百溝水，水經鮑邱水注曰：水出匕山北，東逕平谷縣之絏城南，東入泃河。

藍水，水經鮑邱水注曰：水出北山，東屈而南，流逕無終縣故城東。故城無終，子國也。魏土地記：右北平城西北百三十里，有無終城，其水南入灅。

要水、三藏水故道入濡水。

水經濡水注曰：水出禦夷鎮，又東出峽，入安州界，東南流，逕漁陽白檀縣故城。地理志曰洫水，（趙一清注釋今本漢書，亦作洫，然注不别出，洫水當卽濡水，此六朝以前本之訛。）出北蠻夷中，又東南流，右與要水合，水出塞外，東南流，逕要陽縣故城東，又東南流，逕白檀縣而東南流入于濡。濡水又東南，索頭水注之。水北流，南逕廣陽僑郡西，又南注於濡水。濡水又東，武列水入焉。其水三川派合，西源右爲谿水，亦曰西藏水，東南流，出谿，與蟠泉合。泉發州東十五里，東流九十里，東注西藏水。西藏水又西南流，東藏水注之。水出東谿，一曰東藏水，西南流出谷，與中藏水合，水導中谿南流出谷，南注東藏水，目川，曰三藏川，水曰三藏水，東藏水又南，右入西藏水，亂流右會龍泉水。水出東山下，淵深不測，其水西南流，注于三藏水。三藏水又西南，與龍芻水合，西出于龍芻之谿，東流入三藏水，又東南，逕武列谿，謂之武列水，東歷石梃下東，合流入濡。方輿紀要曰：密雲縣要水，亦曰清水，出古北口外，自大、小黄崖口流境，至縣西北，又東入潮河。漢要陽縣以此名。又東北有武列水，亦曰三藏水。水經注並注濡水。濡同灤，潮水亦有灤河之名。按潮、灤雖有兼稱目，而酈注不云，要水、三藏水入鮑邱，知故道與今異矣。

漢泉州渠。

建安時，曹操從泃口鑿渠，逕雍奴泉州。三國魏志：鑿渠自滹沱入泒水，名平虜渠，又從泃河口鑿入潞河，名泉州渠，以通海。水經注：陳壽魏志，曹太祖以蹋頓擾邊，將征之，從泃口鑿渠，逕雍奴泉州以通河海者也。今無水。舊聞考：泉州渠當酈道元時已稱無水，今故道湮矣。

唐平魯渠。

方輿紀要曰：渠在薊州南，唐志，漁陽有平魯渠，傍海穿漕，又其北漲水爲溝。

遼運河過香河縣南。

香河縣南四十里爲龍灣，又南爲小龍灣，遼運河也。薈蕞。

薊州紫金泜亦其故道。

紫金泜在州南十里，長里餘，寬十餘丈，遼運河故道也。薊州張志：遼運河，州南之紫金泜，即河之故道。由韓家壩、八溝莊、小漫河、馬龍港、蒙家圈、太和莊、迷王會至曹家口頭莊，合沽河，河形故道現存，雖旱不涸，迷王會迤下，河沿有埝。

金運河導源一畝泉。

金節高良河、白蓮潭諸水通漕。世宗世，開盧溝金口通漕無功。金河渠志。泰和中，韓玉建言，開潞水漕渠，蓋用一畝泉爲源也。廿二史劄記二十八：京師至通州牐河，本元時郭守敬所開。守敬傳：大都運糧運河，不用一畝泉舊源，別引北山白浮泉水西折而南，經甕山泊，自西水門入城，環匯於積水潭，復東折而南，出南水門，合入舊運糧河，每十里置一牐，比至通州，凡爲牐七，置斗門互爲提閼以過舟止水。元世祖命速行之。丞相以下皆親操畚鍤。工既成，帝還自上都，過積水潭，見舳艫蔽水，大悅，賜名曰通惠河。此元所創，至今爲永利者也。然此河不自守敬始。金史韓玉傳：泰和中，玉建言開通州潞水漕渠，船運至都，工既成，玉陞兩階。是此河實自玉始，守敬傳所云，不用一畝泉者，蓋玉所開河，本用一畝泉爲源，而守敬乃用白浮泉耳。守敬建牐，往往得舊時磚石，故址當即玉遺蹟也。蓋燕都自金宣宗遷汴後，迨元世祖至元十一年，始來都之，其間荒廢者已四五十年，舊時河道，久已湮没，守敬得其遺址而開濬之，遂獨擅其名耳。

元開玉泉水後引白浮諸水。

中統三年，郭守敬請開玉泉水。至元十三年，以楊村至灣雞泊漕渠洄遠，改從孫家務。元世祖紀。按：元郭守敬傳云，面陳通州以南，於藺榆河口徑直開引，由蒙村跨梁務至楊村還河，以避浮雞淌盤淺。二十八年，郭守敬言，大都運糧河不用一畝泉舊源，別引北山白浮泉水，西折而南，逕甕山泊，匯於積水潭。元史傳，元名臣事畧。

通州運糧河分引渾河水。

至元三十年九月，漕司言：通州運糧河全仰白、榆、渾三河之水合流，名曰潞河，今歲新開牐河，分引渾、榆二河上源之水。元河渠志。舊聞考：北運河向以白、榆、渾濟運。今渾河不入運，白河南至天津三汊河入海，不能逆流至靜海，元史白河達靜海之說，誤。又有糧河，在寶坻縣城南五里，古海運故道也。元世祖以越海不運，塞之，河形尚存。寶坻洪志。

明引玉泉、龍泉、月兒、柳河等泉。

成化中，尚書楊鼎、侍郎喬毅言：元時水在宮牆外，舟得入城内海子灣泊，今水從皇城金水河出，故道不可復行，且元引白浮泉往西逆流，今妨地脉。又一畝泉過白羊山溝，雨水衝截難引，惟玉泉、龍泉及月兒、柳河等泉，皆出西北，循山麓而行，可道入西湖。請濬西湖源，閉分水青龍閘，引諸泉從高梁河分其半，由金水河出，餘則從都城外濠流轉，且閉令勿入三里河，併流大通橋。越五年，濬如議明河渠志。按：引玉泉水不自明始，然元至元三年開玉泉，僅以助一畝諸泉之不逮，二十八年改源白浮，不用一畝舊源。至明成化十二年，改源玉泉，又不用白浮舊源。然尚未通普濟閘，通普濟閘在嘉靖七年。難可以今道概之。畿輔安瀾志：甕山與玉泉山聯絡接勢，實如一山。通惠河舊道，此山之泉所謂甕山泊者是也。陸釴病逸漫記云：白浮水今入清河，一畝泉在甕山後已塞，甕山下玉龍、雙龍、青龍等泉，流入西湖，即今玉泉山之源。水部備考、春明夢餘録、明史河渠志同，而畿輔通志、會典、小谷薛鏡並云通惠河源出白浮村。考之元河渠志，其記通惠河也，神仙泉以下諸水皆其導引，而非通惠河本源。今神山、一畝泉、馬眼三泉，皆榆河所受之水，不與大通河相灌注矣。

通州有黃船塢。

在州北一里曰黃船埠，河水瀠洄。永樂中，設黃船十，俗呼黃船塢，後移船天津。據通州高志。

潮白河分流至順義縣牛欄山始合，後移密雲城西合流。

密雲潮、白二水向分流，至牛欄山始合。白水徙流城西，去潮水不二百武，疏渠植壩，合爲一流，明劉應節傳，隆慶六年疏。畿輔安瀾志：沽河與潮河合處，舊在順義縣北二十里之牛欄山東麓，今改於密雲縣南十八里。嘉靖中遏絶之，不使入順義縣，欲水勢盛漲，以通密雲餉道故也。又徙密雲縣東南合流。綱目三編十七。方輿紀要：潮河川在密雲縣東南，西南至順義縣，合於白河。按：今潮河自密雲縣東南卽入白河。

潮河又過寶坻縣，草頭湖水注之。

草頭湖亦曰草頭沽。方輿紀要：縣東南有草頭湖，遵化、豐潤縣境之水流入縣界，溢而爲湖，會潮河入海。按：日下舊聞，草頭湖一云草頭沽。

泃河故道導源二

方輿紀要曰：發源黃崖口，一支西南流，經盤山陰入平谷，爲泃河；一支東南流，經盤山陽，過三岔口，入寶坻縣白龍港。

渠河塘在三河縣北十二里。方輿紀要。

鄉泰河在平谷縣境。方輿紀要曰：五百溝河、鄉泰河合流入於泃河。

黑馬泉水卽龍池河。方輿紀要曰：龍池河，薊州城南，源自州北盧而嶺口，流入南合梨河，逕玉田縣，入寶坻縣白龍港。成化間，西北盤山水發，始合州境之砂河、窰河、五里河，並入沽水。按今水導源崆峒山，砂河當卽沙河也。窰河今無考。五里河卽陽泉，此故道之未盡改者。

柳沽河出玉田縣，逕寶坻縣東北，注白龍港。方輿紀要：柳沽河在縣東北三十里，玉田縣之水會流入縣境，曰柳沽河，上流注白龍港。

白河支流過懷柔縣合潮河。

丁符九密雲縣志曰：白河逕馬頭山西分支，右趨懷柔境，逕螺山西南，雁溪河、小泉河注之，至牛欄山，合正流。又曰：白河當明中葉西趨，由馬頭山西過龔家莊，逕懷柔縣東，至牛欄山，匯潮河南下。逮嘉靖、隆慶間，疏引故跡，循城利漕，東道方開，西流乃殺。然懷柔西北諸水，仍恃彼爲歸墟，春漲秋霖，分途並駛。據此，受雁溪諸水，在今爲懷河，在昔爲白河支流。吴翀武清縣志曰：白河支流亦從石塘陵過懷柔縣西，順義縣東，入通州境，合焉。據此，支流之合經流，又由懷柔改由通州境矣。方輿紀要：萬曆中議者謂，順義縣牛欄山而下，白河、潮河三河交會，水勢深廣，漕舟易達，牛欄山而上，水源既分，支流自弱，密雲縣西有白河故道，宜於陽家莊地方築塞新口，疏通舊道，使老河自城西經流直至潮河交會，則水勢自大，牛欄山至密雲亦可以舟運矣。

國朝榆河初過石壩

榆河故道，由果渠村東，繞富河村，又折西灣環逕石壩前，南與潮白河合。乾隆三十八年，潮白河西徙，占榆河身。富河村之南，二水合而爲一，遂不經由石壩。漕運全書。

北運河舊過張家灣。

張家灣河，歷元、明漕運至此，嘉慶六年，大水後，河溜分出康家溝，而張家灣河漸淤。十一年，漕康家溝，修張家灣，十三年工竣，仍漕張家灣故道。六七月，溜趨康家溝，而張家灣河復淤，河底高於康家溝丈餘，長至十數里，就新河利導，自此糧艘不經張家灣。據通州高志。張鵬翮河防志：通惠河至通州分流，一自舊城西水門流入城內，至東水門出；一自新城西門外繞新舊城南，折而東北，乃合流至張家灣東門外入潞河。吳邦慶水道管見：大通河一自舊城西水門入城，至東水門出；一自新城西門繞舊城南，折而東北，乃合流至張家灣城東門外，入北運河。

小清河故道，陳崇砥固安縣志曰：在縣西二十餘里，發源昌平西南一畝泉，經燕丹村東流，合榆河入縣境，故道不易。巨馬河今逕固安境，入小清河。按：小清河當即官河。今固安縣治西二十六里爲巨馬河。然則巨馬河奪小清河故道也。小清河非大於巨馬，曰入，非例。

飲羊河在通州城南，與牧羊臺近，或曰即蕭后運糧河。通州舊志。久涸，惟地窪，河形猶存，夏則積潦成流。據通州高志。按：窩頭河即蕭后運糧河也，然則飲羊河，亦窩頭故道。

養魚池在通州舊城南門外，分自城河，池廢，俗仍舊名。據通州高志。

洵河故道過寶坻縣城北。洪肇楙寶坻縣志曰：城北開源門外，有袁公壩，今址尚存，壩以上，渠河故道也。又曰：内城河，本渠河之流。按：渠河卽洵河，今寶坻城河爲鮑邱河分流。

筐兒港減河故道，北支逕寶坻縣韓勝莊，注塌河淀；南支逕武清縣北王平張五家莊，注天津麥子淀，入塌河淀。畿輔安瀾志：筐兒港減河，北運河支流也。首起武清縣東南北運河東岸，中分二支，限以長隄。北支起西屈河，東流逕大石橋、朱家馬頭、張大官莊、梅廠、郭家莊、周家莊、蔡家莊、陳家莊、楊家河出境，入寶坻縣韓勝莊，注塌河淀；南支起費家莊，東流逕褚家莊、韋家莊、梁家莊、陳彪莊、北王平、張五家莊，注於麥子淀，由腰河入塌河淀，穿隄而出，爲陳家溝、賈家口兩引河，以入於海，長一百里。

德清傅范初校

河渠志四

水道四

德清傅雲龍纂　江陰繆荃孫覆輯

清河

清河導源三派：中派上流曰府河，合雹、徐諸水；南派合瀦龍河。

清河東西淀經流也，故有淀河之目。派凡三：中派上流曰府河，古沈水合鮑河、徐河、方順河、陽城河諸水。南派巨流三：曰唐、曰沙、曰磁。先是，會於祁州三岔口，今則唐河改道，合陽城河分合穿淀，逕雄縣，又合北派諸水，是爲清河門，通呼清河，亦曰大清河，明時西河即此。

雲龍清河中派考：清河上流三派，北派爲巨馬河，南派之滙流曰瀦龍河，而中派之源曰府河，與雹、徐諸水合。府河，古沈水也。水經滱水注曰：沈水出蒲城西，俗謂之泉頭水。地理志：北平縣有沈水。按：漢志無沈水。寰宇記曰：沈水在清苑縣北。元和志曰：蒲城縣本漢北平縣地。宋志：沈苑泊卽此水也。今考其源，出保定府西三十里滿城縣東雞距泉，東南流二里，匯一畝泉水，爲渝河之伏流重發，方圍里許，南流三里，合雞距泉，又東南流，出北、中、南三石橋，又出北張橋，凡十里，逕北奇邨、南奇邨，曰奇邨河，有中泉、紅花泉、聯寶泉諸水，西南來注之。諸水出雞距泉南，一畝泉出其北，枝分流合，形肖雞距，故名。又東南五里，逕清苑縣西北境，又東十七里，逕保定府城西南，世謂府河，又呼清苑河，分支環城爲護城河，與徐河合。水經滱水注曰：徐水出廣昌縣東南大嶺下，嶺有五迴之名，順水、徐水之别名，又東逕清苑城，又東南與沈水合。方輿紀要曰：徐水出易州西五回嶺，經蒲城縣北，名大册河。齊召南水道提綱又曰：雷溪，今水從易州入滿城縣西北神星邨北，又東南流十里，逕大册邨，大册河之目以此。又東十五里，逕要莊邨南，曰要莊河，又東南十二里，逕次韓邨北，入安肅縣，爲漕河所奪，曹無上流，徐失下尾。畿輔輿圖所謂徐河乾溝者，殆徐河支流從安肅縣徐河鋪入清苑縣北境，出廣濟始見河形，又五里至城北，合護城河。非復班志、酈注所云入博，顧祖禹所云入易之舊跡矣。又折逕城西南隅，白草溝河西南來注之，其水分自方順河。方順河上流曰曲流河，畿輔輿圖謂之古濡水，導源完縣西北三十里伊祁山之西麓，蓋古祁水也。東南流，合五雲水，水淤，又南流，九泉水北來注之，又東南流，齊各莊水注之，已上三水今淤。祁山至此十五里許，又東南一里，逕馬各莊西，又三里，逕荆尖莊西，又二里，逕西朝陽邨東，又曲折東南流十餘里，逕魏邨東，合放水，水出唐縣東北二十里馬耳山之石臼泉，古蘇水也。東南流十里，逕放水邨，故名。又三里，入完縣境，在治西南二十里，東流十五里，逕常豐邨北，入曲逆河，又五里，逕常豐邨，東南合廣利河水，出唐河，在唐縣河神邨西，東流一里，逕西雹水邨南，又里許，出廣利閘，又里許，逕南雹水邨南，又五里，逕北羅倉北，又三里，逕葛堡南，又四里，逕唐縣城南，又東北八里，逕呂莊南，又五里，逕高昌倉南，又里許，出高昌橋，又二里，入完縣境，在治西南二十里，東流五里，逕莊里邨南，又六里，逕常豐邨東，合曲逆河，而廣利河之目，互受通稱矣。又東五里，出叔邨橋，在完縣城南五里許，又七里，逕王各莊北，又三里，逕屯頭邨北，合蒲河，爲方順河。蒲河，古蒲水，出完縣四十里蒲陽山，東南流十餘里，逕道務邨西，又轉西南流五里，逕白司城南，豐泉水注之，水出蒲陽西數里之豐泉邨，邨以泉氏，南流十里，逕白司城，合白司水，又東南流里許，入蒲河，豐泉、白司二水，今淤。蒲河又西南三里，逕安陽邨西，又南折東二里，逕李思莊東，又東南七里，逕林尖山西南，又十里，逕南蒲邨北，又三里，逕北蒲邨南，又一里，出五郎橋，又八里，出新興橋，又南六里，逕子城邨東，又里許，逕屯頭邨東北，與方順河合，方順河又東南三里，入滿城縣境，在城西南三十八里，東流分爲二支，爲金綫河北支，即白草溝河也，東北流二里，出通會閘，又二里，出毛家橋，又三里，出普濟橋，又四里，出涇陽驛橋，又東北流，折東七里，出郭邨橋，又東三里，出閻臺橋，又二里，入清苑縣境，在城西南二十里，東北流一里，逕大激鋪北，又四里，逕小激鋪北，又四里，逕祝潭鋪北，又四里，逕五里鋪南，又五里，至城西南，入府河。府河又東十里，出仙人橋，又十里，出糧河橋，金綫河西南來注之，水爲方順河南支，從完縣入滿城縣西南境，其東南出者，減水河也。南支東流出金綫閘，又八里，出方順橋，又四里，與減水河合，水自入境處東南七里出月升橋，又東折北五里，入南支。南支又東流九里，逕河圖邨南，入清苑縣西南境，東北流二里，逕羅侯邨北，又三里，出魏邨橋，又八里，出辟陽城橋，又五里，出大冉橋，又六里，出大福橋，又五里，出西石橋，又五里，出東石橋，又五里，出小石橋，水又有石橋河目，又二里，出糧河橋，亦曰糧河，入於府河。按此距白草溝河入府河處凡二十里。畿輔安瀾志乃云，郡城西南隅有方順橋河，匯諸水，支分爲白草溝河、金綫石橋河，合流入之，誤。水道提綱又云，石橋河出完縣，有二源，一出縣東山，一出縣西南伊祁山，東流出方順橋而合，亦源流罔辨矣。府河又東五里，出望陽橋，又東六里，出東安橋，又東八里，出新橋，又二里，入安州界，在城西十三里，與陽城河合。水出望都縣，古博水也，上流曰龍泉河，一名九龍泉，源九：一、北龍泉，城西北三里，平地涌泉，紆回南流；一、堅功泉，城西二里大西隄邨，東流與北龍泉合，東南流逕城北，環城爲濠，亦名玉帶河；一、西隄南泉；一、西隄北泉；城西北二里小西隄邨，北泉流爲西北渠，南泉流爲西南渠，南泉舊受羊邱邨溝水，今淤，雙流一瀆，合而東流入城濠；一、曲家泉，出城西一里曲家灣，東流入城濠；一、清水泉，出曲家灣南，舊受黑溝堡水，今淤；一、沈家泉，出城西南三里沈家莊，舊合白城邨溝，今淤。東北流，合清水泉，亦曰清水河；一、壩龍泉，出城東南五里龍家莊，北流五里，合湧漁泉，爲壩龍河；一、湧漁泉，出城西南三里南龍堂，東流合壩龍泉，又東北流，合清水河。九源既導，通稱龍泉河。又東逕王家營，永豐河西南來注之，水今淤。又東逕高嶺，自源至此，凡二十里，入清苑縣界。東流五里，逕陽城邨南，名陽城河，又東南九里，逕唐家莊北，又曲折八里，逕張馬莊北，又七里，逕楊家莊南，張登鋪西北，合唐河，又三里，出張登橋，又東十里，出金昆邨橋，又東折北五里，逕清涼城東，又東北五里，逕營頭邨南，又曲折四里，出草橋，又東北五里，出蔡家橋，又四里，出何家橋，又三里，出石家橋，又二里，出耿家橋，又二里，出史家橋，又五里，出沈家橋，又三里，逕喇喇地北，又三里，入安州界，二里與府河合，亦曰界河，又里許，逕膳馬廟南，又北流折而東南七里，出李莊橋，曹河西北來會，曹俗作漕，今依水經注作曹，滱水注曰：徐水又東，左合曹水，水出西北朔寧縣曹河澤，左合歧山之水，又東南逕北新城縣故城南，又逕故城北，入徐水，徐水東入博。畿輔輿圖曰：出曹河澤。今不可考。總之，博水卽陽城河，昔之徐水合曹河入博，今之曹河奪徐水以合陽城河，匯流之府河也。曹河奪徐河水道，從滿城縣入安肅縣界，在城西四十里，東南流逕孟邨南，又八里，逕楊邨南、大王店北，又五里，逕河北邨北，又四里，逕南龐邨北，又五里，逕空城邨南，又五里，逕曹河鋪北，一水西南出，卽徐河乾溝也。曹河又東南流十里，出高橋，又六里，逕東張邨、南詹家莊北，又三里，逕南于家莊北，又三里，逕房陵邨南，又二里，入安州界，在城西北十三里，又東南流，逕膳馬廟北、小營邨南，又五里，逕大北頭西，又三里，逕李莊北，合府河，府河又東南十里，出州城南之安濟橋曰依城河，又折而東北流五里，分爲二，一、東北流三里，逕雜淀東，又二里，出長流橋，雹河西北來會。雹河，南易水也。水經易水注：代之易水，出廣昌縣東南，郎山東北，其東謂之石虎岡，泉源所導也。俗謂雹河。司馬彪郡國志：雹水出故安縣，易水又東經孔山北，班固、闞駰咸謂之南易，今水導源易州西南七十里之石虎岡，東南流二十六里，逕孔山北，與酈注符。雹一作鮑，又曰瀑河。又十二里，逕城陽邨西，西考山水西北來注之，水出城西北三十里之西賢山，東南流五里，逕了水邨東，又二里，逕火山邨西，又六里，逕城陽邨入雹河。雹河又東南十里，逕屯里邨北，又二里，逕孤山南，又二里，入安肅縣境，在城西北四十餘里，東南流一里，逕范邨西，又五里，逕牟山東，又五里，逕樊邨東，又五里，逕曲城邨東。曲水河出城西北四十里之釜山西，東南折流東北十四里，注雹河。雹河又六里，逕遂城東，又十二里，逕石橋邨西南，又東六里，逕安肅縣城南，雞爪河北來注之。水源四，並出定興縣西南四十里許。東泉出陳邨，南流折西四里，合中泉；中泉出李家莊西，東南流三里，合東泉。又西泉二：一、出姚邨，一、出馬家莊，東南流二里許，逕閆家營西，四泉合流，又南六里，入安肅縣界，在城北十五里，南流里許，逕申家莊東，又十三里，逕遞運所西，又里許，入雹河。雹河出雹河橋，又東六里，逕薛家莊南，又三里，逕徐城邨南，又三里，逕崔莊北，又東南六里，入容城縣界，在城西南十三里，東南流二里，逕王邨西，又三里，逕小李邨西，又三里，出黑龍口橋，又南三里，入安州界，在城北二十五里，又南流，逕三台東，又三里，分支爲新河，東出三里，合萍泉河，水出安肅縣城東北十六里，泉發東南流十里，逕徐城邨東，又九里，入容城縣界，在城西十五里，又東南流八里，逕西牛邨西，又三里，出小李邨橋，又四里，入安州界，在城北二十五里，南流三里，合雹河之新河。又東流五里，分爲二：一、入大溵淀，一、東流十里入燒車淀。雹河經流，又南二里，出永濟橋，又四里，逕增家莊東，又五里，逕雜淀，曰長流河，又五里，合府河。水道提綱以雹河爲長流河，畿輔輿圖以府河爲長流河，今訪俗呼長流河，爲雹河，府河合流處，過此則互受通稱矣。府河又東北五里，逕新安縣故城西，環城爲濠，大澱淀水西北來會。又東二里，與燒車淀水合，又東五里，逕郭里口南，復合依城河水，此府河北流一支也。其東流一支，二里出太平閘，又一里，逕太平莊北，又十二里，逕呰南邨西北白洋淀，合瀦龍河水會之，此南派也。東支又五里，逕趙莊北，北支穿燒車淀南流而合，是爲四岔河。又分爲二：一、北支東北流五里，入雄縣界，又二里，逕孫家莊西，合流通淀水，淀在縣西南十五里西，通燒車淀水，與北支合。北支又東三里，合城西南十里之蓮花淀水，又南入任邱縣界，在城西北五十里，又南流三里，逕楊家莊西。一、南支從安州入任邱縣界，東流八里，逕楊家莊南，合流爲四角河，又東流七里，分支東南出，爲大港引河，其經流又東八里，出廣惠橋，又東里許，分支東出，曰岔河，俗呼馬道支河，其經流折北屈東七里，與岔河合，又東六里，入雄縣界，又東二里，合白溝河，卽清河北派也。此爲清河門，通呼清河。又東六里，逕伍家莊南，大港引河注之，又東五里，與蘆僧河合，水亦白溝支流也，清河又東三里，逕茅兒灣北，是爲神機營淀，史各溝自古藏糧河分流注之，又東里許，入順天府保定縣界。雲龍清河南派考：唐河，古滱水，水經曰：滱水出代郡靈邱縣。高是山注曰：卽嘔夷水。山海經曰：高是之山，滱水出焉。其水南逕候塘，又東合温泉，又東，莎泉水注之。又東，逕靈邱縣故城，南入峽，謂之隘門。今水從隘門入廣昌縣界，東南流逕塔兒邨南，又四里，逕龍家莊西，又五里，逕龍門邨西南，又六里，逕泉塘西，又二里入牆，又一里，逕康家莊西，又六里，逕西走馬驛東，又轉西南七里，逕新城邨東，又六里，逕倒馬關之東，四里，入唐縣界，在治西北百五十里，又東南流六里，逕令公鋪東，又十里，逕恆陽鎮北，又十八里，逕葛洪山北，又轉東北流六里，入完縣界，在治西南一百一十里，又東北流十里，逕神北邨南，又東六里，逕神南邨西，又轉西南八里，逕嶺後邨西，復入唐縣界，又西南二里，經洪城西，又折而東南八里，逕齊家莊東，又東折南九里，逕唐湄店北，又折西四里，逕赤城北，又西折南七里，逕白合山南，又西四里，逕河南鋪，又二里，逕父子山南，又南五里，逕上莊西，又西三里，逕常峪，又三里，逕呂家莊西，又三里，逕岳口邨，又五里，逕大羊社西北，與恆河合。水出唐縣西北一百五十里之恆山南，亦曰恆陽谿，東南流十二里，逕北嶺子鋪西，又三里，逕石門莊，又九里，逕軍城鎮西，又五里，逕何家莊東，又六里，逕賢表邨西，又南二十里，逕十八渡西，又九里，逕東丈灣東，南注唐河。唐河又東南十八里，逕風山東，河神邨西，廣利河東出，至完縣，合曲逆河、唐河。又南五里，逕趙家莊東，又五里，逕伏城東，又二里，逕岸上邨東，又西南二里，逕釣魚臺西，又二里，入曲陽縣界，在城東二十五里，南流少東九里，入定州界，在治西北三十里，東南流四里，逕潘邨西，又十三里，逕西板約西，又八里，逕于德邨北，又十五里，逕州城北，又三里，逕平山北，又四里，逕富樂山北，又二里，清水河注之。水源二：一、出西北十五里黑龍泉，東南流七里，合白龍泉水，導源黑龍泉之東南三里，東南流五里，合流六里，出唐溪橋，曰清水河，又五里，入唐河，唐河又東南二里，故道從此東南流，而今水折向東北，十二里入望都縣界，在城東南二十二里，又東流二里，逕孫邨北，又九里，逕六宿倉北，又東北九里，逕韓家莊北，又二里，入清苑縣界，在城西南九十里。先是，從定州入祁州西境，東南流逕城南十餘里之王買邨，孟良河注之。水出曲陽縣孝墓邨之西南，東南流十里，逕城東北，又十里，逕趙卹鋪南，又二十里，逕高門屯南，又七里，逕大高明西，南入定州界，在城西少北三十五里，又東南流十五里，逕寒南約北，又二十里，逕城南七里，名七里溝，又十五里，合城東小清河，東南流十五里注之。又三十里，入祁州界。又東南流七里，出南張橋，又六里，出永興橋，又三里，注唐河。唐河又東南流二十里，會沙河、磁河於三岔口。道光五、六年改流，從望都縣入清苑縣西南境。東北流十三里逕顧家營北，又四里逕王力邨北，又六里逕羅家營北，又十里合陽城河，非會沙河、磁河舊跡矣。沙河出山西繁峙縣，東界巖頭山，其西卽滹沱源。水道提綱曰，所謂泰戲山也。雲龍按：此爲古泒水。説文：泒水出雁門葰人戍夫山，東北入海。山海經郭璞注：今滹沱水出雁門鹵城縣南武夫山。戍夫、武夫，皆泰戲之一名。顧祖禹以滹沱爲泒水，非也。泒與滹沱同出一山耳。其水東南流，入長城爲直隸阜平縣界，在城西北一百二十里有奇。又九里，逕茨溝營西，把總戍此。又六里逕不老臺西，又一里逕嶺西里東，又六里逕嶺東里東，又十五里逕羊馬樓北，又十里逕吴王口南，銀合山北，又五里逕北温泉北，又東流十里，逕沙凹邨北，又東南六里逕龍王莊西，合靈邱河。水出山西靈邱縣，入阜平縣界竹帛口北，在城西北一百三十里有奇，東南流二十里，逕水泉口東，又二十五里逕神堂寨東，又二十五里逕沙窩邨南注沙河。沙河又南流五里逕柏水臺西，又二里逕神嶺邨東，與北流河合，水出阜平縣西八十里龍泉關外印沙石，涓流脈注，沿山東南二十五里逕龍泉關東，都司戍此。又五里逕八里莊，又五里逕行宫南，又五里西下關南，又二里逕紅草河邨南，又二里逕栗園鋪南，又二里逕楊樹底南，又折東北六里龍王廟東，出萬年橋，又十五里逕神嶺邨東入沙河。沙河又東南流十三里逕大柳邨西，又四里逕大泒山西，山在城西北五里，大泒山東五里有小泒山，並以河氏初學記八引水經注曰：泒水北流，逕大核山。趙一清曰：疑是大泒山之譌。其水又南流里許出西橋，又七里逕城西法華邨之西，又轉東八里逕城南出橋，又東流十五里逕方大口邨南，鷂子河注之。水出山西靈邱縣南，流入阜平縣界鐵嶺口之東，在城東北七十里，又曲屈南流九里逕焦珠臺西，又二十一里逕董家邨西，又二十六里逕南灣邨東，又一里逕田子口西，又十里逕方大口邨南，入沙河。沙河又東南流六里逕神臺東，又八里逕惠民灣北，班峪河注之。水出阜平縣城東北七十里大茂山西之炭火鋪，西南流二十里逕板橋峪西，又十里逕桃園邨東，又五里逕上平邨西，又里許逕下陽邨西，又七里逕周家灣西，又二里逕宋路口東，又五里逕王柳口西，又三里逕惠民灣北，入沙河。沙河又東南八里逕王快鎮西，胭脂河注之。水出阜平縣城西六十里之青杆嶺口，東流六里逕青杆嶺邨南，又六里逕桑林坪南，又八里逕胡家堂東，合當城河。水出山西五臺縣，東流入阜平縣界，在城西南六十里，又東南流五里逕馬蘭邨西，又折東北十三里逕胡家堂東北，合胭脂河。又東北流十里逕老莊窩南，又東南流十里逕鎗山邨南，又曲折東流六里逕彦頭邨南，又東北流十三里逕大竹山北，合温泉河。水出阜平縣城西南三十五里之温湯邨，東北流二十八里逕大竹山北，與胭脂河合。又東北十里逕石坊邨南，雲蒙山水注之。水出阜平縣城東南四十里之雲蒙山，北流少東十里逕東車鋪西，又五里逕槐樹莊東，又五里入胭脂河。胭脂河又東流十里逕細溝邨東入沙河。沙河又東南流十五里入曲陽縣界，在城西北三十里，東流五里，平陽河注之。水出阜平縣東北七十里之大茂山，東南流四十五里逕永峪邨西，又十里逕嘴頭西，又十里逕鹿駝山東，又五里入曲陽縣界，二里逕賈家口西，又八里入沙河。沙河又東南流十六里逕口頭邨西，又五里入行唐縣界，在城北五十里有奇。又東南流二十里逕龍岡鋪東，又八里逕北曲河邨東，又五里逕南曲河郵東，又十五里入新樂縣界，在城西北二十五里。又東南流二里逕車固郵西，又十里逕鳳鳴郵西，又十六里逕城西南隅，合郜河水。出行唐縣西北六十里有奇之兩嶺口，俗呼潁水。東南流十里逕九口子西，又五里逕石門西，又十里逕口頭鎮西，又五里逕岡底西，又五里逕箕山東許由郵西，又十里逕上碑鎮北，甘泉西來注之。沙溝西來逕鎮南注之。又十里逕董滋溝東，龍門溝西來，又六里逕韓家樓西，又八里逕城南又東流五里賈木溝西北，來注之。又十五里逕高里北，蓮花池水注之。水出城東北二十餘里河合郵池，才三畝，泉沸百餘。東西流五里逕賽里東，又五里逕賈莊東，又七里逕歡同東，又三里合歡同西三里之龍泉池水，又三里入郜河。郜河又二里入新樂縣界，在城西少北十八里，東南流六里逕木郵北，又六里逕趙郵北，又六里逕新樂縣城西南隅，入沙河。沙河又東南流二里出城南通濟橋，又五里逕淤底郵北，又七里逕北張郵北，又五里逕陳郵北，又一里逕小吴郵南，又一里入定州界，在城西南三十里，又東流二里逕牛郵，又十六里逕高蓬約，又十九里逕李親顧鎮，又東南十一里入祁州界，在城西南三十里，又東流五里逕周各莊南，又四里逕固城郵北，又二十四里曰三岔口，沙河在中，其西北來會者，唐河故道也。又滋河西南來會。滋一作資，出山西大同府靈邱縣西南枚迴嶺。按：方輿紀要，靈邱縣云，山海經，高是之山，滋水出焉。滋水在縣北。水經注：滋水逕枚迴嶺，懸流五丈，湍激之聲，震動山谷。元和志：滋水出靈邱縣西南枚迴山，懸流五丈。土地記云：枚迴嶺與高是山連麓接勢。今水從靈邱縣城西北百七十里之白草口，入直隸靈壽縣，在城西北百四十餘里，東南流二十六里逕白草溝西，又二十餘里逕張家莊西，又四十里逕汊河鎮東南，與汊河合。水出阜平縣白蛇嶺，東南流，從道港溝口入靈壽縣界，又東南四十里，逕汊河口南，入滋河。滋河又東南流二十里有奇，逕滋峪鎮南，有西山諸水注之，一出白家溝西，一出營兒裏西，東南流數里而合。又三十里有奇，注滋河。滋河又東八里逕郗窪南，又東十里折而東南六里入行唐縣界，在城西南二十里，又東南流一里逕岡頭西，又十里逕韓家樓北，又十里逕常香南入正定縣界，在城西北四十里，東南流一里逕孔郵東，分枝曰滋河岔河，東北流三里，逕西宿郵北入新樂縣界，在城西南七十里，東北流逕光家莊北，又三里逕閔鎮南，又六里入木刀溝。按：名勝志，行唐縣下引水經注曰：滋河至行唐縣鹿水出焉。謂之木刀溝，入滹沱。唐書志：新樂東南二十里木刀溝，有民木刀居溝旁，因名。今水導源新樂縣城西南五十里閔鎮北，在行唐縣城南少西二十里，其入新樂境壓二里許，是木刀溝發源處，在魏爲行唐境，在唐已爲新樂境，東南疑西南之譌，所入非今所出，猶古木刀溝卽鹿水矣。其水東南流七里，合滋河之岔河，又三里，林河西南流注之。又五里，曹河東南流入之。又六里逕北筆頭南，張家莊堡北，又東流折而東南十五里逕馬頭鋪西，又里許逕藺渠鋪東，又里許入藁城縣界，在城西北六十里，又東南流六里逕堅固郵南，又三里逕劉家郵北，又九里逕牛郵北，復入新樂縣界，又東北流三里逕赤侯郵東，又七里逕牛林郵西，合浴河水，出新樂縣城西南十里之湧泉溝。在何家莊東一里東南流八里逕伏羲廟北，七里鋪南，出浴河橋，又十五里逕邯臺集南，入木刀溝。木刀溝又東南八里逕白店郵西，又一里入無極縣界，在城西北二十八里，又東南流里許，分支爲護城河，東南流十餘里逕郭莊東，又十餘里環城而東，又十餘里至小鎮郵而止。木刀溝東流三十餘里入深澤縣界，又城西北二十餘里，又東北流逕賈郵南，又八里逕西內堡東，合陳家莊溝水，出城西北十八里陳家莊，東北流十餘里入木刀溝。木刀溝又東北流五里入定州界，在城東南六十里，又東北流三里清水溝，東南流五里注之。又東流五里逕砦裏郵南，復入深澤縣界，東南流八里入滋河，滋河又東流五里逕段家莊北，又四里入祁州界，在城南少西三十里，在沙河南十里許，東流逕南馬邨北，又五里逕婁底鎮北，又東北十里出伍仁邨橋，又半里逕軍銑邨北，又三里逕三岔口，與沙河及唐河故道合，曰瀦龍河，出三岔口橋。又三里出劉羅橋，又四里入博野縣界，在城西南三十里，東流逕套裏集南，又五里入安平縣界，東流六里復入博野縣界，東北流二里逕熙合莊西，又折西轉東十二里逕維新邨西，又屈西五里逕夾河邨南，又轉東北二里逕白塔邨南，又十里逕解邨北，入蠡縣界，在城南十五里，又東北流二里逕東劉辛莊西，又四里逕高晃邨西，又二十餘里逕永興莊北，又屈曲東南流五里逕鮑噓北，又東南折，東北流三十里逕新橋鎮南，入高陽縣界，在城東南二十五里，東北流五里逕安瀾邨南，又九里逕舊城邨東，又東流折北十二里逕龍化鋪東，又北流十里逕佛堂邨東，又一里逕東明臺東，入白洋淀。淀廣十五里，袤十二里，其東南隸高陽，其東隸任邱，其西北隸安州，既受瀦龍河水北流分支，一合雹河，一合燒車淀，一東北流入雄縣，合蓮花淀，其經流東北十五里逕砦南邨西，合於府河。

其北派合巨馬河諸水。巨馬河出廣昌縣。源二：一、出廣昌縣城東南淶山，有淶水目；一、出城東泰山廟古塔下，東流而合逕易州，又逕淶水縣，分二：西支逕定興縣爲白溝河，東支入順天府房山縣，爲巨馬河。雲龍

巨馬河源流分合考：水經曰：巨馬河出代郡廣昌縣淶山。注曰：卽淶水也。二源俱發淶山。今水一出城西南半里淶山，有淶水目，東流少北七里許，逕泉坊邨；一出城東一里泰山廟古塔下，東流二里餘，逕泉坊邨，合而東北流五里，逕石門鋪南，又八里逕豐樂邨南，又二里許逕二道河邨南，又屈北折東十里出界，入易州西北境浮圖峪北，又東北流五里逕王安鎮，又北屈西折東八里許逕搭崖驛南，又東北折流東南十里逕玉山鋪南，又東十里逕盤石鋪南，又東北五里逕三里鋪南，又半里逕紫荆關北，又五里餘逕小新城北入邊城，又三里逕教場邨北，又東里許逕河東邨北，又北六里逕孔各莊西，又十里餘逕龍王廟西，又二里餘逕嶺子南邨東，又里許逕河西邨東，南城司西，又里許逕北城司東出界，入淶水縣西南境。畿輔分圖云：西北，譌也。北流三里餘逕辛莊東，又三里逕黃兒莊東，又三里逕廣東邨東，又西北二里逕嶺西邨東，又東北二里逕板城西，又二里逕黑兒邨東，又里餘逕白石澗東，又東北二里逕趙各莊東，又二里逕計路東，又四里餘逕平峪之東南，又東四里逕福山口南，又五里逕小峯口南，又東南六里餘逕邢各莊南，又東十里逕勾各莊南，又東折北六里餘逕套肩嶺南，又東屈南十里逕下莊東，又屈曲流亂山中六里許逕都司署南，又東南三里逕平峪南，又三里逕十度邨南，又屈曲東南流八里逕六度邨南，又東八里逕口子北，又三里逕乾河口南，又八里水分爲二：一、東出里許出界，卽入順天府房山縣東南境之東支，其西支東南流二里許逕北莊東，又三里餘逕板城東，又三里餘逕石亭山東，又南五里出石亭木橋下，此爲永遠大道；又南三里餘逕赤土邨東，又三里逕祖各莊西，又折西南三里逕北辛莊西，又四里逕張翠臺西，又三里餘逕沈家莊臺，清水河自西來注之。清水河源出淶山縣治西

北四十餘里之井邨，東南流經紫涼山南，又五里逕石圭北，又五里逕安陽邨北，又五里逕水東營北，又八里逕安家窪東，又八里出昇平橋，又十里逕八里莊東，入巨馬河。巨馬又東南六里逕治東，又屈曲五里逕莊疃東，又十一里出界，入定興縣西北境吴邨東。又東南流五里逕田侯邨東，又三里逕城西曰西河渡，又十里逕河陽渡，沙河、白澗河合流注之。白澗河上流曰中易水，源出易州治西北五十餘里之鴨嘴溝，東南流六里逕上陳驛北，又四里逕泥窪鋪北，又里許逕賢德邨，又六里逕北解石邨南，又十里逕南武南，又半里逕南白虹北，又五里逕西白澗邨東，白澗邨水至此名白澗河。又五里逕方城邨南，又十里逕軍營鋪南，又十五里逕武陽臺南，故安故城北，卽武陽城也，故水亦曰故安河，亦曰武水。出界入定興縣西境平岡邨，又東二里逕落堡邨北，又三里餘逕百樓邨北，又六里逕河内邨南，又里許與沙河合，沙河卽北易水也，古濡水。源出易州治西北四十里之孟津嶺，東南流二里逕大龍華山北，又東三里逕小龍華山北，又十五里逕東口子門，又折南五里逕半壁店北，又東北五里餘逕泰甯鎮南，又里許逕南石門東，又二里逕荆軻山東，又三里餘逕州城西，又七里逕東亢各莊北，五里河注之。五里河源出城東北之七里莊，南流十餘里入於北易水，又東北十餘里逕貫城南，出界，入定興縣西北境，曰沙河。東流五里逕長安城北，又東南十里逕楊上邨北，又六里逕河内邨東，與白澗河合。又東南半里逕河陽渡，入巨馬河，又東南九里逕西近邨西，馬邨河北來注之。馬邨河亦巨馬河分支也。自淶水縣赤土社分支東南流二十餘里入新城縣西北境，上流已淤，入境後，東南流五里逕馬邨東，故名。又五里入定興縣東北境麻家莊西，又南十里逕頭鋪西，又十餘里入巨馬河。巨馬河又東南十六里逕談城邨南，入新城縣西南之張邨南，又東南五里逕劉家莊南，入容城縣北之城子邨北，又東十里逕王家營北，又東與白溝河合。白溝河者，卽淶水分流房山之巨馬河東支下流也。水自房山入涿州，受胡良河、琉璃河、牤牛新河、牤牛河。逕固安入新城縣東北境，西流里許逕垡頭邨南，又五里逕雙頭鋪南，又三里逕平景鎮北，又西折南十里逕新城治東新橋鎮西，又半里分支東南流爲蘆僧河。巨馬河又西三里出蔡各邨橋，又西南三里餘，紫泉河北來注之。紫泉河源出新城治西北二十里之龍堂邨東，又南流四里逕俠流邨西，又二里逕史家鎮東，又十里逕城西，又四里逕雲北鋪西，入巨馬河。巨馬河又南四里逕高橋邨西，分一支東流，十餘里逕曹家莊，入蘆僧河。巨馬河又南三里逕魏家鋪西，斗門河北來注之。斗門河在紫泉河西，其源出新城縣西北十餘里斗門邨，宋何承矩闢斗門，興水利處。南流十里逕界河鋪，屈西入定興縣東境，曰界河。又南少東五里，仍入新城界仁和莊西，曰西溝河。又東南五里逕曲家新莊，又四里逕魏家鋪西，入巨馬河，又七里逕白溝河邨，白溝河目始此，入容城縣東北境之白溝鋪西，有倉水出白溝橋，與巨馬西支合。東南五里逕王祥鋪西，又五里逕閻家鋪西，又里許入雄縣西北境韓家鋪西，又東南八里逕王克鋪西，又半里逕古縣東，水至此分一支，東出王克橋，逕城北，又十餘里入蘆僧河。白溝河又南分一支，西南流里許，出永通橋，又七里入流通淀，白溝河亦名小北河。又南半里逕城西，出西關橋，曰雄河。又二里逕城南出瓦濟橋，又曰瓦濟河。又八里餘逕狄夏鎮南，又四里逕龍灣邨南，又東里許合府河於清河門，又東六里大港引河注之。又東五里合蘆僧河，白溝河支流也，水出新城縣東八里十九垡之西，亦曰十九垡引河。西南流六里逕北留邨西，又五里逕四莊西，合高橋邨引河，亦出自白溝河，在新城縣南十二里，東流十五里而合。又東南流六里，逕來遠邨東，又十里逕蘆僧邨，蘆僧河目始此。入雄縣界，在城北二十八里，東南流九里逕東羊邨西，又八里逕淶河邨西，又東流五里逕望駕臺北，又東南流十里逕大步邨西，又四里合王克橋引河，亦白溝河支流，出雄縣城西北三里，東流十里逕安各莊北，又東南十里合于蘆僧河，此爲白溝經流故道。又東南流十餘里入清河，又東流三里逕茅兒灣，是爲神機營淀史各溝。自古藏糧河分注之，又東里許，入保定縣界。

東過房山縣，又東南過涿州，合琉璃等河。

從淶水縣入房山縣界，在城西南七十五里之龍山鐵鎖崖南，又東七里逕十度邨南。據畿輔輿圖說，一名十度河，以此。又八里餘逕上灘北，又三里逕越邨南，又東南五里逕北上洛邨西，又二里逕南上洛邨西，又五里餘逕正子營東，廣潤莊西，水出橋下出界。按：光緒七年，房山知縣梅宗望覆順天府詳册云，自鐵鎮崖至廣潤莊四十餘里。今按圖說，加以采訪，止三十里有奇。王爾琨房山續志曰：河逕西南境，分數支，西爲經流，東爲東汊河，皆巨流，中分數支，爲三汊河。來源旺，則合爲一。又其西分小河一道，距經流二里許，卽房山、淶水分界處。其水自房山入涿州西北三十里半壁店西，東南六里餘逕毛家屯西南，分爲三：一、北支，東流三里，逕茂林莊南，又四里許逕觀仙營南，又里許逕吴家屯南，又三里許逕普利倉南，又五里餘逕四各莊南，又五里餘逕兩河邨南，又二里逕東里池北，與中支合；一、中支，東流二里逕宋家營南，又三里逕散城邨北，又里許逕蔣各莊南，小欄柳北，又二里逕里池邨南，欄柳邨北，又里許逕丁家莊北，又二里逕石佛邨北，又里許逕邊各莊北，又里餘逕丁家莊北，又里餘逕小馬邨北，又五里逕洛各莊北，與北支合；既合東流，里許逕演武莊南，又里許逕小朱莊邨南，又里許逕大朱莊邨南，又里許逕蒽園南，太平莊北，與南支合；一、南支，東南里許逕高邨東，又里許逕西疃邨西，又三里逕二站邨西，又二里逕西城坊西，又三里餘逕陶家屯西，又二里逕常邨東北，又屈折東北流里許逕展台邨南，水出橋下，又里餘逕韓邨東南官立莊北，又二里餘逕徐家莊南，又三里逕東西莊南，又二里逕茂田莊南，又東少北五里逕北房樹北，甯邨南，又二里逕大馬邨南，又二里逕南莊南，又里餘逕西壇邨南，又折北八里逕楊家莊東，又屈折里許逕東沙溝東，又三里逕太平莊東，出涿州西關橋，又里許與北、中二支合。按：水初分二支。詳故道。又東北五里出北關永濟橋，又三里逕范家坡北，又三里逕埝頭邨北，三步橋南，又里餘逕永樂邨北，水出橋下，又里餘逕官莊北，又里許逕柳窩鋪北，胡良河注之。

水之上流曰甘泉，水出房山縣城西三十餘里之北甘池西。按：此在將軍廟東南，其西北里餘卽孤山口。胡良亦云湖良。房山王志云，黑牛水西流經乾河邨北，入巨馬河，黑牛水正流伏行至水頭邨復出，卽胡良河上游。其説難可遽信。黑牛水卽杖引泉，詳下。東南三里餘逕西甘池北，又里許逕南甘池南，又里許逕獨樹邨北，又五里餘逕雙磨邨北，又半里逕三沿邨南，又五里逕太和莊東，又里許出界，入涿州治北二十里長溝汛西，合杖引泉。

水出房山縣城西五十餘里之水峪。王爾琨房山續志所謂黑牛水東流爲灌河，卽此。房山王志：甘泉水之西有灌河，源出石經山西北山中，曰黑牛水，東南流并玉塘泉至半壁店北折東，爲灌河，經長溝入涿州界。泉湧南出二里，逕西域寺東，亦曰西域寺河，又里許逕小西天西，又屈西折東二里逕蔡家莊東，又五里逕石經山東，又二里逕後石門北，又折南里許逕前石門東、黄眼井西，又里許逕舜王廟西，又東屈南里許逕岩上西，白玉塘泉西來注之。

水出房山縣治西南五十餘里，噴潔如玉，據畿輔輿圖。東流十餘里逕高家莊南，又里餘東南折北入杖引泉。

杖引泉又東南十里逕半壁店北，俗亦呼半壁店河，逕行宫南，又半里出永太橋，又南折東四里逕三良各莊北，又四里出界，入涿州治西北二十五里，又二里許入胡良河。

胡良河又東南里許逕夾河邨東北，又里許，分二大支，一西，一東。東大支東南二里逕辛旺邨西，又分二小支，偏東之東小支南流二里逕尚莊西，又里餘逕青岡西，又二里逕中胡良西，又二里餘折西，與西支合；偏西之東小支南流五里，與偏東之西小支合；其西大支，南流又分二小支，偏東之西小支南流五里，與偏西之東小支合；又里許，與偏西之西小支合；偏西之西小支，南流三里逕杜邨東，又二里逕中坡邨東，與中二小支合；此二支卽偏西之東小支，偏東之西小支也。又南里許與偏東之東小支合，自是四支合流，東南里餘逕孫家莊東，又折東三里逕中胡良南，又二里餘出胡良橋下，又五里逕西鹿頭南，又二里餘逕黄家街南，又里餘逕張邨南，入巨馬河。

巨馬河又東里餘，逕白豆家街南，又里許逕小營南，又里許逕谷家莊南，又三里出向陽橋下，又三里逕東向陽橋南，梁家場北，又二里餘逕西沙窩南，林家莊北，又里許逕刁窩邨北，又里許逕浮洛營南，又里餘逕呂邨北，琉璃河自北來會。

其水上流曰龍泉河，卽古受防水之聖水也，據酈注。按：金地理志云，涿州有龍泉河。卽此。俗呼大石河，據義倉圖、畿輔輿圖，涿州册。光緒七年房山縣知縣梅宗望圖册：大石河長百四十八里，內自石堡至新開口八十餘里，一片石灘，寬三十五六丈至十餘丈，深一、二、三、四、五尺不等，內有連山巨石。又自新開口至蘇河四十餘里，東盡石灘而有民地，河寬四、五、六、七丈，深一、二、三尺不等，皆亂石淤墊。同治六年旱，邨人曾在河身掘井，至二丈餘無水，且未見土。自夏邨起，至與良鄉縣交界之回城邨，二十餘里，河身較低，河底皆土，面寬四丈至七、八丈不等，深三、四尺至一、二丈，平時涸，夏令山水下注，旋至旋消。源有二：一、出宛平縣西二百里之百花山東，曰東源，東南流二里許入房山西北境，逕石堡邨，又十里逕大安山北，或曰源出大安山，非也。又東十九里，逕長操邨北，又六里餘，與西源合。按：房山知縣梅宗望覆順天府詳册云，大石河由宛平百花山入境，西山石堡邨河身灣曲，繞至縣屬四城邨，入良鄉境，統計河身一百四十八里，核與采訪圖册符，而畿輔圖云源自房山縣大安山，非其源矣。餘詳下。一、出百花山西麓，南流入房山境，在治西八十里，曲沿山澗流，其水在東源一水之南二十里有奇，又東六里逕口子澗北，又少北五里逕北邨北，一水出後石塘北，流逕石門溝東，霞嶺南注之，又五里餘，逕東西水峪北，又二里逕上方山北，又四里餘逕大房山北，與酈注防水出大防山南者，又異。又東北里餘逕螞蟻螬西北，又里餘逕長操邨東，又五里與東源合通，謂之龍泉河。又屈北折東四里，逕佛子莊北，又屈曲東北十餘里逕西班各莊南，又六里逕班各莊北，又五里逕陳家臺北，又三里餘逕河南新莊北，一小水北來七里許注之。又東六里逕河北郕南，又三里餘，一小水北來，六里許注之。又十餘里，逕李各莊南，又里許逕北半壁店北，又二里逕南璀郕北，又里餘逕磁家務南，巡檢駐此。在房山縣治北二十餘里。又五里逕漫水河郕南，俗呼水曰漫水河。房山王志：漫水河有兩源，並出宛平西界之百花山。山東爲東源，東流入境，經大安山南，至山神廟，與西源會。西源出百花山西麓，南流入境，屈曲循山澗，行經莊窩臺，折東北，經石堡、長操等郕，與東源會。東流，經磁家務，折東南爲大石河，復南行爲蘆郕河，下注琉璃河，入良鄉，凡行境内二百餘里。大安山在縣西北八十里，見通志。大安山下有龍泉河，東南流會入漫水河，下注琉璃河。通志山川門載：琉璃河源出龍泉峪，蓋取其旁會之近源，非上源也。順天府圖内，琉璃河道直接宛平西境之百花山東麓，頗爲得實。然亦祇知東源，未悉其西源也。百花山在大安山之西八十里，於諸山最高，其南偏西卽房山嶺西地，其西偏南卽涿州三坡地，其東五十餘里，過大嶺卽大安山地，山西境、北境，並約二十五里，交宛平界。其東北七十里，至宛平之沿河口營，卽渾河上流。三坡本屬房，今乃屬涿，疆域已不同矣。三坡與涿郡不連，獨未標界，故畿輔通志載房山西界淶水二百四十里，淶水北接三坡，其地交澗口西，於今疆域爲合。何時更置，未詳也。又云：後石塘出一泉，北流經石門溝，至霞嶺，入漫水河。按：王爾琨志及山後圖說，辨琉璃河二源甚晰，惟琉璃河、漫水河、龍泉河因地異稱，其實一也。故金地理志不於龍泉河外別載聖水，通志云，琉璃河源出龍泉峪，雖未窮其上源，亦可見其本爲一水，逕龍泉峪始名龍泉水也。而王氏房山續志乃云，龍泉河會漫水河，注琉璃河。果如所言，不獨龍泉自爲一水，卽漫水河與琉璃河亦非一水矣。今參以往籍，按之義倉圖、畿輔輿圖、采訪圖說，特爲辨正於此。又二里逕新開口，又東南二里逕新房郕西，受七斗泉。

水出房山縣治北二十五里，在南礶郕之南，北半壁店之東，七泉次列，水湧尺餘，形如斗大，蜿蜒東南流五里，餘逕口頭郕南，又五里餘入龍泉河。房山佟志：七斗泉，縣北二十五里大口頭郕西北山腰，相次排列，泉水高涌尺餘，形如斗大，蜿蜒下流。按：畿輔輿圖及采訪圖說，七斗泉尚在口頭郕西北五里許。

龍泉河又折南里許逕水峪郕西，又三里逕坨里郕西，又三里餘逕沙窩郕西、羊頭岡東。

酈注曰：防水東南流逕羊頭阜，俗謂之羊頭溪。其近是與？又十里許逕大董邨西，馬各莊東，在城東五里許。又四里逕分水嶺西，又二里逕瓜市邨東，又二里逕田各莊東，又半里逕下坡店西，又五里逕夏邨東，又五里水環黎園店，又三里逕蘆邨西，又有蘆河目，據畿輔輿圖說。亦呼蘆邨河，據一統志。又三里逕白草窪西，沙河注之。

水源二：一、出房山縣西北二十餘里之孔水洞，按：孔水洞在金陵東三里。曰北沙河。據畿輔輿圖。東少南五里逕萬佛堂西。又四里逕羊耳峪南，又三里逕歇息岡南，又七里逕北莊南，又東三里逕丁家窪南，又二里逕房山城北，又二里一山水西北三里注之，又折南九里逕饒洛鋪西，在城東三里，水至此又呼東沙河，又南屈西折南五里逕北市邨西，與南沙河合。

水出金陵南，在房山城西三十里茶樓頂山北，孔水洞西南，曰西沙河，東南流八里逕上良各莊北，又六里逕下良各莊北，又六里餘逕響閘邨，又三里餘逕大紅寺北，又二里逕小紅寺東北，又二里逕留台尖北，在城西南三里，又東二里逕城南曰南沙河，與東沙河合，曰沙河，又南三里，牛口峪水注之。

水出城西少南十里牛口峪，東南七里逕周口邨北，又二里餘逕缸窑北，又二里逕顧册北，又二里餘入沙河。

沙河又東南六里逕坨頭邨西，俗呼坨頭窪者近是。水至此有莽流河目。王爾琨房山續志曰：城南偏東八里有坨頭窪，水從地出，東南流爲莾流河。此河亦曰牤羊。當夏秋，大房山水由金陵東下，環城爲四沙河，兼涼水河南下，長溝峪水亦東南趨，畢注坨頭，下流迅疾，然與良鄉之牤牛河不相通。牤牛河在琉璃河東，此在琉璃河西。按：東沙河即北沙下流，南沙河即西沙下流，亦曰四沙河。

涼水河出房山縣南三里平地石罅，東流入沙河。據房山佟志。

沙河又東南半里，受壩兒河。

水出房山縣境，其源二：西源出東安子邨北，流山澗東南十餘里，逕長溝峪南，又六里逕紅螺嶮北，又六里逕煎餅灣南，又五里逕禪窩北，又三里逕西山口南，又八里逕龍門峪北，與北流合。北源出金陵南茶樓頂山，諸山澗溪注之，東南流十餘里逕三間房東，又七里逕良各莊西，又十餘里逕官地邨西，與南流合。又東南十餘里逕西壩南，壩兒河之目以此。又二里逕北韓姑北，又四里逕支樓邨北，又里餘逕雙孝邨南，又五里逕坨頭邨南，又里許逕賈島故里，東北入沙河。

沙河又東南里許逕吉陽邨義倉東，又七里逕李家莊東，入龍泉河。

龍泉河又東南入良鄉縣南境，逕琉璃鎮北，按：此亦曰燕谷店，把總駐此。在治西南四十里，出琉璃河，橋水自是受琉璃河目，金史謂之劉李河，今氏疏璃，因聲通叚也。許亢宗行程録：涿州近城有涿河、劉李河，合范陽河東流入海，故名范陽。楊嗣奇良鄉志：琉璃河，縣治西南四十里，俯橋聽矚，河聲觸景，逶迤而東，大或飈霆，小或箏筑，丹碧空行，光影洞徹，易劉李爲琉璃，以形色相轉注耳。又七里逕黃土坡西南，又半里逕莊頭邨南，又二里逕西南吕南，受挾活河分支，又東二里逕北各莊北，又三里逕東南吕南，挾活河注之。

水爲古俠河，水經聖水注曰：俠河出良鄉縣西，世謂之挾活河，又名非溹之溝也。按：良鄉即今房山，溹一作理，名勝志：沙水俱活，東西不定，故謂之挾活河。一統志：挾河出房山縣西南中涜谷。涿州吴志：溹一作理。亦曰夾河，據畿輔輿圖。其源三，一南，一中，一北，俱出房山境。南源出上方山西南，在治西少南五十餘里。東南流七里逕峪兒邨北，又四里逕下中院北，又屈曲東南八里逕上中院北，又二里逕孤山口南，皇后臺北，又三里逕天開南，又二里逕龍門口北，又二里逕西周各莊南，又二里逕東周各莊南，又二里逕岳各莊北，又里許逕瓦井南，又三里逕七賢邨南，又二里逕太和莊北，又里許逕次婁邨南，又二里逕尤家墳南，又一里逕南章邨南，又二里與中流合。北源出禪窩水，在上方山北，東南流十里逕龍門峪南，又五里逕上皇院南，又五里逕下皇院南，又五里逕辛街西，與中流合。中源亦出上方山北，東流逕上寺南，又五里逕下寺南，又五里逕黃山店南，又五里逕婁子水南，又里許與北流合。又五里逕瓦井東北，又二里逕南韓姑邨，韓姑河、韓邨河二目以此。俗曰韓繼，則繼爲姑之譌。一統志：河一名韓邨河。又二里逕五侯邨北，又二里逕南章邨北，又二里逕西營西南，與南流合。三流既合，而東出永安橋，又八里逕潘家莊北，又二里逕陽湖屯北，又三里逕李家莊南，又二里逕白家莊北，又里餘逕西挾河鋪西南出界，其在房山境一斗泉㼐絡貫注，其水在上方山東北崖坳泉涌，俗亦呼斗笠泉，據房山佟志，參采訪册。又有青楊溝蟬蛾水注之。

蟬蛾水出縣西南四十里獅子崖下。據房山佟志，王志。

挾活河又會黑龍潭水。

水出桑乾河，在大安山東南，深碧莫測，東南流，會于挾活河。房山佟志：黑龍潭發源桑乾河，其水碧黑，深不可測，在大安山東南，世傳有黑龍居之。元至正間，京師大旱，遣留守都事蔭理彌實禱之，大雨霑足。有碑記可考。會流于挾河。

挾活河又會青龍潭水。

水在皇后臺側，清且深，東流，會於挾活河。房山佟志：青龍潭在皇后臺側，其水清湛淵深，東流至西東等河，會流于挾河。

挾活河自房山入良鄉縣西南境，在琉璃河南三里出挾活橋，又五里分支，東北流二里逕小南場北，又三里出石橋，又三里入琉璃河。陳嵋良鄉縣志所謂同治十年霪潦決開支河一道，卽此。其經流折南，出良鄉界，入涿州境，在治北二十餘里，逕羊户屯東，又南折東五里出涿州界，復入良鄉境，東北流逕福興莊東，又三里逕平各莊東南，又五里逕南洛莊東，興裹郎北，入琉璃河。

琉璃河又東里許逕寶興禮莊南，又里許逕大河口北，又里許逕路郎南，又里許逕興禮郎北，又里許逕章邨北，又里許逕南拜邨南，又折南少東二里逕祖邨東，又三里出良鄉界，入涿州境，在治東北二十里有奇，南流一里逕馬家莊西，楊合莊東，又一里逕北盧邨東，又里餘逕馬頭鎮西，外委駐此，又半里逕郎家莊西，水出橋下，逕南盧邨，又二里逕保安莊東，又一里逕塔西廊西，與巨馬河會。

巨馬河又東南二里受牤牛支河，又里餘逕佟邨東，任邨西，水出橋下，又二里餘，牤牛正河注之。按：正河在支河東四里許，並北來。

水出宛平縣西南五十里董公庵，泉湧，南流里許出通濟橋，入房山縣東北境，又曰順水河，據義倉圖。又曰順河，據房山知縣梅宗望光緒七年詳册。又曰莽牛河，會典事例七百一。亦曰蟒流河，霸州周志。南流里許逕雲岡邨東，又里許逕佃子莊北，又里餘逕北公邨東，亦曰公邨河，按：公邨河見畿輔輿圖。又里餘逕王家莊東，出界，房山册：順河在境二里餘。入良鄉縣境，在治北十餘里，東南流二里分爲二：一、少北，分東南流四里出永安橋，又二里逕籬笆邨南，又三里出長陽邨之安陽橋，逕黃管營東，與南支合，陳嵋良鄉志所謂黃管屯河溝卽此；一、少南，亦東南流，四里逕籬笆房北，出長安橋，良鄉志所謂籬笆房河溝，卽此，按：陳志云，入雅河。則源流莫辨矣。又二里逕長楊鋪西，又三里與北支合，又二里受雅河北支，又四里逕廣陽城東，牤牛河之名廣陽河以此，今良鄉卽漢廣陽也，小清河注之。

水出宛平境西南，流入牤牛河。

牤牛河又南四里逕葫蘆垡東，又三里逕魚營貫東，受雅河南支。

雅河舊名鹽溝河，即水經注福禄水也。據良鄉陳志。餘詳故道。今考其水出房山縣東北三十餘里之小兒營東，又東南流四里逕河西邨，又三里餘逕南公邨西，又三里餘逕老莊窩西，又三里餘逕東西石鋪東，又三里餘逕河西邨東，出界，入良鄉縣境，在治北十五里。按：公邨河、廣陽河即牤牛河也。詳上。房山王志謂雅河入良鄉爲廣陽河，非。東南流二里逕王家莊西，又一里逕鐵匠營東，又二里逕米家莊場西，又二里逕後莊東，又一里逕安莊東，又里許逕魚兒溝東北，分爲二，一南、一北。其北支東流三里出雅河橋，又分二小支：一東北，一東南，其東北一支，東流四里出安陽橋，又二里逕長陽邨南，又二里入牤牛河，其東南一支，東南流四里出仙安橋，又四里逕大西莊橋，與南支合。其南支，東南流三里逕雅河邨南，又分二小支，一少北而東，四里出廣陽橋，又四里亦至大西莊場西；一少南而東，四里出濟陽店橋下，亦至大西莊場西，按：此在小西莊場東北。三支合流，又東南五里逕水碾屯西，又里許逕徐莊東，又里許逕葫蘆垡西，又里許逕黎園邨東，又二里逕魚貫營西，入牤牛河。牤牛河又南十里，茨尾河注之。

水亦曰茨河，源二：一、出房山縣北三十餘里北車兒營北，東南四里逕常樂寺西，又二里逕北茨尾西；一、出北車兒營南，東南六里逕南上萬邨東，與北支合。又半里逕焦各莊西，又里許逕北洛平西，又二里逕南洛平西，又三里逕桑園邨西，又二里逕怪坨邨西，又里許逕水峪邨南，又二里逕土洞廟東，出界，入良鄉縣境，在治西北二十里，分爲四：一、逕辛莊東；一、逕辛莊西；並東南流，四里許逕米糧屯西，合流而南；一、逕豆各莊東北；一、逕豆各莊西南，並東南流，夾崇各莊，合流而東，又三里逕果各莊北，至是四支合一。東南四里逕苑邨南，又二里逕南上岡北，又二里出固邨橋，分爲二：一、北支東南一里逕楊家井南，又二里逕西北關南，分流爲護城河，亦曰舊引河，出北關、東關，又出西關，南關各橋，匯流於東南隅；南流與南支合，其南支曰新引河，自固安橋南流二里逕太平莊東，又三里逕西關西，又三里逕蘇莊東，又四里逕南關南，水出橋下，又東三里逕郊勞臺北，與北支合。又四里逕望諸君墓北，又東南二里逕魯邨東，又二里逕劉莊東，又里許逕西石羊東，又里許逕後石羊東，水出石羊橋，又里許逕東石羊東北，又十里入牤牛河。按：良鄉陳志云，茨尾河發源於宛平佛兒門溝，由房山茨尾邨入境，至固邨石橋南分流，一、注縣治西北隅，繞城過，下流趨東南，名舊引河，經徐家莊，會新引河，至石羊橋東，入牤牛河；一、爲新引河，東南流，經大道三空橋至劉家莊西，與護城河下流合。其說與采訪册微有不同。牤牛河又南二里逕任家場西，又南少西四里逕任家營西，又二里逕老君堂東、賈河邨西，又三里逕務子邨東，又半里逕蕭家場西，分水西南出者支河也。

支河亦名小清河，西南三里逕長舍東，又三里逕薛莊東，又二里逕大寶莊東，又三里逕劉家園東，又二里逕小務子邨東，出良鄉界，入涿州境，南流半里逕黑渠東，二里餘逕化家莊西，又三里餘逕羅家營西，又二里餘逕塔西廊東，又里許逕小田城邨西，又三里餘逕任邨西北，入巨馬河。

其經流自蕭家場東南流，三里逕陶邨西，又三里逕小陶邨西，又四里逕官莊西，又三里出良鄉界，入涿州東北境，在金門閘引河西五里有奇，支河東四里有奇。又南四里逕鄧渠邨西，又二里逕化家莊東，又里許逕閻家莊西，又八里逕龍門口西，又三里逕孟家莊西，又南少西里餘逕賈莊西，又里餘入巨馬河，在支河入巨馬河之東南四里許。

巨馬河又南流二里逕小岡頭西，又二里逕萬全莊東，又半里逕東茨邨西，又里許逕西茨邨東，又四里逕北務邨東，又五里逕趙家莊西，又四里逕太和莊東，又二里逕望海莊東，又四里逕辛莊東出界。按：巨馬河凡逕涿州境，自東南屈曲流，百里有奇。

涿州督亢溝、北涉溝、南涉溝、歧溝而外，其洩入巨馬諸河者，有東南五溝，其引巨馬諸水以灌地者，有西北三溝。

找子營溝，在涿州東南十五里，逕潘家莊之北屯田又名潘家莊溝，又逕南屯田，過柳河營北，爲柳河營溝，折東與豹子莊今譌云鑾子營。溝合流固安縣界，入河。據吴山鳳涿州志。

豹子莊溝，智軍莊溝，並在涿州東南三十里。據同上。

香營溝，亦在涿州東南三十里，逕馬家莊，又經豬皮營，與智軍莊溝合，又逕新城縣境入河。據同上。

北務邨溝，在涿州東南二十五里，東逕茨邨新莊入河。據同上。

清溝，出巨馬河東，引水漑茂林莊、毛家屯、觀仙營、藍家營、普利莊、魯坡、泗各莊，據同上。注胡良河。據吴履福涿州續志。

西城坊溝，引水自清溝南。據吴山鳳涿州志。

石幢溝，引水自西城坊溝旁，此三溝並在涿州西北三十里。據同上。

又南過固安縣西，又至雄縣，合府河諸水，曰清河。

巨馬河入固安縣西境，南流五里，逕唐皮黑營西，白馬莊東，又南少西五里逕王御史莊西，又五里逕南柏邨西出界，按：水凡逕境十五里。入新城縣，又逕定興縣，又逕容城縣，與西支合，又逕雄縣清河門，合府河諸水，通稱清河。詳上巨馬河源流分合考。

清河，東北過保定縣曰玉帶河。

清河從雄縣入保定縣界，在城西南十三里，又名玉帶河。元河渠志，古陳玉帶河，即此。東北流逕喬家灣南，分支曰月河。

月河在維柳河之西，東北流，仍入清河。

清河又東北流八里逕張青口南，分支東北出霸州，周志謂之張青口引河，卽畿輔圖説所謂維柳河者是。東北流，合十望河，仍入清河。

清河又東北流三里，逕潘家莊北，與趙王河合。水卽古藏糧河也，出任邱縣北境，入雄縣東南界，沿千里長隄，屈曲流二十里許，逕史各莊入保定縣界，在城西南二十里，又東北流二里逕新立莊西，又二里逕上武各莊西，又一里逕馬家莊東，又二里逕北郗西，又三里逕崔家莊東，又半里逕南舍興西，又二里逕北舍興西北之鷹嘴壩，出閘，入清河。

清河又東北流半里逕王各莊東，有引河，東北出，古十望河也，亦曰王哥莊引河。順天人各、哥同音。俗呼新開支河，又呼楊家河，東北流合維柳河，又東北流凡十餘里入霸州界之中亭河。畿輔輿圖：玉帶河，清河下流，自雄縣茅兒灣入保定縣境，名玉帶河。其分支爲月河，下流入於本河東北，流逕張青口，又東北逕王各莊，有王各莊引河注之，卽古十望河。又東北逕擺度口，又東北逕張各莊，又東北逕盧各莊入霸州，其分支爲中亭河，下流入霸州月河。清河支流自玉帶河北岸分流，東北逕喬家灣，又東北逕張青口北，又東至王各莊。十望河，古藏糧河，趙王河，下自雄縣史各莊入縣境，東北流，自縣西八里之何家道口，與維柳河合，又北入清河。霸州舊志：王哥莊引河，卽清河支流，在州南起保定縣東北六里王哥莊之北，上接張青口引河，自王哥莊東流十里至州境，入中亭河。霸州周志：是河俗名楊家河，起保定縣，分玉帶河之水，東北流，逕六郎堤，入州西南之老堤村。

清河自王各莊東又東北流三里，逕紙頭房東，保定縣西關西，又三里逕擺渡口，又一里逕劉家邨東，又三里逕張各莊東，又二里逕趙各莊東，路疃西，又二里逕上皇亭東，又一里逕于家邨東，于家埝在此，又三里逕盧各莊西，皇亭東，亭之東北曰下皇亭，出保定縣界。

又東北過霸州南，又東過文安縣北，又東過大城縣北，又東北至天津縣入海。

清河入霸州界，在城南十六里分支，東北出，曰中亭河。

水以亭氏，此爲王各莊引河，入中亭河處，今並爲新開蘆僧河入中亭河處。蘆僧河爲新城縣十九垈引河，白溝河支流，卽巨馬河支流也。先是，東南流三十里入雄縣界，又五十餘里入清河，同治十二年，清河道葉伯英議于新城縣十九垈建閘，引白溝河水不由故道，直從新城縣、雄縣入保定縣界，在城西北十二里水南建涵洞；又東流十里逕劉家莊北，又東北流七里逕下皇亭北，入霸州界，在城南十六里注中亭河，尋漸淤。光緒九年霸州采訪册：中亭河爲清河支流，自州接保定縣界盧各莊對岸中皇亭入口，下達中亭河，御碑尚存，此中亭得名所由來也。今淤百餘丈。盧僧河舊道自新城大營、盧僧等邨分減白溝河上游小北河盛漲，小北河上承永定南岸草閘之水，下入白溝，每值汛期，奔騰洶湧，白溝有難容之勢。又東經新城之泗莊，入雄縣之茅兒灣，滙歸清河，東流四十餘里，以緩水勢，至清河北岸中皇亭，引入中亭，以減清河水勢。今中亭河入口處久斷，上游舊蹟無存。同治十三年，直隸清河道葉伯英議由新城縣之十九垈入口建閘一座，引小北河水入焉，不循故道，徑達新、雄、保定，下注霸境，直達中亭，亦未挑通。中亭河口，蘆僧上游所經之地，一片沙蹟，每當春風鼓動，飛沙散漫，堤損河淤，迄無成功。比河水勢卒至，仍歸泛溢，數年之内，僅存遺址。至文安之王家泊河，卽中亭下游。由蘇家橋清河之北支河又名運糧河，經王家坊自臺山邨滙入中亭河，又東經花達墓、下王莊入王家泊河。王家泊卽文、霸分界處，距州城三十五里，迤東俱文安境。

光緒元年，流始通，據保定縣圖册。餘詳河工。在清河之西里許。

清河又名會同河，亦曰會通河，霸州舊志：會同河在州南，其流上納保定、雄縣茅兒灣諸水，入保定縣北，爲玉帶河，東入州界，爲會同河，又東爲苑家口，又東爲蘇家橋，自此入淀泊。霸州周志：會同河上接玉帶河，下至蘇家橋，衆流至此合爲一，其實一河也。又東屈北四里逕口頭邨北，又東二里逕大堡莊北堡，一作僕，又東二里穿魚津窪，在武各莊北，又東三里逕善來營北，又東三里逕苑家口北，舊有夾河逕此，故俗又謂之夾河。又東屈曲出永濟橋，又名通濟河。夾河詳故道。其分支折北，流逕栲栳圈，穿中亭河西北流者，即霸州護城河故道。栲栳圈以北今淤。詳下。

其經流從苑家口東流五里出蘇家橋，在州城東南二十里入文安縣西北界，分南、北、中三支，亦曰三岔口。其北支從三岔口北流少東入霸州東南境，蘇家橋東，趙南莊西，又東北十里逕東臺山邨東，此即古運糧河水道也，又東北與中亭河合。中亭河分自清河，于霸州南境東北流七里，出裕順橋，蜈蚣河西北來注之，即永定西減河也。又東五里逕莫金鋪北，又半里永定東減河北來注之，又東出廣惠橋，又三里逕魚廠邨南，又逕西栲栳圈南，亦名栲栳圈河，霸州周志：栲栳圈河，一統志云在州南八里，綿亙數十里。按：此即中亭河也。畿輔輿圖：中亭河東逕栲栳圈，又名栲栳圈河。亦名新挑河，以明副使陸坤尋故道濬之而名。據霸州周志。分支東南出，爲灌田溝，逕高各莊平口等邨，屈折迴繞，仍逕魚廠邨橋，注于本河。據同治十一年霸州知州周乃大稟。詳下注。其經流東一里逕西臺山邨北，又一里逕中臺山邨北，出安濟橋，又一里逕東臺山邨北，據州志。參采訪册。又二里與清河北支合，清河北支又東北流，韓家溝水出焉。據畿輔安瀾志。水分自臺山東南，亦曰臺山河，東流六里逕靳家鋪，在城東二十五里。又折東入中支河，其經流又東北逕花達墓南，又五里逕十間房南，分支東南流爲中支河，又東五里逕劉家莊，分支爲劉家河。

水出霸州治東南五十里，東北流入舊永定河東支。

其北支既合中亭河，折東南流，復入文安縣北境，東逕王家莊北，又分支爲王家泊河。

水在劉家河之南，東北流入舊永定河東支。據霸州周志。

其北支又東南流三里逕郭家窪，又五里穿磨磨淀，分支南流，逕大寺東，與南、中二支合，其北支又分流，東穿落坡淀，又東五里逕勝芳鎮，又有勝芳河目，芳一作涝，按：畿輔安瀾志，作芳，續行水金鑑依畿輔唐志作涝。涝見山海經。亦名運鹽河。元河渠志所謂河間路水，疏通至大城縣界引入鹽河，卽此。舊有永定東支河，自霸州高橋鄚，在霸州東南四十里。東南流注之，今斷。又東逕紀家鋪南，出文安縣界，其縣境沿隄瀦水處曰石城淀，一統志：縣東北四十八里。已見前者，不述。曰慈老淀，黑母淀，四角淀，一統志：俱縣東北。曰趙淀，亦呼趙家泊，一統志：縣東北六十里，卽寰宇記所謂滹沱河東溢爲趙淀也。曰牛臺淀，馬務營南、淀岡鄚北。曰麻窪淀，司吉城南、黃甫鄚北。曰火燒淀，李家莊南、南哥莊北。曰白龍淀，界圍鄚北、錢家莊西。曰橋兒窪，孫章鄚西南。曰洋洛窪，董哥莊後。曰蓮花池，界圍鄚北。曰底窪，留塞鄚北。曰紅窪。孫氏鄚南。通流河口凡九：曰李家口，十里鋪西。曰急流口，急流口鄚。卽古文潭也，曰急水河，陳家務北。曰脖頂骨，呂公務北。曰柳河，柳河鎮。曰小泗莊河，小泗莊河鄚。曰石漕河，石漕河鄚。曰小保里河，小保里河鄚。曰沙河口，縣治南。曰大甯橋口，曲隄店南。曰玳瑁口，即元河渠志所謂鑿文安縣玳瑁口以通欒水者是。在治東南二十五里。

清河北支，從文安入大城縣界，在城北六十里，又東流六里出辛張橋，橋在辛張莊東南，又曰辛張河。又東北流三里復入霸州界，在城東南六十五里，東北流六里逕策城鄚東，又六里逕砦上東，入静海縣西北境，東北流二十里逕楊芬港北，入于本河，其中支從文安縣三岔口東南五里許逕趙家房，又東十餘里穿托蓮淀、鴻鵠港、筆筒泊、沙尖淀，逕南樓，續行水金鑑，樓作漊。又分二支，一南小支合于南支，一北小支合于北支，又東穿磨磨淀，逕大寺東與南、北二支會于石溝村。其南支從三岔口東南逕崔家房，又逕西馬頭北，又逕南莊北，又逕堂頭鄚北，自此東至桃家鄚十里許，爲新築月堤，河之南爲任家莊、王疙疸莊，又東逕左各莊北，分一支東北流，曰左各莊河，下流仍入本河，南支又東少北逕石溝，亦曰石溝河，與中、北二支合。三支合流，通謂之清河。又東四里逕傅官營，有子牙河，自大城縣王家口合流，故道又東入大城縣界，在城北五十五里，東五里逕臺頭鄚北，又名臺頭河，是爲子牙河，自静海縣莊兒頭合流故道，清河又分爲二：一東南出，三里逕黄岔北，又轉東北三里而合；一東北出，三里又轉東南三里而合。合流又東四里出界，入静海縣，與北支分流會，又至天津縣入海。雲龍清河尾流考：清河出大城縣境，入静海縣界，在城西北二十六里，東北流里許，穿灰窩。灰窩亦一泊也，廣三里，袤七里。清河東北出三里，逕第六鋪西，亦分爲二，中距四里，並東北流，十里復合，又四里逕楊芬港東北，與辛張河亦清河北支分流也。從霸州入静海縣界，在城西北三十五里，東北流二十三里與清河合。清河又東北流二十里，穿篙浪泊，三里許入天津縣界，在城西北三十里，東流逕八里口南，又五里逕楊家河北，又一里逕三河頭南，把總駐此。又三里逕青光南，又三里鳳河西北南來會，又東南流五里逕韓家樹南，又五里逕王家口北，又六里逕西沽與北運河合，又合子牙、南運入于海。

其故道巨馬河，東過益昌縣。

巨馬河，清河上流，北派别源也。水經注曰：淶水謂之巨馬河，亦曰渠水。東逕容城縣故城北，又東督亢溝水注之。水上承淶水于淶谷東南，逕逎縣，又東逕涿縣酈亭，樓桑里南，卽劉備舊里。又東逕督亢澤，澤苞方城縣。風俗通：沆，漭也，言乎淫淫漭漭，無厓際也。沆澤之無水，斥鹵之謂也。其水自澤枝分，東逕涿縣故城南，又東逕漢侍中盧植墓南，又東散爲澤渚，督亢澤也。北屈匯于桃水。督亢水又南，謂之白溝水，南逕廣陽亭西，而南合枝溝。溝水西受巨馬河，東出爲枝溝，又東注白溝，又南入于巨馬河。雲龍按：巨、渠，一聲之轉。涿縣今涿州治。方城今固安縣南十五里。史記正義：方城縣有督亢亭。方輿紀要：涿州東南十里有督亢陂，州東南十五里督亢亭，以陂名亭。南月池廣三頃，其形如月。寰宇記：陂在范陽故城東南十里。一統志：陂逕五十餘里，陂池廣衍，跨連新城、固安二境。吴山鳳涿州志：督亢溝在州東南。而紀要又云，巨馬水北屈匯於桃水，則讀酈注而未審矣。又云，南涉溝，卽督亢水，亦誤。詳下。今州南十餘里有樓桑鋪，蓋近督亢水所逕之樓桑里，方輿紀要：樓桑村州西十五里，後漢末劉先主所居。又南三里，有酈亭，後因酈道元所居，亦曰酈村。明建文時，燕王嘗屯兵于此。方輿紀要。水經注又曰：巨馬河又東南逕益昌縣，濩瀨水右注之。水上承濩陂於臨鄉縣故城西，東南逕臨鄉城南，地理風俗記：方城南十里，有臨鄉城，故縣也。淀水又東南，逕益昌縣故城西南，入巨馬水。雲龍按：益昌今永清縣境，霸州東南，亦其地也。臨鄉今固安縣南。畿輔安瀾志乃謂今永清在固安東南，霸州東北，巨馬河豈能回繞曲折如此？何不考之甚耶！水經注又曰：巨馬水又東逕益昌縣故城南，地理風俗記：方城縣東八十里，有益昌城，故縣也。又東八丈溝注之，水出安次縣東北平地，東南逕安次城東，東南逕泉州縣故城西，又南右合虖池河枯溝，溝自安次西北東逕常道城東，安次縣故城，西晉司空劉琨所守以拒石勒也。又東南至泉州縣西南，東入八丈溝，又南入巨馬河，亂流東注。雲龍按：安次縣、常道城，皆在今東安泉州，今武清境。據此，知劉琨拒石勒處爲虖池枯溝，而或以巨馬河爲拒馬河，因此獲名，非。按：北道刊誤志，巨馬水自易州入霸州界，袁紹將崔巨業攻固安不下，公孫瓚追擊于巨馬水。所謂固安者，在今易州東南，而可爲巨馬之一證。

又東過平舒縣北。

水經曰：又東過東平舒縣北。注曰：巨馬水於平舒城北南入虖池，而同歸於海。雲龍按：今大城于漢、晉爲東平舒，于後魏爲平舒，北盟會編二十：巨馬河源出代郡，涞水由易水界至此合流入海。沈堯落颿樓文稿三：巨馬水本于平舒城北，南入虖沱，今乃于雄縣東南入南易，是巨馬西徙也。其後改道過房山縣分爲二。按：欽定周官義疏曰：巨馬河至房山縣境分爲二支：一東流涿州，經固安縣東南入桑乾河；一南流淶水縣。此與今于淶水縣境分支下流改入清河均異。房山王志：其川大度河爲大，即拒馬河上流，自淶水東流入境，經平峪西莊、十度、八度、六度、乾河、張坊等村，折東南，經鐵嶺崖，分二道下注淶、涿，凡行境内七十餘里，西界有河，自大龍門南流過界，折東南至淶水之上莊入拒馬河，北界有河，即漫水河上流。

東支過涿州分二，復合，胡良河注之。

入涿州西北境，東南流十餘里，逕宋家營東，分爲二支：一北支東流二十餘里，逕涿州城西北；一南支東南流二十里，逕煙柳邨南，又屈曲東北流十餘里，逕城西北，二支合流而東。據義倉圖，畿輔輿圖。

胡良河，金地理志云：湖梁河即水經聖水注所謂甘泉水者是。一統志云：即古洹水。然考酈注：甘泉入洹水，則非即垣水矣，故道不分四支。方輿紀要曰：源出房山縣大安山東麓，流入涿州境，又南與挾河合，入良鄉縣界，注琉璃河。今按畿輔舊圖，其水自房山縣東南入涿州西北境，受杖引泉而東南流里許，逕夾河邨東，二里餘逕南魯莊東，又三里逕趙家莊東，又里許逕上胡良邨西，又里許逕中胡良邨西，又里許逕下胡良邨西，又屈曲東流五里逕胡良鋪南，水出橋下，又六里逕鹿頭邨南，入巨馬河。據畿輔舊圖。

又與范水合。

方輿紀要：涿州范水在州南，自易州淶水縣流入境，下流合巨馬河。水經易水注：梁門淀水東南流，出長城，注易，謂之范水，易水自下有范水通目。又東逕范陽故城南，卽應劭所謂范水之陽也。按：北魏范陽郡在今涿州，而范陽縣則在今定興縣，非順天府境矣。名勝志：水北曰陽。涿州舊志云：范水在州西南。又過固安縣，又過霸州，合霸水入海。又改流過東安、永清、武清縣，入三角淀。

方輿紀要：霸州曰巨馬河，自雄縣流入。志云：自盧溝河分流，逕固安縣，或謂之安陽河。五代周顯德六年，世宗遣先鋒將劉重進據固安，自至安陽水作橋，謀取幽州，會有疾，還。明建文時，燕王駐兵固安，渡巨馬河，卽此。又曰：霸州治北，東合白溝河，後徙流州治西，會霸水，至直沽入海。今霸水淤塞，巨馬、琉璃諸河復合，逕州治北，東入東安、永清，注武清縣三角淀，卽盧溝河、易水之下流，霸州，霸水州南三里。舊志：白溝河支流也，自雄縣入境，東南會于巨馬河，州以此名，今湮。長安客話：霸去都近，去海亦近，凡雲、朔、恆、代諸山之水，由天津入海者，必經霸出丁字沽，總稱霸水。雲龍按：白溝河與巨馬河支分，源同。詳上巨馬河源流分合考。北宋界河卽此，在霸州北一里，蓋宋遼分界處。按：方輿紀要，霸水坳巨馬河。又云：霸州巨馬河，舊在州北，宋界河也。故道上承盧溝河水，亦曰草橋界河，有北盟會編、明憲宗實録、方輿紀要可徵。按：明憲宗實録云，霸州城北古有草橋界河一道，上接渾河，下至小直沽，東注于海，卽此界河。畿輔安瀾志、周乃大霸州志歧而二之，非也。

琉璃河故道聖水，東過良鄉縣。

水經曰：聖水出上谷，趙一清注釋：經文疑有脱誤。方輿紀要：房山縣西大房山古碑云，幽冀之奥室也，山下有聖水泉，西南有伏龍穴，一名龍城峪，湯泉出焉。又有孔水洞，在山之東北，懸崖千尺，石竇如門，深不可測。與酈注所云，畧皆仿佛。房山縣本漢良鄉、范陽二縣地，並屬涿郡，又兼得廣陽國之薊縣，于上谷無與。漢上谷郡治沮陽縣，其故城在今保安州東，古涿鹿地。濕水注云：涿水枝分入匈奴者爲涿耶水。而是篇注云：在上谷爲涿耶水。應劭以爲出上谷涿鹿縣是已。下注云：聖水南流，歷縣西轉，卽良鄉縣也。按：涿州于秦爲上谷郡地。寰宇記、方輿紀要無異辭，而漢上谷則于涿無與，然今考厥泉出宛平百花山，又非概出房山矣。宛平爲漢薊縣地，與漢良鄉兼得薊縣地之說正符。總之，水道變遷，非復舊蹟，斷難執今以疑古也。

東過良鄉縣南。酈注曰：水出郡西南聖水谷，東南流逕大防嶺之東首，山下石穴有水，東北流入聖水，聖水又東逕玉石山，伏流里餘，東出瀉澗丈餘，屈而南流，歷縣西轉，又南逕良鄉縣故城西，王莽之廣陽也，有防水注之。水出縣西北大防山南，按：隋圖經云，防水在良鄉縣界，有石穴，東北洞開。東南流逕羊頭阜，俗謂之羊頭溪，又東南至縣東，入聖水。聖水南與欒水合，水出縣西北大防山南，水東南流，歷縣西而東南流注聖水，又東逕其故縣城南，又東逕聖聚南，蓋藉水而懷稱也。又東與俠河合，水出良鄉西甘泉原東谷，東逕西鄉縣故城北，王莽之移風也，世謂之都鄉城。又東逕良鄉城南，又東北注聖水。雲龍按：良鄉，今房山縣東，西鄉，今涿州西北，二十五里，防水、欒水，難强以今水分實之。俠河今亦出房山，此水道不盡改處。按：漢初元五年，封廣陽頃王子容爲侯國，屬涿郡，後漢省。漢地理志：西鄉侯國，莽曰移風。寰宇記：西鄉故城在范陽縣西北二十五里。吳山鳳涿州志：西鄉故城在州西二十里。

又東過長鄉縣，又東過方城縣故城。

水經曰：又東過長鄉縣北。酈注曰：聖水自涿縣東與桃水合，首受淶水於徐城東南，良鄉西分垣水，世謂之南涉溝，卽桃水也。東逕迺縣北，又東逕涿縣故城，下與涿水合。世以爲涿水，亦謂之桃水。水出涿縣故城西奇溝東里大坎下，數泉同發。方輿紀要：岐溝，涿州西南四十里，亦曰奇溝，又爲祁溝，唐末設關於此。晉王存勖天祐十年，遣周德威出飛狐攻燕，與鎮定兵會于易水，進攻祁溝關，下之，遂圍涿州，守將以城降。胡氏曰：關在易州拒馬河之北，自關而西，至易州六十里，由拒馬河而東，至新城縣四十里。宋雍熙三年，曹彬、米信等與契丹將耶律休哥戰於歧溝關，敗績，彬等夜渡巨馬河，南趣易州，休哥領精兵追及，溺者不可勝計。宣和中，亦常設關以備金。東逕桃仁墟北，或曰因水以名墟，則是桃水也，或曰終仁之故居，非桃仁也。趙一清注釋：桃仁，高雲倖臣，墟以人得名，今本誤以桃仁爲桃水。地理志：桃水上承淶水。此水所發，不與志同，謂終爲是。又東北與樂堆泉合，水出堆東南，注于涿水。涿水又東北逕涿縣故城，西流注于桃。應劭曰：涿郡故燕，漢高帝六年置，其南有涿水，蓋氏焉。闞駰亦言是矣。今於涿城南無水以應之，所有惟西南有是水。應劭又云：涿水出上谷涿鹿縣。余按：涿水自涿鹿東注㶟水，㶟水東南逕廣陽郡與涿郡分水，漢高祖六年，分燕置涿郡，涿之爲名，當受涿水通稱，故郡縣氏之，但物理潛通，所在分發，在上谷爲涿耶水，山川阻闊，並無沿注之理，所在受名者皆是，經隱顯相關，遥情受用，以此推之，事或近矣，而非所安桃水。又東逕涿縣故城北，又東北與垣水會，水上分淶水於良鄉縣之桃水，世謂之北涉溝，故應劭曰，垣水出良鄉，東逕垣縣故城北，又東逕頃世，名之頃前河，又東洛水注之，水上承鳴澤渚，方一十五里，漢武帝元封四年，行幸鳴澤者也。服虔曰，澤名在遒縣北界，西則獨樹水注之。水出遒縣北山，東入渚，北有甘泉水注之，出良鄉西山，東南逕西鄉城西，而南注鳴澤渚，又東逕西鄉城南，又東逕垣縣，而南入垣水。垣水又東逕涿縣北，東流注于桃，故應劭曰，垣水東入桃。闞駰曰，至陽鄉注之。今按經脈而不能屈也。桃水東入陽鄉，東注聖水，又東廣陽水注之，水出小廣陽西山，東逕廣陽縣故城北，又東福禄水注焉。水出西山，東南逕廣陽縣故城南，東入廣陽，水亂流，東南至陽鄉縣右注聖水。聖水又東南逕陽鄉城西，不逕其北矣。地理風俗記：涿縣東五十里有陽鄉亭，後分爲縣，王莽更名章武，卽長鄉縣。太康地記：涿有長鄉，而無陽鄉矣。又東逕長興沈氏曰：疑是長鄉。城南，又東逕方城縣故城，又東左會白祀溝。溝水出廣陽縣之婁城，東南流，左合婁城水，水出平地導源，東南流，右注白祀，水亂流，東南逕長道城西，故鄉亭也，西去長鄉城四十里，又東南入聖水。聖水又東南逕韓城東，王肅曰：今涿郡方城縣有韓侯城，世謂之寒號城，非也。聖水又東南流，右會清淀水，水發西淀，東流注聖水，謂之劉公口。天下郡國利病書二：詩：溥彼韓城，朱傳謂爲陜西韓城，非。水經注：濕水逕良鄉之北界，歷梁山。是涿郡亦有梁山。詩：奕奕梁山，正指此。不然，馮翊去燕二千里，燕師曷得築城於彼耶？按：寰宇記，范陽縣界有清淀，水出固安縣界，東注聖水淀。原本譌定。按：漢志無聖水。寰宇記：聖水俗名迴城水。水經曰，聖水又東過長鄉縣北。趙一清注釋引全氏曰，當是陽鄉。玩注可見，今繹酈注，明云陽鄉卽長鄉。如桑經本云陽鄉，可不作是語矣。漢陽鄉，晉長鄉，後魏萇鄉，其爲今固安縣境，一也。方輿紀要：琉璃河卽聖水，自房山縣流逕涿州北，大房山之孔水入焉。涿水則諸書所紀各異。寰宇記云：出范陽縣西土山下，東北流逕縣北五里，又東流注聖水。應劭注漢書云：涿水出涿鹿縣。十三州志：涿郡東有涿水，北至上谷，爲涿鹿河，其枝流入匈奴中者，謂之涿邪水。方輿紀要云：涿水在州北三十里，出保安州涿鹿山，經山谷中，歷房山縣界，東南流至州北，又南合于挾河。名勝志云：從大同得勝堡入。一統志引水經注：奇溝東八里，數泉同發，以爲涿水卽桃水。又謂出涿鹿之説無據。不知桃水上承淶水，與奇溝數泉無涉。水經㶟水注曰：涿水出涿鹿山，世謂張公泉，東北逕涿鹿縣故城南，又東北入㶟水。隋書：懷戎有涿水。懷戎在今保安州南七十里，卽涿鹿地。范陽縣西土山下，當是經流，然酈道元涿人，其注已云涿城南無水，以應之遼地理志云，涿州有涿水，明地理志云，涿州北有涿水，方輿紀要亦云，在州北三十里，何與？而錢坫新斠注漢地理志，遽云州今無此水，亦非也。遷流異稱，未之詳耳。名勝志：州因涿水而名，以水中常出此豖也。涿州吳志：涿水，州西北。水經注：涿水、桃水俱合于聖水，自涿縣東與桃水合，又東逕涿縣故城下，與涿水合。寰宇記：涿水東北流逕北五里，又東注聖水。聖水卽今琉璃河。州北五里，則是巨馬河。要之，水流遷徙，非復舊迹，而巨馬、挾河、琉璃諸水下流悉合。

桃河泊在東安縣南五十里，渾河水所匯，流入三角淀，今淤。畿輔安瀾志曰：漢志，桃水首受淶水，東至安次入河，在今東安縣界，今爲渾河所奪，桃河當猶以桃水得名，或作挑河頭，非。良鄉陳志：南、北涉溝。舊志云：在縣東。史記音義：涿有垣城。吳山鳳涿州志：北涉溝、南涉溝，在州西北，垣城在州北，鳴澤在獨樂山下。又曰：州西十五里有鳴澤。畿輔輿圖曰：獨鹿山在州西十五里，然則今之淶水縣，未必適如古遒縣之境，故鳴澤渚，于古在迺縣，于今不在淶水縣，其爲在涿州境無疑，甘泉水，今胡良河也。詳上。牤牛河猶存廣陽水舊名。畿輔唐志云：牤牛河，鹽溝、廣陽二水會流也。鹽溝即古福祿水。方輿紀要曰：閻溝河出良鄉縣西北龍門關口，東南流，合廣陽水。五代史：契丹數抄盧龍諸州境，涿州運糧入幽州，輒伏兵閻溝掠之。唐長興三年，趙德鈞城閻溝戍之，移良鄉治焉。一統志此明一統志。謂之鹽溝水。廣陽水逕廣陽故城下，南流與鹽溝水合，注于桑乾河。名勝志：鹽溝河發源宛平龍河關，南流經本縣陶村，入桑乾河。長安客話：鹽溝即閻溝，源自宛平龍門口，東南流與廣陽水合。涿州舊志云：廣陽河出房山縣東北，至縣城東南，與鹽溝合流，爲三叉口，一遇伏秋，奔騰衝突，故土人謂之牤牛河。

雲龍按：三叉口即岔口，康熙四十年，郎中佛保奏：琉璃河、永定河之間有牤牛河，源自西山，佛耳門、戒壇、太子峪起，三股河流，匯于石陽邨，至佟邨入琉璃河。畿輔安瀾志云：三岔口南流至任邨西，入大清河。既曰三岔口，則非鹽溝與廣陽合流之舊跡矣。東安李志：常道鄉在今縣治西北五十里。綱鑑：魏武子宇，封燕王，字子璜，封常道鄉公。魏書地形志：安次有故萇道城，即常道字音之譌。今西北鄉有常道村，疑即常道城故址。鹽溝河今曰雅河，然今之雅河入牤牛，昔之鹽溝入桑乾。良鄉陳志：漕河圖志及舊志，無牤牛河，謂廣陽、鹽溝俱東入桑乾。想自桑乾築堤後，匯而南流，遂有此名。俗以挾活河爲牤牛河，非。雅河分支亦非故道，其水舊自房山入良鄉縣北境，東流六里餘，出野谷莊橋，又五里逕陽城鋪，又五里注牤牛河。據畿輔輿圖。

白祀溝水，方輿紀要云，白祠溝水在東安縣境，今堙。

挾活河舊止一源，水經聖水注：俠河出良鄉西。雲龍按：良鄉今房山也。畿輔圖説：挾活河出房山上方山，東南流韓姞村，與今出三源異矣。自房山入良鄉縣西南境十餘里，入琉璃河，與今分支又異。周乃大霸州志曰：夾河出上谷涿鹿山，會胡良河，至苑家口，今淤。厥説又異。或亦一故道與？

牤牛河入良鄉縣北境，故道不分支，東南流，八里受雅河。據畿輔輿圖。

又任邨南有牤牛新河，雍正四年開，東南逕涿州東，固安縣西北，循盧溝，明永樂中改流，迄嘉靖、萬曆間，屢徙于固安城西之南，逕霸州之北落店、南孟等邨，在城西北二十里，又逕栲栳圈，在城東南十五里入中亭河，長二百里，自是潦水有歸，後改流良鄉縣之賈河邨入琉璃河，而下流中斷，霸州存河身二十里有奇，其斷流自固安縣之華各莊逕東安、永清二縣境，乾隆三年，挑金門閘減河，與屯子頭草壩減河分流，又分東、西二股，即用牤牛故道，蓋此爲渾河西南出舊渠也。據畿輔安瀾志，霸州周志。

酈注曰：聖水又東逕勃海安次縣故城南，又東南流，注于巨馬河，而不達於海也。

又東至安次縣南，東入海。

義河在良鄉縣治北十有五里昌黎鄉公邨里，流入廣陽河，據良鄉楊志。今涸。良鄉陳志。吴山鳳涿州志謂廣陽河一名義河，非。

龍泉在良鄉縣治西十八里。相傳里人郭氏見地潤，以杖撥之，泉湧味甘，東流注鹽溝河，（據良鄉楊志。）今涸。（良鄉陳志。）按此即金大定間所鑿龍谷泉也。（寰宇通志：龍谷泉，金大定間所鑿，極甘，在良鄉縣西北，一作龍泉。方輿紀要：東流入鹽溝河。）良鄉昔日之護城河，兼受龍泉。楊嗣奇縣志所謂又引怪坨邨龍泉是也。怪坨邨在治西北十八里。（按：此據楊志，而陳志云十五里。）良鄉護城河，今以茨尾河爲上流。（據良鄉陳志。）先是，引房山磁家務漫水河，流自上岡、下岡諸邨，又引龍坨邨龍泉，其水逕苑邨、馬邨、顧邨爲護城河，又逕城東南，折西，逕魯邨，入桑乾。（據良鄉楊志。）

小清河出牤牛河，在竹絡壩西北五里老君堂東，南岸起至沙隄止，其水入永定河，借清刷渾，乾隆二年決張家鐵狗，此河遂廢。（據李光地、佛保奏參，畿輔安瀾志。）

清泉在涿州治西北盤坡，流逕桑葉㵎，入巨馬河。（吴山鳳涿州志引舊志。）紫池在涿州治西南十五里，有紫池堡。吴山鳳涿州志曰：水經注，淶水又東流，歷紫石谿口，與紫水合。又云，巨馬水又東，酈亭溝水注之。水上承督亢溝水于遒縣東，東南流，歷紫淵東。疑紫池即受紫水、紫淵而得名。

永濟渠，方輿紀要曰：霸州東。宋志：信安軍有永濟渠，咸平中置。緣邊塘濼，東起乾寧軍，西至永濟渠，合鵝巢淀、陳人淀、燕丹淀、大光淀、孟宗淀諸水，横廣百二十里，縱三十里或五十里，深丈餘或六尺，以爲邊備，今皆廢。落颿文稿二：永濟渠卽清河也。觀蓮池，卽琉璃河分流，在良鄉縣治南三十五里金梁斗南，種蓮，故名。廣六頃，今淤。據良鄉楊志。

清河過霸州曰邊家河，又過東安縣，合狼城河、吕公河。

邊家河在霸州東四十里田家口南。霸州周志。

狼城河上承霸州信安河，逕東安縣之宋六口淘河，又逕武清縣甕口東入三角淀；吕公河上承文安勝滂河，逕東安縣之清河、東沽二港，由武清之王慶坨東入三角淀。二河來自霸州，邊家河乃清河正派，東淀經流也。渾河屢徙，二河漸淤。東安李志。按：狼城在東安縣南四十里，卽宋信安軍之狼城寨，今永定河逕此，改名安瀾城。

磨汊港，狼河汊河也，今淤。畿輔安瀾志。

琅川淀在東安縣南七十里，卽白溝河諸水下流，東入磨汊港，今淤。據同上，參東安李志。

舊運河，在霸州城南二里許，元之漕河故道，下達天津，今淤。霸州周志。按：清河北支猶被古運糧河目。

金水窪一曰津水窪，在霸州東五十里，其地下，故名。據霸州周志。

汊河在霸州西南十八里。據霸州周志。

霸州護城河，亦清河支流，自苑家口折西北，流三里，逕栲栳圈西，又十里逕關王堂東，又折北五里入護城河，秋霖一漲，舟楫環城，今淤。霸州周志：清河自文安縣折北，一支入州南，由王家房起，東北流，逕賈家莊至臺山郫，會于中亭河，又折而西北流，逕關王堂、山川壇入護城河，又名通濟河，卽會同河下流。又曰：通濟河在州東，由苑家口逆流達栲栳圈，經關王堂、山川壇，轉折而北，入護城河。每秋霖河漲，舟楫直抵城下，今淤。

高橋淀，方輿紀要曰：霸州東七十里，周迴三十里，州壤卑下，西北諸山水多會州境，然後東流，出丁字沽，注白河入海。霸州周志曰：周迴百里，乃栲栳圈，衆流所聚者，入柳汊河，會堂二淀，淀在州東六十里。八字河在州東七十里。諸水至柳汊口，合流，逕堂二淀而分，故名。

頭道河、二道河、三道河，並清河支流，屈折東北，而合逕信安，霸州周志：頭道河、二道河、三道河，三河俱自會同河支分，東北折而復會，達信安大河，今淤。按：信安鎮在城東北四十五里，今無水。煎茶鋪，出頭道河，流逕温家口，又東北逕信安，亦淤。據同上。

褚家河在會同河東，今淤。據同上。

又與渾河、白溝河合。

清河昔與渾河、白溝合流于霸州東南。據霸州舊志。周志：今渾河東從白溝，自清河門入淀，與唐、沙、磁、清苑、易、雹諸水混流，皆非舊迹矣。

唐河、沙河、磁河，爲清河南派之源，其支流故道，亦逕順天府境。方輿紀要保定縣下云：玉帶河在縣北，繞縣東南，入磁河。或曰霸水下流也。磁河在縣西南。一統志：源自保定府安州，聚九河之水，至雄縣爲瓦濟河，至保定縣爲磁河，東南流入文安縣界。志云：縣東北自路疃郵起，直抵西營、唐頭等郵，計長十四里，其南爲文安縣界，此則霸州也。又霸州下云：沙河在州南，又有唐河與沙河合流而東，蓋九河水匯流于安州、雄縣界，溢而旁出者也。東逕文安縣界入海。其入海處，呼飛魚口。寰宇記謂之五渠水，又謂長鳴水。城西有瓦河水，亦合流于沙河。霸州周志：飛魚口在州城南，沙河與唐河合流處，俗呼飛魚口，卽魚津窪也。一名五渠水，又名長鳴水，見長安客話。三郡記：後魏延興初，文安縣人孫願捕魚於五渠水，得大魚，狀如鯉，食之，俄風雨晝昏，惟聞鳥飛聲，比霽，有人乘船至，云見魚無數飛入海，願遂不復漁，因呼入海處曰飛魚口。又寰宇記謂瓦河水在永清縣西南三百步，其上流與中亭河故道。

從雄縣吴家臺，逕保定縣北，入玉帶河。康熙三十年開之，上接十望河，卽王各莊河。下接臺山河，以減玉帶河之水。後渾河淤至勝芳，下流遂塞。十望河自張青口來者，白溝流沙淤墊，上流亦斷。雍正三年，怡賢親王奏開中亭、十望二河。而十望河積水未開。五年，遂至口頭對舉之下河門開引河一道，分玉帶河水注中亭河。據霸州周志。

子牙河

子牙河上流曰滹沱河，出山西繁峙縣東北。

滹沱卽禮記禮器所云惡池也。鄭注：惡當爲呼聲之謳。釋文：惡本作虖。周禮云虖池。水經注云滹池，又云呼池。秦詛楚文又云亞駝。初學記引水經注逸文：專池，專卽虖之譌。名勝志又云：山海經文作灌池。按：灌當是霈之譌。晉書音義：滹本或作霈。寰宇記又有魯沱之名。漢地理志，勃海郡成平縣下云：滹沱河，民曰徒駭，曰民俗稱也，未必卽禹貢九河之徒駭成平爲交河縣，今流逕交河者，滹沱別河也。滹沱源出繁峙縣東北百三十里泰戲山品字泉，西南流逕代州、崞縣、忻州、五臺縣、盂縣，入直隸境，又東逕平山、靈壽、正定、藁城、晉、束鹿、深、武强、獻、河間十州縣，入順天府境，其被子牙河名，始獻縣臧家橋。雲龍子牙河源流考：子牙河上流曰滹沱河，出山西繁峙縣東北百三十里泰戲山品字泉，涓流不竭。通典云：縣南九十里。太平寰宇記云：縣東南九十里。方輿紀要云：百二十里。而今水經止云三十里，尤誤。山海經郭璞注、漢書志師古注云：出鹵城。考鹵城在今繁峙縣東一百里，未省并時，故云鹵城耳。周禮職方氏并州：其川虖池。今按：其水導源品字泉，西南流三里逕故福都，合玉斗泉，亦呼青龍泉，又西數里，有老泉，三源合流注之，又西逕沙澗泉，合北樓口水，又西逕新興邨，合白華巖嶺水。山西通志曰：水在繁峙縣東南百里，西北入滹沱，又逕縣城南，又西入代州三里河，七里河，西峩河，東關河，羊頭神河，九龍河注之。東關河卽方輿紀要所謂常溪水者是。滹沱又西南流，逕崞縣東南龍泉，南橋河，陽武河，銅河，北橋河，板橋河注之。龍泉源二。明地理志曰：在縣西北，北曰上龍泉，南曰下龍泉，合入滹沱。又西南逕忻州北之忻口蝦蟆石，折而東，逕定襄縣北。元和郡縣志：定襄縣滹沱水，西自秀容縣流入。唐秀容，卽今忻州也。忻川水合沙河，南河，金水河，一滴泉，山泉，海滿泉注之。牧馬川合石代橋溝嵐水，緑水泉，三會泉注之。又東南逕五臺縣西南，合聖阜水，又華嚴河，東峪河，野馬溝注之。清水河合射虎川。盧虒水，虒陽河又注之。又東南逕盂縣北，烏河，温泉注之。龍化河合興道邨泉又注之。又東流入直隸平山縣界惡石口，一名卧石口，在城西北百一十餘里，東南流逕卧石邨南，細水河自盂縣注之，又十三里，逕水關口北，沕沕水西來注之。平山朱志云，勿勿，今依方輿紀要。又五十里逕洪子店鎮北，又四十餘里逕城西北，冶河注之。水之上流曰綿蔓河，出山西平定州綿山，東北流孃子關，五里入直隸井陘縣，在城南四十里，屈曲東北流二十八里，逕百華山北，又十二里逕城南，又二十三里逕横口西南，合甘淘河水，出平定州松子嶺，從楊莊口入井陘縣界，在城東南四十餘里，北流四十五里，注綿蔓河，又東北十里逕微水店西，又名微水，出太平橋，又里許合金珠泉水，出井陘東南四十餘里之金珠嶺，西北流三十里，注綿蔓河，又東北流三十五里東冶邨西，冶河目始此。又十里入平山縣界，在城西五里，東北流十里，逕城西北出冶河橋，又四里逕合河口入滹沱，與元河渠志冶河入縣東北十里入滹沱正合。滹沱又東北流十六里，入靈壽縣界，在城西北十五里，東南流，逕王角邨西，又四里逕牛城西，又七里逕忽涷南，又十里逕南合邨南，在城南八里，又二里合嵩陽河。水源二：一、西源，出靈壽縣西北四十五里之許家莊，東南流三十八里，逕南狗臺東；一、東出縣西北三十餘里之柳家莊，在西源之東十里，東南流二十餘里，逕西凡同西，二源合流。又東南流十五里，逕城之東南，合温泉水。水出城北五里，一名泥河，俗呼淤泥河，東南流十里，逕岡頭西，注嵩陽河。嵩陽河又東南四里入滹沱，滹沱河又東南六里合衛河。水出靈壽縣東北二十里良同邨，泉可畝餘，其深不測，邨民飲畜多溺焉。東草數萬，聳土石塞之，泉雖存而出水甚微。其水東南流二十餘里，出衛水橋，又三里逕同下邨西，又一里入滹沱。漢地理志曰：靈壽，禹貢衛水，出東北，入滹沱。明地理志曰：靈壽衛水，源出恆山。禹貢恆衛既從，即此，俗名雷溝河。方輿紀要引水經注：衛水出靈壽縣西，東北入滹沱。西字疑衍。禹貢錐指謂滹沱即禹貢之衛，殊尠碻據。以出泰戲者爲別源，正源又安在耶？滹沱入正定縣界，在城西北四十里，又東南流十里逕白店西，又三十五里，逕城南六里出官渡口，又二十里入藁城縣界，在城西北二十餘里，東南流二里，逕中奉邨北，又十五里合西韓河，今謂之周河。真定知縣周應中濬渠教稼，故名。導源縣城西北二十五里大鳴泉，泉東三里曰小鳴泉，泉西二里曰韓泉，又西二里曰周泉，四泉東南流，六里而合，曰西韓河，逕西韓河邨西，出雕橋，水分爲二，四里復合，又五里出柏棠閘，曰柏棠河，又六里逕城西，又南轉東五里，逕城南又五里，逕林濟邨南曰林濟河，出勻注閘曰東大道河。又八里合旺泉河水，出正定縣東北三里，東流一里逕西洋邨南，又十里出大石橋，又南一里注西韓河，入藁城縣界，在滹沱入界之北四里，逕故營邨南，又東南二十五里逕只照邨西，曰只照河，又一里入滹沱。畿輔安瀾志謂注滹沱在未入藁城以前，非也。滹沱河又東南八里逕藁城縣城北爲渡口，又二十五里逕廣陽邨北入晉州界，在城西南二十里，逕相古莊南，又東南十五里出道濟橋，又三十里逕尹家莊南，入東鹿縣界，在城西二十五里，逕東張岔北，又三里逕八里莊北，又六里逕北傅莊南，南傅莊北，分爲二，又十里復合，又六里逕城西，又二里逕石千北白龍莊，水西北來六里注之，又八里入深州，在城西南五十五里，逕滿家灣南，又一里逕張家屯北，又四十里逕孫家邨南，分爲二：一、南支東流十五里逕大屯南，又折北十五里逕三龍堂南；一、北支東北流十五里逕護駕池，亦曰傅家池，又十五里逕三龍堂南。二支合流，二里入武强縣界，在城西南二十里，東北流十五里逕豆腐營西，又五里逕城西，又六里逕駱駝灣南，又二十餘里逕河南屯之西北，合滏陽河，水出磁州，本名滏水。源二：南源出州西南四十里神麕山，東北流八里，逕黑龍洞，又八里出紙坊橋，又二里與北源合；北源出州西北四十五里石鼓山，東南流六里逕臨水鎮西南，與南源合。合流而東，七里逕九龍口，又五里灑爲五爪渠，北出曰北渠，十二里逕曲溝約東，又折東十五里出梁王橋，又七里與中南渠合。中渠出西閘，四里又分爲二：一、東北流十六里合南渠；一、東南流四里逕城西合南渠。南渠東南折向東北十里合中渠，分支又東北流四里出城南偃月橋，又十五里合中渠，又三里出東閘，合北渠，分支既合，又東北流十五里出東城橋，合牤牛河，此又一牤牛也。出磁州城西北三十五里蔣邨，東流二里逕彭廂北，又十里逕賀蘭邨南，合賀蘭邨水，又東二十里入滏陽河。滏陽河又東北流四里逕閻家淺，南澗河注之，水出磁州城西北四十二里河口，東流二里逕安河邨南，又三十里入滹沱。滹沱又東北四里入邯鄲縣界，在城西南二十餘里，北流六里出張莊橋，又八里出羅城頭閘，合渚河水。出邯鄲縣西南三十里，逕于二莊北，又十里逕趙王城北，又十餘里逕城南，五里許又東南五里注滏陽河。滏陽又東北十里逕蘇曹邨西，合沁水。水源二：一、爲牛叫河，出邯鄲縣城西二十五里紫山，東南流五里，合巖嵛河。巖嵛河出紫山南十二里，東北流三里逕店子灣東，又三里逕張家莊東，又四里與牛叫河合，東南二十里逕城北，出學步橋，又七里入滏陽河。滏陽河又西北流六里出劉莊橋，又折而東南，逕馮莊西，合輸黿河。水出邯鄲縣西北二十里工程邨南，又東南流二十二里注滏陽河。滏陽河出馮邨橋，東流八里出蘇里橋，又東北八里逕賈葛口北，入永年縣界，在城西南二十里，逕南井塞北其水北劉累河出焉。滏陽河又東北十二里出安惠橋，又八里出城南廣濟橋，又二十餘里逕于家砦北，又二里入曲周縣界，在城西南二十里，逕西朱堡北，又東北流五里出滏陽集橋，又八里出劉屯橋，又四里出城南南新橋，又四里出城東廣川橋，又三里出牛橋，又六里出七岔路橋，又折而西北十里出馬町橋，又二里入雞澤縣界，在城東南二十五里，西北流十里出舊城橋，又八里出庚子橋，又一里入平鄉縣界，在城東南十里，西北流一里出隄西邨橋，又九里出徐家莊橋，又轉東北十五里出油召邨橋，又折西北十里出仲義疃橋，又三里入任縣界，在城東南四十里，西北流八里出普濟橋，又十里出北定橋，又十二里逕邢家灣西，大陸澤水從雞爪河東流來會。大陸澤在任縣東北二十里，俗呼張家泊，又呼南泊，對甯晉泊言也，東西廣十三里，南北袤三十五里。所受諸水，在滏陽西三里爲劉累河，水出永年縣城西南十五里，滏陽河北岸九閘之水，渙流通波，積爲大川，東北十餘里逕城南又二十里入雞澤縣界，在城南三十五里，北流十五里出落西口橋，又二十里逕城西，又二里入南和縣界，在城東南三十餘里，東北流三里出胡家橋，又東三里入平鄉縣界，在城西六里，東流折北三里出落漠橋，又西北流四里仍入南和縣界，在城東北三十餘里，西北流二里出胡佃橋，又東北流十里入任縣界，在城東南三十餘里，東北流二里出孟家橋，又五里逕劉累邨北，劉累河之目以此。又三十里逕尼家莊，南合洺河，入大陸澤。洺河自河南武安縣入永年縣界，在城西北六十餘里，逕紅山西，東北流七里逕婁里北，又轉東南五十餘里入雞澤縣界，在城西南四十餘里，東北流三十五里逕城西，又六里逕馬坊營西，入南和縣界，在城東南三十里，北流二十里逕高邨西，入任縣界，在城東南三十里，東北流三十里逕尼家莊東，合劉累河，又六里合澧河。澧河分自沙河，源出山西遼州境，一名湡水，分流入沙河縣界，一、從大嶺口，在城西九十里，東南流十五里；一、從黃背巖，在城西南九十餘里，東北流十五里。二支合流而東二十五里逕侯玉邨南，又東北流二十餘里合野河，水出邢臺縣西八十里諸澗谷，紆曲出山，東南流二十餘里逕老倉會北，又八里逕栲栳洪山，又名洪河，亦曰紅河，又三里入沙河縣界，在城西北六十里，東南流十里合湯河水，出沙河縣西北五十五里湯山北，東北流六里入野河，又東南流二十餘里逕左邨東入沙河。沙河又東流二十里逕上鄭莊分爲二：一、南支東南流三十里，入永年縣界，在城西北四十里，逕南要南，東南流二十餘里入雞澤縣界，在城西南二十里，東北流二十里逕馬莊東，入南和縣界，在城東南二十餘里，逕高家莊東北流三里出東善橋，又二十里入任縣界，在城東南三十里，亦曰沙洺河，又名新沙河，東北流八里逕程兒砦西，又名程砦河，又折西北二里逕駱莊東，又北十五里入大陸澤合澧河，澧河即沙河北支也。自沙河縣上鄭邨北東北流十五里逕城南河心鋪，又二十里入南和縣界，在城西南十五里，東北流十五里出城南宗義橋，又二十餘里出朱家橋，又二里入任縣界，在城東南十五里，東北流逕孫社邨東，東北流十里入大陸澤，又六里合于澧河，又有百泉河，古滮水，出邢臺縣界南十二里百泉邨，地泉争沸，難可枚舉。東北流二里合七里河，水出沙河縣城西北四十五里，東南流五十里與百泉合，又東南十里逕河會北，入南和縣界，在城西十六里，東北流三十里入任縣界，在城東南十里，東北流十餘里入大陸澤，又六里合順水河，百泉支流也，出邢臺縣東南十八閘，通波散注，逕南和縣北之賈宋邨北，入任縣界，在城南八里，東北流逕南甘塞，積水成河，又四里達活泉支流注之。達活泉出邢臺縣城西北四里，東南流三里野狐泉，出縣城西北十里，東南流七里注之，達活泉，又東南流四里合沙底河，水出邢臺縣城西二十里火石岡，東東流二十里逕城北出橋，又曰響水河，又三里入達活泉，又東北流二十里入任縣界，在城西七里，分支東出，曰牛尾河。又六里環城爲濠，北出仍入達活泉。泉自入界，東北流十三里逕城北，合支流，又十餘里入大陸澤，又十里合聖水河，水出任縣城西北十五里聖水井。東北流八里，柳林河注之，水出内邱縣城西四十里龍騰山，古龍騰水也，一名小馬河。東南流九里出九龍橋，又四十餘里入唐山縣界，在城西南三十里，東流逕邢邨北，又十里逕唐莊北，又東南三里入任縣界，在城北二十里，東南流三里入聖水河，逕劉家屯南、又十里出西馬橋，又一里入大陸澤，又四里與澧河既合諸水，又東北五里入隆平縣界，在城東南二十里，東北流四十餘里入甯晉縣界，在城南三十餘里，入甯晉泊。泊之北距城二十里，東西廣十二里，南北袤十五里，一名胡盧河，一名北泊，泊之新挑河水入滏陽河。滏陽河自大陸澤東北又東流五里，鉅鹿縣界里許，即入隆平縣界，在城東南二十餘里，東北流四十里入甯晉縣界，在城東南三十餘里，東北流二十里，甯晉泊水從新挑河注之，又東十五里入新河縣界，在城西三十里，東北流二十餘里，逕平頭樓北，又折東南十五里逕城北，又轉東北十五里入冀州界，在城西三十里，東北流一里逕柏牙莊，又四十五里入衡水縣界，在城西三十里，東北流三十二里逕城北，又二十里逕夏家邨北，入武邑界，在城西二十五里，東北流四十里入武強縣界，在城東南二十里，東北流十八里出惠濟橋，又二里入滹沱，滹沱又東北十五里逕馬頭邨東入獻縣界，在城西南三十里，東北流九里逕完固口南。分支東北流曰完固口河，卽滹沱別河也。滹沱又北流二十里出獻縣城八里橋，又分支東北流曰黑龍港支河。滹沱又東北流十里出臧家橋，曰子牙河。又三十五里出沙窩鎮橋，又六里入河間縣，在城東南三十里，逕郭家屯東，又東北流二十里逕沙河橋東，又十里出念祖橋，又十里出張各莊橋，又十四里出劉各莊橋，又五里逕正邨北，又五里入大城縣界。其別河出獻縣完固口，東北流三十里逕九蓮山北，又五里入交河縣界，在城西北三十里，東流八里逕潘邨北，又十四里復入獻縣界，六里許又入交河縣界，又東流十二里逕高龍華南，合亭子河，水出獻縣西南三十里行宮東，東北流三十里入交河縣界，在城西北二十里，東流九里逕郝邨北，又四十里入滹沱別河，別河又東北流十五里，分支東南曰桃水溝，流四里許入古漳河。別河又東北二十里入青縣界，在城西南六十里，東北流十五里逕杜林鎮東，合于古漳河。其黑龍港支河出獻縣城西雙隄口，東北流二十里逕萬春山南，又四十里逕沿莊南，又十里入河間縣界，在城東南五十里，東北流二十里逕景和鎮南，又十五里逕崇仙汛北，又二里入青縣界，分爲三：一、東支亦曰馬家河，東北流逕西河頭西，又十五里逕萬良寺西，又二十五里逕木門店西，又二十里逕北柳鋪西，又十里合中支；中支亦名胡家店河，從入界東北流五里逕大曲頭西，又十五里出吳高橋，又五十里合西支；西支逕青縣境，入大城，復入青縣，與中、東二支合，又北流六里入大城縣界十里，又入青縣界，東北流四里逕廣福樓東，又六里逕黃鎮窪，西，入靜海縣界，在城西南四十里，北流二里逕灘子頭東，又二十里逕東河頭西，又十里合老君泊。泊東合固家窪，西合蒲港窪。蒲港窪圍四里許，東北流三里入老君泊。周家窪圍二里許，西北流一里入老君泊，東西廣六里，南北袤二里。又北爲秀才泊，又北爲千金泊，二泊廣袤如老君泊，通波沿注，三支北出。中支北流十二里，東支北流十五里，西支北流十里，並入子牙河。子牙河从大城縣曲折東北流百餘里入静海界，在城西少南二十六里，出大瓦子頭橋，受子牙支河一名牛欄河，亦曰牛欄淀。子牙河又東北二十餘里，與黑龍港河合，又四十里入天津縣界，在城西三十里，東流二里逕楊柳青南，把總駐此，又十里逕大梢直口北，又十里逕小梢直口北，又五里逕梁家嘴南，又一里逕礮臺北，又六里出天津府城南浮橋，在南運河北一里，清河南三里，又二里與北運河合，而達于海。

東北流，過大城縣東，又過静海縣，至天津縣入海。

子牙河從河間縣入大城縣界，在城西南三十五里，俗呼下西河。據大城縣册。東北流三里，逕東馬邨東，城西南三十五里。又七里逕臧家莊西，又一里逕廣安鎮東，城西南十八里。又三里逕野固獻西，城東南十五里。又二里逕賈邨西，又一里出白洋橋，城東南十二里。又八里出趙扶橋，橋在南、北、中三趙扶邨東。又三里逕城東，十里許又五里出姚馬渡橋，又十里分支東北出曰新河，其經流又北十里逕北馬房東，又五里逕臧莊東，又三里逕西子牙鎮東，子牙河之目，雖始臧家橋，然實以鎮氏也。出子牙鎮橋，又六里逕鄭莊東，又六里逕王家口鎮東，外委駐此。又一里出王家口小橋，橋在王口邨南，橋東有閘，引河出焉。枝津西注文安大窪，子牙河又東北流折入静海縣界里許，出瓦子頭橋，橋北有二閘，一南閘在二堡西，一北閘在三堡西，分引西流而合，又西逕土橋頭南，入文安大窪。子牙河又東北流一里逕莊兒頭東，又半里逕大六分西，入静海縣界，大城册：自西南馬邨入境，至東北大六分出境止，百餘里。與子牙支河合，又與黑龍港河合。

黑龍港西支，自青縣入大城縣界，在城南三十八里，北流東轉三里，逕舊鎮南，又折而東南三里入青縣界白塔務東，又屈曲東南折而西北八里，逕邢家廟西，入大城縣界，又西北屈東十里入青縣界，又東流折而東北六里，逕長蘆疃西，入大城縣界，東北流逕大木橋郈東，又東北流十里逕蓋義莊北，入青縣界，一里逕空城鋪北，與中、東二支合，通呼黑龍港河。又北五里，復入大城縣界，西北流二里，又東北流五里，逕大莊西，又一里逕段家莊東，又二里出界，逕青縣廣福樓南，又逕静海縣，注子牙河，而達于海也。尾流詳源流考。

其故道虖沱河，合虖沱别東至文安入海。

漢地理志代郡鹵城下云：虖沱東至參合入虖沱，别過郡九，行千三百四十里，并州川。從河東至文安入海，過郡六，行千三百七十里。雲龍按：合，當依禹貢錐指錢坫新斠注，汪遠孫校志本引段玉裁説作户。别，别河也。錢云：從疑作别，則非。如仍爲别河，無論河字之有無，而所過何又異耶？段云：作徙近是。漢志：河間國弓高下虖池，别河首受虖池河，東至平舒入海。汪遠孫曰：平舒即勃海郡之東平舒，非代郡之平舒，省言東耳。徐松曰：脱東字，汪、徐二説是也。東平舒今大城縣治，别河今至青縣入古漳河，不逕大城境，虖沱亦不逕文安境矣。然同治七年，子牙河徙注文安大窪，未必不與漢時水道近。虖沱下流久爲漳水所亂，漢文安有漳水故道：史記趙世家：惠文王二十一年，趙徙漳水武平西。二十七年，徙漳水武平南。正義曰：括地志，武平亭今名渭城，在瀛洲文安縣北。方輿紀要括地志云：在文安縣北七十二里，戰國時地屬趙，蓋是時漳水北入大河也。按：紀要引史記云，二十六年徙漳水武平東。文安楊志云，又徙漳水武平北。皆誤。楊志又云，武平卽勝芳。水經漳水注曰：清漳又逕東平舒縣故城，分爲二，一注呼池，謂之澱口。東平舒卽今大城，與子牙今道猶爲不遠。漢虖沱與漳合，後魏虖沱與滱、易諸水合。滱水注曰：滱水分二，一入呼池，滱水注易。水經易水曰：易水東過安次縣南，又東過泉州縣南。注曰：易水東至文安縣，與虖池合。班固、闞駰咸以斯水謂之南易。巨馬水注曰：巨馬水于平舒城北，南入虖池。淇水注曰：清河至泉州縣北入虖沱。鮑邱水注曰：南極虖沱，西至泉州雝奴。沽河注曰：清、淇、漳、洹、滱、易、淶、濡、沽、虖沱同歸于海。按：南易水今曰雹河，滱水今曰唐河，與巨馬河同爲清河别源。虖沱東逕文安縣北，與滱、易合，又東逕平舒縣北，與巨馬水合，又東南逕泉州縣，與清河、鮑邱水合。今大城于漢爲東平舒，于魏爲平舒，此魏後虖沱逕今文安、大城、武清三縣之故道也。按：安次縣故城在今東安縣城西北四十里，俗呼古縣。見東安李志。

又改道文安、保定二縣，穿五官淀。

從雄縣，逕文安、保定二縣，穿五官淀，匯流入海曰洋河，卽唐河故道也。據畿輔安瀾志，參文安楊志。

又改道入文安大窪，尋涸。

從河間、任邱等縣流爲黃龍港河，入文安大窪，久淤。據畿輔安瀾志，河間縣志。

西黑龍港支流曰王淋口支河。

黑龍港三支，西支最長，起獻縣，逕河間縣之牙兒莊、王淋口，支河出焉。自縣城東引流入大城縣境，長六里有奇，又東北逕孔家務、白塔務，又逕縣城東南之遠南頭，其東岸則青縣之邢家務。據畿輔安瀾志。按：王淋口支河長一千一百三十丈，乾隆五年，河間知縣李時憲重開。

滹沱支流過大城縣東曰沿河，與黑龍港支河合，又曰交河。

沿河者，滹沱河支流也。自河間縣龍華橋轉入大城縣南境馬邨、閣邨，東北逕十里灣，自南而東，逕白羊渡、四呈口，合黑龍港支河在城東二十五里交河邨，又北折逕縣東十二里趙扶邨北，合子牙河，又分爲二：一、流三岔口；一、流王家口，入静海縣三家淀。據大城張志，參畿輔安瀾志。又有黃汊河。一統志曰：在大城縣東北八十里，上源卽易水。文安分流入境，東北入三角淀。畿輔安瀾志曰：此子牙河分支，上流與正支斷，下流入新河。

子牙河西支合一。

子牙河由王家口分東、西二股，雍正四年，障其西，流歸一。據怡賢親王、大學士朱軾奏。

王家口支流凡三。

王家口爲子牙舊河入淀之尾閭，先是三支分流，東、西兩支皆淤成高阜，止存中支。據乾隆五年總河顧琮、總督孫嘉淦奏。

又合清河。

子牙河從莊頭邨逕臺頭，合清河。詳河工。

其後大城縣子牙河以支作正。

楊家口子牙支河，至閻兒莊東堤止，長八里有奇。乾隆十八年，寬十四五丈，深七八尺，並一丈一、二尺不等，挑河一道，下接黑龍港舊河。據總督方觀承奏。二十九年，從子牙邨南接，穿隄而出，斜向東北，挑新河二十里，至東瓦子頭入正河。據畿輔安瀾志。水大之年，新、舊合爲一河。據同上。

又改流過保定縣、霸州、大城縣至文安。

同治七年，子牙河上流滹沱河稾城北，徙注饒陽縣古羊河，又從雄縣逕保定縣、霸州、大城入文安大窪。光緒八年復故道。詳河工。

德清傅范初校

河渠志五

河工一

德清傅雲龍纂　江陰繆荃孫覆輯

史記河渠，塞決穿渠，罔弗甄録；漢志溝洫，因而加詳，厥例不自班馬始也。書言決川距海，濬畎澮距川，其濫觴與？禹貢治水，因堯都而先冀州，今順天府卽當日冀州之地，營田繫之，漕運繫之，帝都之襟帶又繫之。治有萬端，可兩言備，曰疏，曰築，亘古弗踰。雖然，隄高淤亦高，淤南則決北，淤北則決南，牆上築牆，厥譬可喻，莫若以濬爲疏，河深隄自高矣。乾隆三十六年，裘文達曰修董永定北運河工疏：有築不如疏一語，高宗純皇帝深韙之，誠治河金鑑也。疏之道三：宣下口，其首務也；高灘老坎，弗治則決，濬中泓次之；枝津一瀆，弗容則溢，開支河又次之。就河言，疏北運河宜曲，資蓄水也；永定、清河、子牙諸水宜直，免頂衝也。輔之以築，庶無枉功。埽也，椿也，皆以護隄；壩也，埝也，閘也，涵洞也，總之，不離乎蓄洩者近是。志河工。

永定河

永定河道，嘉慶十四年，直隸總督温承惠奏定請旨簡放，重河工也。

石景山同知轄汛六：曰石景山汛外委，管宛平縣東岸隄工，起北金溝，訖盧溝橋北雁翅，凡十八里五分有奇，其號一至二十。曰盧溝橋汛宛平縣巡檢，接管東岸隄工四里二分，其號二十至二十四。

外委經管：一號，北金溝片石隄長十丈，南金溝片石隄長三十丈七尺。（內幫並加片石戧隄，南、北金溝四十丈七尺，向編一號。）二號，石景山前片石隄，長八十丈，（內幫片石戧隄，共七十一丈。）大石磨盤隄長十五丈五尺，大石隄長八十四丈五尺，（大石隄內幫並加片石戧隄。）大片石挑水壩長九丈。三號，片石隄長一百三十三丈，（內幫片石小戧隄十七丈。）大石隄長四十七丈，大片石三尖壩長十五丈，片石順水壩、月牙壩各長十六丈。四號，大石隄長七十三丈，片石隄長一百七丈，大片石挑水壩長六丈，片石雞嘴壩長四丈一尺。（北惠濟廟前鎮水鐵牛一。）五號，土隄長一百八十丈。（內幫並加片石戧隄。）六號，片石隄長一百八十丈。七號，土隄長如六號數。（內幫並加片石戧隄。）八號，土隄長九十五丈，（內幫並加片石戧隄。）石子隄長八十五丈。九號，石子隄長一百八十丈，（內幫片石護隄十三丈。）大片石壩長二丈五尺。十號，片石隄長一百八十丈。（內幫大護隄三十七丈。）十一號，片石隄長一百四十丈，土隄長四十丈。（土隄內幫並加片石戧隄。）十二號，土隄長一百八十丈。（內幫並加片石戧隄。）十三號，土隄長八十二丈，（內幫並加片石戧隄。）石子隄長九十八丈。片石饅頭壩凡五，共長二十丈。十四號，大石片石隄長一百八十丈。十五號，大石隄長一百七十七丈。十六號，片石隄長八十丈五尺，大石隄長九十九丈五尺。十七號，大石隄長三十九丈五尺，片石隄長八十八丈。內幫片石戧隄七十丈。大石隄長十丈，片石隄長四十二丈五尺，片石小挑水壩長六丈。十八號，片石隄長二十二丈五尺，大石隄長一百五十七丈五尺。上有石子埝四十六丈。十九號，大石隄長一百八十丈。上並加石子埝。二十號，大石隄長六十丈五尺。工尾，盧溝橋北雁翅也。過此爲盧溝橋汛，片石隄長一百二十丈。內幫片石戧隄四十二丈五尺，石子埝四十六丈六尺。二十一號，片石隄長一百八十丈，片石雞嘴壩長三丈五尺。二十二號，片石隄長一百八十丈。二十三號，片石隄長一百八十丈。二十四號，片石隄長一百八十丈，大石月牙壩長三十二丈。二十號與外委分九十六丈。據永定河續志二。按盧溝橋巡檢改爲石景山工汛，自嘉慶七年始，其第二十號與外委分管。

永定河志五石景山工程：石景山同知轄巡檢，經管石景山東、西兩岸石土隄工。舊係工部司員管理，所編號數丈尺，長短不均，且兩岸通編爲天字三十九號。雍正八年，奏歸永定河設同知經理。乾隆二十八年，始分東、西兩岸，東岸長二十三里五分，編二十四號。西岸長十四里，編十四號。四十九年，河道陳琮以隄工號數定隄一百八十丈爲一里，稟請咨部更正。除南、北金溝石工二段，舊例爲一號外，東岸自南金溝起，至北岸上頭工交界止，長二十三里九十六丈，編爲二十四號；西岸盧溝橋以北，地勢高阜，舊本無隄，自橋翅南起，至南岸頭上交界止，長十四里，編爲十四號。東岸第一號，北金溝片石隄長十丈，南金溝片石隄長三十丈七尺。雍正九年以前，工部修建。乾隆十七年築片石戧隄，共長四十丈七尺。第二號，石景山前片石隄長六十九丈五尺，雍正九年以前，工部修建。乾隆六年修補，片石戧隄長六十三丈。片石隄長七丈，大石隄長十五丈五尺，片石隄長八十丈，土隄長八丈。內幫砌片石戧隄。第三號，土隄長一百三十三丈，大石隄長四十七丈。雍正九年以前，工部修建。乾隆元年，廟後大石隄殘缺，修補片石隄十五丈。三十四年，拆修，改築大石片戧隄十六丈，內幫片石戧隄一百三十三丈五尺。第四號，大石隄長七十三丈，雍正九年以前，工部修建。乾隆元年，修補片石隄十五丈。三十四年，改十六丈。石隄長一百零七丈，乾隆五年，加大石戧隄二十丈，又南接片石戧隄二十五丈。十八年，補修片石戧隄五十一丈五尺。雞嘴壩一座，長四丈一尺，北極廟前鐵牛一具。第五號，土隄長一百八十丈，內幫片石戧隄。隄上横道通西山煤廠及潭柘、戒壇之路，隄身大石包砌，名旱橋。第六號，土隄長一百八十丈，內幫片石戧隄。此號內舊大石片石隄長十九丈二尺。乾隆四十六年，修築片石戧隄長二十五丈。

乾隆五十年，修築片石戧隄三十丈。第七號，土隄長一百八十丈。內幫片石戧隄。第八號，土隄長一百八十丈，內幫片石戧隄。攔河土壩一道，長八十丈。乾隆三年築。第九號，土隄長一百八十丈。內幫片石戧隄。第十號，土隄長三十三丈，片石隄長六十丈，片石隄長六十七丈，內大石護隄三十七丈，乾隆元年修砌。片石隄長二十丈。第十一號，片隄長三十四丈，片石隄長五十二丈，乾隆二十三年築。三十年修，築大石片石戧隄三十六丈零五尺。片石隄長五十四丈，乾隆二十四年接築。土隄長四十丈。內幫片石戧隄。第十二號，土隄長一百八十丈。內幫片石戧隄。第十三號，土隄長一百三十七丈，石子隄長四十三丈。第十四號，石子隄長一百七十五丈，乾隆二年，加築灰頂八十五丈。乾隆三年，內幫砌大石片石戧隄一百七十五丈。大石隄長五丈。嘉慶六年，補還漫缺石隄一段，長七丈，高一丈六尺。第十五號，大石隄長一百一十五丈，雍正九年以前修建，乾隆四年修補，上有灰頂。上壩臺大石隄六十二丈。上有灰頂，乾隆五年築片石小戧隄十丈。第十六號，石子隄長八十丈五尺，乾隆元年，壩臺南砌片石戧隄二十八丈五尺。三年，上下壩臺中幫石片石戧隄五十二丈。十三年，補修片石戧隄三十二丈。下壩臺大石隄六十一丈，大石隄長一十八丈五尺，雞嘴壩一座，長四丈五尺。第十七號，大石隄長三十九丈五尺，片石隄長八十八丈，雍正十二年築戧隄二十丈。乾隆八年，幫片石戧隄長七十丈。大石隄長十丈，片石隄長四十二丈五尺。內加片石戧隄四十二丈五尺。乾隆九年，築攔河壩十二丈，又接砌大石片石挑，砌大石片石挑水丈石片橫隄長十六丈。第十八號，片石隄長二十二丈五尺，內加幫片石戧隄二十二丈五尺。大石隄長一百五十七丈五尺。內幫大石片石戧隄五十丈。第十九號，大石隄長一百八十丈。第二十號，至橋北雁翅止，大石隄長六十丈五尺，接南雁翅，石子隄長一百一十九丈五尺。內加幫片石戧隄四十五丈，片石小戧隄三十丈，片石戧隄四十三丈五尺。嘉慶十一年，隄頂上加砌石子埝一段，長十三丈五尺。嘉慶十二年，隄頂上加石子埝一段，長四十四丈五尺。第二十一號，石子隄長一百七十一丈，乾隆四年修砌片石斜戧六十五尺。土隄長九丈，內幫片石戧隄九丈。此號連下號，嘉慶十二年隄頂上石子埝一段，長一百一十丈零五尺，雞嘴壩一座，兵舖一所。第二十二號，土隄長一百八十丈。內幫片石戧隄一百八十丈。嘉慶十一年，隄頂上加石子埝一段，長七十三丈。第二十三號，土隄長一百八十丈，內幫片石戧隄百八十丈。此號嘉慶六年補還漫缺石隄一段，長一百八十六丈五尺，高一丈五尺，又添砌月牙壩長三十三丈，高一丈五尺，嘉慶十一年，隄頂上加石子埝一段，長九十九丈五尺。第二十四號，土隄長九十六丈，內幫片石戧隄九十六丈。嘉慶十二年，隄頂上加石子埝一段，長二十八丈。雞嘴壩一座。按：西岸提工十四號，嘉慶二十一年撥屬南岸同知。

曰北頭工上汛，曰北頭工中汛，並武清縣丞管，隄各十五里，號亦各十五。曰北頭工下汛，宛平縣丞管，隄十七里三分，號凡十七。下汛十號已上，皆宛平境也。已下，良鄉縣境。

上汛外越隄二號至四號，長五百三十八丈。四號至五號，長一百五十五丈。五號至七號，長三百十有七丈。十四號至十五號，長二百八十丈。中汛外越隄一號至二號，長四百二十丈。四號至六號，長三百七十丈。九號至十號，長三百四十丈。十一號至十二號，長二百三十丈。內越隄十一號至十三號，長二百五十四丈。據永定河續志三。先是，北頭工宛平主簿管，四十七號，乾隆四十六年，移南九工武清縣丞於北頭工，管一號至二十二號，凡二十里。宛平主簿管二十三號至四十七號，凡十七里三分。嘉慶十一年，北頭上汛武清縣主簿移自北九工，管隄十五里，以原設上汛爲中汛，管隄十五里，其下汛仍舊，管隄十六里三分。正月，直隸總督裘行簡奏，將三角淀屬北隄九工，武清縣主簿移駐北岸頭工，作爲上汛，原移上汛武清縣丞，作爲中汛，原設下汛宛平縣主簿，仍爲下汛。其北九工汛務，卽歸於北七、八工兩汛分管。十二年，改北頭工上汛爲武清縣丞，下汛爲宛平縣丞。按：永定河志六云，十年，上汛改中汛。非也。道光五年，因中汛工末第十六號埽段，與下汛險工相接，遂改歸下汛焉。下汛外越隄十二號至十四號，長二百五十丈，據永定河續志二。永定河志六：北岸頭工上汛，武清縣縣丞經管，隄長十五里，分十五號，俱宛平縣境。一號隄頭接石景山東岸二十四號工尾，兵舖一所，挑水壩八段，埽工一十四段。彰義村二號埽工三十七段，兵舖一所，汛房一所。三號埽工三十八段，兵舖一所，看丹。四號埽工十六段，兵舖一所。五號兵舖一所。六號胡家莊。七號兵舖一所。八號埽工十三段，兵舖一所。九號兵舖一所。十號埽工二十一段，兵舖一所，汛房一所。十一號兵舖一所。十二號兵舖一所。十三號埽工十六段，兵舖一所，磚瓦汛房三間。十四號兵舖一所，立垡、狼垡。十五號兵舖一所。北岸頭工中汛，武清縣縣丞管，隄十六里，分十六號，俱宛平縣境。一號埽工二十一段，兵舖一所，汛房一所。二號埽工十六段，兵舖一所。三號埽工三十七段，兵舖一所。四號埽工十二段，兵舖一所，汛房一所，鵞房村。五號兵舖一所。六號埽工六段，兵舖一所，後辛莊。七號埽工三十六段，兵舖一所，磚房汛房三間。老隄莊八號埽工十七段，兵舖一所，汛房一所，前辛莊。

九號埽工二十一段，兵舖一所，汛房一所，胡家莊。十號兵舖一所，太平莊。十一號兵舖一所。十二號兵舖一所。十三號兵舖一所。十四號兵舖一所。十五號兵舖一所。十六號兵舖一所。北岸頭工下汛，宛平縣縣丞管，隄十六里二分，編十六號。一號至九號，宛平縣境，以下良鄉縣境。一號、二號兵舖一所，磚瓦汛房三間。三號汛房一所，馬房村。四號汛房一所，大營村。五號兵舖一所，皮各莊。六號兵舖一所。七號兵舖一所。八號兵舖一所，朱家營。此號月隄一道，長六十二丈，乾隆三十三年築。九號兵舖一所，王家莊。十號兵舖一所，前官營。此號乾隆四十五年，築月隄一道，長一百三十丈。十一號汛署一所，小高各莊。此號至十三號尾止，月隄一道，長五百十七丈，乾隆五年築。十二號埽工十一段，兵舖一所，汛房一所，北張客。十三號兵舖一所，大高各莊。十四號兵舖一所，留各莊。十五號埽工十五段，兵舖一所，汛房一所，南張客。十六號埽工五段，汛房一所。按：此三汛兵舖，每號各一，汛房則上汛在六、七兩號，中汛在三、七兩號，下汛十三號，置二，又十四、十五、十七三號各一。見永定河續志二。

曰北二工上汛，良鄉縣丞管，隄十三里，分十三號，自一至四爲良鄉境，已下宛平境。外越隄五號至七號四百八十丈，八號一百九十丈。先是，北二工管隄二十三里四分。道光五年，直隸總督蔣攸銛奏准，分爲上、下兩汛，上汛隄十三里，餘屬下汛。據永定河續志二。永定河志六：北岸二工，良鄉縣縣丞經管，隄長二十三里四分，編二十三號。一號至四號，良鄉縣境，以下俱宛平縣境。一號隄頭，接下頭工十五號工尾，兵舖一所，保安莊。二號兵舖一所，定福莊。三號兵舖一所，丁村。四號兵舖一所，梁家務。五號埽工三十二段，兵舖一所，汛房一所，趙村。六號埽工三十五段，兵舖一所，南莊子。七號埽工十五段，汛署一所，兵舖一所，韋各莊。此號至八號，月隄一道長一百九十丈。八號兵舖一所。九號兵舖一所。十號兵舖一所。十一號兵舖一所。十二號兵舖一所。十三號兵舖一所。十四號埽工八段，兵舖一所，石垡村。此號至十五號頭，舊月隄一道，長一百丈。十五號兵舖一所，黑河村。十六號兵舖一所，魏家莊。十七號兵舖一所，劉實莊。此號直隄一道，長五十五丈。十八號兵舖一所，西柳村。十九號兵舖一所，麻各莊。二十號埽工三十段，兵舖一所。二十一號兵舖一所，磚瓦汛房三間。二十二號兵舖一所，北莊子村。二十三號兵舖一所，黃各莊。按：兵舖如號數，其汛房五號三所、六號一所，見永定河續志二。

南岸同知轄汛六，曰盧溝橋汛，宛平縣巡檢管。宛平西岸隄工十四里七分，爲十四號。先是，管自石景山同知。嘉慶二十一年，改盧溝汛管，隄遂隸南岸同知。一號片石隄一百八十丈。二號片石隄五十丈，石隄一百三十丈。三號大石隄長一百八十丈。四號大石隄長一百二十丈，片石隄六十丈。五號大石隄八十丈，片石隄一百丈，片石順水壩二十五丈六尺。六號至十號，土隄各一百八十丈。十一至十四地高，向未建隄，仍按丈編號。據永定河續志三。永定河志五：西岸一號盧溝橋南雁，部員建修。乾翅起，石子隄長一百八十丈。雍正九年以前，部員建修。乾隆二年修補九十九丈。七年修補六十丈。嘉慶六年，稅局後身補石隄長六十八丈，高一丈六尺。十三年，盧溝橋西北雁翅稅局後身加砌石子埝一段，長四十三丈五尺，又接連前工一段，加石子埝五十六丈。第二號大石隄長一百八十丈。乾隆五年，自玉露庵起接下號修補大石隄共長四百四十丈。嘉慶六年，補還漫缺石隄一段，長六十二丈五尺，高丈六尺。第三號大石隄長一百八十丈。第四號大石隄長一百八十丈，乾隆十二年築片石戧隄六十二丈五尺。十九年築片石戧隄四十五丈。兵舖一所。第五號大石隄長一百八十丈。乾隆十五年築片石戧隄五十四丈。二十年築片石戧隄四十二丈。第六號大石隄長一百三十丈，乾隆十六年修補片石隄三丈。土隄長五十丈。第七號土隄長一百八十丈，兵舖一所。第八號土隄長一百三十丈。第九號至十四號地勢高阜，向未建隄，今汛按丈分里編號，大隄村第十號至十二號，後高店第十三號，前高店第十四號。按：兵舖一號至十號各一，其汛房五號、六號各一，見永定河續志三。

曰南岸頭工上汛，霸州州同管，宛平縣境隄十七里編十七號。曰南岸頭工下汛，宛平縣縣丞管，隄十五里三分，編十五號。十一號已上宛平縣境，已下良鄉境。曰南岸二工，良鄉縣縣丞管，隄十八里七分，編十八號。十四號已上良鄉境，已下涿州境。曰南岸三工，涿州州判管，隄二十里七分，編二十號。自一號至五號中，涿州境。又至九號尾，宛平境。已下固安境。曰南岸四工，固安縣丞管，固安境隄二十七里七分，編二十八號。頭工上汛，二號灰壩一。十一號至十二號，內越隄二百二十二丈，下汛十一號，外越隄九十六丈。二工九號，金門閘一。三工二十號，外越隄三十七丈五尺。四工三號至五號，外越隄四百三十二丈。據永定河續志二。先是，南頭工不分上、下汛，嘉慶五年，駐大城之管子牙大隄霸州州同，移作南頭上汛，原汛之宛平縣丞爲下汛。詳下。下汛管隄十一里三分。道光十八年，以二工之一、二、三、四號改歸焉。據永定河續志二。永定河志六：南岸頭工上汛，霸州州同經管，隄長十七里，分十七號。宛平縣境一號隄頭，緊接石景山西岸十四號工尾，上坡兵鋪一所，岡凹村、茨頭村、獨義村、趙新店。二號，兵鋪一所，稻田村。三號，兵鋪一所。四號，兵鋪一所。五號，兵鋪一所，籬笆房。六號，埽工四段，兵鋪一所，黃官屯、長洋村、軍留莊、高陵村。七號，兵鋪一所，張家場。八號，兵鋪一所。九號，兵鋪一所。十號，兵鋪一所。十一號，兵鋪一所。十二號，埽工八段，汛房一所，兵鋪一所，朱家崗。十三號，埽工三十段，兵鋪一所，磚瓦汛房三間。凡磚瓦汛房，俱係嘉慶十八年新蓋。十四號，埽工三十八段，兵鋪一所，汛房一所，閻仙垈。十五號，埽工三十二段，兵鋪一所，汛房一所。十六號，兵鋪一所。十七號，兵鋪一所。南岸頭工下汛，宛平縣丞管隄十一里三分，分十一號。一號，兵鋪一所。二號，兵鋪一所，前葫蘆垈村、後葫蘆垈村。三號，兵鋪一所。四號，埽工十七段，兵鋪一所，汛房一所，利村。五號，埽工三十七段，兵鋪一所。六號，埽工三十段，兵鋪一所，汛房一所，下廠村。七號，埽工三十七段，兵鋪一所。八號，汛署一所，兵鋪一所，汛房一所，滿洲村、趙家莊。九號，埽工三十一段，兵鋪一所，磚瓦汛房三間。十一號，埽工二十六段，兵鋪一所，汛房一所。南岸二工，良鄉縣丞管隄二十二里七分，編二十二號。一號至二號，七十一丈，宛平縣境。二號，七十三丈至十八號，良鄉縣境。十九號以下涿州境。一號，隄頭接南岸下頭工十一號工尾，兵鋪一所，東石洋村、西石洋村、後石羊村。四號，兵鋪一所，任家營。六號，兵鋪一所。八號，老君堂村、興隆莊。九號，兵鋪一所。十號，埽工二段，務子村、窑上村。十一號，埽工三十六段，兵鋪一所，汛房一所。十二號，埽工三十七段，兵鋪一所，賈河村、陶村。十四號，金門閘一座，乾隆三年建，北壩臺埽工十一段，南壩臺埽工十段，龍王廟前灰埝一道，十八丈，廟後雁翅埽五十三丈，汛房一所，辛立莊、鮑家莊、五間房村。十六號，兵鋪一所。十八號，汛署一所，兵鋪一所，官莊村、韓家營。十九號，埽工二十一段，安瀾亭一座，磚瓦汛房三間，兵鋪一所，古城村、四柳樹村、大興莊、鄧渠村。二十號，埽工二十五段，兵鋪一所，北蔡、李渠村。二十二號，兵鋪一所，南蔡。南岸三工，涿州州判管隄二十里零七分，分二十號。一號至五號，一百二十丈，涿州境。五號至九號，一百六十三丈，宛平縣境。已下固安縣境。一號，隄頭接南岸二工二十二號工尾，兵鋪一所，白家莊。二號，渠落村。三號，兵鋪一所，閻常屯。四號，兵鋪一所，苑家莊。五號，屯子頭。六號，埽工七段，兵鋪一所，丁各莊，河道汛署一所。七號，埽工八段，汛房一所，長安城總督防汛署一所。八號，南定村。九號，埽工七段，兵鋪一所，汛房一所，南召村、北召村。十號，兵鋪一所，馬村。十一號，兵鋪一所，門村。此號舊減水草壩一座，乾隆三十七年，因壩下減水不順，南移五十丈，建灰壩一座。十二號，兵鋪一所，北村。十三號，兵鋪一所，西楊村。十四號，兵鋪一所，東徐村。十五號，兵鋪一所，東楊村、西徐村，南岸同知防汛署一所。此號至十八號，舊月隄一道，長五百九十丈，乾隆二年築，四十四年，因南岸北三工兩隄緊束，河身偪窄，奏准展寬，加培舊月隄爲大隄，將舊隄疏通，以暢河流。十六號，兵舖一所，西它頭村。十七號，位村。十八號，兵舖一所，齊家莊、相各莊。十九號，兵舖一所，後西玉村。二十號，前西玉村。南岸四工，固安縣丞管隄二十七里七分，編二十八號。固安縣境一號，隄頭接南岸三工二十號工尾，兵舖一所，官莊。此號上接南岸三工二十號工尾，至本工三號，築直隄一道，長四百十五丈，乾隆五十一年築。二號，兵舖一所。三號，埽工二十六段，兵舖一所。此號至五號，月隄一道，長三百七十九丈，乾隆三十八年築。四號，埽工五段，兵舖一所，白村。五號，河道防汛署一所，磚瓦汛房三間，東玉舖村。六號，北街。七號，兵舖一所。八號，兵舖一所。九號，高家莊、小西湖村。十號，兵舖一所，孫郭村。十一號，兵舖一所。十二號，孝城村、大西湖村。十三號，兵舖一所。十四號，兵舖一所。十五號，兵舖一所。十六號，兵舖一所。十七號，兵舖一所。十八號，兵舖一所。二十號，兵舖一所，知子營。二十二號，兵舖一所。二十三號，兵舖一所，汛房一所，河津村。二十一號，兵舖一所。二十七號，兵舖一所。二十八號，黄垡。按：兵舖每號一所，惟二工三號、五號、十二號、十六號，三工二號、四號、七號、八號、十八號，無其汛房，則上汛二號二所十二號、十三號、十五號、十六號、十七號，下汛一號、三號、八號，二工七號、九號、十六號，三工七號、八號、九號、十五號、十六號、十七號，四工三號、四號、五號、十三號、十八號，各一所。見續志二。各汛每里立一民舖。

北岸四知轄汛四，曰北岸二工下汛，東安縣主簿管隄十里四分，編十號。曰三工，涿州州判管十六里三分，編十六號。十二號已上宛平境，已下固安境。曰四工上汛，涿州州同管隄十五里，編十五號。曰四工下汛，固安縣丞管隄十六里九分，編十七號。十號已下永清境。

北二工下汛，六號至九號，外越隄四百九十丈。三工三號，求賢灰壩一。四號至十號，外越隄九百六十丈五號，內越隄一百九十丈。四工上汛，內越隄五號至八號，四百三十丈，九號七十八丈，十三號一百七丈，十四號至十五號，二百六十五丈。四工下汛，內越隄三號至四號，一百四十五丈，四號至六號，三百十丈，十一號，一百七十五丈，十二號，內越隄二道，一、五十丈，一、四十五丈。先是，北三工管十八里三分，道光五年，因工尾埽鑲與四工連，以十七、十八兩號改歸四工，自是三工管十六里三分，四工管二十六里九分。二十六年，分四工爲上、下兩汛，上汛十五里，所餘十一里九分與五汛連，均撥四工下汛，管十六里九分。據永定河續志二。永定河志六：北岸三工，涿州州判管隄長十八里三分，編十八號。一號至十二號，宛平縣境，已下固安縣境。一號，隄頭接北二工二十三號工尾，兵舖一所，辛莊。二號，兵舖一所。三號，兵舖一所。此號舊減水草壩一座，乾隆二十七年築，三十七年閉移於號首，建築灰壩。四號，兵舖一所，求賢村。五號，兵舖一所。六號，兵舖一所，練莊村。七號，兵舖一所，讋各莊。八號，兵舖一所。九號，兵舖一所，于垡。十號，兵舖一所，西胡林莊。十一號，埽工十四段，兵舖一所，汛房一所。十二號，埽工三十段，兵舖一所，東胡林村。十三號，兵舖一所。此號舊月隄一道，長一百三十丈，雍正三年建。十四號，北十里舖。第十五號，兵舖一所，汛署一所，北岸同知防汛署一所。十六號，兵舖一所，張化村。十七號，埽工八段，兵舖一所。十八號，埽工十一段，兵舖一所，磚瓦汛房三間，辛安莊。北岸四工，固安縣丞管隄二十四里九分，編二十五號。一號至二十號，固安縣境。二十一號東安縣境。二十二、三號固安縣境。二十四、五號東安縣境。一號，隄頭接北三工十八號工尾，兵舖一所。二號，張化村。三號，兵舖一所，馬家屯。四號，王家屯。五號，北張化村。六號，兵舖一所，康家張化村。七號，曹辛莊。八號，汛房一所，黑垡村。九號，兵舖一所，西押隄村。十號，東押隄村。十一號，兵舖一所。十二號，北小店村。十三號，兵舖一所，馮百户營。十四號，石家垡、郭家務。十五號，兵舖一所，石佛寺村。十六號，賈家屯。十七號，聚福屯。十八號，兵舖一所，西化各莊。十九號，崔指揮營。二十號，東化各莊。二十一號，兵舖一所，洪家辛莊。二十二號，兵舖一所，梁各莊。二十三號、二十四號，兵舖一所，眼照屯。二十五號，張家莊。按：兵舖如號數，其汛房，二工下汛二號、七號，三工三號各一所。十一號二所，四工上汛二號、十號各一所，四工下汛五號二所，十七號一所。見永定河續志二。

三角淀通判轄汛五：曰南岸五工，永清縣丞管隄二十四里六分，編二十有五號。三號已上固安境，已下永清境，兼管西老隄，起本汛十九號，訖六工界。曰南岸六工，霸州州判管隄二十二里，編二十二號，兼管西老隄，起五工尾，訖七工頭，又兼管東老隄，起本汛十六號，訖七工界。曰南岸七工，東安主簿管隄二十八里，編二十有八號。二十一號已下東安境，兼管大壩十二里，編十二號，又兼管西老隄，起六工尾，訖本汛八號坦坡埝，又兼管東老隄，起六工尾，訖本汛八號横埝尾，隄身水刷，又兼管南舊隄，起本汛六號，訖八工上汛界，又兼管坦坡埝，起本汛八號，（接西老隄尾。）訖八工上汛界。曰南岸八工上汛，武清主簿管隄十七里三分，編十七號。十四號已上東安境，已下武清境，兼管舊南隄，起七工尾，訖下汛九里横隄，又兼管坦坡埝，起七工埝尾，訖下汛九里横隄工尾。（按：坦坡埝至八工下汛，作爲正隄。）曰南岸八工下汛，把總管隄二十六里八分，編二十六號。十八號已上武清境，餘爲天津境。（按：八工下汛兼管廢埝，自本汛二十口號至青光村西止，埝身被水衝刷，此係乾隆八年接築坦坡埝之下截。）南五工，外越隄七號至九號，三百六十丈，九號至十號，六十三丈，十四號至十六號，四百二十五丈，二十一號至二十三號，三百六十四丈。南六工，内越隄三號一百九十六丈，六號三十七丈，七號五十四丈。南七工隄，二十八號兼管大壩十二里，編十二號。道光二十四年，本汛五號漫口，在河内築壩堵合，長一百二十七丈，壩尾接土埝二百八丈。同治八年，於本汛一號、二號添截水壩一百六十五丈，首尾接築于丈圈埝。十年，又在圈埝外築大壩，接東西小隄，起六工二十號，訖七工十號。先是，南六工管隄三十里，嘉慶二十五年，分爲上、下兩汛，各管十五里。道光十八年裁下汛，其汛地一號至七號歸併六工，八號至十五號改隸七工。南八工，管隄二十里，嘉慶二十五年，以九工汛務歸併八工，而八工十七號迤東二千餘丈，向無隄，自道光十年接築横隄一千七百八丈。十一年分八工爲上、下二汛，上汛隄一十七里三分，下汛新舊隄二十六里八分。十一年，總督琦善奏移鳳河汛把總於南八工下汛。據永定河續志二。永定河志六：南岸五工，永清縣縣丞經管，隄長二十四里六分，編二十五號。一號至三號，上段固安縣境，已下永清縣境。一號，隄頭接南四工二十八號工尾，兵鋪一所，辛務村、太平莊。二號，白垡村。三號，兵鋪一所，南解家務村。四號，孫楊莊、北小營。五號，北解務村。六號，兵鋪一所，順民屯。七號，兵鋪一所，汛房一所，大王莊。八號，許辛莊、南戈奕村。此號至九號，月隄一道，長五百二十丈，乾隆三十年築。九號，兵鋪一所，曹内管營下七村。十號，張家務、大孟各莊、小孟各莊。十一號，兵鋪一所，馮各莊。十二號，兵鋪一所，後仲和。十三號，兵鋪一所，前仲和。十四號，南曹家務、北曹家務、胡其營。此號至十六號，月隄一道，長五百五十丈，乾隆五年築。十五號，埽工二十九段，汛房一所，東桑園。十七號，郭家務。十八號，兵鋪一所，談其營。十九號，龍家務。此號隄南接西老隄一道，經南岸六、七工界至霸州牛眼村五十八里，康熙三十九年，改河所築排樁隄也。二十號，大良村。二十一號，小良村。此號至二十三號，月隄一道，長五百丈，雍正四年築。乾隆三十七年加培。二十二號，埽工十九段，兵鋪一所，磚瓦汛房三間。二十三號，曹家莊。二十四號，兵鋪一所，臺子莊。二十五號，兵鋪一所。南岸六工，霸州州判管，隄長三十里，編三十號。四十三年自本工南岸十七號頭起，至北岸十九號下隄頭，接築順水壩一道，並培築兼管之北岸二十號缺口，接連至南隄七工之舊北隄交界止，連南岸上十六里，通長三十里，編三十號，俱永清縣境。一號，隄頭接南五工二十五號工尾，董家務官場。二號，兵鋪一所，賈家務村、韓家莊東莊。三號，菜園村、王佃莊。四號、五號，兵鋪一所。六號，李黄莊、劉總其營、胡家莊、三間房、荆垡、楊家莊。七號，兵鋪一所。八號，兵鋪一所，大麻子村、東北馬、西北馬。九號，兵鋪一所。十號，兵鋪一所。十一號，總督防汛署一所，雙營村。十二號，埽工十四段，汛署一所，兵鋪一所，小麻子莊、佃莊。十三號，埽工十段，汛房一所。十四號，埽工二十二段，兵鋪一所，減場村、張先務村。十五號，魯村。十六號、十七號，惠元村。十八號，埽工十段，汛房一所，辛莊東西鎮、大黄村。十九號、二十號，兵鋪一所，沈家莊、小營村。二十一號，龐各莊、陳佃莊。二十二號、二十三號，馬家鋪、韓家莊。二十四號，兵鋪一所，小惠家莊、王虎莊、小黄村。二十五號，大劉家莊、鄧家務。二十六號，窑窩村。二十七號，小劉家莊。二十八號，兵鋪一所，冰窖。二十九號，李奉先村、西武家莊、劉家場、武家窑第四里。三十號，此號順水壩接南岸十七號頭南隄。七工，東安縣主簿管，南隄二十里，編二十號。一號至十八號中，霸州境，已下東安縣境。一號，隄頭接東老隄埝尾，兵鋪一所，牛眼卽柳岔口。二號、三號，兵鋪一所。四號，崔家鋪、信安鎮。五號，兵鋪一所，馬家鋪、南北城上。六號、七號、八號，兵鋪一所。九號，兵鋪一所，堂二鋪、何趙鋪、宋家鋪。十號，王家鋪。十一號，兵鋪一所，范家鋪。十二號、十三號、十四號，兵鋪一所，董家鋪、黄家鋪、外安瀾城。十五號、十六號、十七號，兵鋪一所，佛城疙疸。十八號，楊家鋪、胡家莊。十九號，李家鋪。二十號，兵鋪一所，樊家鋪，兼管東老隄十八里八分，編十九號。一號至十六號，永清縣境，已下霸州境。附隄村莊：莊窩、商人莊、甄家莊、尹家場、張家場、四勝口、三勝口、武家莊、吳家場、朱家場、趙家場、五道口、唐家舖、四間房，兼管舊南隄長二十一里一百四十三丈，編二十一號。一號至十五號中，永清縣境，已下東安縣境。十五號，汛署一所，附隄村莊：南二舖、安澗城、卽郎城、柳園汛。兼管舊北隄十九里十六丈，編二十號。一號至十四號，永清縣境，已下東安縣境，兵舖五所，附隄村莊：新安莊、趙家樓、閘口、惠家場、九家舖、郭家場。南隄八工，武清縣主簿管，隄二十里，編二十號。一號至六號，二十二丈，東安縣境；二十三丈至八號九丈五尺，霸州境；八號九丈六尺至十一號四十五丈，静海縣境；十一號四十六丈至二十號工尾，武清縣境。一號，隄頭接七工南岸隄二十號工尾，策城、王家圈、得勝口。二號，寨上、磨汊港、馬家口。三號，褚河港、于家舖。四號，陳家舖。五號，兵舖一所，大黄莊。六號、七號、八號、九號、十號，東沽港。十一號，兵舖一所。十二號、十三號、十四號、十五號、十六號，兵舖一所。十七號，王慶坨。十八號、十九號、二十號，兼管舊南隄長十九里零七丈，編二十號。一號至十四號五十丈，東安縣境，已下武清縣境，兵舖三所，附隄村莊：宋流口、小范甕口。兼管舊北隄十七里十五丈，編十八號。一號至十四號三十丈，東安縣境，已下武清縣境，兵舖三所，附隄村莊：淘河新村、大范甕口、鄭家樓南隄。九工原設武清縣，縣丞經管隄長二十一里十四丈，編十二號，已下舊係淀池，地勢窪下，南近大清河，北鄰葉淀，東逼鳳河下口，歷被蕩刷，乾隆三十年詳廢止，管隄長十二里，十二號。一號至四號中，武清縣境，四號中至工尾，天津縣境。四十七年，武清縣縣丞調管北岸頭工上汛，以淀河霸州州判移駐九工，兼管汛務。嘉慶十二年，州判改爲巡檢。一號，兵舖一所。二號、三號，明家場。四號，綿兒河。五號，兵舖一所，曹家舖。六號、七號、八號、九號、十號，郝家舖。十一號，兵舖一所。十二號，汛署一所，安光、三河頭、衩夫房、楊家河、青光。永定河志八：乾隆十六年，南岸七工冰窖草壩改河，將南、北岸六工以下之南坦坡埝，北大隄北埝，改爲南、北埝，各分上、中、下三汛，隸三角淀通判。三十八年，奉旨，改南、北埝爲南、北隄，上、中、下三汛改爲南、北堤七、八汛工。四十七年，南隄九工汛員調管北頭工上汛，淀河州判移駐九工，兼管汛務。嘉慶十一年，北堤九工汛員調管北岸頭工上汛，原上汛改爲中汛，其北隄九工隄，歸北八工兼管。按：兵舖，五工一號、四號、六號、七號、九號、十號、十二號、十四號、十六號、二十三號、十八號、二十號、二十一號、二十五號。六工一號、三號、五號、七號、九號、十一號、十三號、十五號、十七號、十九號、二十一號。七工兼大壩之四號、六號、八號、十號、十二號。八工上汛一號、四號、七號、九號、十二號、十七號。八工下汛二號、六號、十號、十五號、十七號、二十號，各一所。其汛房，五工六號、十號、十六號、二十二號，六工三號、十號、十五號、十九號、二十號，七工十四號，兼管大壩之一號，八工上汛一號，各一所。

北岸通判轄汛三：曰北五工，永清縣丞管縣境，隄十六里四分，編十六號。曰北六工，霸州州判管，永清境，隄十八里三分，編十八號。曰北七工，東安主簿管，隄四十六里，編四十六號，十八號已上俱永清境，已下東安境。四十號已下，武清境兼管，大壩十里，編十號，起六工十八號，工尾訖于家屯，又兼管圈埝十六里，編十九號，起六工十八號，工尾訖本汛遥隄十四號。

外越隄在北六工十四號，長三十丈。道光四年，總督蔣攸銛奏，將北七工東安主簿移北二工下汛，將北八工汛改爲北七工，東安主簿。十七年，總督琦善奏，裁六、七工汛。二十四年，總督訥爾經額奏，以寶坻縣主簿移駐北七，作爲東安縣主簿。永定河志六：北岸五工，永清縣丞管，隄長二十一里四分，編二十一號，俱永清縣境。一號，隄頭接北四工二十五號工尾，兵舖一所，張野鷄莊。二號，兵舖一所，宋家莊、邱家莊。三號，紀家莊。四號，兵舖一所，王居村。五號，池口。六號，北戈奕。七號，兵舖一所，西營。八號，吴家莊。九號，韓臺村。十號，埽工二十五段，兵舖一所，仁和舖。十一號，埽工四段，泥安村。十二號，兵舖一所，倉上村。十三號，兵舖一所，支各村。十四號，泥塘村。十五號，汛署一所，何麻子營。十六號，兵舖一所，姚家馬村。十七號，樓臺村。十八號，兵舖一所，盧家莊。十九號，張家茹暈村。二十號，兵舖一所，王家茹暈村。二十一號，兵舖一所，張家莊、沈于蘄村、楊家營。北岸六工，霸州州判管，隄長三十里。乾隆二十年，二十號開隄，改爲下口。以下隄工十里撥隸南岸六、七工分管。四十三年，自南岸六工十七號建築順水壩，接至本汛十九號，下隄頭河從十九號出口，現管隄十八里，編十八號，俱永清縣境。一號，隄頭接北五工二十一號工尾，兵舖一所，柴家莊。二號，兵舖一所，董家務。三號，苑家莊。四號，埽工八段，兵舖一所，賈家務村。五號，埽工十三段，兵舖一所，辛屯。六號，小荆垡。七號、八號，兵舖一所。此號重隄之東，於乾隆二十八年接築月埝一道，即今北隄，隸三角淀屬。四十五年，自本汛大隄八號接築至北隄工頭，長四十九丈，歸北隄七工經管。九號、十號，埽工九段，汛署一所，兵舖一所，半截河村。十一號、十二號、十三號，兵舖一所，趙百户營。十四號、十五號、十六號，兵舖一所，賀堯營。十七號、十八號。北隄七工，東安縣主簿管，隄二十五里三分，編二十五號。一號至二十五號，七十二丈，永清縣境，以下東安縣境。一號，隄頭原接北岸六工重隄八號，乾隆四十五年，接連北岸六工大隄八號，築北隄至本工頭，長四十有九丈，兵舖一所。二號，陳各莊。三號，兵舖一所。四號，大站。此號有月隄一道，長八十五丈。五號、六號，兵舖一所。七號，東西横亭。八號，兵舖一所，東溜。九號，小站。十號，劉趙莊。十一號，兵舖一所，小營。十二號，汛署一所，塹上。此號月隄一道，一百零六丈。十三號，兵舖一所，別古莊。十四號、十五號，辛立莊。十六號、十七號、十八號，兵舖一所，北馬子莊、南馬子莊。十十九號，張家舖。二十號，兵舖一所，朱官屯。二十一號、二十二號，兵舖一所，灰城、洛圖莊。二十三號、二十四號，兵舖一所，大益留屯、小益留屯。此號至工尾，有土壩五段，二十五號兼管，舊北埝原長三十四里，改管二十五里，附隄村莊：小賀堯營、河西營、柳坨、第五里村，兼管舊遥埝長二十里，甄家莊後第六里村、曹家莊、胡家莊、李家莊。北隄八工，東安縣主簿原管，隄長二十四里七分，嘉慶十八年，奏廢四里，管二十里七分，計二十一號。一號至十九號八十八丈，東安境，已下武清境。一號，崔家莊、大鄭莊，土壩長十五丈。二號，兵舖一所，趙家莊、濟南屯，草壩長十五丈。三號，大小麻莊、北崔屯、高莊、張家莊、馬頭村，草壩長十五丈，土壩長十五丈。四號，谷家莊、大小紀莊、田家莊，草壩二道，長十五丈，土壩一道，長十五丈。五號，兵舖一所，汛署一所，楊官屯、金官屯，草壩長十五丈。六號，馬神廟莊、麻子屯、范家莊。七號，孔家窪、東栗莊、艾萬莊、史家莊。八號，孟東屯、屯東莊、孫東莊、許東莊、惠家舖、小鄭莊、神家營、南關，土壩長十五丈。九號，前所營、前後羅官屯，土壩長十四丈，草壩長十五丈。此號至十號頭止，嘉慶十七年添築月隄，長四百二十丈。十號，大麻家莊、北崖莊。十一號，莊窠、東西安莊。十二號，邢官營、白草窪、豐盛店。十三號，劉七隄、盧七隄、響口村。十四號，兵舖一所，八里橋，土壩長十五丈。十五號、十六號、十七號，兵舖一所，落垡、青坨、鑾子營、胡家營、羅古判、解口、東安辛莊、武清辛莊。十八號，周六營、東安曹莊。十九號，馬家營、三田莊，草壩長十五丈。二十號，包家營、崔胡營。二十一號，雙廟、南雙廟、眷兹村、楊家營、甄家營、龔家營、季家營、列家莊、黃花店、東張莊、條河頭。按：兵舖，北五工置如號數，北六工三號、七號、十一號、十八號，無餘一所。北七工四號、七號至十三號、十五號、二十四號，大壩之六號、八號、圈埝之一號、三號、六號各一所，餘無。其汛房北五工五號、十一號，北六工六號，各一所，十四號二所，北七工兼管大壩之三號一所。見永定河續志二。

先是，雍正十年，南、北十八工，北工以天、地、黃、宇、宙、洪、日、月、盈九字編號，南工以昃、辰、宿、列、張、寒、來、暑、往九字編號。乾隆十六年，下口改由冰窖北頭工至六工，惟天、地、黃、宇、宙、洪六號，南頭工至六工，惟昃、辰、宿、列、張、寒六號，直隸總督方觀承奏去編號，稱頭工以迄六工，南、北兩埝仍稱上、中、下三汛，得旨允行。按：雍正十年編號，見永定河志二。

同治九年，責成州縣協理河防。

十二月，總督李鴻章奏，永定河南、北兩岸，綿亘宛平、涿州、良鄉、固安、永清、東安、霸州、武清，有協防責，請敕有交涉河工、地租、民夫修防事，責成八州縣協同汛員辦理，統由永定河道考覈。同治九年十二月，李鴻章疏：永定河南、北兩岸，綿亘四百餘里，爲宛平、涿州、良鄉、固安、永清、東安、霸州、武清等沿河八州縣管轄地面，該州縣經徵河淤、葦隙等租，及派撥防汛搶險民夫，在在均關緊要，乃因河工與地方不相統屬，各存畛域之見，以致地租積欠，民夫抗違包折，甚至大汛搶險，又堵築漫口，大工購料覓夫，正當喫緊之際，近隄居民，居奇勒捐，索要重價。經臣飭據永定河道李朝儀查明實在情形，稟請覈辦。臣查南河、東河河工道員，皆兼轄地方官，沿河州縣皆有協防之責。永定河爲畿南保障，水利民生，關繫尤鉅，擬請旨，敕將宛平等八州縣，除錢糧詞訟及地方一切公事，仍歸該管通永、霸昌兩道覈辦外，其有交涉河工、地租、民夫及修防事宜，均責成各該州縣認真協同廳汛各員辦理，統由永定河道考覈。果能實力奉行，著有成效，安瀾後准由該道彙請奬敍。儻有玩忽，據實參撤，如各汛員有賣放汛夫，干預地方，藉端刁難等弊，亦由該道嚴查揭參，著爲定例。謹議章程四條：一、沿河州縣，經徵河淤地租及香火葦隙等租，原爲永定河辦公之費，近來各州縣積欠纍纍，任催罔應，應請定限，嗣後以解至八分爲率，如解不及數者，由永定河道查覈揭參，並提承辦書役完追。一、每年撥派民夫上隄，積土防守險工，近隄各村莊例有額設名數，不准短少，及以老弱充數，乃日久弊生，鄉地書役，往往有包折等事，以致無知鄉民藉端抗違，應請責成沿河州縣，循照舊章，如數派撥，倘有包折等弊，從嚴懲辦，該管汛員，如查有賣放者，由永定河道查辦嚴參。一、沿河州縣本有地方之責，應於伏秋大汛，各就該管地面，協同防守，其有距隄較遠及南、北兩岸不能兼顧者，應於大汛時，選派幹員，在近隄村莊常川駐守，督催鄉地糾集民夫，遇有搶險等事，即速上隄搶護，該管州縣仍隨時稽察彈壓，至宛平縣駐紮，京城相離窵遠，不能親到，應責盧溝橋、龐各莊兩巡檢，就近經理，統歸永定河道考覈。一、伏秋大汛，遇有搶辦險工，及堵築漫口大工之時，購買料物，雇覓人夫，最爲緊要，乃附近居民，往往於喫緊時居奇勒捐，不特多所糜費，甚至觀望遲誤，應由永定河道行知該地方官，出示曉諭，從中酌定，不得任意擡價，亦不得抑勒苛派。按：此經部議准。

河營都司、守備、協守備各一，南、北岸千總、把總各二，南八下汛把總一，石景山外委一，淀河外委二，外委千總三，把總六，額外外委十五，河兵一千六百八十九。

金大定二十七年，宰臣議於金口牐置埽兵室，此盧溝橋河置兵椎輪也。按：元、明時，渾河潰決，卒發軍民修治。曰發軍，則非河兵可知。我朝永定河都司一員，受河道節制。嘉慶十六年，設守備一。乾隆四年，設管南、北隄工。五十六年，改管南隄，增協辦守備一，管北隄，南、北岸千總二。康熙四十四年，以把總二員加千總銜。雍正四年裁。八年，復如初。一、南岸管兵，一、北岸管北上七工。乾隆三年，分管南、北岸河兵，巡隄柳，南、北岸把總二。先是，康熙三十七年設四。四十四年，留二，餘加千總銜。雍正八年，原留二把總，亦加千總銜，另補把總二。一、北岸管石景山工。一、南岸管下七工，乾隆三年，調北岸把總管北上七工，十六年改巡南、北岸隄柳。已上千總、把總，初隸南、北同知，後石景同知、三角淀通判、北岸通判轄南、北汛地，遂屬五廳管轄。南八下工把總一，乾隆三十七年設，管浚船。五十六年，改爲鳳河東隄把總。道光十一年，移南八工下汛，隸三角淀通判。石景山水關經制外委一，雍正十一年設，專司水報。乾隆三年添千總一，專管石景山工程。十九年，調水關外委管鳳河東隄。五十六年，裁石景山千總，仍設水關外委，管隄工兼司水報，隸石景山同知。淀河經制外委二。乾隆三十七年設，管浚船。四十七年裁，浚船仍司疏濬。外委千總三，一雍正八年設，一乾隆三年設，一七年設。外委把總六，雍正八年設三，乾隆三年設三額外，外委十五。乾隆二十七年調四。嘉慶十六年，增十一，協防南、北岸。其河兵，康熙三十七年設二千，四十年裁一千二百。四十九年，工部奏派章京一，於八百名内撥三十名巡防衙門口邨、真武廟、紀家莊等處隄工，缺額另補。雍正三年裁二百。乾隆四年添六百四十。七年，裁坐糧四十一分，實存一千六百八十有九，據永定河續志八。續志又云：戰兵一百八十九，守兵一千五百，除道庫守兵三十三，都司、守協備、千總各衙門聽差守兵五十八，餘分隸文武二十三汛。每兵歲栽柳百，日積土牛二尺五寸，采柳株葦草無定數。據永定河續志八。

其坿隄十里邨莊汛夫，北頭工上汛，夫五十七有半。

狼垡邨二十七有半，盧城邨二十有五，盧溝橋東關五，俱宛平縣境。

中汛，夫四十有五。

羅奇營十，前辛莊、後辛莊、宋辛莊各五，臧邨十有五，鵞房邨五，俱宛平境。

下汛，夫七十有八。

西劉邨十，留民莊十，南、北高各莊十，皮各莊十，桑馬房十，西大營三，王家莊五，朱家營五，已上宛平境；南、北張客八，前官營七，並良鄉境。

北二工上汛，夫五十七有半。

趙邨十二有半，曹各莊、定福莊各五，常各莊十，梁家務五，已上宛平境；丁邨十二有半，保安莊七名半，已上良鄉境。

二工下汛，夫五十有二。

石垡邨、劉竇莊、里河邨各十，魏各莊五，太平莊、東麻各莊各二名半，西麻各莊五，黄各莊七，已上宛平境。
三工，夫五十。
辛莊、求賢邨、大練莊各五，于垈七名半，東莊邨，東甕各莊、西甕各莊各二名半，東胡林邨、西胡林邨、太子務各五，已上宛平境；北十里鋪、辛安莊共五，已上固安境。
四工上汛，夫五十二有半。
張化邨、小黑垈、馮百户營各五，曹辛莊、崔各莊共五，東押隄、西押隄各五，郭家務、北小店共五，南化各莊、南小店共五，北化各莊、劉各莊共五，石佛寺邨、十家垈共五，馬家屯、王家屯共二名半，已上固安境。
四工下汛，夫六十有五。
聚福屯三，崔指揮營三，賈家屯二，梁各莊五，西洪辛莊二，已上固安境；北戈奕五，紀家莊五，宋家莊二，邱家務三，張野雞莊、池口邨各五，已上永清境；南寺垈十，寺垈辛莊五，劉家莊三，東洪辛莊二，東化各莊四，南小街一，已上東安境。
五工，夫八十。
王居邨、吴家莊、泥安邨、韓臺邨、仁和鋪、倉上邨、支各莊、泥塘邨、姚家馬房邨、樓臺邨、盧家莊、王于今邨、張于今邨各五，西營、潘家莊共五，何麻子營、趙家莊共五，張家莊、楊家營、沈于今邨共五。

六工，夫八十有二。

柴家莊、董家務各五，李家莊四，南釗一，北釗五，前朝王四，後朝王、東賈家務各一，西溜、辛莊各五，小荆垈三，老幼屯、王希、半截河、前劉武營、後劉武營、趙百户營各五，緱家莊三，辛務五，徐家莊、大范家莊二，已上永清境。

七工，夫百七十有一。

堼上、陳各莊、大站各十，小站五，東横亭十，西横亭、東溜邨、劉趙莊各五，焦家莊三，辛立莊二，已上永清境；張家務、朱邨、小北尹、左奕各五，邵家莊、桃源共五，朱官屯七，宋史家務三，崔史家務六，馬杓留、達王莊、小益留屯各三，灰城一，趙家莊、大麻莊各三，小麻莊一，馬神廟莊三，南崔莊五，北崔莊二，麻子屯、谷家莊各一，孔家窪三，大、小紀莊共五，前所營二，邢家營、楊官屯八，東栗莊五，前沙窩二，後沙窩一，施東莊、孟東莊各二，許東莊、孫東莊各一，東莊南關一，已上東安境。

南頭工上汛，夫六十八有半。

趙新店十，茨頭邨五，高陵邨十，稻田邨五，岡窪邨五，軍留莊五，朱家岡一，獨義邨二名半，已上宛平境；長羊邨十，黄官屯十，籬笆房五，已上良鄉境。

下汛，夫四十有八。

水碾屯五，前葫蘆垡邨一，梨邨、老君堂、任家營各五，趙家莊二，已上良鄉境；長新店二十，後葫蘆垡邨五，已上宛平境。

二工，夫七十五有半。

官莊十，賈河邨七名半，窰上邨五，辛立莊二名半，務子邨、陶邨、興隆莊各五，韓家營二名半，東石羊邨三，西石羊邨五，後石羊邨五，已上良鄉境；陶家營、古城邨、南蔡邨、北蔡邨各五，已上涿州境。

三工，夫八十有七。

閻常屯十，渠落邨、白家莊、丁各莊、南定莊、屯子頭邨各五，已上涿州境；東徐邨十，西徐邨二名半，馬邨、它頭邨、北相各莊各五，北邨、門邨、門邨營、米各莊、楊邨各二名半，西玉邨二，位邨、北趙邨各五，已上固安境。

四工，夫六十有九。

官莊三，高家莊五，東相各莊五，東玉鋪邨五，前後西湖邨十，北孝城邨十，知子營五，黃垡十一，河津郗五，白郗、孫郭郗各五，已上固安境。

五工，夫百有十。

辛務郗五，前、後白垡郗五，北順民屯、南小營、南解家務、北解家務各五，已上固安境；唐家營二，大王莊七，北小營二，東西下七郗三，孫楊莊三，張家務三，邵家營二，馮各莊、張家營各一，曹內官營三，許辛莊、孟各莊各二，南戈奕三，佃子仲和一，前仲和三，後仲和二，陳仲和三，東桑園、西桑園、劉其營、南曹家務各二，北曹家務、郭家務各五，劉家務二，大良郗五，小良郗二，沈仲和三，亭子莊、曹家莊各二，東城鋪、西城鋪各一，尚家莊一，已上永清境。

六工，夫一百十有四。

東各莊二，官場一，董家務、賈家務、韓家莊各二，菜園郗、王佃莊各三，胡家莊二，劉其營三，李黃莊、大麻子莊各五，小麻子莊二，東西北麻、五雙營郗五，佃莊三，城場郗、魯郗、黃郗、張遷務各五，東西鎮五，鄧家務五，小營郗二，龐各莊三，小黃郗二，韓各莊、沈莊各五，辛莊三，窑窩郗二，王虎莊、馬家鋪各三，小惠家莊、惠元莊各二，前後第六郗七，已上永清境。

七工，夫百五十有五。

四間房二，佛城疙疸三，堂二鋪、霸州信安鎮各七，馬家鋪四，牛眼邨二，崔家鋪、南城上各三，北城上四，牛百灣、董家鋪、何趙鋪、楊家鋪各二，李家鋪一，樊家鋪三，黄家鋪一，王家鋪二，霸州外郎城三，胡家鋪二，已上霸州境；永清信安鎮七，劉家場三，武家窰五，商人莊三，甄家莊一，莊窠三，四勝口四，三勝口三，第七里、吴家場各二，北柳坨、東武家莊各三，西武家莊二，大劉家莊五，小劉家莊三，第四里三，冰窖邨五，信安莊三，張家場、尹家場、五道口各一，南趙家樓、小米家莊各三，惠家場二，李奉邨五，南二鋪三，永清裏郎城二，閘口邨三，趙家樓二，已上永清境。東安外郎城三，九家鋪二，郭家場四，東惠家場一，東裏郎城四，已上東安境。

八工上汛，夫八十有五。

王慶坨十八，武清境；策城邨八，寨上邨、大王莊各三，已上霸州境；王家園三，陳家鋪二，宋流口五，于家鋪二，德勝口八，葛漁城六，褚河港八，陶河邨五，于家隄六，馬家口三，磨汊港五。

八工下汛，夫四十。

河西東沽港二，鄭家樓三，已上東安境；大范甕口三，小范甕口五，小王家鋪一，河東東沽港二，苑家鋪一，已上武清境；凡十有七，餘二十三名在天津境。按：天津縣境汛夫，郝家鋪、徐家鋪各一，安光邨四，青光邨二，東隄四，中河頭、上河頭、衩夫房各二，西隄一，楊家河、線河邨各二，凡二十有三。已上據永定河續志二。

其防險夫，南五工五百六十九户。

馬慶邨四十六，孤莊邨七，楊家黄垈三十一，李家黄垈九，趙家黄垈十一，南順民屯陳仲和六，北順民屯十八，前白垈九，後白垈十五，辛務四十二，北解家務三十一，南解家務十九，北小營十九，東西下七，八大王莊二十七，南小營五，孫家務三，楊家莊四，邵家營二，馮各莊三，西小仲和一，南戈奕十九，許家新莊十，孟各莊六，曹内官營八，張家務五，前後店子仲和三十六，西桑園十八，東桑園八，南曹家務三，北曹家務十六，胡其營十三，郭家務二十九，談其營十二，龍家務九，大小良邨二十八，小仲和七，台子莊十，曹家莊六。

南六工，夫六百三户有半。

東壯官場六，董家務七，賈家務七，韓家莊十一，菜園十四，王佃莊八，胡家莊六，劉總旗營九，李黄莊十三，大麻子莊十二，東西北麻十八，小麻子莊八，雙營二十七，佃莊九，城場十六，魯邨十三，黄邨十五，張先務二十一，東西鎮二十五，安仁福彙莊十八，小營九，龐各莊十七，小黄邨九，韓各莊十九，惠元莊八，沈家莊十七，鄧家務十七，窰窩八，西小劉家莊十二，王虎莊十八，馬家鋪十七，小惠家莊十，大劉家莊十六，李奉先十九，武家窰十九，第四郚十四，劉家場十，武家莊十三，冰窖十二，柳坨十六，後第六里四十，第七里十有半。

北五工，夫六百四户。

張家野雞莊十二，邱家務十三，宋家莊六，紀家莊二十二，西營七，王居三十九，北戈奕三十，北池口八，潘家莊九，翟吴家莊十五，仁和鋪八，泥安十三，韓臺二十，趙家莊十六，河麻二十二，支各莊三十三，倉上八，泥塘六十七，姚家馬房三十九，大小盧家莊四十六，張家茄董七十一，王蕲茄董二十五，樓臺四十五，張家莊二十五，楊家營五。按：永定河志云，六百十一，非。

北六工，夫四百六十一户。

董家務三十四，賈家務二，柴家莊十八，小荆垡十二，北釗二十，李家莊二十七，西溜二十四，辛務二十三，緱家莊十一，王希二十二，辛屯三十三，朝王二十二，老幼屯四十，前劉武營三十三，後劉武營十一，半截河五十五，趙百户營三十三，徐家莊十三，大范家莊二十八。按：永定河志云，四百三十五，非。

北七工，夫五百七户有半。

別古莊三十，陳家莊七，官道九，南人營九，萬全莊九，雙家小營二十七，第七里十有半，東張家務五，第五夫九，後第六夫四十，河西營四十二，埝上三十，焦家莊七，辛立邨四，劉趙家莊八，東溜八，小站七，東横亭十七，西横亭十有四，大站十七，陳各莊十七，馬子莊四十，郭家莊十八，石橋十二，第十里二十八，邵家莊七，左奕十，朱邨十一，桃園六，小北尹十，張家甫十，胡家莊九，李家莊七，曹家莊十三。

北八工，夫六百三十二户。

張家莊十九，高家莊二，艾萬鄭家莊二十九，惠家鋪三十，安家莊十，白草窪四十，響口十八，豐盛店九，大鄭家莊十，六條河頭二十三，洛圖莊十四，東郭家莊十，扈子濠二十四，大溢留屯二十二，李家莊七，馬頭邨二十五，田家莊十二，濟南屯十四，金管屯十七，范家莊十四，史家莊十四，羅管屯十二，王司里八，新朱管屯二十一，灰城四，馬杓留十，崔史家務二十，小益留屯十，達王莊十，南辛莊十二，大趙家莊十，南崔家莊十五，楊管屯二十三，谷家莊二十，馬神廟八，東栗家莊十五，麻子屯二，前所營十，鞏家窪十，莊窠六，六户沙窩十三，邢家營八，三户七，字隄十六。按：永定河志云，六百六户，非。

北九工，夫三百有九。

甄家營二十六，楊家營十二，周六營十六，解口五，劉家莊九，東辛莊九，龔家莊三，北雙廟二十二，羅古判八，眷兹十四，季家營黄花店四十八，武辛莊五，三里莊九，鑾字營十二，青坨十，胡家營七，包家營九，崔胡營十七，曹家莊六，馬家莊五，南雙廟二十，張家莊十八。已上據永定河志十一。

設衩夫垡船，裁；復設浚船，又裁。

乾隆三年，三角淀設垡船二百，凡行船四十，土槽船、牛舌頭船各八十，用銀一千六百兩，衩夫六百。十年，添土槽船二百，衩夫六百，分隸子牙河。十一年，三角淀分垡船百，衩夫三百。十三年，裁垡船内之牛舌頭船二十，衩夫六十。二十九年，裁垡船衩夫，河淀工程如需夫、船，以時覓。三十七年，設浚船百有二十，凡用銀五千二百兩五，艙八十，每船用兵四，三艙四十，每船用兵三，分設三角淀，五艙船四，三艙船三十，南岸五艙船四十，三艙船五，北岸五艙船四十六，三艙船亦五，四十七年裁。乾隆三年，

協辦吏部尚書暫署直隸河道總督印務顧琮等疏：淀河，水大則一片汪洋，水涸則支河衩港無數，其間寬窄深淺不一，必須分造三項船隻，方可應用得宜。應打造行船四十隻，土槽船八十隻，牛舌頭船八十隻。行船每隻價銀十兩，土槽船每隻價銀八兩，牛舌頭船每隻價銀七兩，共船二百隻，通共該銀一千六百兩。各項船隻俱係常爲撈泥之用，易於損壞，必得一年一粘補，三年一小修，五年一大修，十年之内，如有損壞不堪用者，令該管汛員詳報，驗明發銀换造，十年之外，如不損壞，尚可應用者，不得冒銷錢糧。所需粘補、修造、大修、小修各項銀兩，逐年歸於歲修項下支銷，並將船内應辦篷、桅、篙、棹、衩夫力作器具，歷年添補器具銀兩各事宜，另册分晰開報。再所設垡船，必設官分理，應請每船十隻添設外委一員，領夫力作，共設外委二十員。每船五十隻，添設把總一員，共設把總四員，令其守管船隻，專司疏濬。再請添設霸州州同一員、州判一員，各兼管垡船一百隻，其會同把總，不時往來巡查，督率外委、衩夫，相機疏濬，並支放衩夫工食，修造船隻等項事宜。三角淀通判總理其事，其添設員弁俸薪養廉，房價役食，坐糧、馬乾、馬糧、親丁等項，照例造册送核。至所設衩夫六百名，每名每年給工食銀六兩，共給

銀三千兩。遇閏月每名加銀五錢，雖不足贍數口之家，猶可藉船爲業，每年於三、四、五及八、九、十等月撈取垡泥之時，令其一半捕魚，一半赴工力作。再東淀支流汊港，俟水涸時卽逐細查勘，其應行疏濬處，另行詳報。至添設州同、州判、把總，俱駐劄武清縣之王慶坨。其州同、州判俸工、房舍等銀，應照例歸於霸州地糧銀內支領，養廉銀兩在於存公銀內支給。把總俸薪、馬乾、坐糧，並外委親丁糧餉，應於裁汰兵餉銀內給發。衩夫銀應於裁汰兵餉銀內支銷。俸薪以任事月起支，工食以募充日起支，造册會核具題等因。經工部議覆。乾隆二十九年，直隸總督方觀承奏：直隸垡船一項，於乾隆三年設立，以疏淀中水道。十年添置兩次，其設立土槽船、牛舌頭船，三項統立垡船計四百隻，衩夫一千二百名，轄天津外委，分隸永定、天津、清河三道，內牛舌頭船八十隻，因不適用，於乾隆七年後節次議裁，現存垡船三百二十，衩夫一千八十，管轄千總二，把總四，外委二十。臣體察情形，垡船之用在於撈泥，尤重疏淀，然水深五尺以下，爬撈卽不能著力，而船泥載重，水淺又復滯，旱潦皆不適用，且兩淀遠袤數百里，撈泥一船，遠運淀外數里、數十里之遥，一日之中，能作幾次往返？其於去淤取泥，所益幾何！其造船費僅用銀八兩，本甚薄劣，土泥爲用，鹵莽最易損壞，及至河淀遇有水中取泥等工作，雖全數調撥，亦不敷用，仍須另雇民夫，乃可集事。而垡船一年一油艌，三年一小修，五年一大修，十年一拆造。布篷五年一換，葦篷三年一換，各項器具，歲需添補。衩夫每名歲給工食銀六兩，遇閏加增五錢，並千、把、外委俸廉，馬乾、坐糧、房舍等項，通計十年之中，約需九萬五千餘兩。功效有限，耗費實多。設立之初，卽奉有諭旨：淀河地甚廣闊，若僅以設船挖淺，用資補裨，猶非本務，著朱藻、顧琮會同李衛再詳悉酌議，欽此。是垡船之無益於疏淀，早在聖明洞鑒中，應請將垡船二百二十隻全行裁汰，衩夫一千八十名，本屬水鄉民夫，悉令散歸漁業，嗣後河淀工程，如有需用夫、船之處，應令臨時雇覓，按數給價。

設土車。

嘉慶七年，永定河隄工製單輪土車千輛，每輛工料銀一兩。一車運土，抵三夫肩挑。分留各汛，於春融並伏汛後，遇有浪窩水溝及殘缺處，卽運土填築，以免日就單薄。其修理，照浚船三年小修、五年大修、十年拆造例。會典事例六百六十四。

永定河之汛期：一凌，二麥，三伏，四秋。有防，有守，有報水籤。

凌汛於驚蟄前五日，備木榔、長竿、鐵鉤，冰泮則敲入中泓，免撞隄埽也。麥汛爲夏至前後五日之麥黃水。入伏，汛員駐工防守。秋汛亦如之，至白露止。防有四：一晝，二夜，三風，四雨。守有二：一官，二民。民守云者，里置民鋪一，助兵力也。伏秋大汛時，三日一報。水驟長一尺，石景山汛即填報水籤。

永定河志九：永定河有小黃河之目，水性激，挾沙與黃河同，雖工有大小，其治之之方一也。治黃河之書，莫詳于元歐陽元河防記，明潘季馴河防一覽。國朝原任河道總督靳輔，著治河方略，博采其說，凡築隄、下埽諸法，粲然咸備，司河務者所當奉爲圭臬。今惟開列現在修守事宜於左：一、凌汛：向例先期檄飭各汛員，於驚蟄前五日移駐要工，委、試用人員及武弁協防，預備大小木榔、長竿、鐵鉤，俟冰凌解泮時，督率汛兵，將大塊凌打碎，撐入中泓，不令撞擊隄埽。一、麥汛：向例疏濬中泓，挑挖引河工程，在枯河時趕辦，限麥汛前報完驗收。夏至前五日或後五日麥黃水必至，水頭一到，石景廳差人馳報，南、北岸廳率同各汛，隨水查看，或全入新挖中泓引河，或分入舊河，稟報水出下口，則三角廳率同各汛，分查繪圖稟報。一、伏秋大汛：入伏前，先定上隄日期，飭廳汛營弁，並檄委、試用人員及千、把、外委分赴各汛協防，沿河州縣協同汛員，按鋪撥夫住工，先期按工程之險易，酌給器具、銀兩。至期，道廳汛弁皆駐隄巡防，秋汛亦如之，白露後下隄。向例，伏汛時總督移駐長安城，督率防守。入秋後數日，水勢平穩，總督先回省城。嘉慶十二年，諭：總督於伏秋大汛時，祇須酌量往來查勘，毋庸久駐工次，轉致勢難兼顧。其河工修防事宜，著責成該道常時督率工員妥爲辦理申報，該督具奏。欽遵在案。四防一曰晝防：汛期兵夫齊集隄上，每日往來巡查，遇急溜埽灣，水近隄根，或稍汕刷，及時修補，埽鑲或有蟄陷，及時搶護，少暇則督令積土隄上，如遇陰雨，則填墊浪窩水溝。一曰夜防：守隄兵夫，每遇水發，防守隄上，搶護埽壩盡日，晦夜則勞倦貪睡，亦情所難免，若不設法巡警，恐貪夜失事，各汛要工，皆有燈籠火把照著，並置更籤，官弁照更，挨發各鋪傳遞，或即用循環簽，如起更時發一更簽，由某號至某號若干里，按一時行二十里，分別限二更幾點遞回，二更至五更，皆如之，並差人挨查，如有稽遲，即將鋪兵究治。一曰風防：間時於要工督率兵夫，捆紮龍尾小埽，擺列隄旁，如遇風浪大作，用繩擫懸於附隄水面，隨水起落護隄。一曰雨防：伏秋大汛，多有驟雨，兵夫每入鋪舍躲避，隄埽無人看守，倘有刷蟄，貽誤非淺，督率汛弁，各備雨具，往來巡查，先期置備蓑笠，分給兵夫，北方無斗笠，或用草帽、雨傘。道廳、都司、守備不時冒雨親查。二守，一曰官守：平時各汛設官一員，隄工埽壩，督兵修理，伏秋大汛，復委試用官一員，或千、把、外委住隄協防，險工臨時添派，河道率廳員、都司等皆移駐隄上，晝則督率修補，夜則稽查玩忽。一曰民守：各汛隄工，長短不一，每二里五分，鋪房一所，鋪兵一名，長年住守，汛期每里添設民鋪一間，撥附隄十里村莊民夫五名，日夜修守，民夫五日更番替換，復檄沿河州縣，另撥民夫，或百名，或五十名，預備緊要，立傳上隄，協力搶護。一、報水：大汛之期，盧溝橋兩岸各汛及下口，各立水誌，各報水單，量明底水尺寸，專委妥人，日夜看守。每日按子、午、酉三時，填明河水長落，各汛呈報道廳及石景山廳、三角淀廳。三日一次呈報總督。石景山廳預備報水大籤，督率石景山外委，晝夜勤看水誌，遇水驟長至一尺及一尺以上，則填明大籤，差兵挨工飛遞，遞至河道公館，專差馳稟總督，大籤仍卽遞至下口，然後繳回。凡經由各汛，俱按時刻粘籤上，如片刻遲誤，卽拏該鋪兵重究。水落亦如之。一、預估工程：秋分後，水勢既平，河形斯定，道廳督率各汛查勘，中泓有淤積沙嘴，應行裁截，或有曲折太灣，應行取直，或應另挑引河，或應疏通淤淺，俱預估報，春分後再行復估，或有更改，通融酌辦，總限麥汛前報竣。凡有應行粘補隄工，亦卽預行估定，或於九、十兩月趕辦，或俟下年春融再辦，另案加培。大工並修理閘壩以及挑引河工程，則稟請總督奏辦。一、採備料物：例於安瀾既慶後，按工程之險易，酌辦料之多寡，將銀數詳明總督，道庫先發由廳，分給各汛，乘時趕辦貯工，道廳親往驗查收，其所發銀兩，赴户部領回歸款。一、積土：每兵一名，每日例應積土二尺五寸，鋪兵、巡柳兵、看料兵減半，堆積土牛以爲壓埽填溝平隄之用，每年除冬夏兩月外，俱按日計算，歲終報部。一、種柳：每兵一名，例應栽柳一百株，於冬末春初，津液含蓄之時，採取最長八尺、徑二寸許柳栽，驚蟄後地氣開通，於附隄内外十丈柳隙，刨坑深三尺栽種，不時澆灌，至夏秋之交點查成活數目呈報，以七成爲率，歲終報部。乾隆三十八年，遵奉上諭：兩岸隄裏近河之隄根，以及軟灘之上，種叵羅柳，又下口一帶，南、北兩隄内村莊圍村，悉種卧柳。欽遵，各在案。

石景山南、北兩岸工料有章。

工曰木、曰石、曰瓦、曰艌。又有夯硪夫，有刨槽灌漿壯夫。其料曰石，有青砂、豆渣、片石、石子。曰磚，曰木，有松、柏、杉、楊；曰土，有黄土、素土、旱方泥濘；曰秫稭，曰豆稭，曰穀草，曰稻草，曰柳枝，曰柳囤，曰葦蓆，曰麻，曰麻刀，曰桐油，曰灰，曰白礬，曰江米，曰綆繩，曰鐵撬、鐵鍁、鐵幌錘、鐵錠、鐵釘、鐵齒爬、杏葉爬、鐵灰勺；曰灰籮，曰灰篩，曰汁鍋，曰戽斗，曰筐。據永定河志五。

雍正十三年七月，工部議，直隸河道總督朱藻奏，官民捐納土方，應請議敘。奉旨議駮。諭：向來沿河文武官弁，有種柳葦議叙之例，遵行已久，不便停止，今若又添物料土方議敘之例，恐奉行不善，將來必致滋弊累民。凡地方現任官弁，捐輸土方物料者，尤爲不可，概不准行。

若紳衿民人情願捐輸，著分別定例議叙。

曰歲修，曰搶修，曰疏濬中泓，曰疏濬下口。每當春草未萌，搜獾洞鼠穴塞之。一過淩汛，則栽新柳，積土牛，易朽埽，補單薄，使通工隄堅溜順，雖偶出險，合羣力搶修之亦易，歲修時卽爲搶修計者，此也。倘隄或漏裂，險在呼吸，則去裂土，簽樁鑲埽，埽宜輕軟，稻草、豆稭之類是也，輕軟則水入沙停，合而爲一，反是，則滋内潰虞矣。自康熙三十七年築隄，設兩岸分司同知，其疏築隨時奏請動用，無定額，歲修搶修銀三、四萬兩。雍正四年，改設河道。怡賢親王奏定歲修銀一萬五千兩，歲前題撥，採物貯工，搶修難以預定，於春初領萬餘兩，視工平險，獨是永定與黃河異。黃河之沙可以自達之海，永定則沙停於淀，愈停愈高，病在下口。雍正九年四月，大學士鄂爾泰等因議於歲修增疏濬下口銀五千兩，募民船、民夫疏濬永定河下游淀池，河道下口之疏濬始此。乾隆三年，工部奏，引河隄埝入歲修。陳學士文鈔：永定引河下口私議：查治河之法，欲疏導上游，必先以廓清下口爲急務，督河諸臣奏改永定河原議導之南流，不設隄堰，以遂其散漫之性；城池村落，逼近河流者，建築護隄，以防其衝齧之虐；疏引濁流填淤窪鹹以收其肥饒之利，措置上游，皆可謂善矣。惟東、西兩引河下口，籌患未周，不能無遺慮焉。西引河下口入中亭河，夫中亭乃玉帶河之支流耳，淺而狹，容納既苦不勝，且其溜緩弱，無衝刷之力，濁流一入，不一、二年卽成斷港，下口一塞，則泛溢爲田廬害，此西引河下口之不利，不可不慮也。查督臣於乾隆四年條奏四河兩淀議内言，趙北口橋東爲衆水所會，止由張青一口入玉帶河，洩水不多，應挑白溝故道，由龍灣至霸州之魚津橋，以入中亭河，則倒灌淤墊之患可免，等語。未審此河曾否挑挖？如未施工，今應議令速行開濬，並中亭一律寬深，令與玉帶河等，分引西淀、白溝諸水暢迅東行，則溜急勢强，濁流雖入，足以潠刷推湧，庶免停淤爲患，且可分減玉帶羡溢之勢，卽保定縣一帶，遥隄無煩更築矣。此轉害爲利之道也。至東引河下口，由津水窪開高橋以南民埝放之東淀，尤爲不可。夫津水窪卽土人所謂金水窪也，高橋以南民埝，卽康熙間河臣王新命奏建中亭河之下六工欽隄也。隄内地形低凹，隄外毘連淀水，以此爲壑，則永定全河之流，沛然莫禦，其勢非不甚順，獨不思取快於目前，而貽憂於事後乎？昔於成龍改河，以柳岔爲下口，遂致淤淀爲河道全局病。今津水窪在柳岔口之南，相去無幾，而且正當蘇橋三汊河入淀之衝，若舉泱漭之渾流，決隄而注之殘淀之中，將使柳岔之淤而未盡者，必至填塞無餘，而通省六十餘河之水，何地爲之翕受，何路爲之宣洩？此東淀下口之害，更不可不慮也。姑爲補救之術，莫若將高橋以南之民埝加築堅厚，藉爲範圍，永定漲發不過三四日，而隄内窪地形勢寬闊，引河入之，散漫填淤，儘堪容受，俟水停泥沈之後，然後開挖民埝，用椿葦裹頭，決水放出，如此則泥溜窪底，水洩淀中，如南運放淤之法，庶免目前淤淀之患。迨數年後，津水窪淤高，不能受水，徐圖更議耳。再督臣前歲所奏，經理東淀議内，欲將東淀上游三汊河淤淺之處皆行挑濬寬深等語，查三汊河在文安蘇橋之北，卽玉帶河入淀之上口也。北一汊名台山河，北流東折，中亭河入焉，合流東北，爲勝芳河，逕辛張、策城、褚河港、東沽港、王慶坨，南入長子河，匯於河頭，與楊家河合。自永定入淀，淤成平地，愚意先將此河挖寬深，上承中亭西引河之水，卽東引河津水窪所放之水，一並導入，可以直達河頭，與石溝、台河、頭道各道分流，庶清濁攸分，永無淤墊之患。此就其疏濬淀河之工，而成渾河，別由一道之利，似爲長便也。中流挾沙，動成沙嘴高灘老坎，往往曲淤橫梗，非裁灣去梗，則病在中泓。十五年，江南河道總督高斌、直隸總督方觀承議於歲修添疏濬中泓銀五千兩，中泓之疏濬始此。十八汛河員皆兼巡檢銜，分管坰隄十里郵莊，勘明中泓淤灘，河枯時，集坰隄民夫，分段疏濬，日給米菜錢，其濬河法：一、夾沙淤，宜以沙帶淤也，俗曰閧套，其難濬者，一、稀淤、宜放。一、嫩淤，宜抽路。一、淌沙，宜打井子。一、翻沙，宜疊埝引水。一、膠泥、油泥，宜開子溝。永定河續志十六：濬河法，一、挾沙淤，層沙層淤，厚不滿尺，淺則易爲，深則費手。其法：以沙帶淤，先將沙面曬乾，人得立脚，卽在沙上插鍬，連下層之淤挖出，逐層不可貪多，緣沙中含水，上下被淤蓋托，水不能出，其性澥，淤爲上下沙中之水所浸，其性軟，一軟一澥，易於摻合，一經摻合，淤泥不分，俗謂之閧套。人夫能立不能行，鐵鍬易入而難出，遇有閧套，先量深淺，如深一、二尺，用葦秸等件捆把，一尺長、三尺豎，下工内，名爲墩子，分行安置，上用寬厚木板，縱横打架，使人得往來其上，沙多則稀，淤多則稠，稀用勺，稠用鍬，於一處儘挖，納布兜擡出，此處衝窪，四處游來，挖至未曾踩踹閧套之處，再依以沙帶淤之法做之，卽可成工。如閧套深四、五尺，用皮篙紮十字馬脚，上安拉木，照墩子分行安置，仍搭架木板，照前撈挖。若深至丈餘，則照稀淤之法治之。一、稀淤，怕寬，怕深，緣挑河之口，多則寬三、五十丈，而淤套竟有百餘丈者，其性如水，可以載舟。遇此等工，先量深淺，如深同估挑之數，則上下築壩攔格，將上下兩頭工照原估加深挑挖數尺，挑成後，將壩起除，放淤於上下河內，可以隨水而去，此爲難中之易事。若河挑二丈，淤深一丈，雖放淤於已成工內，而下深一丈之工，尚應挑挖，無岸無邊，仍難措手。其法：先於應挑口寬處用淨沙土夾澆順河壩，高出淤面一、二尺，淤寬則頂寬丈許，淤窄則頂寬三、五尺，泡沙尤佳，其能收水也。兩岸澆成，須用車斗戽撤至硬底，審明土性，依法挑做。一、嫩淤，先分深淺，次分寬窄，其深一、二尺者，於邊口挖五尺寬溝至硬地，俗謂之抽路，一、二丈一道，使其透風易乾，若深至三、五尺，寬數十丈，崖口不能站立，則紮套枕，或三丈一路，或五丈一路，間格成塘，於枕邊挖至硬地，即跟地前進，倘深至丈餘之外，則照稀淤做法，先夾順河壩，次下皮篙馬腳，搭架木板，分段撈挖，用布兜送遠處，時加測量深淺，能得下套枕，即下枕分塘撥挖，較馬腳挑爲迅速。倘遇嚴寒結凍，則逐層揭起凍塊。一、淌沙，即油沙，又名瀨沙，其色黑，其性散，舍水不粘，工最難爲力，緣不能抽溝空水法於淺處用乾沙土打堆，周五、六尺，高一、二尺，於堆頂由內向外輪轉翻撥，俗謂之打井子。得其一席之地，即有崖口，堆分處接連搭架木板，抽挖一層，將水撤出，再於中心打井，即做子河空水，逐層打井挑挖，雖數尺亦能成工，惟兩擔不能站住耳。一、翻沙，爲沙土中最劣者，此挖彼長，朝挖暮起，無數小堆，形如乳頭，中有小眼冒水，偶於空中冒氣，聲如爆竹，此乃上下油淤，深厚蓋托，日久一去上面之土，水氣上升之故，必須用水壓之。其法：於河中橫疊小埝，高二尺，寬一丈，或二丈，或三丈，間格成塘，引外水入塘，或挑水貯塘內，深一尺餘寸，養一晝夜，使水氣舒通，次日將塘內之水戽撤下塘，養工於此塘中間，用木板長五尺五寸者，一順安雙行，雙行中留一鍁之地，另將木板橫安，爲出土之路，鍁手、挑夫皆立板上，先將中心一鍁挖出，將板翻移一位，跟崖倒退，遞挖遞退，將此一層挖至河口，其冒水冒氣，漸挖漸少，再將下塘之水放貯此塘，又養二層，即在下塘安板鋪路，照前退挖，如沙長百丈，則多疊小埝格塘，倒水分投挑挖，乃能依限完竣。一、膠泥，油泥，其性滑，尚不致蟄陷分塘鋪板則可挑做，然亦須先挖子溝，以防陰雨。一、挑河，必先搶子河，有子河即逢陰雨，尚有腮可取土，不到停工以待，子河以底寬二、三丈爲度，要照原估加深一、二尺，以備雨。一、工程已有四分，亟須懸賞，應於官棚前設立木架，將錢齊挂架上，頭塘二十千、紅布一疋，二塘十五千，三塘十千，四塘五千，庶塘夫踊躍。十八年，方觀承奏定南北岸歲修銀一萬兩，搶修銀一萬二千兩，石景山歲修銀二千兩，疏濬中泓下口仍舊各五千兩，凡額定銀三萬四千兩，上年用賸，准下年動用。先是，乾隆元年，河臣劉勷奏，歲修外，每年預備要工銀十萬兩。二十一年，直隸總督方觀承請減半分貯。乾隆四十年八月，直隸總督周元理奏，永定河歲搶修等工，請復舊例。令大學士于敏中等會議。尋議：每年秋汛後，將下年歲修疏濬各工，預具奏，永遠删去額定字樣，搶修先發銀一萬兩，將料採貯，儻有不敷，一面具奏，一面將庫項墊發。報可。

閏十月，命嗣後河工歲報錢糧，俱著次年全數查明，於第三年正月開印後具題，如有逾期，該部即查明參奏。嘉慶七年，户部侍郎那彦寶奏加歲搶修銀二萬二千兩。八年閏二月，直隸總督顔檢奏加歲搶修運腳銀八千五百餘兩。十三年正月，直隸總督温承惠奏請每年預領銀一萬兩，俾先期添購料物，貯工備用，仍歸入歲搶修項下報銷。允之。十四年，温承惠奏加歲搶修銀五千兩，以二千歸入歲修，以三千兩歸入搶修。永定河志十。自是歲領銀六萬九千五百兩。二十年，添備防秸料銀二千兩。道光三年後，歲估備防料銀一萬九千餘兩至二萬九千餘兩不等。永定河續志三。十六年，工部奏催歲料册。據工部疏。二十年，備防料銀二萬五千二百兩，後爲定額，歲共領銀九萬四千七百兩。咸豐四年，減半支領，再按銀鈔各半給發，歲領實銀二萬三千六百餘兩，在布政司庫旗租項下指撥。七年，減備防料銀一千五十兩。同治元年四月，府尹石贊清奏本年驚蟄後，永定河水漲，雄縣所屬之毛兒灣與保定縣交界之處，開口數丈，又雄縣屬之西橋，新城縣屬之青嶺等處，先後開口三道，現經委員會勘，趕緊修築，設法疏消，惟淩汛、桃花汛，水源尚非大旺，轉瞬伏汛、秋汛，盛漲之時，其患有不可勝言者，必須籌畫經費，使河兵足數，工料足敷，嚴飭各汛官，去其險工，庶可使河流順軌。查盧溝橋以下至下口百餘里，中泓兩旁河身，均成熟地，現爲附近户等蒙種，統計約有四五千頃之多。若議租，每年可得銀一、二萬兩，以之津貼河工，可無須另籌經費。

命直隸總督文煜會同贊清，飭永定河道督同沿河州縣詳細勘報。二年，停發五成鈔票。永定河續志三。三年，直隸總督劉長佑奏請改發五成實銀。八年九月，直隸總督曾國藩奏請加疏濬中泓下口銀二萬三千兩，自九年起。十二年，直隸總督李鴻章奏復原額，實銀九萬四千七百兩，自十三年起。據奏議。光緒三年，加搶險銀四千兩，添補麻袋、月夫、兵米等費，由外籌撥，不歸本工報銷。永定河續志三。

曰時修。

此即永定河志所謂另案疏築，隨時奏請者是。

曰民修。

乾隆元年，直隸河督劉勷等奏，永定道有民修隄埝，請照雍正十二年以工代賑例，量給工價，據工部奏。如金門閘、求賢邨、南上汛各引河，每年於農隙勸民挑濬。據永定河續志二。

其經費有出之河地者，曰河淤地租。

乾隆十年，奏定一夫授地六畝五分，一畝徵租三分、六分有差，貯之道庫，爲河工粘補之用。時則有霸州、永清、東安、武清之地。十五、六年增宛平、良鄉、涿州、固安地。三十五、六年，涿州被水除租，宛平等七州縣地五百九十三頃六十一畝三分二釐，歲徵銀二千一百兩二錢六分一釐。據永定河志十一，續志三。

曰防險夫地。

南四工，七頃四十一畝；南五工，二十九頃八十三畝五分；南六工，三十九頃八十七畝七分五釐；北五工，三十九頃七十一畝五分；北六工，二十八頃二十七畝五分；北七工，三十二頃九十八畝七分五釐；北八工，三十九頃三十九畝；北九工，二十頃八畝五分。自乾隆二十年，改北六工二十號爲下口，二十號已下舊河淤地撥給北埝三汛。防險民夫，每户六畝五分，每畝徵租三分、六分有差。嗣是二十號已上至郭家務，亦淤有灘地，撥給兩岸五、六工，南岸四工防險夫，郭家務已上無淤地。據永定河志十一。永定河續志十五：候補通判蔣廷皋書舊志防險夫地後：防險夫地，即在河淤地内撥給。乾隆二十三年，奏准永、東二縣守隄貧民，將淤地各於所居村莊就近撥給，每地户撥地六畝五分，宛、涿、固、霸州縣户地少，每户撥地五畝，後定爲險夫有地畝者，仍服本邑差徭，無地畝者，皇差捕蝻外，免一切雜差。舊志載，下游八汛，出夫者三千六百五十餘户，其時各汛險夫或三、四百户，五、六百户不等，並無額定名數，是以按户給地六畝五分，共給地二百三十七頃零，上游因無淤地，遂無險夫地畝，揆之事理，未免偏枯。今下游汛夫，一汛多者百餘名，少者數十名。出數十名夫，而領數十頃地，較之昔年，偏枯尤甚。今通工汛夫一千六百五十名半，即以險夫地二百三十餘頃均匀分派，每名可得地十四畝有奇，又接河淤地五百九十餘頃，除給工夫暨添撥各廟香火地外，尚存三百三十餘頃，現歸何人耕種，檔册無攷，以之加撥險夫，每名又可得地二十畝。

曰柳隙地租。

南上中汛麻地租，卽柳園隙地濫觴也。益以隄幫隄隙，凡七十六頃五畝一分五釐，又二十五里有奇，歲徵銀八百二兩一錢四分九釐三毫，錢千一百二千八百三十二文。永定河志十一：南上中汛舊有徵租麻地，並查出南北六工新淤並柳園隙地，共七十頃八十九畝。乾隆三十九年，奏徵每畝二錢一分六釐，嗣因無人認佃，各州縣請試種一、二年，再定額租。復勘下口迤南廢隄幫地、重隄内隙地，並前項化除撥香火地外，存地六十一頃零，交霸州、永清、東安三州縣，召佃輸租，乾隆三十九年爲始，批解道庫，以備永定河隄工加修之用。霸州地一頃六十三畝三分九毫，畝徵銀一錢；永清柳隙隄幫地五十五頃三畝一分一釐五毫，畝徵銀一錢至二錢一分六釐不等；東安柳隙地五頃二十四畝九分三釐八毫，畝徵銀一錢至二錢一分六釐不等。永定河續志三：霸州隄幫地，光緒三年續報地十二頃，徵銀八十七兩六錢六分九釐；南八上汛老隄三道，十七里三分，歲徵京錢一千一百二千八百三十二文；南北下汛廢埝地租八里有零，徵銀十二兩；北七汛落垡村地一頃三十畝，徵銀七兩一分二釐。今檔册連前共地七十六頃五畝一分五釐三毫，又二十五里零，歲共徵銀八百二兩一錢四分三釐九毫，京錢一千一百二千八百三十二文。

曰葦場地租。

雍正四年，郭家務改河水利，府動帑二千八百六兩三錢一分四釐，買武清范甕口民葦場地四十六頃七十七畝一分九釐，以爲挖河築隄之地。十一年，隄旁産葦，丈計一頃十五畝有奇，年刈草三萬斤，充擰繆用。乾隆十六年，改移下口，河身涸出，蓄葦爲歲搶之需，河淤餘地一頃九畝，除河身隄坑柳陰地八頃九十一畝，實地三十八頃九十四畝。嗣以地薄減租，每年徵銀七百二十八兩四錢三分有奇。據永定河志十一。道光十年，被水減地。二十六年，淤地增租，共地四十三頃四十四畝六分九釐，歲徵銀四百十五兩三錢三分二釐六毫。據永定河續志三。按：此外有永清香火地，無關河工，故不録。

德清傅范初校

德清傅雲龍纂 江陰繆荃孫覆輯

河渠志六

河工二

永定河

其工始於順治九年修隄。

修石景山以南至盧溝橋決口隄岸。會典事例七百一。國朝之修隄始此。

康熙七年，築盧溝橋決口。

七月河決盧溝橋及隄。永定河續志二。命工部侍郎羅多等築之，禁止隄岸莊佃私開溝河。據永定河續志卷首。會典事例七百一：七年，題准盧溝橋隄岸衝決動帑修築。

二十一年，修石景山至盧溝橋隄。

是年命工部尚書薩穆哈、順天府尹熊一瀟，察看石景山至盧溝橋隄，確估修治。據永定河續志卷首。滿洲名臣傳：五月，工部尚書薩穆哈奉命察視石景山至盧溝橋石隄，奏言：石景山内本係官地，自康熙元年招民開墾荒田十頃，以致侵損隄根，請敕户部，豁免所征糧銀，仍給盧溝橋都司巡察，毋令再行耕種踐踏，如遇雨水衝塌，并令隨時詳請報部修理。

三十一年，疏渾河故道，築故隄。

是年二月，聖祖以渾河河道漸次北移，永清、霸州、固安、文安等處時被水災，命察勘修築。直隸巡撫郭世隆遂疏永清東北渾河故道五十四里，順流歸淀，築固安、永清之北故隄七十二里，工起四月，訖五月。國朝之疏濬渾河下流始此。畿輔安瀾志：康熙三十一年，直隸巡撫郭世隆修築渾河隄岸。固安、永清之北，有故隄七十二里，歲久傾頽，遺基可按，請照舊繕完。又以南岸既固，北水無歸，並請濬永清縣東北舊河五十四里，使順流歸淀。是年四月興工，五月畢。此次修濬，爲經理渾河下流章程之始，有固安縣濱河龍神廟碑文載其事。

三十七年，挑河築隄。

二月以霸州、文安等處因保定府南之河水與渾河之水滙流於一處，勢不能容，時有汎濫。命左都御史于成龍往治。三月，聖祖親臨閱視，命直隸巡撫于成龍據畿輔安瀾志。疏築兼施。永定河志一。挑河自良鄉老君堂舊河口起，逕固安北十里鋪，永清東南朱家莊，會東安狼城河，出霸州柳岔口三角淀，達于西沽入海，長一百四十五里。賜名永定。按：狼城亦曰安瀾城，築南隄，起舊河口，訖永清郭家務，八十二里有奇。北隄起張廟場，訖永清盧家莊，一百二里有奇。於舊河口建竹絡壩，使水併流東注，復自南岸高店邨土坡下起，至壩止，堆沙隄三十五里，連大隄凡長一百十七里四分，北岸復自盧溝橋南石隄下起，至利垡邨南止，堆沙隄二十二里，利垡至張廟場五里，地高無隄，後於四十年接築，連大隄，通長一百二十九里二分。據永定河志一六、二十四，續志卷首。畿輔安瀾志：北岸隄自狼城河口上至張妙場，二萬七千一百六十二丈五尺，計程一百五十里九分。張妙場而上，沿河五里，地高，舊無隄。又沿河二十里至立垡，積沙成隄，沙隄上接盧溝石隄。南岸隄自狼城河口上至攔河壩，二萬七千三百七十五丈五尺，計一百五十二里，由攔河壩沿河西至高店，三十四里，沙隄上接盧溝石隄。永定河志一，初次建隄挑河圖説：康熙三十七年，疏築兼施，自良鄉之老君堂村起，至永清之郭家務止，北岸自良鄉之張廟場起，至永清之盧家莊止，築隄長百八十里，挑河長百四十里，至永清縣永家莊，會安瀾城河，由淀達津歸海。安瀾城河原名郎城河。

三十九年，開新河，自郭家務逕柳岔口，築南、北岸隄。

先是，三十八年，郎城淀河淤且平，上游壅塞。據畿輔安瀾志。十月甲戌，聖祖巡視永定河隄，至盧溝橋南，諭原任河道總督王新命等曰：此河性本無定，溜急易淤沙，既淤，則河身墊高，必致淺隘，因此泛溢橫決，沿河州縣居民常罹其災。今欲治之，務使河身深而且狹，束水使流，藉其奔注迅下之勢，則河底自然刷深，順道安流，不致泛濫。今朕徧觀兩岸，將緊要應修處，逐一詳審，爾等務期次第修築，遵諭而行。聖祖至北蔡邨、夏莊邨、南蔡邨等處，諭王新命等，作挑水壩，不必過長。丙子，聖祖至郭家務南大隄，以豹尾鎗立表於冰上，親用儀器測驗。諭王新命等曰：測驗此處河內淤墊，較隄外畧高，是以冰凍直至隄邊。以此觀之，下流出口之處，其淤高必甚於此。如此壅滯，安能暢流？此等隄工，卑矮可虞，若不預行修築，明春水發，難以堵禦。必自今冬下埽，加幫增高，不可取近隄之土，若取土成溝，水流溝內，有傷隄根。著取河土用之，卽運土稍遠，亦無不可。辛巳，又諭曰：今永定河自郭家務以下，壅淤已高出七、八尺，若掘畢方濬河身，不但多需工力，必致歲歲壅淤。南隄之南，地最窪下，若隨其窪下濬治，於掘出之土卽行釘樁築隄堅固，則修理最易，抑且北隄三層，於河更屬有益。爾等修治時，可將河口修窄，漸次放寬，於兩邊築隄使高大，則水勢迅急，沙自不能停住矣。若遇村莊近處，宜詳視妥當，委曲遠移，或砌之以石，與村居無礙，始行修理。俟新修河工告竣，朕親臨視開放河水。三十九年二月，又諭曰：郎城之遥隄甚有用，清水、渾水俱以此當之。新河開畢，著卽修築南、北兩岸遥隄，完工之後，交地方官各有分守，稍有損壞處，用民夫補修。著傳諭直隸巡撫李光地，朕將於四月來臨，不時遣人察視，爾等敬慎無忽。又巡閲竹絡壩，諭李光地等曰：莽牛河出水之口，亦宜下埽防之。隆冬冰結之時，莽牛河口，著照常開洩，清水流於冰下，則水爲冰逼，向下衝刷，河底自然愈深。又閲新修石隄，諭曰：朕修此石隄，特欲其堅而更堅之意，如此則河水斷不復歸舊河，此地黎民，亦可安枕矣。又諭曰：觀新挑河道，水流既直，出柳岔口亦順，河岸較前甚高，而河亦深，此皆莽牛河水衝刷之故。閲其地勢，南岸最爲要緊，故將應行堅修諸處，詳行指示，爾等勿謂其已成而遂忽之。聖祖聖訓。自是永定河由永清郭家務新河逕霸州之牛眼邨、柳岔口注辛章淀，據畿輔安瀾志，參永定河續志卷首及六。北岸以舊河之南隄爲北隄，朱家莊以上築新隄十五里，自張廟場至柳岔口隄尾，凡二萬九千八百六十三丈五尺，計程一百六十五里三分。南岸郭家務以下新隄十餘里，高寬一準舊制，自高店土山沙隄至柳岔口隄尾，凡三萬七十五丈五尺，計程一百六十七里，據畿輔安瀾志。卽今東、西老隄也。詳下注。是年復以南岸攔河壩至北邨河頂衝最險，改築石隄四千五百二十丈，計程二十五里。據畿輔安瀾志。又云：三十九年，郭家務爲兩河三隄，其時有以更番挑淤，輪年放水爲議者，然渾河湍悍，莫能操縱，終不可行。兩岸遙隄，可資防範意外。從前分司祇知加意縷隄，而遙隄不事修葺，漸至堙沒，今考其舊址，僅存土埂斷續而已。永定河志二，二次接隄改河圖說云：康熙三十九年，因安瀾城河口受淤，於郭家務接築南岸隄工，於盧家莊接築北岸隄工，至霸州柳岔口止，卽今之東、西老隄，改河由柳岔口注大城縣辛章河，入東淀，達津歸海。永定河志六：遵旨于南岸另挑一河，以南岸爲北岸，南岸接郭家務大隄尾起，至霸州柳岔口止，連上共長一百七十九里，北岸自盧家莊西河麻子營接大隄起，至柳岔口迤東止，連上共長一百八十里。

四十年，築南岸排樁遙隄，修金門閘。

河臣王新命以郭家務以下，兩隄相隔僅四十餘丈，夾束過緊，河流衝激，爲害南岸，加修排樁九千七百九十五丈，又於南岸外築遙隄以作重障，長與縷隄等。畿輔安瀾志。金門閘詳下。

四十一年，堵合三聖口南隄。

五月漫永清縣三聖口南隄，旋經堵合。六月，大學士伊桑阿、馬齊、張玉書、吳琠、熊賜履，學士來道、常壽、鐵圖、紀爾塔渾、王九齡、曹鑒倫、劉光美等奉諭，永定河南岸不時衝坍，令南岸修築石隄以禦之。據永定河續志二，參畿輔安瀾志。

四十八年，決永清王虎莊前隄，築之。督工修築爲南岸分司阜保。據畿輔安瀾志，參永定河續志二。

四十九年，築土隄挑水壩。工部侍郎會分司色根等，修築土隄，衙門口郵對直石隄後一百二十丈，真武廟石隄後一百十丈，又紀家莊至龐郵土隄一千五百七十丈，其大溜頂衝處，真武廟築挑水壩三，連護隄埽、用過埽二百七十，迴龍廟舊石隄接土隄處，築挑水壩四，連護隄埽、用過埽三百六十，用銀一萬三千四百兩，工起三月，訖五月。康熙四十九年五月，工部奏，本部侍郎奏稱，臣等於三月十九日至盧溝橋，會同分司色根等，將衙門口郵對直石隄一段長一百二十丈，真武廟前石隄一段長一百十丈，此二處石隄背後，土有坍塌，卑薄處加高培厚，自紀家莊起，至龐村隄止，土隄長一千五百七十丈，坍塌卑薄處，亦照所題加高培厚。其真武廟大溜頂衝處，建挑水壩三，連護埽、用過埽二百七十丈，迴龍廟舊石隄與土隄相接處，亦係大溜頂衝，建挑水壩四，連護隄埽、用過埽三百六十箇。以上共築土隄一千八百丈，挑水壩七座，連隄埽、連護隄埽、用過埽六百三十個，原估工料銀一萬三千七百八十四兩六錢一分五釐，除節省外，實用過銀一萬三千四百兩，將此節省銀兩，交與節慎庫收貯。用過土方並挑水壩等埽丈尺物料工價，細數造册報部，於五月十三日完工。此隄附近居民，俱至隄所，咸稱皇上特爲小民不惜錢糧，將此隄工堅固修理，若不差員看守，被雨水冲刷，車輛踐踏，必致損壞。查得此隄原係工部每年修理，今差工部賢能章京一員看守，永定河河兵八百名内揀選熟練河兵三十名，交與章京，敬謹看守。章京一年限滿更替，此三十名河兵仍令該分司另行召募。嗣後此土隄如有冲決坍塌之處，該章京帶領河兵修理，如此不用錢糧，而隄工得永遠堅固矣。其挑水壩，護隄埽，倘有修補，石隄坍塌之處，令該章京查明報部，臣等親往驗查，如應修理，卽核算令其修理。

五十五年，修兩岸沙隄、大隄。凡修隄三萬六千七百七十丈，用銀二萬五千九兩九錢六分。據永定河志十。

五十六年，修兩岸隄，堵合賀堯營漫口。

四月修郭家務以上兩岸沙隄大隄三萬六千九百七十丈，用銀二萬五千九兩九錢六分。據永定河志十。六月，決永清縣賀堯營北岸隄，北岸分司齊蘇勒督工築之。據永定河志二，參畿輔安瀾志。

康熙五十六年十月，永定河分司齊蘇勒奏，爲欽奉上諭，踏勘河道事：先經臣等於本年三月初五日奏稱，本年二月二十二日桃汛水發，臣自柳叉口駕小舟隨大溜往勘。永定河水由柳叉口南二十里會入新章大河，轉迤東南，向楊芬港瀉流，從前由新通褚河港之河道，今間段淤塞，船不能行，自西沽所來鹽貨船隻，俱由褚河港之南揚芬港大河行走，揚芬港係數河交會之要口，現離永定河渾水不遠，相去運河不過十五里。聖主深慮洞見者甚是，倘由褚河港以南漸漸淤去，目下雖屬無妨，日久恐於運河有礙。再看子牙河水直奔王家口流來，其勢迅湧，大溜不讓於永定河。兩河相離既遠，而又橫隔於臺頭之大河，似若兩不相礙，但褚河港所淤河身，原係永定河洩水之道，若將此淤塞之處取近挑通，引永定河之水照常直會東沽港，往下出洩，則渾流可與運河相遠，而新章之河道庶不致於淤塞矣。再看永定河水勢大發之後，大溜直會新章，清渾兩流甚屬迅暢，水落尚能汕刷，不至停沙，及至清河、永定河兩水相等之候，而清渾兩流不但滯緩，且渾水又向兩旁漫散，此係淤墊之端。臣請於本年麥黄、伏、秋三汛，將兩河水勢消長情形，歷久試驗奏聞，恭請聖訓治理，等因，奉旨：候此三汛久試細驗甚好，爾加意試看，俟交冬令，朕再籌奪，其褚河港淤墊之處，暫停挑挖，亦俟冬令籌奪。欽此。臣等候至本年麥、伏、秋三汛，詳久試看消長情形，永定河水發之時，大溜抵新章，會清河，清渾兩流俱屬洶湧，毫無淤墊。至永定河水落，被清河之水抵敵之際，清渾兩流汕刷而流，亦不致有沙停，今歲麥汛，清渾兩河並發並消，此間俱無淤墊之狀，迨伏秋兩汛，清河之水發之於前，永定河水發之於後，而清河之水勢居强，渾水爲之逼退，不能遠漫，照常隨清河而瀉，以此不致向南淤墊，自於運河無礙。至子牙河水，由王家口瀉出，流入臺頭等河，建瓴而下，照舊順暢，其勢不讓永定河流。再看褚河港所淤之河，經今年伏、秋兩汛，水勢汕刷，抵東沽港四里有餘，自行刷成河道，現今雖不致於甚深，俟河凍水流冰下，愈可刷深之候，臣等遵照聖訓，鑿開冰孔，搖樁治理，易於疏通，但褚河港以上淤淺之處尚存，應俟來年河枯時酌量挑通。

五十八年，修南、北岸隄，挑水壩。

永定河分司雅思海、齊蘇勒奏修沙隄南岸，自高店至牤牛河閘，北岸自鶯房至張客邨，凡一萬一千八丈，高三尺至五尺五寸不等，頂寬一丈二尺至丈五尺不等，底寬三丈至四丈五尺不等，其汕刷未甚者，僅修隄頂，餘則並加至高五尺，頂寬一丈五尺，底寬四丈五尺，舊土外用新土三萬五千六百四十三方一分四釐五毫，石隄南岸自牤牛河閘起至北郵，長四千四百四十丈，其背後土隄高二尺至六尺不等，頂寬八尺至九尺不等，底寬一丈四尺至兩丈不等，今均加至高八尺，頂寬一丈三尺，底寬三丈，舊土外用新土五萬四百九十六方二分，南、北兩岸大隄共四萬四千九百八十丈，高二尺至八尺不等，頂寬六尺至一丈五尺不等，底寬二丈至四丈五尺不等。今加至七尺至八尺不等，頂寬一丈四尺至一丈五尺不等，底均加至寬四丈五尺，舊土外用新土三十八萬六千七百二十二方七分六釐，內有大灣之隄取直修築，其欵派富户正黃旗原任知府董天鈞、正黃旗漢軍御史張國棟到工修理，凡用銀四萬七千四百六十兩，又修挑水壩二十七，用銀六千兩。據永定河志十五。

五十九年，修盧溝橋之石土隄，建挑水壩七。

凡用銀一萬三千七百八十四兩六錢一分五釐。據永定河志十。按：永定河志又云，五十九年修補挑水壩二十七，用銀六千兩。考此，即五十八年事。

六十一年，復決永清賀堯營，築之。

是年，直隸巡撫趙之垣，委員同分司修治。據畿輔安瀾志。安瀾志又云：康熙壬申，導渾河由永清之北東入淀池，其時規制初創，無專司經理之員，積久壅遏，遂復遷流而南，攔入會同河，固、霸、新、雄之野，歲有漫溢。迨三十七年，改自固安北東匯狼城河歸淀，建設分司，添募河卒。自是疏濬之功，歲有常例，而濁流底定者垂三十餘年，雖順軌南流，地勢實宜，亦孰非濬淤去滯之力哉！

雍正元年，築清涼寺隄。

漫清涼寺隄，築之。按：畿輔安瀾志漏此，今據雍正元年十二月兵部侍郎牛鈕奏。

二年，修郭家務大隄，築清涼寺月隄，修金門閘，疏柳岔口以下河，築霸州堂二鋪南隄決口。

先是，元年九月，世宗諭兵部右侍郎牛鈕曰：直隸巡撫李光地將永定河下口柳岔之處河身淤塞甚高，隄岸加高等因啟奏。爾前往會同巡撫分司，或加高岸隄，或挑引河水，或另挑河之處，通同確勘具奏。二年修郭家務至柳岔口，南、北兩岸隄共長二萬二百丈。又築清涼寺月隄三百八十丈，頂寬三丈，底六丈，高一丈一尺，共用土五十一萬八百七十方，合之硪夫工價凡需銀六萬七千五百六十二兩。又修金門閘，於舊埽外，增下埽二道，閘東溜築雞嘴壩，圍長二十一丈，尾寬六丈五尺，壩東護崖下長五十丈，近水埽二道。金門閘下溜處接舊埽下，長一丈，順水埽二道，新築隄一百九十丈，頂寬二丈，底寬五丈，高六尺至一丈不等，有舊大隄一段，四百五十丈，單薄不堪，加高六、七尺不等，頂寬二丈，底寬五丈，需銀五千六百十四兩九分有奇。據永定河志十五。漢名臣傳：雍正元年六月，直隸巡撫李維鈞疏言：永定河柳岔口至王家園一帶，淤千餘丈，請速濬。又郭家務工隄，係沙土幫築，不能防急溜，請嚴飭專管及分修各員培固。下部議行。雍正元年十一月，兵部侍郎牛鈕等奏：臣在金門閘會同直隸巡撫李維鈞、主事穆爾泰、分司蘇敏，查得金門閘現有舊埽，甚屬單薄，埽面上自三尺至七尺不等，鑲墊修理舊埽外面，添下埽二道，金門閘東溜，應建雞嘴壩一座，周圍長二十一丈，尾寬六丈五尺，雞嘴壩東迎溜頂沖，相應護崖，下長五十丈，近水埽二道，金門閘下溜之處，接舊埽，下長一丈，順水埽二道，以上應添之埽，俱下埽高八尺，埽面上鋪墊秫稭、草、柳枝，高七尺，墊上釘管心樁，應新添築隄共一百九十丈，頂寬二丈，底寬五丈，高六尺至一丈不等，接新添築隄，茅草營之處有舊大隄一段，長四百五十丈，此頂寬只六、七尺不等，底寬一丈三、四尺不等，高二、三尺不等，甚屬單薄不堪，今將此加高六、七尺不等，頂寬二丈，底寬五丈，加幫修築。以上工程，物料工價，估算需銀共五千六百十四兩九分七釐八毫，所需銀兩，於道庫給發，分司蘇敏於年前全備物料，所備物料令主事穆爾泰查看。明春開凍，蘇敏親身揀看，堅固遵修，工完報巡撫轉奏。又修築永定河工程，並不用硪，只將土沙堆至丈尺，面上用石硪堅築，隄土甚鬆，或被風捲去，或被雨水刷溜，水長至此，易於墊陷，是以每年易致冲壞。要堅固隄工，全賴硪打築，嗣後堅築隄工，鋪土一尺，撥水用鐵硪打築至七寸。疏柳岔口至王家園河淤一千一百丈，需銀三千三百三十四兩有奇。又培郭家務第七工隄根，雍正二年六月，工部題：議得直隸巡撫李維鈞奏稱：永定河隄岸業已動帑培修，尚有淤塞處，自柳岔口起至王家園一帶，內有淤塞河路，高底不等，共計一千一百丈，估計工料銀三千三百三十四兩有奇，所需無多，培修隄岸銀兩尚有節省，儘足敷用等語。應如所請，速行挑挖。郭家務第七工隄根，該撫既稱係沙土幫築，不能防護急溜，令分司各員培築堅固等語。應嚴飭專管及分修各員，培築堅固。永定河志十：雍正二年，挑挖柳岔口以下引河，用銀三千三百三十四兩五錢。六月，決霸州堂二鋪南隄，直隸總督李維鈞委員同分司霸州知州逮選督工堵築。據永定河續志二，參畿輔安瀾志。安瀾志舊云，逼河尾築有圈埝，年久埝身積漸培高，俯瞰邨中，猶釜底也。河水驟入，房舍盡淹，改移於舊村之南，即今南二鋪。

三年七月，堵合永清城廠南隄。

七月，決永清縣城廠南隄，督工堵築者，直隸總督李維鈞委員同分司及知永清縣宋晶也。據永定河續志二，參畿輔安瀾志。按：河至郭家務兩岸頓狹，僅三、四十丈，束水急，下口日淤。康熙三十七年以後之漫決職此，而擴隄改河之議起矣。畿輔安瀾志：康熙三十七年以後，漫決之處，多在郭家務以下，地皆屬永清，受害特重。緣河自盧溝橋一路經行，兩岸相距寬者五、六百丈，最狹者六百餘步，水勢儘可游衍。郭家務以下，頓成窄逼，僅三、四十丈，束水過急，兼下口日漸高仰，壅遏不暢，一經驟漲，不至旁溢不止，此亦理勢必然，非專恃防守者所能保護萬全也。總之，河決由淤，河淤則受河水之淀亦淤，非引之、濬之、障之不可，此和碩怡親王、大學士朱軾遵諭勘議之大指。據續行水金鑑二百三十五。雍正三年十二月，怡親王、大學士朱軾等奏：永定河俗名渾河，其源本不甚大，所以遷徙無定者，緣水濁泥多，河底逐年淤高，久之洪流壅滯，必決向窪下之地，其流既改，故道遂堙。今應於每年水退之後，挖去淤泥，俾現在之河形不致淤高，庶保將來不復遷徙。臣等面奉上諭，令引渾河別由一道，此聖謨遠照，經久無弊之至計也。今應自柳岔口引渾河稍北，遶王慶坨之東北入淀。子牙河現由王家口分爲二股，今應障其西流，約束歸一，兩河各依南、北岸，分道東流，仍於淀內築隄，使河自河，而淀自淀。河身務須深濬，常使淀水高於河水，仍設淺夫，隨時挑濬，毋令淤塞。兩河淀內之隄，至三角淀而止，蓋三角一淀，爲衆淀之歸宿，容蓄廣而委輸疾，但照舊開通，逐年撈濬，二河之濁流自不能爲患，而萬派之朝宗，可得安瀾矣。

四年，改柳岔口少北爲下口，築隄壩。

辛章勝芳淀淤，阻清水達津之路。諭：引渾河別由一道。怡親王、大學士朱軾，遂于柳岔口少北改爲下口，永定河志一。開新河自郭家務至王慶坨北之長洵河，凡七十里，計一萬二千六百丈，面寬八丈，底寬四丈，深四尺，據畿輔安瀾志。東入三角淀，達津歸海。永定河志一。築金溝口以下石隄二百六十八丈一尺，補石子隄二百二丈二尺，土隄五百八十丈七尺。永定河志十。又詳下注。築順水壩一道，開引河長三百三十丈，據五年二月工部奏。並挑河用銀七萬三百八十六兩二錢一分；改河築隄，南隄自上七工武家莊至八工王慶坨，七千八百四十五丈，用銀三萬四千五百一十八兩；北隄自五工何麻子營至八工武清之范甕口，一萬三千二百六十三丈，用銀五萬八千三百五十七兩二錢；新河自南五工郭家務至八工范甕口，長一萬三千二百六十三丈，用銀二萬二千八百八十一兩八錢四分。雍正四年正月，和碩怡親王等議奏：永定河南、北岸分司覺羅明壽奏稱：三年十二月，怡親王大學士朱軾到永定河籌畫，如由永定河下稍柳岔口出水，恐於子牙河、滹沱等河稍有礙，意欲自柳岔口改至王慶坨，另築一隄，庶河身寬展，兼可出水，不惟於永定河有益，且與子牙等河下稍不致淤塞。其應改築處，除怡親王、大學士朱軾具奏外，奴才謹將緊要四欵，恭呈御覽。等因。雍正三年十二月二十六日奏。奉旨：交與怡親王、朱軾議奏。臣等議得據永定河分司覺羅明壽奏稱：永定河金門閘一帶，向有石隄二十五里，每遇河水汕刷，上重下塌，多致傾圮，若照依石隄式樣重修，不惟錢糧浩大，抑且沙隄難堅，可否將此石隄改作土隄等語。查金門閘一帶河身，俱係沙底，石工浮砌，易致坍塌，每年修築，徒費錢糧，應如所奏，將石隄改作土隄。但永定河水勢迅激，所築隄身，務須加高培厚，方可永久。其舊有隄石，於要緊工程應用之處，奏明移用。又奏稱：今歲減廠漫口，並王家灣旱口一帶工程，雖係賠修報完，但工程單薄，緊要之地若不加修，難保無虞，可否動用錢糧加修，或仍令賠修之處，相應請旨定奪。等語。查隄工緊要，據奏賠修官項，雖經報完，而工程單薄，應速令該分司動用錢糧修固。又奏稱，兩岸看工人員，原設筆帖式二十員，後裁去九員，若柳岔口改至王慶坨，添設隄岸，工多人少，除現在十一員外，可否添補九員？如揀選筆帖式，保送家道殷實，難得其人，或將因公詿誤降革人員，無論滿漢，情願効力者，交部揀選，酌其年限，派往河工効力，無過准其開復，以補原數，則人才鼓舞，河務亦有責成等語。查河工設員，關係緊要，容臣等將所看過通省河道計議設官分治之處，具奏請旨，應將該分司所請揀選人員之處，毋庸議。又奏稱，臨河州縣俱有河防之責，而辦料僱夫，恐膜視工程，況查舊例，臨河村莊遇五、六、七月，發水各州縣，免其徭役，協護隄工，而臨河居民，俱念切田禾廬舍，防護甚力，請飭令臨河州縣，皆當仰體欽工重大，辦料僱夫，無容怠緩。又於五、六、七月發水時，各州縣曉諭百姓，暫免徭役，同心協力，防護隄工，不惟河防大有裨益，而亦深愜民情等語。查每年河水迅發時，沿河州縣督率村莊百姓，協力防護，既有定例，則五、六、七月，正當伏汛，更宜加謹。至於辦料僱夫，沿河官員均有責成，應如所奏，嚴行該督撫，轉飭地方各官，凡關係河工需用夫料，務須僱辦，如管河等官有短價勒買，及留難掯勒之弊，許地方官詳報總督題參。發水時預行曉諭臨河附近村莊，免其徭役，督率防護，倘有膜視推諉，侵漁科派等弊，將地方官從重議處。永定河志六：築隄南岸自冰窖起，至武清王慶坨止，長四十四里，連上共長一百九十六里九十五丈五尺，北岸自何麻子營起，至武清范甕口，七十四里有奇，連上共長二百三里六十二丈。兩岸分八工。其冰窖至柳岔口隄工遂廢，即今東、西老隄也。永定河志六。

五年，修衝潰處。

七月，諭大學士朱軾曰：看天氣，不似無雨的，各處河道工程要緊，爾可說與怡親王，多委人員，竭力防護，毋得懈弛。其已經衝潰之處，務須作速搶修完固，勿致疏虞。八月，諭和碩怡親王曰：治河一事，雖宜順水之性，然水性亦有萬不能順之處，全憑隄岸堅固，以資捍禦，凡漫溢之水不能奪溜，大抵各處冲漫，皆由隄岸不堅所致，更有民間車道碾損隄岸，一遇水泛，每多冲漫。俟後遇有此等隄岸，緊要損傷之處，畧加石工，所費亦自無多，但有隄工之處，一體遵奉。和碩怡親王、朱軾又請旨察看。又諭曰：張燦、陳儀等自居工次，必能經畫，誠恐爾等往查，伊等不無卸責，且直隸地方遼闊，爾等豈能遍歷？但行文各該局、各河道等，令其將所管地方，現今加修工程，查看明白，作速報來，爾等商確妥當，冬底再行覆勘。至於直隸地方，向來衆水散漫，今則並歸一處，或恐水大難容，隄堰之單薄者，亟酌量加高培厚，然隄岸之不固者，工員多以沙多土鹻爲詞，殊不知土性雖有不齊，功到自行堅實，此承修隄工者必以堅實爲主，而隄工之堅與不堅，只在遇水之決與不決，則承修隄工者務期永固，不致潰決，乃爲盡善耳。

六年，疏長淀河，築三角淀隄。

永定河道明壽，委員挑挖長淀河淤淺二千二百一十七丈，面寬六丈、十丈，底寬四丈、八丈，深三尺六寸至四尺不等。又永定河道石柱築、怡賢親王原奏，三角淀圍淀隄工，防淀北軼也，西接北岸大隄起，至韓家樹止，長三十里，役竣，交東安、武清兩縣，派邨民按年修補，因稱民埝。據畿輔安瀾志。安瀾志又云，此隄歷被渾水衝嚙，今廢。

七年，堵合劉家莊隄。

決北岸劉家莊以南隄十五丈，永定河道石柱、同知黄瑛、永清知縣朱檠督工堵築。據畿輔安瀾志，參永定河續志二。

八年，築武家莊等處及清河口以下隄。

三月，漫南岸武家莊，東、西、北岸五道口，東、西各十餘丈。七月，決南岸馮家場一十餘丈，刷塌田家場六丈，決北岸四聖口六十餘丈，隨時堵築，惟四聖口全溜所經，大埽衝陷，至八月，水減，工始竣。永定河道石柱接築、怡親王原奏，清河口以下大隄北岸，自清河口至范甕口二十三里一百一十七丈，南岸自清河口至王慶坨一十一里一百六十九丈。畿輔安瀾志。十二月，命吏部左侍郎劉於義爲直隸河道水利總督，内閣學士徐湛恩協辦河道事務。永定河續志卷首。

九年，開何麻子營、董家務、淘河邨等處引河。

永定河道石柱，依水利應題委員開何麻子營引河長二百三丈五尺，董家務引河長一千六百八十丈，均面寬六丈八尺，底寬四丈六尺，深二尺至五尺不等；淘河邨引河二道，長八十六丈，上寬三、四丈，下寬二、三丈至五丈不等，均深五尺。據畿輔安瀾志。按：安瀾志又云，十年開挖董家務引河。

十年，培築南上七汛、北五汛隄。

永定河道石柱，以郭家務至八工隄尾河淤甚，從前創築下汛河隄，高一丈，時淤墊未甚，上年加高八尺者，今衹高二尺及三、四尺不等，請將南岸自上七工汛内起，至王慶坨隄尾止，北岸自五工汛内起，至范甕口隄尾止，共長二萬四百七十六丈，原隄存二尺者加高六尺，存三尺者加高五尺，以高八尺，頂寬一丈六尺，底寬六丈爲度，河臣王朝恩勘題，與上汛隄工同時並作。畿輔安瀾志。

十一年，築北岸重隄，開重河引河，又築兩岸大隄、鷙房月隄。

先是，雍正八年，永定河道石柱，以舊河兩岸外向有遥隄、遥河，嗣改河，將北遥隄壓入大隄，而南遥隄遺址尚存。請於新河兩隄外相隔里許，照舊設遥隄，内挖遥河，以備汛水過大，由遥河歸淀。九年，經水利營田府、大學士朱軾，同内閣學士劉林察看，請俟秋汛後辦理。十年，河臣王朝恩勘舊河已成平陸，舊隄止存田間小埂，束水、洩水，兩無所用，南岸切近淀池，且有舊河宣洩，無庸估修，請建北岸重隄。十一年興工，自何麻子營、范甕口東止，上接大隄之身，下連大隄之尾，相距以四十丈爲率。卽以築隄之工，接河形起土，一律通順，以成隄内重河溜洩瀝水凡長一萬三千六十七丈，計程七十二里，重河之尾，上接范甕口；下接鄭家樓，開引河二百丈，由六道口入淀，均面寬五丈，底寬三丈五尺，深三尺，用銀六萬五千三百七十四兩六錢七分四釐。據畿輔安瀾志，參永定河志十六。按：安瀾志云，重隄起止如北岸官隄，後因洪字二十號改爲下口隄，至河口止，工段字號，舊編千文，今通編某工第幾號，其興工之年，有奏議可據，安瀾志亦符。而永定河志十云，雍正十年建何麻子營至范甕口重隄，誤也。雍正十年四月，大學士鄂爾泰等議奏，直隸河道總督王朝恩等奏，請建重隄。等因。奉旨：大學士鄂爾泰、張廷玉、蔣廷錫、朱軾會同定議具奏。欽此。臣等查得雍正三年改濬永定新河，自何麻子營起，至范甕口入三角淀南北隄外，挖土之處皆定方坑。八年，秋汛漫溢，流入方坑，不致爲患，是以從前河道石柱，有照舊設立遥隄、遥河之議，其意以河流散漫無隄，有遥隄爲之捍禦，遥河爲之容洩，可免汛溢隄外，淹没田廬之患。而不思河傍村莊，有在遥隄之内者，設遇汛漲，廬舍先已被淹，石柱所議固未周備，定柱以原議建築遥隄之處離河太近，請移於二、三百丈之外，隄内村莊另築護村小隄等語。夫汛水驟溢，非小隄所能捍禦，既不保固村莊，且離大隄二、三百丈，其間土田浸漫者必多，所議無益。至王朝恩議從小盧家莊東隄大隄築起，下連大隄之尾，中築横隄百餘道，即有溢水之來，遇格而止，止則成淤，淤則大隄益加鞏固等語。但漫水衝突而來，百餘道層隄，層層攔阻，格内不能容受，勢必四散潰出，不惟前衝遥隄，且恐回流宕激，河岸尤爲可慮。臣等詳閲河圖，公同酌議：新河岸切近大淀，且有舊河分洩，毋容修築；其北岸自壩臺至三角淀七十餘里，中間並無宣洩之處，應於大隄之外數十丈，修築重隄一道，務期高寬堅厚，其築隄挖土之處，自成河形，但河底河身尚須畧加修濬，所用錢糧，亦屬無多，大隄即有横溢之水，有七十餘里之小河，可以容減其散漫之水，不致於潰决，其間村莊廬舍，惟何麻子營、小盧家莊、大盧家莊三處在重隄之内，而此三村民舍無多，應酌量給與遷徙、移架造之費，擇徙善地，此人所樂從，於民情並無未協。定柱所議范甕口挑河二百丈，從六道口會歸入淀之處，似屬可行。應令總河王朝恩等測量地勢之高下，水性之順逆，妥酌定議，將各項工程確估具題，於今年秋汛後興工。再，臣等議得遥隄、遥河，乃預備補救之法，其緊要工程，全在歲修。永定河水性善淤，其下流出淀之處，河道狹隘，尤易淤填，務須不時疏濬，使尾閭通暢，庶上流不致壅滯泛衝。其兩岸隄工，沙土鬆浮，須密種柳樹，以護隄根，逐年加高培厚，務令堅固。凡有險要之處，廣儲料物，臨時多撥員役，巡防搶護，應令總河王朝恩等議奏。

又於四月築南岸起一工，至十七工，北岸起一工，至五工大隄，創築鶩房月隄，長四萬七千六百三十丈五尺，用銀五萬一千九百八十四兩一錢九分六釐。雍正九年，直隸總河劉於義以盧溝石隄以下，東至鶩房，舊以地勢稍高，恃沙隄爲捍禦，歷年既久，雨水汕刷，輪蹏雜沓，日就傾圮，請補築。其餘兩岸隄工，尚多殘缺，經大學士朱軾、張廷玉等議覆。十年，總河王朝恩勘兩岸隄工，風雨淋揭，日漸單薄，汛漲漫淤，隄更覺低，俱係湍激頂衝，請普修築鷺房月隄。至是始興工焉。據畿輔安瀾志，參永定河志十。按：南岸築隄自第一工至十七工止，詳工部奏。安瀾志云，至五工止，非也。又永定河志云，鷺房月隄四萬七千六百三十五丈，亦非。玆録未敢轉販沿譌。雍正十一年三月，工部奏，議得直隸河道總督王朝恩等疏，稱永定河上汛兩岸隄工，日漸單薄，今年汛水疊漲，漫灘成淤，隄工更覺低矮，俱係湍激頂衝，須普律增修，接築鷺房隄工，建築月隄，南岸第一工起至上七工止，北岸自第一工起至第五工止，以內高六、七尺爲率，計隄長四萬七千六百三十丈五尺，共用土四十七萬二千五百八十三方六尺零，共估需銀五萬一千九百八十四兩一錢九分六釐零，具題前來，應如所題修理。

十二年，決南、北岸黄家灣等處隄，築之。

七月，決南岸五工黄家灣八十六丈，二工鐵狗十七丈，北蔡東十九丈，北蔡東十七丈，南蔡東三處，凡十二丈；決北岸四工梁各莊四十五丈，上七工四聖口一百六十三丈，下七工五道口九十三丈，八工小荆垈八丈，趙家樓重隄十八丈，田家場重隄十九丈，其黄家灣一處，河溜全奪，水穿永清縣郭，下流霸州之津水窪歸淀。總河顧琮、副總河定柱，親率兵夫堵築，九月二十二日工竣，畿輔安瀾志。按：永定河志續志二云，北蔡東北十五丈。用銀九千九百六十九兩四錢五分九釐。永定河志十。

十三年，決南、北岸朱家莊等處，濬長淀河、月隄河、二光、淀河，又築戧隄。

六月，決南岸下七工朱家莊東十一丈，八工東沽港二十六丈三尺；決北岸趙家樓三十丈，地屬永清、東安兩縣，河水分流於朱家莊、趙家樓兩口之中；決口距三角淀近。水由六道口小隄仍復歸淀。所經皆淀之斥鹵，明年麥大熟。本年歲修，疏濬長淀河淤淺一百七十一丈，寬二丈五尺，深二尺，月隄河一道，八百八十四丈，寬三、四丈，深二尺、三尺八寸不等，又濬二光淤塞二百丈，淀河下口淤淺二百六十三丈，面寬二丈，底寬一丈五、六尺，深二、三尺不等。畿輔安瀾志。安瀾志又云，雍正四年，改河東行，逕三角淀下會清河，即水經注所謂東至漁陽雍奴縣入笥溝者也。第以濁流而入止水，溜緩沙沈，勢所必至。怡賢親王預睹其害，奏明逐年挖淺，使無梗噎，可謂盡善。河臣朱藻於要工築戧隄。詳下。

乾隆元年，決東沽港，築之。修南、北隄，疏半截河引河，濬長淀河、青光中水口。正月，決南八工東沽港二十四丈，總河劉勷、河道覺羅齊格等堵築，二月工竣。三月，劉勷等以河隄自雍正十一年加幫後，日漸卑薄，上年河臣朱藻僅築緊要段工，段加築戧隄，未修之隄止存一、二尺，平易工程，尚可緩修，其迎溜頂衝處，南岸工一萬五千七百四十八丈五尺，北岸工一萬四千二百九十七丈，題准興修。並請疏六工半截河，引河長一百四十四丈，面寬四、五、六丈，底寬二、三、四丈，深四尺至六尺不等。本年歲修，濬長淀河長八百一丈，面寬四、五、六丈，底寬三丈六尺、四丈四尺、五丈四尺，深三、四尺不等，又長淀河截彎取直一百丈，面寬十丈，底寬八丈，深六尺，又展寬青光中水口，長十五丈三尺，連舊河展寬面二十丈，底十八丈，均深五尺。據畿輔安瀾志。會典事例七百一：是年加修石景山南北，南岸石工。

二年，修南、北隄，開黃家灣、求賢莊、曹家新莊各引河，濬雙口下口黃花套。六月，漫四十餘處，築之。

三月，總河劉勷勘修南隄長三千二十四丈五尺，北隄長四千九百二丈，並將南五工、北三、四工埽灣頂衝處取直，挑挖南五工黃家灣引河長一百五十五丈，面寬八丈、十丈至十五、六丈，底寬六、七、八、九丈至十二丈，深五、六、七、八尺至一丈不等，北三工求賢莊引河，長八百丈，四工曹家新莊引河，長三百丈，均面寬四丈、六丈至八丈，底寬三、四、五丈不等，均深七尺。又以下口出水，直達鳳河，鳳河自雙口以南，寬不過一、二丈至四、五丈，難資宣洩，於是挖自雙口橋南至大清河，長一千九百四十八丈，面寬十丈，底寬八丈，均深三尺。本年歲修，濬下口黃花套河心淤灘，長五百八十八丈五尺八寸，面寬五、六丈，底寬四丈，深二尺至三尺不等。六月，漲漫盧溝橋面，過隄頂，衝刷石景山土隄一處。又漫南岸鐵狗等八處，北岸張客等二十二處。張客地居上游，出水更利，刷至四百餘丈，大溜盡從此出，由宛平、良鄉、涿州、固安、永清、東安、武清等縣瀰漫而下，歸鳳河。命吏部尚書顧琮堵築，八月竣。據永定河續志二，參畿輔安瀾志。

元年八月，總督兼理河務李衛勘河道奏：永定河發源山西，經由數省，口之內外諸山，河水節次歸併，過懷來東於兩山，不能恣肆，離京四十里石景山之東，地平土疏，衝激震蕩，遷徙弗常，歷代治之，不一其法。自康熙三十七年，大築隄堰，疏濬兼施，垂四十年，河無遷徙。惟是水皆渾濁，下流入淀後，水去泥停，漸積填淤。司河各官，惟事修隄，不實挖淺，隄日增高，河亦俱長，八工等處，是爲下梢，而隄之去水，僅三、四尺不等。臣同河臣劉勷，由三角淀、王慶坨後面而進，河身俱成斷港，各駕一葉小舟，拖泥擸淺，逆行七十餘里，抵工相視形勢，水落細流無多，汛發橫寬數十里，漫溢衝刷，土性鬆浮，固安、永清、東安、霸州一帶，常受漫灌，危及城郭。從前怡親王於郭家務改河東行，復開下通之長溝引河，逕三角淀之河頭，既築圍隄以防北軼，又每年議設挑淺銀五千兩，開挖下流，籌畫不爲不善。乃後人多一在河之尾閭去水處留心，虚應故事，每年節省，致令永定河泥沙將淀河淤高，水小時下流不能達於三岔口，只有些微清水滲漏而來。淀河爲諸水翕聚地，所以蓄直隸全局之水，游衍而節宣之，乃永定河濁流，填淤哽噎，將來清水無路歸津，恐致穿運而過，實爲日後鉅害。目前之計，既不能使永定河别由一道暢流歸海，惟有由鳳口一帶低窪處疏濬出雙口等處，每歲實力挑挖，不致一發難收。二年七月，總河顧琮疏：畿輔諸河，匯津歸海，漳、衛二水，來自西南，合爲南運河；潮、白二水自東北合爲北運河；桑乾、洋河二水自西北合萬山之水入關，爲永定河；滏陽經南北二泊，會滹沱爲子牙河；唐、沙、滋諸水俱入西淀，拒馬、琉璃諸河會於龍門口，爲白溝河，亦入西淀；西淀之水由玉帶入東淀，而牤牛入於中亭，中亭乃玉帶之支流，分而復合，永定、子牙亦入東淀，俱由淀達津，至西沽與北運河會，抵三汊口，會南運河，合流東南入海。天津乃九河之下游，淀泊乃衆水之交匯，所關最要。永定、渾河原無隄岸，祇有河身達於玉帶，清流汛漲出槽，淀外數百里之地，任其游漾，水歸於淀中，泥沈於淀外，民田雖有淹没，所謂一水一麥，亦不爲苦。自築隄束水以來，下口迫近潮汐，其淤愈速，隄日增而河日淤，河底已高於平地。近年河患所以尤甚。大凡治水之法，莫善於行所無事，故築隄防水則可，若以隄束水，是與水争地。八月，總理事務王大臣九卿議奏，會議得協辦吏部尚書事務顧琮等奏稱，本年七月初九日，總理事務王大臣奉上諭，永定等河隄工，有衝決之處，著協辦吏部尚書事務顧琮等，馳驛前往察勘，其應行搶修事宜，著同李衛、劉勷速行籌畫辦理。欽此。臣顧琮由盧溝橋勘至固安縣之兩岸各口，俱已涸出旱地，惟東岸之張客村漫口，因隄外窪下，較河底猶低數尺，全河水從此東注，約有八分，其二分則由南岸之鐵狗漫口南流歸淀，以下身之河因大小二口，奪溜兩分，轉致無水歸槽。臣即會同督臣李衛，由淀池水路至王慶坨，會同河臣劉勷，俱乘小舟細看。永定下源，會河諸水，達津入海之路，綿長數百里，至石景山，始有隄岸工程，其水善決善淤，盧溝橋以下，從前至霸州，由會通河入淀歸海，原無隄岸，因遷徙無定，設遇大水散漫於數百里，深處不過尺許，淺止數寸，及至到淀，清濁相蕩，沙淤多沈於田畝，而水與淀合流，不致淤塞淀池，雖民田間有淹没，次年收麥一季更覺豐裕，名爲一水一麥。雍正三年，將勝芳大淀淤成高阜，清水幾無達津之路。雍正五年，於郭家務另爲挑河築隄，引入三角淀，亦淤爲平地。前後十數年來，每有漫溢，今年更甚。總緣臨河築隄之病，於岸相去遠者，寬不過二、三里，近則連河一半里至數十丈不等，漲發焉能容受？且下源之三角淀、王慶坨等處，業已淤平，水緩沙停，不能暢流，以致永定河身同隄内兩岸，漸次墊長，較之隄外平土，轉覺水底高於平田，而隄内水面離頂無幾，動則滿溢，縱加隄岸，猶如築牆束水，不能悉由地中行。今之永定河形勢，如欲復當年舊規，聽其遷徙自流，則高下不同，而故道已多成旗民廬舍，欲圖善後之策，宜籌永遠之方，莫若倣照黄河遥隄之法，留出水大時容納之去向，將兩岸殘隄缺口，趕緊堵築，畧爲疏通河槽，暫歸原流，以防秋汛。請將鸛房村、大營之下，張客、水口之北，接築大隄，由東安、武清之南，至魚壩口，抵官修民埝加幫，一律爲永定之北岸，使下流併入清河，與諸水會流，將金門閘之上，堵築横隄，聯絡東岸，以舊有兩隄，並淤高之河形，俱作爲南岸，頗屬寬厚，連新改河身，共留寬十里内外，相度形勢，將大鎮邨莊但可圈於隄内，自當生法遶過，其必不能讓出之邨莊，或可墊高地基，或願遷隄外，量爲撥給房間拆費，雖地在隄内，間被水常漫溢，從此可免衝決等因。查永定等河，每遇夏秋霖淹，山水驟湧，不可控禦，我聖祖仁皇帝、世宗憲皇帝不惜帑金，築隄防禦。本年六月，因山水長發，永定河隄衝決數處，我皇上特命協辦吏部尚書事務顧琮、直隸總督李衛、總河劉勷，會籌辦理。今據顧琮等勘奏，倣照黃河遥隄之法。臣等伏思治水之法，當清上流以疏其勢，廣下流以導其歸，務使水行地中，加以隄壩，方無泛溢。永定河受上游萬山之水，東決西淤，倏忽遷改，故亦謂之無定河。其故道有二：一、由通州高麗莊入白河；一、由霸州合易水至天津丁字沽入漕河。按之前志，從未有引而歸淀者。自歸淀以來，下游淤塞，激爲横流，每歲爲患，而故道廬舍日增，漸成安土，已四十年矣。今日欲議復舊規，誠未易言。惟是故道不復，而水高於地，不亟籌挖濬，徒以堵築堤爲事，恐下之宣洩未暢，上之淤墊依然，縱河身加廣，培以遥隄，猶屬築牆束水。今協辦吏部尚書事務顧琮、總督李衛、總河劉勷，勘以兩岸相去河身，遠者寬不過二、三里，近則一半里至數十丈，不能容受多水，請築遥隄，自必確有成見。但永定河挾沙而行，易於淤墊，就使連新改河身，共留寬十里内外，然能展之使寬，不能浚之使深，是沙水之性淤墊自若，而上無分流，下難暢洩，恐徒減約束之力，轉足增汗漫之勢，倘遇異漲，仍不可防。且遥隄下流，即便留出容納之去向，而水性横悍，或南或北，坍長不定，將來漸決改溜，仍恐逼近遥隄，其容納之處，是何形勢？果否足資暢達，不致潰溢四出？更宜詳酌。至隄内居民，不能讓出之村莊，若令墊高地基，恐地方遼闊，勢難盡拆其棲止房屋，一律興高。若概令遷移，即使撥給房間拆費，而民間墳墓田園，世世相守，千家萬户作何安插？皆宜籌畫周詳。事關河防利害，甯可詳審於始，毋致更易於後。應仍請敕交協辦吏部尚書事務顧琮、會同直隸總督李衛等，再加相度，如果改築遥隄，水勢循規，不致衝決，即將舊存新築隄身道路遠近，高寬丈尺，起止段落，並内圈入村莊，及應遷房屋，逐一繪圖呈覽，據實確估，妥議具題，到日再議。其現在殘隄決口，作速堵築疏濬。畿輔安瀾志：乾隆二年六月，河決北岸張客，南岸鐵狗，並南北三、四工等處。畿輔安瀾志。三角淀展挖鳳口，用銀六千三百五十三兩九錢四分二釐，石景山南北隄工用銀三萬七千九百四十三兩。永定河志十。又開永清縣東北之半截河新河。畿輔安瀾志：半截河新河在北六汛，二年開，十二年塞。

三年，濬盧溝橋南二工黃花套、六道口等淤，開麻峪半截河、郭家務各引河，築北大隄、月隄、格子隄、重隄、土隄，修南北隄，築攔河壩、石子壩、金門閘壩、郭家務壩、隔淀坦坡埝。

先是，二年，大學士鄂爾泰奏，勘石景山一帶河形淤墊，盧溝橋底沙淤，請盡挑橋底淤沙，並對中硐深挑引河，又麻峪河橋口作攔河壩，截東支盡歸西流，兩邊接築石子壩，加築重壩，南北十餘里，隄自興隆廟前至盧溝下止，挑引河長四百七十丈，面寬八、九丈至十五、六丈，底寬五、六丈至十二、三丈，深四、五、六尺至八、九尺不等，又自麻峪橋口壩前挑引歸入西支，長八十三丈，面寬六丈、八丈至十丈，底寬三丈、五丈、七丈不等，均深七尺。又議於半截河隄北改挖新河，即以北隄爲南隄，東流入六道口，又築洩潮埝坦坡大隄。上游分建石壩四，各開引河，引入清河：一、北岸張客，一、南岸寺臺，一、金門閘，一、郭家務。並請將半截河以上逐段挑挖，歲以爲常。按：後總河朱藻等，以六道口積水未消，新河未改，先行建壩開引，復以原南岸頭工寺臺之壩，改建五工之曹家務，北岸頭工張客邨之壩，改建三工之求賢邨，而引河出水之路亦俱改矣。九月，總河顧琮請復白溝故道，勿使併入西淀。三年，議改張客壩於求賢邨，寺臺壩于曹家務，餘如議。濬築郭家務引河成壩，外新開一百三十一丈，濬舊河四十一段，長二千三百二十丈，馬家鋪接開引河至三河頭，長七千九百二十丈，面寬八、九丈至十丈不等，底寬六丈，均深四尺。二月，總河顧琮請於半截河先建草壩，濬引河。五月，總河朱藻題，挑南二工引河辰字十一號連十二號取直，引河長一百九十四丈，面寬十丈至十四、五、六丈，底寬七丈至十丈並十二、三丈，深四、五、六、七尺不等，濬河身長二百七十丈，面寬二丈五尺，並三丈五尺，底寬一丈五尺至二丈一尺，深二、三、四尺不等，又濬河身長一千一百一十五丈，面寬二、三丈及六丈，底寬一、二丈至四丈，深二、三、四、五尺不等。本年歲修，濬河下口黃花套北河心淤灘九段，長四百五十丈，面寬四、五、六丈至八、九丈、十一丈、十四丈，底寬五、六丈、八丈及十四丈，深一尺至三尺不等。又疏六道口閘口前河心淤灘，長五十丈，面寬二丈四尺，底寬二丈二尺，深二尺。六月，南岸下七工朱家莊大隄決一百五十五丈，六工楊家莊大隄決六丈。七月，頭工決八十八丈。總河朱藻堵築，八月竣。又修南北隄工埽壩，築西二工辰字十四號護壩月隄，長一百四十丈，長安城格子隄十丈，宿字十二號至十七號月隄七道，長七百丈。又創築北大隄，起六工洪字十六號，訖淘河邨北，長六千五百八十六丈。又半截河以下重隄改坦坡四段，長三千四百五十丈，又補築東、西老隄三十一段，長一百二十四丈。勝芳河南岸，築隔淀坦坡埝一道，長七千九百二十丈，即今南埝。據畿輔安瀾志，參東安李志。石景山麻峪壩河用銀一萬三千一百八兩六錢一分七釐，永定河志十。金門石壩詳下。郭家務草壩引河兩岸補隄，五道口坦坡隄堰用銀三萬三千一百七十八兩九錢一分四釐六毫，半截河下北隄賀堯營攔河壩，淘河邨前攔河土隄及重隄坦坡，修補殘缺，用銀四萬二千一百二十九兩三錢三分三釐。

二年九月，總理事務王大臣會同九卿奏：會議得大學士鄂爾泰奏稱：據署直隸總河顧琮奏：請添設垡船，以疏淀中河道一摺。欽奉硃批：亦與大學士鄂爾泰議奏。欽此。臣看得東西兩淀，爲京南衆水之匯歸，其中幹流支港，經緯貫串，原無阻滯。自濁流入淀，而淀河淤淺，始而病淀，繼且病河，蓋淀不能多受，河不能安流，亦其勢然矣。西淀納白溝之流，汛潑則撻泥挾沙，所到填淤，四十里之柴伙淀，所餘無幾，止有一河通流，而清河門藥王行宮前尤爲淺滯，以致白洋諸淀水過趙北口橋下而來者，至此壅遏停緩，而上游之新安，安州等處，一遇異漲，遂受漫溢之患。東淀自渾河北徙以來，西北之信安等淀，墊淤成陸，會同河西支之由信安歸淀者，已爲斷港，自此漸淤而南，勝芳淀遂爲桑田，復淤而東新、張策城諸泊，皆成膏壤，會同河中支、東支並注臺頭一河，上接石橋，下連楊芬港，出楊家河爲達津之路，然亦失其寬深，纔通舟楫已耳。夫淀之既淤者，勢難復舊，若不及此籌畫，疏濬淀河，使之深通暢達，則一值漲溢，無可消受。今署河臣顧琮奏請添設垈船，以疏淀中河道，爲淀河計，卽爲永定河計，應如所請，添設垈船二百隻，募衩夫九百，每名按季量給工食銀一兩五錢，以當歲修，亦功力相抵。其添設官弁、外委，分轄、總轄等項，亦應照所請行。抑臣更有請者：白溝正流，本不入西淀，自淀北之龍灣馬、務頭、洪城至霸州之吴家臺入中亭河，此一故道也；自新城之王祥灣經王槐而南抵萊河村，而至望駕臺，迤邐東南過神機營，而出茅兒灣，此又一故道也。今之入大灣口而行淀中者，乃其決口耳。若於二道中擇其便且易者，開疏而導引之，堅塞大灣口，勿使復決，然後浚河門淺澁，挑藥王行宮之拘阻，則西河清流，滔滔遄遊，而雄縣、新城、安州諸邑之環淀而居者，無漫決患，亦探本清源之計也。東淀以衆河匯流之水，僅恃臺頭河一道，以資宣洩，卽使疏濬通深，恐終未能順暢，淀内幹流支港或淤淺，而河蹟猶存，或中絶而首尾尚在，如此者甚夥，皆掩蔽於菰蘆苲草中，雖孤帆旅泊之所不經，而漁父篙工往往能稱其名而指其處，似應於淀水消涸時，逐勘開通，使全淀之水各路分消，則傳送疾而宣洩利等因。大學士鄂爾泰議覆：顧琮所謂添設垈船以疏淀中河道，應請勅交總河顧琮、總督李衛，將打造船隻，召募衩夫，並添設官弁各事宜，逐細妥議，請旨遵行。淀内淤工，既議撈浚，又復尋源溯流，悉復舊址，支流汊港，疏濬深通，誠於河道隄工有益，應行該總河等，飭令該管河員，俟淀涸勘報。九月，大學士鄂爾泰奏：臣與署河臣顧琮，勘盧溝橋、石景山一帶河工形勢，見河底淤填，浮沙高積，盧溝橋底沙淤計高八尺。夫底高八尺，是橋硐卽低八尺，河隄亦低八尺，以迅疾騰湧之水勢，若建瓴至橋而東仰出硐而激立，陡然一落，高已倍隄，其潰決漂蕩，又何怪其然！故治隄不如浚河，築高莫若挑淺。現據署河臣顧琮商同督臣李衛，酌定盡挑橋底淤沙，並對中硐深挑引河一道，與臣意見相同，應聽二臣題明挑挖。至石景山土工程，俱屬險要，過南金溝、北金溝而北爲麻峪，乃河流出峽處也。兩山齟齬，曲折而下，急流有聲。至麻峪邨南，分爲東西二支：東支溜約六分，西支溜約四分。東最洶湧，直逼石景山石隄下，而東面地勢平衍，無山谷相隔，惟恃此石隄爲固；其西溜至陰山硐之南，復折而東，與東支合流，亦直逼東岸土隄下，是東岸險而西岸平，險宜避，平可導也。臣與署河臣顧琮審視籌度，擬於麻峪村之橋口用柳囤中填石子，築攔河壩一道，計寬二十四丈，將東支堵截，使盡歸西流。再於攔河壩兩邊，接築石子壩二道，自橋東接至邨北河神廟前之高坡，計長四十餘丈，自橋西至浪窩邨北柳樹邊，長九十餘丈，又恐橋口攔河壩一道，或值大水，仍不免泛溢，擬於麻峪邨南、棗園之西，更築重壩三十餘丈，西岸添築小埝三十餘丈，則雖有漫水，萬不能奪溜東注，而石景山南北十餘里隄工，俱可化險爲平。隨飭工員料估約費銀二千餘兩。查石景山隄工，每年額備歲修銀五千兩，卽以帑項論，亦屬力半功倍。經王大臣九卿會議奏准。九月，大學士鄂爾泰等奏：永定河南、北兩岸自頭工以下，兩岸相距數里，或數百丈，中間浮沙湧起，如坻如洲，河水亂流，訖無定溜，至二工則積沙成脊，暴水驟至，不順下而橫行，以故北決張客，復南決鐵狗，對岸之間，同時分潰各二三百丈。自兹而下，三、四、五工決口甚多，雖堵築已完，而衝突之形俱在。自六工以下，河如上板水仰流，至八工而河身愈高，渟洄不動，幾欲倒漾而西。總緣水不東流，蛇行拗怒，隨所至而成頂衝，南折則南隄潰，北折則北隄潰，其勢然矣。説者謂河身墊高，自應浚至下口。不知現在河形下口反高於上游，河身已平於隄岸，俯視隄外，高可一丈八九尺、一丈四五尺不等，四顧隄內，高於水面纔四五尺或八九尺耳。從來治水，先治低處上游，始可施工，今下游之去路横阻，上流之濁溜方來，縱使不惜勞費，一律挑挖，旋浚旋淤，終何補益？至此濬築皆窮，此督河諸臣所以有請廢南隄，另開築於北面，倣照南河遥隄之法，將河身留寬十里之議也。臣以爲永定河流突如其來，截然而止，水性水勢，俱非黄河可比，十里遥隄之議，萬不可行。督臣、河臣亦稱原無善策，未敢自以爲是。竊思永定河之所以爲患者，獨以上游曾無分洩，下口不得暢流，經行一路，中梗旁薄，以故拂其性而激之變耳。但改導其下口，使不入淀而入河，以達津歸海，再於上游酌建數壩，以減緩水勢，並引入清河，藉清刷淤，則不拘何道，順利皆同。就現在河形，仍順南下之水性，擬於半截河隄北改挑新河，即以北隄爲南隄，沿之東下，入六道口，逕三角淀，北至青沽港，西入河頭大河。猶恐潮汐迎蕩，水緩停淤，應作洩潮埝數段，潮長從缺口散流，潮落從缺口收入，即河水出槽亦如之，則沙停於埝外，水歸於河中，河枯時疏濬淺滯，歲以爲常，挖河之土，自六道口上盡送北岸，建築坦坡大隄。至入六道口內，則以七分接築南岸隄，以三分作北岸洩潮埝，上游自半截河以上挑挖，南、北兩岸分建滚水石壩四座，各開引河一道：一、於北岸張客水口建壩二十丈，即以所衝水道爲引河，東會於鳳河。查鳳河本無大源，怡親王於高各莊截引涼水河以爲恆流，原奏分流之處，東、南各建一閘，以資蓄洩，未及訖工。今宜遵照添建，蓄涼水河之水，常注鳳河，有淤淺處，一併開通，俾清流充盛，即可於雙口之內開渠，分入洩潮埝，以借其汕刷。一、於南岸寺臺建壩十二丈，以民間洩水舊渠入小清河者爲引河，開寬濬深，俾歸牤牛河。一、於南岸金門閘建壩八十丈，以渾河故道接牤牛河者爲引河，開寬濬深，至牤牛南，接挑黄家河，達於勝芳河，循其故道，逕新張、萊城間，開至河頭之北，與新河下游合流，而中亭、臺山、趙家房諸清河之會於勝芳河者，皆得迸注争流，俾推蕩泥沙而東去。又於勝芳河南岸築隔淀坦坡隄一道，至河頭之東與新河南隄對峙，不令濁水得入清流。一、於南岸郭家務建壩四十丈，即以舊河身爲引河，畧加挑濬，歸於新張、萊城與勝芳河會流。以上四壩、四引河，頭緒雖紛，脈絡交貫，合清隔濁，條理自明，縱遇異漲之年，或仍不免盈溢，而力分勢殺，料亦補救無難。其引河所挖之土，應俱於兩岸照洩潮埝式作拉沙壩，壩口之上，俱作石柱板橋，以便防汛人等往來行走。其壩埝河道寬深，工料丈尺，及應設官弁兵役，並鋪房器具等項，應聽督、河二臣詳悉定議，另行題請。至永定濁流兩隄夾束，沙聚泥停，一汛之後，河渠即失故形，若不及時挑挖，則墊平積高，勢必至不能挑挖而後已。向來河員錮習，不利於挖淺，但利於築隄，倘河成仍蹈故轍，恐不出數年，不惟舊河上游積淤，一如今日，即新河下口墊塞，無異當年。仰祈飭於工竣，分認工段，各專責成，即汛過復淤，隨淤隨挖，所用工費，於歲修項下開銷，挖淤時先期呈報，即委大員監察，工竣隨收，不致汛至迷漫無從查驗，倘有貽誤，照疏防例議處等因。臣等伏思：永定河素稱難治，水緩則沙沈易淤，水急則衝潰無定。康熙三十七年，聖祖仁皇帝動帑數十萬兩，自盧溝橋至永清縣築隄二百餘里，挑新河一百四十五里，設官防汛。雍正五年，因淤塞淀池，有礙清水達津之路，世宗憲皇帝特命怡賢親王親履詳勘，自郭家務改挑新河六十餘里，由王慶坨入長洵河，又恐下流泛溢，繞淀築隄三十餘里，惟是水悍挾沙，日積月累，河底漸高，若只培隄岸，不疏濬淤淺，誠有如上諭所云，但爲目前補救之計，而不籌及久遠，於運道民生，終無裨益者也。前據協辦吏部尚書顧琮等奏，請改築遥隄，臣等原慮水性横悍，或南或北，坍長不定，將來改溜，仍恐逼近遥隄，是以覆令再度，蒙特命大臣鄂爾泰親往籌度。今鄂爾泰既與督臣李衛、署河臣顧琮熟商，遥隄之議萬不可行，擬於半截河隄北改挖新河，又於半截河以上逐段挑挖，再於南北兩岸建滾水石壩四座，各開引河一道，自屬分流旁注，藉清刷淤之切務，應如所奏行，令確估妥議具題。再此次興舉大工，應如鄂爾泰所議，令所屬各員，分認工段，倘有貽悮，致令河身淤墊，該督等卽將專管之汛官並兼轄統轄之廳道，均照疏防例題參，交部議處。報：可。三年，管理總河印務顧琮，疏治濁流之法，以不治而治爲上策。如渾河、滹沱等河之無隄束水是也。此外惟勻沙之法，次之黄河之遥隄，一水一麥是也。永定河既然有隄，難言不治，而治惟應用勻沙之法，以圖徐成。前議於北岸之張客、南岸之寺臺、金門閘、郭家務，各建滾水石壩，開挑引河，今郭家務草壩已竣，金門閘石壩石工已完，現築小夯灰土。伏思原議金門閘建壩，以渾河故道接牤牛河爲引河，開寬濬深，至牛坨南接挑黄家河，達於勝芳河，開至河頭之北，於新河下游合流，其引河所挖之土，俱於兩岸照洩潮埝式作拉沙壩等語。現今估挑引河，將土方堆築拉沙壩，使之出渾入清，但恐水大時泛溢過多，仍不免淤淀之患，惟有引河之南岸拉沙埝外，遠築遥隄，頂寬二丈，底寬十四丈，高一丈五尺，使泛溢極大之水，亦有所捍禦，可保無南注淤淀之患。又原議北岸之張客建壩一處，卽以所衝水道爲引河，東會於鳳河，借其汕刷等語。但思建造石壩，工帑浩繁，更非旦夕可能完竣，請照郭家務改建草壩於引河之北，拉沙埝外，大營、麗村、東安之南建築遥隄，頂寬二丈，底寬十丈，高一丈，設遇水大出槽散漫，拉沙埝外沙沈於田，清水仍歸引河，被淹之地，一水一麥。至引河原係分洩漲發之外水，卽長易消，不致衝淹廬舍，其引河太近之處，酌量環築護邨月隄。再固安、永清二縣，有關邑治倉庫，亦應建築護城月隄，此卽永定河用勻沙之法以圖徐治之大端，等因。大學士會同工部議覆奏准。三年十一月，大學士鄂爾泰會同工部奏，遵旨會議直隸河道總督顧琮等奏稱，半截河應行修濬之處，積水瀰漫，時屆孟冬，水尚未消，工不克施，明春全河之水必不能由半截河改流，自仍由舊河而行，下七工、八工等處，乃舊河必由之路，現在河身淤昂，應大加挑濬等語。此一時權宜之計，自應准其挑濬，另疏題報。又奏稱，半截河以下，地勢甚窪，自淘河邨以東，至六道口一帶，積水汪洋，竟成巨浸，若不設法使水漸次消涸，恐明歲又復積有雨水，則興工無日。應於半截河先建草壩一、二座，面寬各二十丈，約六分過水，使渾水稍稍淤墊，其中所積之水，藉墊歸河，水去地出，然後可以遵照原議動工修理等語。查淘河村、六道口一帶，與三角淀、葉淀等淀，一片相連。自三角淀圈築隄埝，分隔内外，隄水、渾水淤高，隄外低窪如故，一遇雨多之年，迤北田間行潦，匯聚於斯，仍成積淀，而南面既隄阻不能會歸，惟恃一綫鳳河爲消洩之路，以故停蓄不下，致令開築難施。今河臣請於半截河先開壩座，宣引濁流，墊窪爲平，使施工有地，此亦一時權宜，事屬應行者。再河臣奏稱，自八工尾閭至老河頭，約十五里，乃渾水趨歸大河要道，應卽從尾閭開挖引河，面寬二十丈，底寬四丈，深六尺至七、八尺不等，總期一律深通，俾渾流暢達，匯津歸海等語。查臣等原議，半截河改挖新河，入六道口，而東經三角淀之北，直過老河頭，其金門閘石壩引河，由渾河入牤牛河、黄家河、勝芳河，一路開挖，亦經老河頭之北，與新河會歸大清河，一路築坦坡隄，分清隔濁，總欲渾水不能入淀，無由淤河，不致貽後患，更費周章耳。今河臣爲目前行水計，自不得不疏濬，下七、八工之舊河，既水由舊河而來，自不得不開舊河之尾間，此雖亦權宜之計，但引河經由之處，據稱從尾間挖至老河頭約十五里，是竟似欲從八工直挖至洞子門，由董家河入楊家河矣。夫楊家一河，乃全省清河之下口，非有高岸夾束，並無抵刷濁流之力，以永定全河之勢，推擁沙泥，瀰漫而入，誠恐楊家河必受淤，楊家河一淤，則淀之下口先塞，而西來數十河之水將無路歸津，則雖重隄隔淀，不皆成虛設乎！臣等愚見，以爲引河應開，而或經由董家河、楊家河，則似乎不可，應令河臣於迤北地面，相度挑挖，俾經老河頭北，而出其東，即爲將來金門閘石壩引河之下口不淤，淀不阻清，在河臣料已熟籌，緣未經詳細聲明，臣不得不爲過慮也。至奏稱河溜埽灣，頂衝危險處所，應裁灣取直，酌量挑挖引河，以免衝激等語。查永定水勢湍悍，斗折蛇行，而土性沙鬆，隄防未可深恃，是應於汛前挑引，導入中泓，俾工程不致出險，此河身不須全挖，而可免衝激之良法。自從前河員，惟務加隄工，不知改挖引河，以至汕刷坍隤，大溜激衝。今河臣請於河溜險工爲未雨之圖，應如所奏，令其籌度挖引，預儲物料爲鑲墊埽壩之用。其寺臺建壩原因，地屬閒曠，可以洩水受水也。今既據稱，細勘該處隄外荒地不過數里，誠恐開壩洩水，容受無多。查有南岸五工曹家務以下數十里，俱不毛之土，並無民居，地面寬闊，可以容水，將所請寺臺議建之石壩，移於曹家務以下，改建草壩，仍面寬十二丈，約六分過水，不特錢糧可省，且渾泥漸淤，斥鹵皆成膏壤等語。既曹家務較勝寺臺，應如所請改移。至於渾水肥田，古有成效，如涇溉關中，漳溉鄴下，載在史册。永定河漫溢處所，土性淤肥，麥收加倍，亦其明徵。應行令河臣，留心審度，凡係迎隄荒鹻窪薄之地，皆可照依此法開壩洩渾，放淤糞瘠。其留泥注水之法，或設陂以限之，或挖塘以瀦之，轉害爲利，是在河臣之虛心實力。新任直隸總督孫嘉淦，現在條奏永定河道情形，伏祈皇上將臣等所議建壩挑河之處，勅交河臣，會同直隸總督商辦。三年十一月，大學士、九卿等奏，會議兵部尚書協辦户部尚書事果毅公訥親、吏部尚書今授直隸總督孫嘉淦奏稱：臣等自天津回京，由永定之半截河至下七工抵盧溝橋，循隄看得河道情形，河身較隄外地面大勢皆高，其六工以下，河身隆起如脊，竟有高至丈餘者，與築牆束水無異。頭工、二工隄岸稍寬，尚容水勢迴轉，至五、六以下等工，河身狹處僅數十丈，且南北兩岸大概皆係沙土，非夯硪可能堅固，汛發勢必衝決，是以隄築前後，所費帑金無算，仍不免患也。河臣顧琮欲盡棄舊河，放水北行，築十里遥隄以防之，但十里之地，廣闊無幾，河流遷徙，仍過遥隄，則必又致潰決，兼以所有人民廬舍，欲盡遷之隄外則不能，欲留於隄内則可慮，徒勞更張，終非長策。大學士鄂爾泰等又欲於半截河另開引河以分其勢。目今郭家務之草壩，金門閘之石工，俱已興築，其壩底高於河面五六尺、七八尺不等，尋常水不能宣洩，無由分減，設異漲一來，突然出口，所挑引河，不能深廣，水勢來必屈曲隨入，則奔衝仍所不免。至於新河之道，欲使不入淀池而入淀河，意謂淀河水流可以不淤。但查淀河之水，本非急溜，渾水偕行，泥終沈底，雖逐年疏濬，而人力幾何，縱不淤於目前，亦必淤於日後。淤淀池只佔其蓄水之地，淤淀河乃梗其出水之途，萬一水口壅滯，清水無歸，則潰溢之患，何可勝言！臣等再四詳度，莫若因勢利導，以免小民之驚疑，以收永遠之利濟。現今南岸之金門閘，北岸之張客，皆建閘而挑引河，已有成議。臣等愚見，以爲張客之閘不必石工，但建草壩，再於兩岸相度地勢，開建草壩，寬六丈至十二丈爲率，過水以六分至四分爲度，分洩之處既多，則水緩不致衝刷，隨時水長，即可宣洩，更不畏淘湧奪溜。南岸金門閘，上下多建數壩，北岸少建，使南洩之水常多，水小則仍歸引河，水大聽其漫流，數年之後，草壩朽壞，舊河之水悉改而南，即以淤高之河身，障其北向趨下之路，天然畿輔隄岸，誠爲堅實，即沿河居民，皆知漫流淤田之水無足爲患。至於視低窪之邨莊，立圍隄以保護，遷零落之居民，附大村以自固，攔淀築埝，使雖遇異漲之水，而泥沙不得溢入淀池中，則百姓永無淹没，淀池永無墊溢。俟其辦理就緒，裁去總河之缺，盡撤效力之人，交與地方官，如常保護，上無興築賑濟之費，下無辦料工作之擾，漫淤泥於田中，民享其利，瀝清流於淀池，水蹈其軌。等因，具奏前來。臣等竊思：上年六月，衝决隄岸，我皇上特命大臣前往相度，欲期永久奠安。隨據協辦吏部尚書顧琮查勘，奏請改築遥隄，庶免衝決。續經大學士鄂爾泰奉命勘得永定河水性水勢，俱非黄河比，十里遥隄之議，萬不可行。擬於半截河隄北，改挖新河，於南北兩岸，建滚水石壩四座，各開引河一道，等因。經總理事務大臣會同臣等議准在案。今據兵部尚書協辦户部尚書果毅公納親、吏部尚書今授直隸總督孫嘉淦奏稱：永定河衝決之患，實因築隄而起，莫若因勢利導等語。查永定河隄工，於康熙三十七年建築以來，歷有年歲，迨後新增隄壩，均係先後測量水勢，逐年添修，仍不免衝決之患，若能因勢利導，使水盡歸南行，誠爲不治而治之上策，但故道久成旗民廬舍，一時勢難更復，必須相度全河形勢，遍歷上下河干，籌畫盡善。今孫嘉淦奉旨補授直隸總督，其於永定河地勢之高下，河形之曲折，水性之歸宿，以及居民廬舍之遷徙，必須一一詳勘，慎重於始，相應請旨飭下新任總督孫嘉淦、河道總督顧琮，會同復勘。永定河志六。三年接西老隄，起築坦坡埝，至武清縣龍尾止，四十九里九分。東安李志：隔淀坦坡埝在褚河港邨北，上接霸州，下接静海，長五里，乾隆三年築。北大隄，自哈喇港接永清界起，至賀家辛莊止。乾隆四年築。按：北大隄興工於三年，竣於四年。又按：南埝舊名坦坡埝，乾隆三年築，以格淀水。西自霸州牛眼邨，接西老隄起，東至武清縣龍尾止，長四十九里九分。八年，於東西老隄工尾，接築横埝，長六十一丈。十六年，將冰窖以下廢東老隄連坦坡埝，普律加培，並自龍尾接坦坡埝，築至天津縣青光邨止，東老隄自南六工二十八號岔頭起至横埝，長十八里八分，坦坡埝，横埝起，至青光邨止，長六十一里十四丈，改坦坡埝爲南埝。北埝上段舊名北大隄，乾隆四年築，西接北岸六工十六號重隄起，至東安縣賀家新莊止，長三十六里一百二十六丈。五年，自北大隄三十四號，至武清東蕭家莊鳳河邊止，接築北埝，長四十七里一百二十六丈，以禦渾河北漾。至十六年，上段亦改稱北埝，共長八十一里一百二十六丈，分爲北埝上、中、下三汛。二十年，北埝六工二十號改爲下口河，循北岸歸沙家淀。二十一年，於北埝之北築遥埝一道，西自永清縣趙百户營邨，前接北岸六工十五號重隄起，東至武清縣南宫邨北鳳河邊止，長八十四里九丈。二十七年，十八號以下，渾流蕩淤十餘里。二十八年，取直接築，共長八十一里九十五丈，河出北埝十七號外，循遥埝内行，又於遥埝之北築越埝一道，西自永清縣半截河邨後，接北埝岸六工八號重隄起，東至武清劉家莊後止，長四十九里一百二十八丈。三十二年，河出遥埝外行，遂以越埝爲北埝。三十八年，改北埝爲南隄。四十五年，北隄七工工頭西至北岸六工大隄八號，接築北隄，長四十九丈。此南、北埝大畧也。又加築石景山隄。會典事例七百一。

四年，補遥隄，濬遥河，開金門閘兩引河，築長安城、曹家務、求賢邨、半截河草壩，郭家務灰土檻，建高橋邨涵洞。

是年，命尚書公訥親勘故道。正月，總督孫嘉淦補築北岸求賢邨以下殘缺遥隄，濬隄外淤塞遥河，起三工接官鋪後，訖五工何麻子營，長八千五百二十丈，凡四十七里。三工汛内，補遥隄十段，濬遥河三段。四工汛内，補遥隄四十九段，濬遥河三段。五工汛内，補遥隄一段，浚展遥河五段。四月，總河顧琮奏開曹家務以下郭家務、小梁邨、雙營、冰窖、三聖口等處遥河，計四十餘里。向淤遥河間段疏濬，由三聖口直達津水窪入淀，凡濬河一千七百丈，面寬五、六丈及八丈，底寬三丈，深一、二、三尺有差。又金門閘壩開引河，兩股分流，西股自閘下至長安城草壩，引河長三千三百七十二丈九尺，長安城草壩引河，自壩下至邨西南，會金門閘引河，長六百七十九丈九尺；二引河會流處起，至張貴莊西南入中亭河止，長一萬七千四百五十二丈。統計西股長二萬一千五百四丈八尺，計一百十九里，東股自畢家莊起，至楊青口南，長八千五百五十三丈一尺三寸，凡四十八里，兩河俱按舊河形挑挖，面寬五、六丈至十二、三丈，底寬三、四丈至七、八丈，深三、四、五、六尺有差。畿輔安瀾志。築長安城、曹家務、求賢邨、半截河草壩，郭家務灰土檻，高橋邨涵洞。詳下注。其歲修疏濬下口鄭家樓東河心淤灘五百三十六丈，面寬三、四、五丈不等，深二尺。又六道口引河一百六十丈，面寬十一、二丈，底寬九丈，深二尺五寸。魚壩口展寬舊隄出水缺口，並河嘴五處。畿輔安瀾志。自北岸六工十六號起，築北隄，至東安縣賀家新莊止，長三十六里。永定河志六。其用銀，長安城、曹家務、求賢邨、半截河草壩，郭家務灰土檻築遥隄，共五萬六千六百九十五兩四錢四釐九毫，金門閘石壩，長安城草壩，以下引河並築隄埝，共四萬九千二百六十九兩九錢四分八釐。永定河志十。總河顧琮奏：金門閘壩工，應挑引河，自出水護壩排樁外起，至韓家營北，由家常莊至長安城，又與長安城草壩合流，若兩壩水勢僅一引河，分洩恐難容納，今酌量兩股分流，其西股自小楊青務，由牤牛河西岸，至楊青口入津水窪，庶傳送疾而汛漲不致旁溢。以上金門閘石壩及長安草壩應挑引河工程。按：顧奏，永定河志奪，今據畿輔安瀾志。漢名臣傳：乾隆四年正月，直隸總督孫嘉淦疏言：前奏金門閘上下多建草壩，使河漸復故道。但建壩必開引河，誠恐汛水大出，不無旁決。今於金門閘下增設草壩一，其引河不必復挑，即歸金門閘引河中。蓋此即永定河故道，由中亭、玉帶以達津歸海。臣循舊迹開濬，其新建草壩四分過水，使引河之中，時有水流，一二年後邨城保固，然後多開草壩，使水大出，則故道可全。得旨：果然如是，誠爲善舉，且試爲之。正月，大學士鄂爾泰會同工部奏：會議直隸總督孫嘉淦等奏稱，覆勘金門閘石壩，原議八分過水，但一年之内，八分以上之水亦不多有，悉心商酌，請於金門閘之下，長安城草壩添建草壩一座，以四分過水，分流南下，水小則草壩分洩，水大則石壩一併減流，至郭家務壩面，俱係素土，應築灰土檻一道，以資抵禦。再南、北兩岸建設多壩，非旦夕告竣，請於南岸郭家務以下，七工冰窖地方，各量開旱口一處，用埽裹頭，以洩凌、麥二汛之水。至上汛各工，既經多建草壩，水勢有所分洩，則下汛七、八等工，均可無庸修築，並半截河以下引河隄埝等工，亦當量爲減省。統俟各壩建成，引河疏就之後，再將引河經由地方城池邨落，應行護衛之處，詳細酌議，築隄保護等語。查永定河形，上游低於下口，河身高於地面，故道固應議復，而挑濬務宜相幾。今該督孫嘉淦等，既稱郭家務石壩，改建草壩，寺臺之石壩，移於曹家務，改建草壩，其張客之石壩，亦請改建草壩之處，會同總河顧琮，詳查各欵，俱意見相同，應照原議。其草壩引河，不必另挑，即濬歸金門閘引河之中等語。亦屬隨地制宜。又稱，於冰窖地方量開旱口一處，是預防之計，但汛水漲發，作何歸宿，有無妨礙民舍田廬，應令該督等妥協辦理。

五年，築坦坡北埝，石景山汛内片石土隄開引河，復永定河故道。二月，總河顧琮以葛漁城等處受淤，接築坦坡北埝起六工北大隄尾，至鳳河西岸武清蕭家莊，長八千五百八十三丈五尺，乾隆五年二月，直隸河道總督臣顧琮奏：永定河下游之范甕口、鄭家樓、葛漁城一帶，地窪積水，上年淩汛，水由鄭家樓東殘廢民埝缺口流出，入沙家淀，匯鳳河，達津歸海。臣於本年二月二十五日前往永定河下口，率同永定河道六格履看。今歲淩汛已過，凡應築隄工，應疏河道，卽令辦理。惟鄭家樓一帶，低窪地畝，渾水經由漸得受淤，可望種收之利。但其平地漫流，漸往西北，將來恐有礙及田廬，當先籌畫。北岸隄頂接連草壩，約百餘丈，靠壩殘缺民埝，令河兵力作，修補完竣，以禦其西漫之勢。下口一帶，照例動頂，挑濬深通，使其東注。第下口疏濬，惟有額設挑河土方價銀，並無樁料開銷之例，若再請添設，寔屬繁費。查下口向有河灘，產葦官地四十餘頃，從前收數不過五六萬觔，自專員經理以後，每年所收，數倍於前，俱貯各工，以爲歲修，於估銷册內，據實聲明造報。上年霜降，該道六格，選委妥員查收，較前更多。今議草壩，可動撥此項官葦，應用錢糧，卽可節省，一面知會臣孫嘉淦商辦。畿輔安瀾志：總河顧琮以淘河葛漁城，向因積水蓄佔，未曾施工，今窪下地俱已受淤，奏准接築坦坡民埝，自新築未完大隄尾起，至鳳河西岸蕭家莊止，長八千五百八十三丈五尺。按：永定河志六云，北埝長四十七里一百二十六丈。用銀一萬三千四百八兩六錢四分八釐。永定河志十。四月，修石景山汛龐邨、小屯、天將廟後舊片石土隄，用銀九千七百八十七兩三錢四分四釐。六月，顧琮奏開張貴莊引河尾閭，長四百五十丈，寬四丈，深一尺，展牤牛河，起小楊青務，長一千七百九十六丈，面寬四丈七尺，底寬二丈四尺，深四、五尺，西股引河起無梁店，長二千五十丈，抽槽寬一丈，深一尺，東股引河起牛坨東，長千七百丈，抽槽寬一丈五尺，深一尺，其歲修疏濬，下口起，鄭家樓舊埝順河灣至六口道邨後，長千八百七十九丈五尺，面寬二丈，四丈至八丈，底寬二丈，深二、三、四、五、八、九尺不等，工用支自引河存剩項下。據畿輔安瀾志。直隸總督孫嘉淦請復故道。九月大學士九卿會議，硃批：依議速行。其兩次建壩，皆失於高，乃顧琮與河員不能奉行盡善之咎，著該督查參。初六日興工，開金門閘之重隄，濬西引河。十三日開南隄放水，復行故道。得旨獎許。硃批：永定河應歸故道，朕已慮之久矣。今孫嘉淦一力擔承，妥協辦理，寔屬可嘉！俟一切善後事宜詳勘妥辦，明年伏、秋兩汛果保安瀾，著該部議敍具奏。至善後之事計，最爲緊要，該督與河道總督從長妥議具奏。至永定河既歸故道，此後河道總督應否尚設之處，亦著一併詳議具奏。又硃批：開河之後，朕日夜廑念，覽此奏，大慰朕懷矣。非卿一力擔承，斷不能成此事。然此時尚未可侈然自足也。必俟明年，諸事妥協，伏、秋無妨，然後可以慰衆望，而吾君臣此舉，方不爲冒昧也。

孫嘉淦又因御史周祖榮陳善後事覆奏：放河以來，涿、良鄉、永清、固安、霸等州縣，近河邨落有宜築堰防護者，已勸民自築，並無應遷徙處，民情難靜而易動，惟當安百姓身家不可張大其事，驟驚愚民之耳目。

五年九月大學士九卿奏：會議得直隸總督孫嘉淦等奏稱：永定河前散流於固安、霸州之野，泥留田間，而清水歸淀，間有漫淹，不爲大害。自築隄以來，始有潰淤之患，雖歲糜帑金，訖無成效。乾隆二年，大學士鄂爾泰等勘明，於金門閘建石壩一座，下挑引河，即係永定河故道，惜其壩身太高，不能過水。乾隆二年，臣與訥親合詞具奏，請於金門閘之上下，再建草壩，務令過水，以爲漸復故道之計。荷蒙聖恩俞允。臣隨與河臣顧琮相度，於金門閘下長安地方，建草壩一座，乾隆四年告成，壩身又失於高，上游不能過水，而下口改流於鄭家樓等處洩水。河臣顧琮與臣商酌，下口既已宣暢，則上游放水，似可暫緩。乃去秋、今秋兩汛經過，而下口地方仍有未妥，是以臣前面奏親勘。今勘下口河流，自鄭家樓逆折而北，歷龍河、鳳河、雅拔河之下游，清水俱有壅滯，且去北運河不遠，倘再沖汛，恐礙運道，若欲築隄挑水，改使南行，不惟地已淤高，工費浩繁，且仍係東淀下游，其淤勢何所底止？去年冬間，臣與顧琮奏請於葉淀之東挑河引水，使入西沽之北，今勘入口之處，逼近運河，居民稠密，渾水經流，終非長策，則是下口之道窮，必於上游放水。金門閘之引河，東、西二股，自畢家莊分流，東股歷牛坨、蒲坨等處，由津水窪入淀，渠身深通，但歷邨莊頗多，水勢不能寬展；其西股河道俱行曠野，下口入中亭河，一百餘里之內，止有王莽店一處逼近河岸，其中亭河入淀之處，止有范家口、蘇家橋等處邨莊，尚需保護，中亭及玉帶河南隄，尚須加鑲，其餘並無妨礙邨莊城垣之處，河身寬大，兩岸開展，詢之土人，僉云此係永定河故道，應於兩股分流處，將東股之口築高數尺，遇異漲之水，則兼入東股，以資銷減，尋常汛水，專走西股。因至金門閘再行相度，見石壩上不過數十丈，即係河流頂沖之所，於此處開一土壩，不必草裹石鑲，但令掘展寬深，則全河之水頃刻可過，一出隄口，即入金門閘引河，順流暢達。今水甚小，斷無沖淹，將來汛水漲發，散入田野，民收肥腴之利，經流歸槽，安行故道，卽使間有漫溢，不過一二邨莊，較之潰隄淤淀之害，不及十分之一，卽使保護邨莊，不過零星疏築，較之歲修搶修之費，亦不及十分之一。再此金門閘之引河，卽係大學士鄂爾泰奏議開之河。今開隄之處，緊接金門閘石壩之上，與訥親與臣原奏相符，皆係已成之議，並非新有更張。總而計之，下游已無可行之路，上游現有天然之河，開隄放水，則費小而害輕，築隄束水，則費大而害重，熟思此策，更無二計。開隄放水日期不可遲延，今年河水本小，霜降已屆，水涸流細，放之使出，可以操縱由人，因其所至，細加相度，預爲保護。謹擇九月初七日興工，將引河之內整理通順，出口之處挑挖疏引，於九月十六日開隄放水，屆期臣與河臣顧琮親至其所。可否仍令訥親前來，公同開放。等因，查乾隆二年八月間，大學士臣鄂爾泰奉命勘擬於半截河隄北開挖新河，於南、北兩岸建滚水石壩四座，各開引河，於南岸金門閘建壩八十丈，以運河故道接牤牛河者爲引河，開濬寬深等因。經總理事務王大臣會同臣等議准在案。乾隆三年十月內，據尚書果毅公訥親、直隸總督孫嘉淦奏，請將張客之閘不必石土，但建草壩，再於南岸金門閘上下多建草壩，北岸少建，使南洩之水常多等因。經臣等議，以永定河之水，若能因勢利導，使水盡歸南行，誠爲不治而治之上策。覆令督臣會同河臣，覆加細勘，具題再議。嗣經總督孫家淦等覆勘，金門閘石壩，原議八分過水，但一年之內，八分以上之水不多有，細心商酌，請於金門閘之下長安城地方，添建草壩一座，以四分過水，分流南下等因。經大學士鄂爾泰會同工部議准，亦在案。永定河歸復故道，屢經勘議，因形勢遽難更改，是以中止，而下游經水之處，已多淤塞，卽全行疏築，終非經久之計。故原議於上游添設草壩，因勢洩水，使盡歸南行，但全河之水，悉行開放，雖係開復故道，而更改之初，宜加詳慎。前經該督會同河臣奏稱，於金門閘之下長安城地方建築草壩，四分過水，分流南下，因壩身仍高，不能過水，而河臣顧琮又以下口改移於鄭家樓等處洩水，商令上游暫緩放水，亦屬河臣慎重經理之意。今下游水道已經該督親勘，實無宣洩善策，請乘水涸流細，於金門閘之上，開隄放水，以爲漸復故道之計。查大學士鄂爾泰等議覆原案，永定河歸故道，必須相度全河形勢，遍歷上下河干，方可籌畫盡善，爲垂久之策，今既據該督等通身籌算，就金門閘現成引河，乘時放水，操縱由人，與河臣等會商，意見相同，應照所奏辦理。水道必由之邨莊、民舍、墳墓，應令飭地方官預爲加意防護。東股水道所歷邨莊既多，自應於分流之處築壩攔水，雖據該督疏稱遇異漲之水，始行分洩，但永定水性靡常，倘遇汛漲之時，西股下流稍有壅滯，以致橫溢旁注，或東股水入轉多，而附近之邨莊民舍未經預爲防護，淹漫爲患，亦未可定，應令督、河二臣，先事預防。至中亭、玉帶等河，加以永定河水匯注增流，其南隄應行加鑲之處，應令詳勘，加鑲保固。五年，直隸總督孫嘉淦奏：永定河歸復故道一案，臣前奏明於本月初七日興工，十六日放水。臣隨委效力員外秦嶠，會同永定河道六格等，督率河員，如期修濬。臣於十三日至金門閘，河臣顧琮已到工所，會同於金門閘之上，開挖重隄二十丈，挑濬河槽二百七十餘丈，使入金門閘引河之內。其金門閘引河東、西二股，現將東股閉塞，令其專走西股，其西股之中，尚有淺窄處，相度開挑，自楊青務起，至李各莊止，展寬挑深，共三千六百餘丈，每日用夫至二、三千名，詢之居人耆老，僉云渾水散漫，不過數寸尺餘，一日二日卽涸，而所過田畝，皆成膏腴，從前過水之時，間有漫淹，不爲大害。官紳士民，詢謀僉同。十五日各工俱竣，十六日辰時開放河水，頃刻全河已過，順軌安流。善後事宜，容勘議另奏。又疏：十六日開永定河南隄放水，復歸故道，隨即策馬沿流而南，見河流循軌，二百餘里之内，逼近河岸邨莊，不過十數處，易於保護。兩岸地勢平衍，汛水一至，可以散漫平流，不能爲害。至中亭河，清渾合流之處，渾水入後，清不過漲高四寸，將來不致潰溢。又隨流而東，睹其清渾盪刷，不過數里，水色已清，將來亦不致淤淀。漢名臣傳：五年十月，江南總督高斌、直隸總督孫嘉淦等議河務善後事宜，疏言：永定河應於固安城南、霸州城北之間，順流東下，由津水窪接連東淀，直達西沽入海，則上游漲水自銷，霸州城北築護壩圍城，保定縣城西千里長隄，下自新莊，迤北至城東路疃村，隄根逼溜，應加寬厚，其路疃以東至牛頭邨，接連營田，圍埝五十餘里，議築越隄作重障。議行。十一月，直隸總督孫嘉淦疏：據御史周祖榮稱：永定河改由故道，所有近河邨落，不無漫溢，請勅查水道所經，必應遷徙者若干邨，先擇不受水患之地，酌給遷費等語。查放河以來，嚴飭各官履勘。據報，涿州、良鄉、永清、新城、雄縣、固安、霸州等州縣，其中近河邨落，有無庸築埝防護者，有宜築一面者，有宜築兩面、三面者，俱已勸諭居民，自行修築，並無必應遷徙之處。緣此地歷年過水，民皆聚居高處，間有散居低處者，令止在本邨挪移，地方官量加資助，亦無庸給與遷費，別行安插。又稱，豫防淹漫地畝，查明存案，將來撥補，或給價之處，尤屬難行。蓋渾水經由若止漫流平過，則地皆淤肥，即可種穫，如改流頂衝之處，必須隨時防護，即有衝坍，亦必待事後查勘，所奏均無庸議。總之，民情難静而易動，現在河流順軌，民情安静，一切善後之圖，惟當周詳慎重，以安百姓之身家，不可張大其事，驟驚愚民之耳目。

六年，堵金門閘放水隄口，展雙口等處河，挑葛漁城河槽，濬新河口以下，開川字河，築張客、曹家務月隄，改郭家務壩，築胡林店、雙營、小惠家莊等壩。

正月十八日，命大學士伯鄂爾泰、尚書公訥親，乘驛前往，會同總督孫嘉淦、總河顧琮，悉心查勘。又因永定河放水，經理未善，以致固安、良鄉、新城、涿州、雄縣、霸州各境内邨莊地畝，多有被淹之處，孫嘉淦奏，永定河工公議暫堵隄口，俟引河挑挖寬深，再行開放，臣實不敢扶同。按：此奏略見永定河續志。諭以不必固執已見。二月，總河顧琮奏：永定全河之水，於平家莊出口，入鳳河，達大清河。乾隆二年，劉鑲挑挖雙口以上至平家莊，長九百餘丈，僅寬三、四、五丈不等，應展挖寬深，並請於葛漁城北埝外至龐家莊，抽挑河槽，引啞叭河水入龍河，即以挑河之土培築北埝，自平家莊前起，至雙口橋南，長一千一百五十四丈，面底均加寬二、三丈，深四尺五寸至五尺不等，河坡挑寬一丈，深三尺。三月，顧琮奏，挑河築隄及工程，既經准行，復議從中阻汛漲，設有疏虞，咎將誰歸？此事已與督臣意見相左，臣在任無益。按：此奏略見永定河續志。諭責之。又奏，金門閘以上新開隄口，現在堵閉，惟舊河身自金門閘新河口以下，至北蔡，淤平一千餘丈，必須挑挖，分爲四段，自北蔡起至趙家樓一百餘里，較金門閘低三丈餘，其間淤高十六段，先挑八段，長一千四百餘丈，趙家樓以下至八工尾，調撥河兵挑濬，自鄭家樓至西蕭家莊，計長十餘里，應挑直河，自西蕭家莊魚壩口鳳河下游，調撥垡船衩夫疏濬。部議覆，准挑北岸二工麻家莊二百二十丈，三工求賢莊九十二丈，十里鋪二百六十丈，四工雅地一百五丈，五工北戈奕一百二十四丈，南岸四工官莊三百丈，五工鹹廠一百七十丈，曹家務二百五十丈，面寬八丈至十四丈，底寬六丈、八丈，深三、四、五、六尺不等。又大學士鄂爾泰議覆，鄭家樓至魚壩口歸鳳河一帶，就現在淤墊處，開濬疏通，並將五工以下河溜逼近河根，如曹家務、何麻子營、半截河、四聖口、武家莊、安瀾城等處，切挑河唇，截挖淤嘴，於麥汛前趕挑八段。又啞吧河下游，葛漁城南淤高，瀝水無路，應於北埝外挑河槽一道，引啞吧河水入龍河，二水合流，難以容納，於龍河之東，挑洩水溝，導龍河水下游至龐家莊，會入鳳河。計挑：北岸五工何麻子營一百六十五丈，六工半截河一百八十五丈，上七工四聖口一百六十丈，下七工五道口一百五十丈，八工安瀾城一百九十丈，南岸五工曹家務一百四十五丈，上七工武莊一百八十丈，八工宋流口二百五丈，均面寬五丈五尺，深五尺五寸至六尺五寸不等。北埝河槽長一千八百餘丈，面寬二丈，底寬一丈，深三尺，龍河東水溝長七千餘丈，面寬一尺，斜深二尺。（據畿輔安瀾志。）顧琮又奏，開川字河四段，長一千二百丈，左支河長二百三十丈，右支河長二百有七丈，（據工部奏。）合之堵築南二工放水隄口等工，用銀一萬七千八百四十九兩九錢六分。（據永定河志十。）又奏築北岸頭工北張客月隄，起天字四十三號，至四十六號，長五百丈，頂寬二丈，底寬八丈、十丈不等，高一丈三尺，南岸五工曹家務張字十八號至二十號，長四百五十丈，頂寬二丈，底寬十二丈，高一丈五六尺、七八尺不等，（據畿輔安瀾志。）用銀一萬六百兩。（永定河志十：曹家務月隄用銀六千二百兩，張客月隄用銀四千四百兩。）歲修疏濬，下口自鄭家樓南起，至西蕭家莊東歸魚壩口河止，長二千十丈，面寬五丈四尺至七八尺，底寬四、五、六丈，深三、四、五尺不等，又自閻家莊西起，至閻家莊東止，長九百三十丈，寬四、五、六尺不等，深二尺，又展寬新河，自二光民隄缺口起，至又光廟止，長五百一十六丈五尺，寬二丈至三丈三尺不等，深三尺，（乾隆五年九月，大學士九卿等奏：會議江南河道總督高斌等奏稱：永定河下口淤壅，亟應改移於固安城南、霸州城北，以順南趨之勢，而引河兩岸不設隄防，汛水長發，則任其出槽平漫，溜勢既散，低田可收淤肥之利，其霸州城郭，圍築護隄，近河邨落，加築土埝，雖大水可保無虞，此實以不治爲治之上策也。臣等詳籌，以爲西入中亭河，會西淀、白溝諸水，由玉帶河轉而東趨，實不若於固南、霸北之間，順流東下，由津水窪接流東淀，直達西沽入海。尾閭寬則上游漲水消退自易，此實天然最順形勢。臣等擬於明春麥汛以前，先令水由西引河入河，則偏西一帶窪下鹹地，或遇漫水，即可得淤，於今冬明春半年之內，限期寬展，將東引河再加修理通順，其中間近河邨莊，易於遷徙者，預爲遷徙，可以防護者，築隄防護。又霸州城郭，應築護城圍隄，又自鋪疙疸以西起，至甯家口，接連上六工隄止，築橫隄一道，約長二十餘里，以護城郭邨莊。至鋪疙疸以西，地勢淤窪，所有估埝，應行粘補，以保護州邨莊，俱於麥汛前修完，麥熟後再將東引河河頭開放，並將津水窪高橋以南民埝開通，將西引河暫行堵閉，俾全河盡赴東趨。俟秋汛後，河勢已定，隨宜辦理至金門閘放水之處，此時大溜出口，舊河已經斷流，且可不必堵塞，新河之口現且用草裹頭，不必遽令展寬，倘遇伏、秋汛盛漲，舊河宣洩，其大半可以無虞。數年後，如果新河順軌安瀾，再將舊河截斷，保定縣城以西千里隄，自新莊迤北天字號起，至城東路疃邨止，玉帶河河溜逼近隄根，最爲險要，應加寬厚。其路疃迤東至艾頭村接連營田圍埝，約長五十餘里，臣孫嘉淦、顧琮現在議估加築月隄一道，以作重隄。臣等勘得該處玉帶河形勢，即永定河水不由西下，其西淀、白溝諸水，至此收束太緊，亦應修理，合詞會奏，等因。查乾隆二年八月內，大學士臣鄂爾泰奉命親往詳勘永定河水勢，擬於南岸金門閘建壩八十丈，以渾河故道接牤牛河者爲引河，開寬濬深，循其故道，於下游合流，皆得迸注爭流，俾推盪泥沙而東去，酌改開濬事宜等因摺奏。總理事務王大臣會同臣等議准在案。本年九月初一日，直隸總督孫嘉淦奏稱：永定河從前散流於固安、霸州之野，泥留田間，而清水歸淀，間有漫溢，不爲大害。自築隄束水以來，始有潰隄淤墊之患。臣親勘金門閘之引河，有東、西兩股，係永定河之故道，足以容納全河之水。應於二股分流之處，將東股之口築高數尺，遇異漲之水，則兼入東股，尋常汛水專走西股。再金門閘以上開一土壩，不用草裹石鑲，但令掘展寬深，則全河之水頃刻可過，一出隄口，即入引河，與河臣顧琮合詞具奏等因。經臣等議覆，均照所請辦理在案。九月十八日，欽奉諭旨，令江南河道總督高斌，會同總督孫嘉淦等，詳悉相度，確酌定議。經工部行文欽遵。今據河道總督高斌等勘奏：查永定河之金門閘以上，既經開閘放水，順軌安流，其挖河引水，歸淀入海，經由處所，應濬應築之處，應如所奏，於東、西兩引河濬築修補，保定西淀、白溝諸河，加幫修理，各工先後興修。六年，直隸河道總督顧琮奏：永定河從前原無隄岸，溜走成河，淤停爲地。京南、霸北、涿東、武西，皆其故道，數百里内任其游蕩遷折，水性湍悍。伏、秋大汛，當其沖者，田廬被淹，民苦水患，是以康熙三十七年間，聖祖仁皇帝命自盧溝橋以下挑河築隄，若從前渾水不爲民患，自毋庸糜帑開河築隄也。今金門閘壩外，固南、霸北、良東、永西，地方百里，較從前地面僅四分之一，勝芳大淀久經淤成平陸，是游蕩之地狹於前，而容水之淀小於前，伏、秋汛漲，四漫橫流，水必深於前，此今昔之異也。況生齒倍，人煙稠，未便村村遷徙，豈能處處防護？水性無定，實有所難。現在試看於凌汛水已盈滿，兩岸漫出，若經伏、秋大汛，水勢倍增，則漫淹更甚有必然者。查乾隆二年内，汛水異漲，從北岸張客漫口，洩出十分之七，南岸金門閘迤上，鐵狗漫口洩出十分之三，人民田舍即淹没難堪。查異漲之水，雖倍尋常大汛十分之三，不過等於平常汛水十分之六，今引全河南注，倘遇伏、秋盛漲，較之從前鐵狗漫出水勢，分數必然更大，況永定河之所以爲患者，總以渾水淤淀，下游不能暢達之故，今雖名爲改復故道，實係導水於兩淀之間，若引河淺狹，則有漫淹之患，寬深則有淤淀之虞。竊思先王因害而修利，不可修利以倡害，改復故道一語，雖名爲上策，有害民生，萬不可行。夫渾水若無隄而有岸，雖有漫溢，不致奪河，如漳河是也。今永定河改歸故道，無隄無岸，一遇伏、秋大汛，溢出之水，四漫橫流，奔騰就下，一往莫禦，必然奪溜。當其沖者必致爲害，此其可慮也。今若將河身挑挖寬深，導之盡入玉帶河，雖清流可以刷渾，不致淤塞，但下游終歸於淀。一入止水，漸積必淤。東淀既淤，則勢如扼吭。將來玉帶河亦必因之而淤，並西淀、白溝河水無路達津。況伏、秋大汛，河水漲發，出槽四漫，水性就下，溜之所趨，得勢奔流，則必自刷，一河湍行奪溜，其引河下口亦必立見其淤。即如雍正十一年麥汛，天開引河於三角淀之南，寬七八十丈，深一丈二三尺不等，迨伏、秋汛水出槽，漫過三角淀北，另刷一河，隨將天開引河一夜淤成平陸。今將引河挑挖，斷不能如天開引河之寬深，則將來之引河，不免淤墊，此其明驗也。玉帶河乃西淀之尾閭，衆水之總匯，寬深通暢，由東淀入大清河，乃東淀之尾閭，兼之西淀諸水總匯，達津歸海，東淀之有大清河，即如西淀之有玉帶河也。查新河金門閘以外，固新壩一帶，地勢窪下，並無河岸，而舊河南自郭家務老隄接築隔淀坦坡埝四十四里，至洞子門，北自半截河以下隄外，遠築隄埝四十四里，至龐家莊，此兩埝相距三十餘里，與其挑無岸之水，不如挑有埝之河，與其導水入玉帶河歸淀，不如導水入大清河歸津，此其顯而易見之理。蓋河務議者多而知者少，言之易而行之難，要在因勢制宜，審今昔之形勢，權事理之重輕，使小民不致受水之害，亦無淤淀之虞，乃爲經久之良圖。永定河自築隄開河，導水入淀以來，原以永衛民生，轉致淤淀爲患，蓋因濁流入止水故也。世宗憲皇帝諭旨，令渾河別由一道入河，勿使入淀。可謂探本清源，一言而舉其要，凡治渾河，毋能違越者也。今欲爲永定河籌萬全之策，首當令其別由一道。現在舊河，即別由一道也。潘季馴河議辨惑云：河流渾濁，淤沙相半，流行既久，迤邐淤澱，久而決者勢也。爲今之策，止宜寬立隄防，約攔水勢，使不大段湧流耳。此即季馴增築遙隄之意也。今永定河河唇高於隄外之地，與黃河相似，應仿潘季馴治黃河築遙隄勻沙之法，於上游兩岸，縷隄之外，增築遙隄，與舊有遙、月兩隄連絡相接，既可以爲重層保障，又可放淤勻沙，其所築遙、月隄，必高於縷隄數尺，以防異漲。於麥、伏二汛，倣南運河放淤之法，酌量放淤，雖兩隄之間不能如南運河淤與隄頂相平，亦必高於河唇。倘遇伏秋異漲，漫過縷隄，而月隄之內，地既高於河唇，隄又高於縷隄，則漫溢之水，必盈科而返，此理勢之必然者。即遇異漲，既有遙隄防護，又有現在減水各壩，無虞漫決。永定河之病，在於下游，河唇淤高，水難速下，應將五工以下之河唇挑挖如舊，其挑河之土，加培兩隄，仍將半截河之下大隄挑斷數百丈，循照原議，於此另挑河道，以作尾閭，仿前總河靳輔之法，挑川字河至韓家樹之東入大清河，即以挑河之土作拉沙洩潮埝，而下游分洩既速，則五工以下亦免淤矣。京南一帶瀝水，暨由龍鳳等河合流入大清河，清渾合流，難以容納，應自葛漁城北埝外起，至鳳河之龐家莊止，另挑一河，引啞吧、龍河之水入鳳河，庶北來瀝水，歸宿有地，即以挑河之土培築北埝，於鳳河下游之龐家莊起，另挑一河，至西沽之西，入大清河，使其分流，以減水勢，並將郭家務之下大隄挑斷百餘丈，導水於隔淀坦坡埝之北，入引河以資分洩。再於鄭家樓疏濬支河一道，於葛漁城東，與北股合流，蓋渾河上游與中段，兩河溜不並行，若下口則支河愈多，分洩愈暢，既有減水石草各壩以減水勢，又有縷、遙隄以資捍禦，下口通暢，上游無阻，河唇不致淤高，萬全計也。六年，大學士伯鄂爾泰等奏，會勘永定河舊河五工以至七、八工逐漸淤高至丈餘，三角淀雖歲有疏濬，仍復淤平，由鄭家樓北迤折而東，勢既不順，且會入鳳河，離運道已近，應改由上游故道，從引河放水，不設隄防，俾漸復其舊。但水性靡定，導之散漫，必先籌其歸宿。孫嘉淦遽請開隄放水，實係經理未善。所有新開隄口，應卽行堵築，俾漫水早消，播種無悮，並爲將來施工之地。已經臣訥親具奏，請旨遵行。改河之初，不得不以引河爲之約束，現在河流淺狹，又經淤塞，應再加開挖寬深，使麥汛、淩汛之水，河身可以容納，至伏、秋大汛，然後順其漫涣，則附近民田，仍可收一麥之利。數年後，邨莊應移，應護已有定局，再隨宜辦理，但引河過水，不免淤墊，挑濬殊費工力，有琉璃、巨馬、牤牛等水匯爲一河，在引河西北，地勢頗順，應酌量開河一道，將琉璃等河水導入引河，上游令其衝刷泥沙，並於河頭建壩閘，下游歸入玉帶、中亭，惟是中亭過於淺狹，應開濬深通。臣等現查淩汛由中亭、玉帶入口之處，清渾相蕩，可稱安順，復乘舟查看東西各淀，其中淤高淤涸之處甚多，應於淀内開挖引河，或與大河相並，開成二道三道，每歲設法疏濬，則清水去路宣通，既可減洩盛漲，渾水經由，亦可資其蕩刷。至渾水過玉帶，東經淀河，仍可刷沙而行。但恐淀河不能容納之水，將沙泛入淀池止水之内，致有墊估，應添設犂船之類，歲加疏濬，不令淤積，再引河下游接近南窪，與柴伙淀僅隔一綫，民埝每歲清水盛漲泛入南窪，若不大爲隄防，卽有透淀之慮，應築堅實長隄。其玉帶河長隄，應築寬厚，自路疃東至艾頭邨，接連營田圍埝，約長至五十餘里，加築月隄一道，已據江南總督高斌等會勘，奉旨准行。舊河身應仍留分洩，異漲卽由現在下口出水，再將村莊詳看，應遷移者，應保護者，然後開隄放水。再原議令水由東股引河達津水窪，將高橋以南民埝，開通宣洩。查津水窪上接黄家河，以蓄固南積水，若渾流經此，則積水無歸，今另議開濬引河。又舊河分洩水勢，應毋庸再行開通。據河臣顧琮議稱：永定所以爲患者，總以渾水淤淀，下游不能暢達之故，雖名爲改復故道，實係導水於兩淀之間，引河淺狹則漫，寬深則淤，今由引河導入玉帶，雖清流可以刷渾，但下游消歸於淀，一入止水，漸積必淤。東淀既淤，則勢如扼吭，將來玉帶河亦必因之而淤，並西淀、白溝諸水無路達津，深爲可慮等語。查渾流歸入玉帶，清水推刷，不致淤塞，河臣與臣等所見相同。玉帶以東，雖係經由淀河，渾沙不免泛入淀池，已議疏濬。河臣顧琮則以爲淀河淤高，尚可疏濬，淀池若淤，則人力必無所施。又顧琮議稱：改歸故道，無隄無岸，一遇大汛，四漫就下，則必自刷一河，湍行奪溜等語。查河槽開深，如遇漫溢，其勢必緩，豈致奪溜？卽便奪溜，亦遇隄岸迫束，横決爲患者，輕重不同。河臣顧琮則以爲横流趨下，勢必奪溜，當其衝者，爲害與隄岸潰決相等。又顧琮議稱：世宗憲皇帝諭旨，令渾河别由一道，毋使入淀。誠爲探本清源，凡治渾河莫能違越，等語。查從前河流固、霸之間，渾水直入淀内，以致柴伙、勝芳等淀，多有墊溢，今議由引河導入玉帶清流，其漫溢之水，則泥流田間，清水歸入河淀，又於舊河分減水勢，與從前全河注淀不同，是於世宗憲皇帝諭旨實無違越。河臣顧琮則以爲渾水過玉帶河以東，若穿入淀内，積久必淤。夫渾河水道，原因下口無久善之策，是以有歸復故道之舉。今據河臣顧琮議稱：永定河之病在於下游河唇淤高，水難速下，應將五工以下之河唇挑挖如舊，其挑河之土，加培兩隄，仍將半截河以下之大隄挑斷數百丈，另挑河道，仿前總督靳輔之法，挑川字河至韓家樹之東，入大清河，卽以挑河之土，作拉沙洩潮埝，再將郭家務之下大隄挑斷百餘丈，導水於隔淀坦坡埝之北，入引河以資宣洩，再鄭家樓濬疏支河一道，於葛漁城東，與北股合流，蓋渾水上游與中設兩河溜不並行，若下口則支河愈多，分洩愈暢，京南一帶瀝水，概由龍、鳳等河合流入大清河，清渾合流，難以容納，應自葛漁城北埝之外起，至鳳河之龐家莊止，另挑一河，引啞叭河、龍河之水入鳳河，則北來瀝水，歸宿有區，卽以挑河之土，培築北埝，於鳳河下游之龐家莊起，另挑一河，至西沽之西入清河，分流以減水勢，再於上游兩岸縷隄之外，增築遥隄，與舊有遥、月隄相接，既可重層保障，又可放淤勻沙，所築遥、月隄必須酌高於縷隄數尺，以防異漲，於凌、伏二汛，酌量放淤，令其高於河唇，卽異漲漫過縷隄，而月隄內地既高於河唇，隄又高於縷隄，又有減水各壩，下口通暢，上游無阻，河唇不致淤高等因。臣等查舊河下游，卽使並挑，豈能永無淤淀？但顧琮既稱五工以下可以挑挖如舊，不致復淤，自必確有所見，且開河放水，各工非二、三年不能完畢，此二、三年中，卽照顧琮所議試行，亦不爲害，如果屬通順，何必多用工費？倘無益，再爲改由新河。蓋各工內，如原議將玉帶長隄加培高厚，路疃郜迤東加築月隄五十里，又如臣等所議，開濬東西淀河等項，無論水道由何處行走，俱係應行之事等因。又直隸總督孫嘉淦奏稱：臣至金門閘放口之處，見上游兩隄內河水滿槽，新河兩岸漫出之水甚少，蓋因漲水，日夜不息，將河中自刷寬深，現今大溜水面寬至七八十丈、四五十丈不等，船走中泓，篙不到底，其水甚深，是以漫溢較少。自金門閘至蘇家橋，五十餘里，情形大約相同。自蘇家橋以下，於畢家莊、史各莊等處，漫水漫出，趨入東引河，滿槽直瀉，現今成分流之勢，將來水落時，歸東歸西，尚未可定。其東引河下流，又分兩股，一股入牤牛河仍歸中亭，一股由黄家河歸津水窪，因係三河分流，是以並未衝潰兩岸，郜莊無損。復查凌汛後接發異漲，較之秋汛更大，乃從來未有之事，而下流新河郜莊，人民並無損傷，則新河足容全汛，卽可預知。近河郜莊，從前凌汛漫出之水已經消退，因二月初四日重復漫溢，是以尚未全涸。水已涸乾之處，行犁佈種，春麥當倍收穫，毋庸豁免錢糧。其未涸處，自當豁免。臣現飭地方官造册等因，各具奏前來。伏思：自古治水之法，疏濬決排以順水性，第從前野曠人稀，可以順其瀰漫，今勢有不得不爲之隄防者。況永定河水性湍悍，擁泥挾沙，易決易淤，惟在修治得宜。應如伯鄂爾泰等所奏，照依該總河所議行，令將五工以下河唇淤高處所挑挖，並將半截河等處大隄及支河各工如式挑濬，導水會流入河，於上游縷隄外，增築遥、月等隄。但總河顧琮議稱，渾水過玉帶河以東，若穿入淀內，積久必淤，今若照該總河自五工以下另開支河，引入大清河，以達西沽，不復更由東淀，誠恐泥沙盡入運河，以入三汊河，並淤海口，且大清河相距運道不遠，一當伏汛，大水時行，永定河全水直注，大清河萬一不能容納，潰入運河，致礙運道，關係重大。應令該總河顧琮籌畫萬全，如果不致有礙運道，卽將應挑濬河道並應行幫築隄工造册具題，其新開隄口，業已備料堵閉。三月，大學士鄂爾泰、户部尚書訥親等奏：會議直隸總督顧琮奏稱：大學士九卿慮自五工以下另開支河，引入大清河，距運道不遠，萬一不能容納，潰入運河，致礙運道，令再籌畫萬全。臣查大清河乃京南諸河及東西兩淀會流達津之尾閭，寬闊深通，實足容納，北運亦係湍流，並非止水，正可助大清河以刷渾，更無潰入運河致礙運道之虞。三汊河以及海口，乃百川朝宗之總匯，又非大清河可比，自元、明以來，從無淤墊，自濁漳入運，由三汊河歸海，其泥沙倍於永定，且流之已數十年，而汊河及海口並未見少有淤墊之處，此其明驗，等因一摺，於本年三月十四日奉硃批：大學士鄂爾泰、尚書訥親會同該部議奏，欽此。又顧琮奏：爲永定河挑河築隄等事五摺，一、請自半截河以下趙家樓改挑子母河一道，至西蕭家莊，又自西蕭家莊起，挑川字河，自陳家嘴起，挑川字左河，自二光郜起，挑川字右河，俱歸至大清河，於兩岸作勻沙岐圓頂岡隄等工。一、請自五工以下，自七工趙家樓改河隄口，共長四十六里，趕挑河唇，並子母河槽等工。一、請自葛漁城北埝起，至鳳河之龐家莊止，另挑一河，引雅拔河、龍河之水入鳳河，使北來瀝水，歸宿有區，再於鳳河下游之龐家莊起，另挑一河至西沽之西，入大清河，使分流以減水勢，及沿河堆隄，並建涵洞等工。一、請加築月、遥等隄，除北岸頭工北張客，南岸五工曹家務二處月隄，業經奏明趕辦，尚有南岸頭工高嶺，應築連絡月隄一道，又南岸二工北蔡，舊有月隄，應行加幫，並接築隔隄，以備放淤，又北岸二工趙邨度口，應加築月隄一道，又北岸求賢莊至胡林莊，應加築月隄一道，又南岸曹家務至冰窖，應加築遥隄一道，計長四十里，併將冰窖老河西隄酌量開通，冰窖以下舊有隔淀坦坡埝至洞子門止，今應自洞子門接築坦坡埝至青光，計長八里等工。一、請加築路疃邨迤東月隄一道，共長五十餘里，其開濬東、西淀河工程，容俟確查，另行辦理。等因。俱於本年三月十六日奉硃批：大學士鄂爾泰、尚書訥親會同該部議奏，欽此。續又據顧琮奏稱：永定河下口川字河等工，關係緊要，目今下口西蕭家莊下以下，雖有河水通行之處，只可容納春水，不能宣洩伏、秋汛漲，下游一有梗阻，則上游難保無虞。況今年麥汛甚早，麥汛恐在五月初九日夏至以前，爲時無幾，其西蕭家莊以下川字河等工，計長三十七里，每日約需夫萬人，挑四十日，方可竣。今臣擬於三月二十二日興工，約至五月初一、二日完工，應先撥動要工銀兩興工，俟領到帑銀，再爲接濟等語。奉硃批：大學士鄂爾泰、尚書訥親一併速議具奏，欽此。查永定河五工以下另開支河，既據該總河備陳不致淤墊，三汊河等處亦無潰入運河之虞，毋庸再議。至挑河築隄等項工程，前經大學士九卿會議，照河臣顧琮所籌事宜，奏准在案。今顧琮將各工估計，奏請趕辦，期於汛前完竣，而以下游挑挖川字河爲尤緊要。查自水道改由鄭家樓，勢雖不順，而分洩路多，地形趨下，四、五兩年，隄工俱保穩固，前亦據該總河奏明在案。今雖有淤，亦不致僅容春水，所議開挑川字等河，乃向來永定河所未經施行者，在該總河欲籌久遠，不惜勞費爲之，但時當農忙，需役衆多，且節氣較早，欲於汛前辦完，亦屬勢有不能，或工程未完，而汛水驟至，尤爲可慮。臣等愚見，應祇就現在河身酌量疏濬，俟今年伏、秋俱報平穩後，再行詳酌辦理。又據奏，南岸頭工高嶺應築連絡月隄一道，長八百餘丈，又南岸二工北蔡，舊有月隄，應行加幫，並接築隔隄，以備放淤，又北岸二工趙村度口，應加築月隄一道，長四百餘丈，又北岸求賢莊至胡林莊，應加築月隄一道，長一千二百餘丈，又洞子門以下接築隔淀坦坡埝至青光，計長八里，俱應急修等語。查應築重隄，如因縷隄卑薄，應即照歲修例，將縷隄加高培厚，不必另議添築，其洞子門至冰窖，應加築遥隄一道，查曹家務建有減水壩，數里之内，又有郭家務減水壩，使壩身高下合度，自可資以減洩暴漲。此處遥隄及路疃邨迤東越隄，又葛漁城、龐家莊等處各挑引河一道等工，俱可於秋汛後再爲酌辦。至子母河槽等工程，在該總河爲永免河身復淤起見，亦恐趕辦未能齊全，轉致草率無益，應令該總河再爲相度，將河唇淤高處所，酌加挑挖，不必普行開挑。以上工程，除應暫行停止各工外，其有關緊要，如疏濬下口，開挑河唇，及加培隄岸等工，惟令伏、秋汛漲，不致有下壅上決之虞，詳審現在情形，悉照歲修例妥辦。六年四月，大學士鄂爾泰、户部尚書訥親，會同工部等議，會議據顧琮奏稱：動用疏濬下口歲修銀兩，將鄭家樓至魚壩口歸鳳河一帶，就現在淤墊梗阻過高處，相度開濬，水有通路，俟伏、秋汛後，再查情形辦理。又將五工以下河溜逼近埽鑲隄根，如曹家務、何麻子營、半截河、四聖口、武家莊、安瀾城等處，應切挑河唇，截挑淤嘴，俱在於原奏麥汛前挑挖，八段内分别通融辦理。又加培縷隄，必須細加丈量，核除舊土，造册會題，往返須時，更難趕辦。惟嚴檄該道廳，遵照上年例，多備料物，俟伏、秋汛臨，加意防護。又雅拔河下游之葛漁城村南一帶，已經淤高，不惟瀝水無路，兼恐渾水漲發倒漾，業經閉塞。今擬於葛漁城北埝之水挑河槽一道，引雅拔河下游之水入龍河會流，計長一千八百餘丈，面寬二丈，底寬一丈，深三尺，庶雅拔河之水得有去路。但龍河、雅拔河兩河會流，難以容納，再於北埝之外，龍河之東，挑洩水溝一道，長七千餘丈，面寬一丈，斜深二尺，導龍河下游不能容納之水至龐家莊，會入鳳河，即將所挑之土，運培北埝，加硪築實，共需銀一千六百餘兩，即在於存剩疏濬銀兩內動用辦理。以上各工，俱照歲修例估報，等語。查新添各工，既經停止，覆估各工，均關緊要，應照所奏辦理，惟是顧琮奏內又稱伏、秋汛臨，惟有仰仗聖主洪福，河伯效靈，得以宣通穩固，實非臣所能保其不致下壅上決之虞者，等語。在顧琮以鄭家樓以下無一定河路，四、五兩年大汛後，復有東淤西軼，兼之改河後，斷溜沙停，下游漸次淤墊，迥非上年形勢，其八工淤墊更甚，必須挑川字河、子母等河，作岡岐岸，始能容洩暴漲。顧琮目擊情形，兼籌久遠，雖非漫爲此議，但永定河下游久淤，下口屢改，從前亦並未有作川字河等工，而歲修之法亦不出疏濬、加培兩策，若因下游於改河之後更加淤墊，不能宣洩汛漲，自應酌加開濬深通，亦不可拘歲修疏濬之常例。至謂不作川字河，岡岐岸即不能保無上壅下決之虞，亦殊非確論。又顧琮另摺內奏稱：下游一帶，逐漸淤平，將來伏、秋汛漲，水性就下，直趨北埝，以五、六尺高之埝，豈能捍禦浩瀚之渾流？勢必穿埝而出，漫淹田廬等語。顧琮既如此陳奏，豈可因前議新工停止，不爲變通料理？惟稱悉照部議疏挑，即可了事，且河道歲修工程，增減原無定則，尤未可概以歲修常例拘泥推諉。應令顧琮就現在情形速爲妥辦。六年六月，直隸總河顧琮奏：永定河經大學士鄂爾泰等將應挑應浚河道並應幫築隄工一切事宜具奏，奉旨：大學士九卿議奏，欽此。應候議覆。但臣於金門閘以上隄口合龍之後，隨將上下各工細勘，有最關緊要月隄二處，北岸頭工北張客，向係頂沖險工，自乾隆二年漫溢開口後，更加險要，雖有埽鑲防護，但土性純沙，又無遥隄，應於隄外築月隄一道，長五百丈，估需銀四千四百餘兩。又南五工曹家務，係頂沖大溜，臣於乾隆三年七月内，在該工督率搶護，目擊情形，實係通河最險之工，今河身漸淤，較前更險，亦無遥隄，應築月隄一道，計長四百四十餘丈，約估需銀六千二百餘兩，以上二處月隄，應急修築，若俟議覆後與別項隄工河工一同估修，既恐大工難一時並舉，又恐有悞汛期，是以臣一面撥動要工銀兩，上緊趕築，務於麥汛前完竣。

各壩詳下。七年，開大河灣引河，築王慶坨、范甕口隄埝，築清涼寺、張仙務、五道口等壩。

三角淀北八工尾大河灣挑挖引河，用銀二萬七千六百五十七兩七錢六分四釐。王慶坨、范甕口接築隄埝，用銀一千三百二十七兩七錢九分六釐。據永定河志十。六年十一月，直隸總督高斌疏：臣赴永定河八工，同吏部員外郎方觀承、永定河道六格等，由王慶坨沿河岸至郭家務、長安城、金門閘、鐵狗等處過河，循北岸北埝，至龍河、鳳河、安光一帶，南抵大清河，復由半截河、求賢邨至盧溝橋、石景山，所有隄埽工程，及上下游各情形，通行查勘，熟籌全河機宜，惟在尾閭通暢，下不壅，則上不溢，使下口之路通達，大清河順溜急趨，始可收暢行之效。從前大清河縈迴諸淀之中，永定河下口不能避淀趨河，而兩淀日益增高，夾束泥沙，擁入止水，故勝芳、辛張、策城、三角諸淀，屢改屢淤，皆成原陸。清淀渾流，交受其患，尾閭既塞，胸腹亦病。用是三角淀自下而上，逐漸淤高，水無去路，遂由鄭家樓北折而東，此處地面寬闊，派散支分，雖皆以大清河爲歸，但歷安光、鳳河，西遷南轉，紆回於葉、沙二淀之中，勢既不順，而河流亦緩，仍恐不免淤墊。臣又勘自七工之南，由冰窖至洞子門一路，地勢窪下，改通水道，下口亦可徑達大清河，但有應遷應護邨莊，且隔淀坦坡埝亦須培加高厚，似應仍以三角淀至老河頭之舊路爲尾閭正道，蓋向日三角淀之淤梗，由於止水不能轉輸，今舊迹已成平陸，正可改挖成河，藉天然堅實積淤之隄岸，挽鄭家樓北折之水，乘建瓴之勢，直注大清河，水無緩散，沙無停滯，即漲發出槽，正流仍行地中，庶免透淀穿運之虞。今酌議於三角淀舊淤傍南稍淺處所，開挖引河，下接大清河之老河頭，上接鄭家樓水口，共長十八里，挖去積土自七尺至一丈四尺不等，寬二十丈至二十四丈不等，所挑之土，即於北岸廢埝之南，傍安光一帶，圈築陂埝，以防北軼。南岸之尾，亦量爲接築土埝，以遏南流。其下口河唇，每年值清河時，潮汐回流，不免沙積，應令隨時疏通。不過河唇數里之內，爲力甚易，下口既通，上游應籌分洩，使泛漲、盛漲，皆有所消，且使在槽之水，迅流東注，下流河身，俱可日漸刷深。查南、北兩岸現存減水各壩，其南岸金門閘、石滾水壩，金門寬五十六丈，因壩身太高，數年來並不過水，今酌議將兩頭各除十八丈不動外，中抽二十丈，落下一尺五寸，常汛則從中減洩，盛漲則普面漫水。又南岸長安城、曹家務，北岸求賢邨、半截河四處，三合土滾壩，緣壩身較石壩尺寸爲高，祇可備宣洩盛漲之用，今酌議於南岸六工之雙營，北岸三工之胡林店，七工之小惠家莊，各添建三合土滾壩一座，壩身俱照石壩落底尺寸，金門均寬十二丈。又南岸郭家務，舊有草壩，與現存引河不接，亦應照新添三滾壩，一律修築如式，金門寬十二丈，此四壩金門，共寬四十八丈，合之石壩中段二十丈，共寬六十八丈，以備滾洩出槽汛漲之水。其長安城、曹家務、求賢邨、半截河四壩，舊築金門，各寬二十丈，共寬八十丈，合之石壩上下段三十六丈，共寬一百一十六丈，以備滾洩陡發盛漲之水，若壩外原有隄埝引河者，俱仍其舊，本無者，毋庸添置。如此，則渾流歸入清流，而無止水之隔，雖仍循三角淀初由之路，實與前此情形迥異，其各壩宣洩汛漲，一年不過數次，一次不過數時，因隄之固及分而止，不但田廬無害，且於肥淤有益。查永定河未設隄岸之先，漲發則四溢橫流，及其勢定，必有河身以行正流，流必歸淀，仍不免挾入泥沙。今將南北各壩滾出之水，任其漫溢田間，而節宣有制，注入正流，直入大清河，前又經部議，恐致淤塞泛礙，行令原任總河顧琮籌畫萬全。隨據顧琮奏覆，必無前患。經大學士鄂爾泰等定議具奏。臣今次至大清河，乘舟上下察看，茲河爲東、西兩淀、南北諸水之總匯，浩瀚迅駛，渾流一入其中，沙泥悉爲刷去，既無流滯，亦無泛溢，現在水涸深猶二、三丈，永定河汛漲過後，其恆流不足以當大清河十分之一，此實斷無他慮。各壩詳下。

德清傅范初校

河渠志七

河工三

德清傅雲龍纂　江陰繆荃孫覆輯

永定河

乾隆八年，濬新河，疏引河，築埝。

總督史貽直奏：濬三角淀新河下口以下叉光至二光，長二千七十六丈七尺，面寬八丈，底寬四丈，深三尺。又疏董家河、三道河等河口，又修新河南岸，並鳳河以東隄埝，又於河頭郚西至青光西築埝長八百餘丈，半截河以下起新莊，訖東蕭家莊北，埝一道，長四十餘里。埝外爲固安、永清、武清、東安瀝水，地舊有引河，洩入鳳河，依河形疏穆家口以下至東蕭莊鳳河邊，長五千五百七十八丈，寬一丈六尺，深一尺六寸至三尺有差，凡二十里有奇，挑河之土，卽培北埝，用銀六百兩，令河兵爲之。勸民築曹家務草壩外，小埝歲修下口，自引河九段出水口，至叉光東南高良河止，長一千九百二十六丈，連舊河疏面寬八丈，底寬四丈，深三尺。據畿輔安瀾志。

九年，疏注沙淀路，築石景山隄壩，挑河淤，又築大盧家莊滾水壩，培坨頭、曹家務月隄。

先是，八年十二月，總督高斌奏，勘永定河下口范甕口，統歸沙、葉兩淀，本年汛水歸葉淀者七、八，歸沙淀者二、三，應疏注沙淀路。九年正月，工部議，如奏行。疏下口引河，自月亘城套起，至閻家莊東止，長一千六百三十五丈八尺，面寬七、八丈至十二丈，底寬五、六、七、八丈至十二丈，深二、三尺至五尺不等，工費支自歲修。又石景山大石隄工，長四百六十三丈，起興隆廟北鷄嘴壩；至大石挑水壩南，接砌大石挑水壩，並加土隄灰頂，於壩尾砌片石橫隄一道，濬石景山天字十九等號淤淺河身，長八十八丈，面寬八丈，底寬八丈，深五尺，用銀八千九百六十六兩六錢四分三釐，又培南岸三工坨頭月隄七百五丈，五工曹家務月隄四百五十二丈，用銀二千五百三十兩有奇。據畿輔安瀾志，參永定河志十。十二月，協辦大學士吏部尚書劉於義、直隸總督高斌奏，爲查勘水利初次應舉各工事，欽奉諭旨，查辦直屬水利，九月十三日會集盧溝橋，公同議定，先從宛平、良、涿、新、雄、文、霸等屬淀河一帶，至天津、保定、正定三府，共三十餘州縣履勘，所有各屬舊有淀泊河渠，與擬開泉渠河道，並隄埝涵洞橋閘等項，有關民間利病，無礙墳塋沃産，應行疏濬開擴，收蓄營治之處，悉與司道、守令暨地方老民，熟籌確訪，審水性之强弱，地勢之順逆，民心之好惡，權以利害之輕重，定措施之次第。除去水稍遠令民人掘井開塘，以資灌溉處，飭令各府州縣覆議，其河淀工段，撥用衩夫及各境内疏消積水溝道，例用民力，足可辦理者，毋庸備列，與現今勘過地方，尚有遺漏工程，以及奏辦各工臨時尚需籌酌合宜，臣等分别應奏應咨，陸續補辦，所有現在應辦各工，謹分十二條。硃批：大學士九卿詳議速奏，欽此。一、附近永定南、北之舊減河，宜並疏歸鳳河，以消瀝水也。永定河北岸，自固安十里鋪至葛漁城北埝，舊有減河一道，長一百零三里，宣洩京南一帶瀝水，並胡林、求賢二壩減下之水，又自葛漁城至蕭家莊北埝外小河一道，長四十七里，接連減河，歸入鳳河，現在二河淺塞，均應展擴寬深。小河偏近埝根，應向北開挑，所挑之土，即加培於隄埝之上。又南岸霸州牛眼村至馬家鋪土埝，自馬家鋪至龍尾坦坡埝共長五十里，其下舊有減河一道，分洩永、霸一帶瀝水，並清涼寺、張仙務二壩減下之水，今間段淤塞，至龍尾以下，水無去路。查舊河除現在寬深無庸開挑之各段外，總計淤塞，應挑共長二十七里餘。再自龍尾以下至鳳河十一里，應開挑成河，以鳳河爲出路，俾數十里減水有所歸宿，即將舊河所挑之土，加培舊埝，將新河所挑之土，沿河堆積南岸，以障蔽東淀。南、北兩河既均歸鳳河，而永定河入沙淀、葉淀之水，又全恃鳳河爲下口，所有鳳河間段淺窄，計長十五里，應開挑深通，則宛平、固安、霸州、永清、東安、武清各縣瀝水，與永定下游，俱藉鳳河轉輸，入大清河，金門閘、長安城、壩下引河，東股自畢家莊歸津水窪，長四十九里，西股自金門閘石壩至張貴莊歸中亭河，長一百三十里，均應疏濬。通計挑河築埝，共約需銀五萬七千九百三十餘兩。部覆查永定河北岸自固安十里鋪至葛漁城北埝，舊有減河一道，宣洩京南一帶瀝水，又自葛漁城至蕭家莊北埝小河一道，接連減河，歸入鳳河，今協辦大學士劉於義等，既經查勘二河淺塞，自應展擴寬深。又霸州牛眼村至龍尾坦坡埝，舊有減河，應一併開挑，其水無去路者，別爲開濬，以鳳河爲出路。即將舊河所挑之土，加培舊埝，新河所挑之土，沿河堆積，均應照議辦理。按：原奏十二條，係陳直隸各州縣水利工程，惟第六條議永定河，經部議准。

大盧莊壩詳下。

十年，疏求賢邨、牛眼邨、金門閘各引河，又疏下口等處。

疏北岸引河，起求賢邨草壩，至葛漁城西，長一萬九千八百丈，連舊河挑面寬一丈五尺至三丈五尺，底寬六尺至一丈不等，深六尺，葛漁城北埝頭至北埝工尾入鳳河止，長八千八百五十三丈，連舊河面寬四丈至四丈五尺不等，底寬一丈五尺，深六尺，畿輔安瀾志。用銀一萬五千六百八十四兩八錢三分二釐。永定河志十。又疏牛眼邨引河，起舊大隄至接坦坡埝隄頭，長九百七十丈，連舊河面寬四丈至四丈七尺，底寬二丈，深四尺五寸至五尺不等；下截坦坡埝引河，長三千九百二十丈，連舊河面寬七丈五、六尺至八丈五尺，底寬五丈至七丈一、二尺，深二、三尺至六尺不等；接挑引河至鳳河下口止，長二千丈，連舊河面寬八丈五尺至九丈，底寬五丈五尺，深六、七尺不等；畿輔安瀾志。用銀一萬二千一百三十六兩六錢六分。永定河志十。又疏鳳河下口起龐家莊橋南，至雙口橋南，長二千七百丈，於東岸展寬舊河面四丈，底一丈九尺，深七、八尺，畿輔安瀾志。用銀四千三百六十九兩八錢一分八釐。又疏楊家河、三河頭、青光、蛤蜊等河，用銀七千九百九十五兩。永定河志十。又疏南岸引河，一起金門閘，一起長安城草壩，二河會流至張貴莊南，長二萬三千九百五十一丈八尺，連舊河面寬四丈，底寬一丈六尺，深三尺，畿輔安瀾志。按：此即永定河志所謂金門閘西股引河。用銀一萬一千四百九十三兩。又東股引河裁灣取直，永定河志十。起牛坨西至楊青口，連舊河挑面寬四丈，底寬一丈六尺，深三尺，畿輔安瀾志。用銀三千九十四兩五分六釐。據永定河志十，參采訪册。

十一年，開盧溝橋南及三角淀引河，築壩兩岸加幫，歲修下口，開引河。

先是，十年十一月，署總督劉於義等，以水淤生險，請於盧溝橋南天字二十八、九兩號開引河，長三百一十五丈，面寬五丈至十丈，底寬三丈六尺，深四、五尺不等，南岸三、五、六、八等工引河五道，長一千五百丈，北岸四、五、六工引河三道，長九百一十七丈，面寬七、八丈，底寬四、五、六丈，深六、七、八尺不等，並抽挑子河，面寬二丈，深二尺，三角淀起，八工尾至鄭家樓引河一道，長三百四十八丈，面寬九丈五尺，底寬五丈，深六尺，並抽挑子河寬二丈，深二尺五寸。十一年興工。據畿輔安瀾志。凡三角淀、石景山挑河築壩，用銀一萬五千四百七十八兩六錢，兩岸加幫工程，用銀三萬三千八百四十三兩八錢一分四釐。永定河志十。歲修三角淀、疏濬下口，自閻家莊東南至東北六道口邨後入淀止，開引河長六百七十五丈，面寬四、五、六丈，底寬三丈五尺至四丈，深二、三、四尺不等。畿輔安瀾志。

十二年，修南北岸隄，金門閘、半截河壩，三角淀北埝，開引河。

修南岸五、六、下七等工，北岸四、五、六、八等工隄根，按：此即永定河志十所謂南北岸加幫者是。並修金門閘、半截河各壩，用銀一萬四千四百八十八兩八錢四分四釐，培三角淀北埝，用銀一萬二千六百五十三兩五錢二分二釐。永定河志十。又三角淀裁灣取直，開引河起于家隄西南，至葛漁城東北，長一千四百八十丈，面寬十丈至十二丈，底寬六、七、八、九丈，深二、三、四尺不等。畿輔安瀾志。

十三年，疏濬鳳河下口及引河，築崔營邨壩。

先是，十二年，直隸總督那蘇圖、宗人府丞張師載奏，於北四工崔營邨築草壩一，鳳河爲全河出水尾閭，應疏濬淺狹，高斌回任，再與酌定。硃批：是刻不容緩者，即照爾等所議行。十三年興工，永定河志十。三角淀展挖鳳河下口，自北埝減水小河以下起，至丁家莊南，長一千一百六十丈，西岸面寬七尺、一丈至二丈五六尺，底寬七尺至一丈八尺、二丈三尺不等，東岸面寬八尺、一丈一尺至二丈二尺，底寬五尺、一丈一尺至一丈五尺、一丈七尺不等，深六尺。又雙口橋南展寬一千三百丈，東岸展挖面寬二丈五尺，底寬一丈五尺，深五尺。又起胡家河至蕭家莊西北，疏濬引河，長四百九十四丈六尺，面寬四丈六尺，底寬一丈六尺至二丈，深三、四尺不等，所需支自三角淀歲修銀。畿輔安瀾志。七月，那蘇圖奏稱：永定河伏汛疊長，六月二十七日，石景山長水至三尺六寸，南岸金門一閘石壩過水七寸。履勘河身有沙嘴中梗，溜勢坐灣趨閘，恐減洩過多，於金門迎溜上唇做壩挑水。諭以挑水壩去之爲是，開一引河，使大溜暢歸河身。永定河續志一。壩詳下。

十五年，築馬家鋪、冰窖壩二，修張仙務、雙營、長安城、小惠家莊壩四，河決南三工，堵之，疏濬河淤，又修大隄、月隄。

先是，十四年十一月，方觀承奏：請來年就北大隄改移下口。諭以明春巡幸霸州，即可按行永定，親加相度。十四年十一月，直隸總督方觀承疏：乾隆二年，河身自六工下，已有高仰之形。奉諭旨，命大學士鄂爾泰親往詳勘，應如何改移開濬修築之處，熟商妥議等因。鄂爾泰會同前督臣李衛、河臣顧琮議：於半截河隄北，改挖新河，即以北隄爲南隄，另築北岸大隄。經部覆准。自北岸六工起，迤東築成大隄，長三十六里，其下有積水侵佔，未及完工。乾隆五年，河臣顧琮續請接築北堰，與北大隄相連而下，然祇係下口入淀之保障，而非爲改河之用。嗣於兩岸開建滚壩，減洩盛漲，但每歲淤墊益高，而六工水流不下，近年情形又異，爲今之計，就舊有之北大隄，於六工改移下口，使水由地中暢下無阻，自是長策。臣詳加覆勘，祇須稍爲修補，即可完固，開挖新河以容正溜，無須過爲寬深，一切濬築事宜，計算均無多費。惟查北大隄内大小十九村莊，計瓦土房九千七百餘間，其餘各村應遷者計尚有三千四百餘間，墳墓六千三百五十餘穴，旗民地畝一千餘頃，並多現種麥地，照雍正四年郭家務改河舊例，應將民房按間給價，墳墓給費遷移，旗地另籌撥補，民地給價除糧，但事關數千户之田廬生計，必須先期曉諭，是以仍議暫由舊道，俟來年汛後籌酌。十五年二月，高宗純皇帝臨視，命六工以上南北隄遵聖視舊規，以下南北埝原係水鄉，將來改移，任其蕩漾，不復東以隄岸。（畿輔安瀾志。）二十九日，諭直隸總督方觀承曰：朕閱永定河培隄取土，類在隄外，是以近隄多有坑坎，甚屬非宜。嗣後總令於河身内取土，俾隄增高，而河愈下，庶爲一舉兩得，但須層方層起，不得任挖成坑，該督卽傳諭所屬河員，一體遵照辦理。又命大學士公傅恒、尚書汪由敦擇地建壩，（畿輔安瀾志。）凡築馬家鋪、冰窖東草壩各一，修張仙務、雙營、長安城、小惠家莊各舊壩。（詳下注。）五月，全河水由南三工第四溝奪溜出刷，寬五十二丈，逕固安城下，至牛坨，循黄家河入津水窪歸，一支由牤牛河入中亭河。（畿輔安瀾志。）六月，命工部侍郎三和、同督臣堵禦。七月，又命按察使玉麟與署河道僧保住在工搶築。九月工竣。十一月，江南總督高斌、直隸總督方觀承會勘，將正河淤墊，間段疏濬。是年又修兩岸大隄、月隄，用銀八千五百九十九兩八錢六分四釐。（六月，直隸總督方觀承疏：初六日，永定道英廉稟報：南岸三工第四道淤溝，兩邊埽廂被刷。初三、初四兩日，汕傷隄頭，寬至六、七丈等語。臣勘新開淤溝，汕口在南岸三工宿字第十五號，自第十二至十五號，舊有放淤溝口五道，穿隄各寬四尺，内加護埽，後圈月隄，長七百丈，每於汛前將一、二、三、四道引進渾河，爲入水溝，由第五道溝徹放清水，爲出水溝，節年將次淤滿，其一道、三道溝，於上年冬閉後未開，現惟二道、四道溝入水，五道溝出水。五月三十日子時，河水逼注隄根，四道溝埽廂被刷，當卽汕寬兩邊，隄頭各坍丈許，二道、五道溝同時進水。英廉將二道、五道溝搶閉，並將已坍三、四道溝希圖一併堵築，遂揑稱是夜月隄先坍數丈，致淤溝通氣掣溜，嗣搶築不住，本月初三日，汕寬一十三丈五尺，水注月隄，同時坍卸三十餘丈。英廉初四日具稟，臣住工督堵。初八日，下埽四箇，尚需十埽，卽可合龍，溜勢全趨汕口，正河受淤一百五十餘丈。臣帶署涿州參將彭友俊到工，專管河兵夫役，並力挑濬，至汕口出水，由道溝至固安縣西南，仍由道溝四十餘里至牤牛東股河，卽金門閘引河，又四十餘里入霸州中亭河，漫水四出，邨莊多被浸漫，固安圍城皆水，窪處深三、四、五尺，地内水深二、三尺不等，永清被水村莊六十餘處，水深

二、三尺不等。畿輔安瀾志：侍郎三和同督臣堵禦口門下，向東另挑引河，歸入大河，截溜築壩，遏水南溢，自八月初旬迄九月望，工竣，水歸舊河。十五年十一月，軍機大臣會同工部等奏：會議得江南河道總督高斌、直隸總督方觀承奏稱：會勘永定河工，自盧溝橋起，周迴南北兩岸，及下口沙淀、葉淀、北埝等處，將隄河埽壩各工履勘妥議，永定河夾束長隄，上下河身淤墊，三月內，蒙聖駕臨視，命大學士公傅恒等會勘，添建修整各壩工。臣方觀承遵旨辦理。九月復經會議具奏，於北岸半截河預籌改移下口，以暢就下之勢。今臣等復查，八工以下之沙淀、葉淀一帶北埝，包束寬廣，埝外亦復地闊邨稀，現在以及將來，儘堪容蓄泥沙，如將正河淤墊之處，間段挑濬，使之暢達，水有正道，自必順軌而趨，不致上壅下溢。若照前議，即行改移下口，其在六工以上之河身，亦須挑挖通暢。今若並七、八工之河身一律挑濬，使仍由八工歸淀，其南岸上七工之五道口舊壩修整，有此四壩，並資宣洩，南岸之外有南坦坡埝，北岸之外有北隄專達，則正河本通，合計則下口甚廣。臣等率同永定河道及聽汛各員，擬將河身自三工至八工間段疏濬，去其淤梗，加長、寬、深，今秋所抽河槽，再加挑拓，遇有兜灣，酌量裁直，共約估需銀一萬五千餘兩，仍俟明年春夏交，桑乾涸時，各工多募民夫趲挑，春水到時爲止。其八工以下，河水出口散漫處，挑河二道，一直達淀，自葛漁城以上，自西轉北而東，聽其蕩漾停淤，現在即交該廳照式，於歲修項下辦理。又北埝長四十八里，爲下口全淀保障，今歲雨水過多，大清河水漲，北運河橫潦，及東安瀝水，悉聚於此埝之東段，隨風漫刷，坍缺甚多，亟宜培修，約估需銀九千三百餘兩。又南、北兩岸石草各壩，南岸三工長安城草壩，雖於本年將坑窪修築平整，而夏秋過水至尺餘，未免過多，於金門加築灰脊一道，高三尺，以資節宣。又北岸下七工五道口草壩，已經八年多，被沖刷，應加修築。二壩共需銀一千八百餘兩。其餘各壩，如有溜勢移近，過水太猛等情形，應暫爲圈閉者，俱隨時辦理。又南、北兩岸各工隄身，風雨殘缺，卑薄漏水，並月隄土埝等項，均應修補幫築，共約估需土方銀八千三百餘兩。通共挑河、葺壩、修築隄埝等工，約需銀三萬四千四百餘兩。仰遵聖訓，及時修濬，即遇漲漫，亦隨中泓之汛溜順下直趨，徑出八工下口，而三角淀之引河接連通暢，散漫入淀，容蓄有餘。今兩隄加築之子埝已成，現令將間段合縫處通身接連，則漲水雖一時有上隄之險，亦可無虞旁溢等因。查本年三月，直隸總督方觀承欽遵聖訓，奏請於南岸上七工添建水草壩二座，並修整南、北兩岸舊草壩四座，聲明今年汛後，查看情形，於北六工改移下口等因。蒙皇上以高斌向曾兼理永定河道總督，欽命會勘永定河工。今據詳勘議奏，應如所奏辦理。至奏稱明年春夏交時，將三工以下河身趲挑，八工以下河水出口散漫處挑河二道，一直達淀，自葛漁城上下自西轉北而東，聽其蕩漾停淤，又南岸隄身加築子埝，現令將段落合縫處通身接連，則漲水無虞旁溢等語。亦應如所奏，於歲修項下動撥辦理。硃批：依議。十五年十一月，大學士公傅恒等疏：永定河下口，東阻北運，南臨東淀，自八工以下，渾流散漫於葉淀、沙淀，周迴數十里，沙澄河清，然後由鳳河入大清河，出西沽，會北運、子牙至三汊河，會南運，同入海河。原因渾河善淤，不能有徑行歸宿之路。今擬於八工尾挑接長河一道，夾築兩隄，不令散漫，直入海河，爲導河入海之上策。臣等於十一、十二日，帶同永定河道白鍾山、天津道宋宗元、知府熊鐸祖及各廳汛弁等員，自八工下口葛漁城北埝，由龎各莊過鳳河，至北運河東岸北倉前後，周迴覆勘。永定河自八工尾直向東南，徑入海河，就下勢順，惟穿過北運，必須將北運河尾改移，另入海河。查北倉迤北二里許，地方寬闊，可以挑河一道，夾築內隄，直向東南，至大直沽入海河，計長四十五里。再查北倉迤南約四里許，穆家莊之北空闊之處，可爲永定河經由之路，東南至田家莊入海河。計自八工尾至此，長八十五里。再查永定河既以兩隄夾束，徑入海河，其鳳河亦應改入北運河，自龐各莊至桃花口之上，空闊之處，可爲鳳河改入北運之路，計長十五里。以上挑河築隄各土方，並建壩等費，估銀九十餘萬兩。再三詳籌熟慮，恐工力難施，而北運河改移東下，漕運糧艘多行海河二十餘里，亦屬未便。再於海河北岸沿行察看，其情形稍覺寬闊，但亦未甚懸殊，誠恐海河四時潮汛各別，有大小緩急之不同，實難保永定河淤沙至此必無淤墊之患。

十六年，下口改移冰窖，開王慶坨引河，培南坦坡埝兩岸隄埝，濬淤，修長安城壩，三角淀北埝，東老隄開倒勾引河四。

二月，淩汛水發，全河奔注冰窖隄口，尚書舒赫德、河東總河顧琮、江南總河高斌、户部侍郎汪由敦，先後奉命勘，請因勢利導，改移下口，由冰窖草壩東開寬五十丈出水，於王慶坨南開引河長四千三百二十七丈五尺，面寬六丈，底寬四丈，深二、三、四、五尺不等，導經流入葉淀，仍由鳳河入大清河，又培南坦坡埝，共需銀二萬五千三百十五兩八錢四分。據畿輔安瀾志，參永定河志十及二十四。以坦坡埝爲南埝，北隄爲北埝，永定河志五：由冰窖草壩改河，以坦坡爲南埝，北隄爲北埝，舊管之南、北大隄，即今之舊南、北隄也。計自石景山同知所管交界起，至南埝上汛交界，隄長一百五十四里，北岸至北埝上汛交界止，隄長一百五十五里七十二丈。兩岸間段修培隄埝，用銀八千二百九十九兩八錢九分八釐。永定河志十。河身淤淺處，仍照上年原奏，間段疏濬，南四工二十三段，長二千九百二十二丈，五工十一段，長二千三百一丈，均挑寬二、三、四尺，深二尺五寸至三尺不等，畿輔安瀾志。用銀五千三兩三錢九分；修長安城草壩，用銀二百三十三兩三錢三分八釐；三角淀培修北埝，用銀三千七百四十二兩四錢一分八釐。永定河志十。總督方觀承勘草壩各支河，汛刷建瓴，請動培北埝節省銀，將各壩臨河背流處改挑倒勾引河，俾勢緩洩漲。凡挑南岸長安城草壩引河長一百二十九丈，北岸求賢邨草壩引河一百一十丈，盧家莊草壩引河一百一十五丈，均面寬三丈，底寬一丈，深二尺五寸至三、四尺不等；自坦坡埝接東老隄尾起，至鳳河下口，長一萬九百九十四丈，計程六十一里，中間逼近淀水處約二十里。所謂東老隄者，上起冰窖，下接南坦坡埝，長二十里，據畿輔安瀾志。爲新下口，外障水刷隄根，修之。詳下注。合之，改挑引河與夫汛署堡房，用銀四千四百五十兩九錢六分三釐。據永定河志十。總督方觀承奏：七工上至四工河身刷深，自三尺至八尺，自二十丈至四十丈不等，乃永定河數十年來所未見。壩外水面低至一丈有餘，水由地中，不比東行牆上，七工以下，可免百餘里之修防，應因就下之勢，猶恐水道近淀，汛大或有津水入淀，周圍相度，自冰窖起，下接舊有重隄，長二十里，重隄之下，前河臣顧琮接築南坦坡埝，至龍尾，長五十餘里，龍尾之下，前督臣高斌接築土埝十餘里，直抵鳳河下口，通計八十餘里，與北岸以下之北埝對峙包蓄。其舊東隄並坦坡埝，北距南岸，橫寬六里至十五里不等，從前顧琮、高斌曾議於冰窖改移下口，因迫近淀河而止。但當日議開河道，不免泥沙注淀之慮，今出壩之水，任其散漫，與沙、葉淀無異，水至三十里以外，卽已澄清，則竟由坦坡埝汪爾淀一帶，出水亦無淤墊，但坦坡埝原爲格淀起見，如汛期又兼淀水內漾，不免過渾，且清渾並漲，亦所宜防。查坦坡埝底寬五丈，高五尺，上年淀水盛漲、漫頂一尺，埝身衝刷殘缺，並缺八處，均需培築。今擬幫寬二丈，加高二尺，龍尾下土埝，上年亦曾過水，並須加高二尺，隔別清渾。其渾水出路，於坦坡埝尾東北，斜穿三角淀開引河，寬六丈，深二、三、四尺，長二十餘里，引歸葉淀，由鳳河轉輸入大清河，與北岸下口歸宿無異，道路更紆，沙淤停勻，核計培築坦坡等埝，長六十餘里，需銀二萬七八千兩，三角淀引河需銀六、七千兩。今四工下河身無須再挑，可省萬餘兩。北下七工五道口之草壩，水不經由，無庸修補，可省千六百餘兩，三角淀歲修五千兩，垡船等項外，餘銀四千兩，均可通融。方敏恪事略：乾隆十六年，直隸總督方觀承疏言：上年增建冰窖減水壩，貼近永定河下口，近因水大，全河於此掣溜，冰窖以上，河身吸刷深通，較以下河身驟低至五、六尺，其水仍出金門，而壩臺並未衝刷，至三十里以外，卽已澄清，徑出坦坡埝、汪爾淀一帶，並無淤墊之虞。請於坦坡埝尾東北，斜穿三角淀，開引河歸入葉淀，由鳳河轉輸入大清河。疏下廷議，令詳查再議。公持前議益堅，謂地勢、人事、天時皆順，敢以必應改移請。詔尚書舒赫德、總督顧琮會勘，如公議。七月，總督方觀承奏：永定河尚有隨宜酌辦之工，如南岸長安城，北岸求賢邨、盧家莊、小惠家莊草壩，現資分洩，其壩內各支河，頻年過水，掣溜大順，應於壩下背流處改挑倒勾引河。又各汛河灘，節年有衝刷，河形逼近隄根，水漲出槽，不免分溜刷隄，汛過又復停水，應將河形寬處多築土格，窄處全行填築，俾漫灘無通溜之虞。五工放淤舊溝三處，水道熟徑，雖經堵閉，必須培加寬厚。南岸下口東隄長二十里，下接南堰，爲新下口，外障水掠隄根，時有汕刷，此隄係康熙年間築，殘缺太甚，應間段修補。十二月，侍郎汪由敦奏：永定河身大勢，北高南下，於冰窖作爲下口，就下甚順，漫散平流，南北兩堰相距，寬廣足容停沙，不至徑趨入淀，每年河乾，量加疏濬，並於王慶坨南引河內，分疏數支，斜引向西北漾流窪處，則蓄水益廣。其循南堰龍尾東入鳳河順隄，清水一道，宜加攔截草壩，以緩其勢。鳳河東岸隄應間段培高二、三尺，南堰中汛當下游水匯處二十里，亦應培障河淀。

十七年，培南埝，築土格及鳳河西土埝。

高斌、方觀承培南埝，中汛十一號起，至下汛十一號，此二十里內，築順水土格十五道，長二十丈至三、四十丈，底寬二、三丈，頂寬八、九尺至一丈六尺。又築鳳河西土埝一道，工作之衩夫、河兵，計支備糶粟三百石。又培南中、下二汛埝，用銀一千三百五十四兩七錢四分三釐。[據高斌等奏。]

十九年，築南埝及鳳河東岸等處土格，又修鳳河東隄，韓家樹北埝，開安瀾城引河。

南埝之土格，起中汛九號，訖下汛五號，長三千六百丈，加高一、二、三尺不等。鳳河西岸土格，其首一百餘丈，加高二尺，其尾接築二百丈，高三、四尺，用銀九千兩有奇。中、下二汛修埝，用銀一千一百三十兩有奇。又修鳳河東隄十一段，長一千二百丈，用銀四百兩有奇。韓家樹北埝八段，長一千三百丈，用銀六百三十兩有奇。又閉北岸盧家莊草壩，用銀一百一十兩。開安瀾城引河，用銀七百七十三兩二錢八分四釐。[據方觀承]

奏，永定河志十。

二十年，下口改移北六工，挑引河，修埝、壩。

先是，十九年六月，南埝水平隄頂，漫四十餘丈。七月決下口東老隄六號一百餘丈，復決西老隄六十餘丈，奪溜南行，約十七、八里至津水窪，漫於勝芳舊淀，逕永清之武家廠、三聖口、霸州之信安等處入口。總督方觀承請於北六工洪字二十號埽工之尾，開隄放水，作爲下口。二十年，高宗純皇帝臨視，將下游改由調河頭入海，挑引河長二十餘里，面寬六、七、八丈，底寬三、四丈，深三尺不等；自三汛一律於埝頂加築子埝，凡十四里；上、中汛間段加築內戧，下汛十一號至工尾二十三號埝身，加培者二千二百二十餘丈；據畿輔安瀾志及方觀承等奏。凡用銀八千四百八十七兩一錢二分一釐，修草壩用銀四千三百六十二兩二錢二分三釐。按：永定河志六云，北六工改爲下口，由沙家淀入海。

二十一年，築鳳河東隄上段。

隄起武清陳辛莊，訖龐各莊，長三十三里九分，底頂均寬一丈，高五尺，用銀一千九百七十二兩六錢有奇，又築北隄外遥埝基。據采訪圖說。永定河志八：鳳河東隄於雍正十一年築下段，自天津縣韓家樹起，至雙口邨止，長十二里，以防渾水東注。乾隆五年，接築中段，自雙口起，至武清縣龐各莊止，長十四里。十九年，調石景山水關外委移駐經管，并將天津縣韓家樹接東隄尾起，至桃花寺止等斜埝一道，長七里三十六丈，撥歸外委經管。二十一年，接築上段，自武清陳辛莊起，至龐各莊止，長三十三里九分，通長五十九里一百六十五丈。三十七年，建涵洞二處，洩斜埝以北瀝水。四十六年，因斜埝逼近，清水被汕，改由東隄四十八號起，至天津桃花口北運河西岸止，築斜埝長七里三十丈，其東隄四十九號以下，及舊斜埝均廢。五十六年，外委仍歸石景山，以浚船把總管鳳河東隄工。漢名臣傳：二十一年三月，方觀承疏言：臣前奏准，於永定河北岸挑引河改作下口，今行水之北埝，即向之遥埝，請於北埝外更作遥隄，預行展拓，以爲勻沙散水之圖，鳳河東隄亦接築至遥埝之尾。從之。

二十五年，築北郕草壩，開引河，畢遥埝工。

先是，二十四年閏六月大雨，唐河、沙河、白溝、巨馬諸水，同時並漲，下游悉歸淀內。大清河不能宣洩，轉由鳳河倒漾，阻遏渾流，而宣化上游雨後漲發，坌涌旁溢，南岸四工隄頂漫開數丈。命安泰、赫爾景額前往看視情形，並留赫爾景額協同方觀承堵築。方觀承又奏：南四工漫水，由大孫郭郕、順固安東界之道溝，趨永清縣城，繞濠而南，循黃家河舊河身，入霸州津水窪，流歸勝芳淀之徑直河。永定河志十。九月，又勘請於南三工之北郕築草壩一，金門寬十六丈，開引河長七百九十五丈。據方觀承奏。二十五年工竣，共用銀五千二百四十九兩九錢二釐，部減三百九十七兩六錢九分一釐。據永定河志十。又下口北隄外遥埝，自二十一年築基，至是工竣，底寬五丈，頂寬二丈，高七尺，長一萬四千九百四十九丈，凡八十三里有九丈，勸用民力，僅支夯硪工銀一萬四千三十兩九錢七分六釐。就起土處爲引河，洩瀝水，入鳳河。據方觀承奏。

二十六年，北埝上、下汛挑河築壩；決北三工，築之。

北埝上、下汛挑河築壩，用銀五千五百三十三兩九錢二分一釐，部減銀二十五兩三錢。永定河志十。七月，決北三工十三號。八月初二日堵築工竣。二十六年七月，直隸總督方觀承疏：永定河於七月初八日午刻，盧溝橋長水六尺六寸，金門閘過水三尺，北郵草壩過水六尺，北岸求賢草壩過水二尺六寸。至初九日後，河水雖平，北岸以外，京南一帶，瀝水匯注甚大，三、四工以下，水深四、五尺，皆浸泡隄根。霪雨後，北風衝激北岸三工黃字十三號隄幫，間被汕刷，復併入黃字四號求賢壩減下之水，隄頂蟄裂數丈，隨卽加土搶護。奈脚根已虛，於十一日辰刻坍塌，渾水與瀝水通連八丈有餘。緣此處隄外地面，較之河身，不致如南岸之低，溢出之水約只一、二分，全河仍循南岸東趨，並未奪溜。遂於十三日馳察坍處，口面寬至十八丈，溢水無多，輭鑲卽可斷流，多集兵夫，連夜搶辦，已有六分工程，河内底水二尺六寸，如不長水，卽可剋期完竣。七月，直隸總督方觀承疏：北三工漫口，於輭鑲合龍後，内埽外隄，各長六十一丈，並戧隄，戧埽各工已及一半，限於八月初二日完竣。臣因下口清渾水道緊要，察看遥埝内，地廣而窪，渾水初經，足資蕩漾。過北埝上汛四十里外，卽清渾相并，所過地已間段留淤一、二、三尺，蓋清水盛，渾水亦盛，則虞倒漾，清盛渾弱，則易停淤，此時渾水亦漸微弱，故水緩沙停而淤速，俟水大落，卽將下口淤處大加疏通，挽流令歸舊道。

二十七年，改求賢邨壩埝及引河，築北埝月隄。

先是，二十六年正月，總督方觀承請於北三工黃字三號求賢邨改築草壩，金門寬十六丈如舊；開引河長二百七十五丈，寬十二丈至八丈、六丈不等；隄外築斜埝，長二百九十丈。乾隆二十六年正月，直隸總督方觀承奏：永定河北岸三工黃字四號求賢邨減水草壩，建於乾隆四年，金門海墁，灰土剥裂，屢經補築，上年秋汛過水，衝刷尤甚，皆翻露見底，椿草朽爛，應籌另建。北岸減壩祇此一處，應仍在三工建設，以資北岸上游宣洩盛漲，祇須移上一號建於黃字三號，形勢爲順。其減下之水，卽可就近引入舊壩，引河循隄東去，悉如舊壩成式。金門寬十六丈，壩面海墁寬五丈，並迎水出水海墁用灰土排築堅實，壩下開挑引河，長二百七十五丈，寬十二丈至八丈、六丈不等，接入舊壩引河，並於隄外圈築斜埝一道，長二百九十丈，接連舊壩土埝，則減下之水，不致旁溢及隄外附近邨莊。統計建壩、挑河、築埝等工，約共需銀四千九百六十四兩零，有永定道庫貯節年河灘淤地租銀，可以動用，應卽先行酌撥銀兩，購備物料，俟淩汛後興修，限四月内完竣。二十七年工竣，用銀四千九百六十四兩二錢二分，由部核減銀二十五兩三錢。據永定河志十。閏五月，水漫北埝，培之；埝外築月隄。二十七年閏五月，直隸總督方觀承疏：永定河麥汛水長，二十三日夜長水三、四尺，鳳河下游清水驟長至一丈二尺，南埝中汛外清水與埝頂相平，下汛清水從埝頂漫入，因清水下阻，以致渾水宣洩不及，旁溢一股至北埝三十四號，又一股至十七號，旋俱斷流，又一股直注十二號，水勢湧起，於二十四日漫出北埝，斜注遥埝，循埝根里許，仍轉向東南，歸入沙淀，去路甚暢。又遥埝外瀝水，自十八、九日積與埝平，東西寬四五十里，深六、七、八、九尺不等。二十三日夜雨，岔河地方埝身浸透。二十四日午後，平墊四百餘丈，幸地勢向北漸高，故瀝水南趨，而渾水不致北泛。其漾出埝下減河者，仍轉入鄭家莊南遥埝之内。南北兩岸各工，俱經搶護平穩。二十八日至北埝改溜處所，乘船隨水查勘，東南歸入沙淀，其勢甚順，沙淀以下，水半澄清，與上年北埝九號過水情形，大概相似，其遥埝坍墊處所，臣詳加相度，若祇於北埝加培，恐夾峙於渾水、瀝水之中，難資捍禦，擬於埝外圈築月隄一道，展寬三、四、五里，以爲重層保障，此處地面空闊，以常年瀝水佔蓄之地，寬留渾水蕩漾之區，似於匀沙散水之法有裨。濬黃家河。據永清周志。

二十八年，築半截郕月埝，疏濬鳳河金門閘引河、黃家河。

北六工八號，半截河郕後，至黃花洵郕後止，築月埝一道，後爲北隄，長八千六百四十丈，按：畿輔安瀾志載之二十七年，當是議於前一年也。黃花洵郕後止之後作前，今並依永定河志卷六、卷十更正。凡四十八里，底寬五丈，頂寬二丈，高七尺，畿輔安瀾志。用銀二千一百十六兩八錢。濬鳳河，大興境長六千七百十三丈，東安境長一千一百四十四丈，通州境長二千二十丈，武清境長一萬九百五十丈，間段挑挖，凡用銀六百四十三兩三錢八分四釐，已上悉依以工代賑例。又疏金門閘下引河，霸州用銀六百五兩一錢二分六釐，永清挑黃家河用銀四百二十七兩五錢六分。據永定河志十。東華續録：乾隆二十八年癸未春正月戊寅，命永定河加築月埝，開減河，以工代賑。夏四月癸亥，命尚書阿桂，馳往直隸之霸州等處，會同侍郎裘曰修、總督方觀承，督辦疏濬事宜。

三十二年，濬鳳河。

濬鳳河一萬三千三百五十四丈，並通州、大興縣等處張家灣河，用銀二萬一千三百一兩三分二釐。據永定河志十。東華續録：三十二年，方觀承奏：鳳河自南苑東南閘口起，經大興、通州、東安、武清各境，其自南宮郕至大清河口入北淀下游，一律深通，南宮郕以上，瀝水下注泥河，衝入每易淤墊。一畝泉自南苑東紅門閘口起，至張家灣入北運河，水盛時未能暢注。臣遵旨率同明習工程之員，勘鳳河自閘至南宮邨，長二萬一千二百二丈，大興境二百八十丈，通州境九十五丈，武清境七千四百七十三丈，無庸挑挖，實應挑河身一萬三千三百五十四丈。一畝泉自閘口起，至張家灣運河，長六千九百二十七丈，河身本窄，兼有須裁灣取直之處，兩河均應展寬河面五、六丈，底寬三、四丈，深五、六尺不等，共估帑二萬一千四百餘兩。現已派員分段興修，得旨，

嘉奬。

三十五年，修金門閘石龍骨，六月決隄，堵之。

金門閘詳下。北岸二工六號，加築大隄一道，接築輭鑲，用銀四千五百九十八兩四釐。據永定河志十。水漲，北二工漫口決隄四十七丈。五月命工部侍郎德成，會同總督楊廷璋督堵決口。畿輔安瀾志，參永定河續志卷首。

三十六年，堵漫口。

七月，南二工漫口七十餘丈，北二工漫口一百餘丈，命侍郎德成，會同總督楊廷璋堵築漫口。據畿輔安瀾志。

三十七年，興永定河大工。

先是，三十六年八月庚寅，命高晉往永定河，會同裘曰修、楊廷璋履勘。十二月，高晉等勘奏：永定河工約需銀十四萬一千八百餘兩，合之北運河各工，凡四十九萬有奇。三十七年興工，石景山修東、西兩岸石隄，用銀四千二百七十七兩七分四釐；北邨灰壩用銀九千九百六十三兩三錢八分五釐；南頭、二、三、四工加培大隄，用銀一萬六百五十兩

九錢五分七釐；北頭、二、三、四、五工加培大隄，用銀八千九百二兩一錢二分五釐；兩岸修築新舊月隄，用銀一萬二千四十七兩八錢七分；疏濬中泓，用銀八千二百七十八兩一錢四分七釐；下口挑引河，用銀一萬四千五百二兩六錢五分二釐；疏濬金門閘、牤牛河、黃家河，用銀一萬六千二百三十三兩九錢三分四釐；挑南三工灰壩下引河，用銀九千六百七十八兩七錢七分七釐；北三工灰壩下引河，用銀二千二百七十七兩八錢；疏濬鳳河，用銀七千五百八十二兩八錢一分八釐；三角淀培南北埝，用銀七千六百三十五兩五錢四分二釐；又培鳳河東隄斜埝，用銀一萬一千五百四十九兩六錢八分九釐。據永定河志十。自是，水由調河頭逕毛家窪、沙家淀，達津入海。諭：明春臨視。十二月諭周元理曰：永定下口，自康熙間築隄之始，原就南岸，雍正間因河自漸淤，改由北岸。近自乾隆癸酉間，又從冰窖南出兩河之間，是以康熙年間之北隄，轉爲南隄，雍正年間之南隄，轉爲北隄。嗣後節次興工修治，地勢屢更，是冰窖之故道又已不免今昔異形，著將康熙年間初次築隄沿至於今，中間改移地名、次數，並議改緣由，詳細奏聞。周元理奏：康熙三十七年、三十九年、雍正四年、乾隆十六年、二十年、三十七年，凡改道六次。第一次安瀾城，距今河身已徙北十餘里。冰窖改河後，康熙間北隄轉爲南隄，雍正間南隄改爲北隄，以此日河身論，則凡康熙、雍正間之南北隄俱在河之南矣。乾隆五年，於北大隄起東安葛漁城，至鳳河西岸，築北埝。二十一年，於永清趙百户營築遥埝。此二埝廢。二十八年，起北大隄，永清之荆垡至武清之黄花淘，築越埝，與三河頭以上之南埝，相距三十餘里，現在河流此二埝中。乾隆三十六年十二月，高晉、裘曰修、周元理等奏：永定河發於山西口外，入直隸懷來縣境内之和合堡，從石景山而出。臣等至彼相度，和合口原係兩山夾峙，一水中通，渾流至此，本天然收束，舊有玲瓏石壩，意在稍緩其勢。其實水小則無需抵禦，水大則易於衝坍，壩工既難經久，無庸修復。至石景山始有段落工程，顧永定河南衝北激，迄無一定則。善治之方，誠如聖明洞鑒，亦無一勞永逸之策。臣等遵奉聖訓，指示要領，於人事未盡之中，講求補偏救弊之法。惟有疏中泓，挑下口，以暢其奔流，堅築兩岸隄工，以防其衝突，深濬減河，以分其盛漲。今查石景山至盧溝橋，舊有石工，凡坍損蟄裂之段落，擬一律修補。自盧溝橋迤下，頭工至六工，河身皆有淤阻，而頭工、二工尤甚，擬將中泓灣曲形如之字河身，悉行取直，各就形勢抽槽，寬自六、七、八丈至十一、二丈不等，深四、五尺至七、八尺不等，雖汛水長春發漫而來，然水性就下，有此溝槽，導大流自歸中泓下注，兩岸隄工卑薄殘缺處甚多。今擬間段加培，至迎溜頂衝背後，舊日漫口，補還原隄處，應估築月隄，以爲重層保障。惟是兩岸悉係浮沙，以之築隄，仍恐不能堅實，如有膠土處，應取膠土加幫，否則内用沙土，外以鹹土蓋面封頂。南岸之金門閘，並北邨壩北岸之求賢壩，皆爲分洩永定河異漲而設。金門閘口現今淤高，而北邨、求賢兩壩出水處，向係灰土，兩邊壩臺，向用草工，現據疊被衝損，今擬改作灰土。至下游引河金門閘，與北邨兩道，均歸入牤牛河，其淤阻之處，宜一律挑通。牤牛河經由霸州地面入中亭河，若減水過多，則霸州一帶田畝被浸，且中亭河不能容納，更易阻滯。查牤牛河下截牛坨地面，有黄家河一道，爲牤牛河分流，今漸淤廢。臣等查此河東南行，由津水窪入田家泊，俱係空曠之地，約寬二十餘里，足資容納。今擬於牛坨之旁，牤牛河、黄家河相接分流處，築挑水壩，俾上游減下之水，多入黄家河，少入牤牛河，其北邨壩引河已經全淤，向係西行四里餘卽入牤牛河，與金門閘減下之水同爲一路，且自東轉西，形勢不順，往往東漫。今擬開向東南，計五十一里，於將至牛坨之黄家河稍上入牤牛河，卽可會入黄家河，合流而下，此兩旁地畝内瀝水，皆可藉以宣洩，又不獨減洩永定多餘之水而已。此辦理南岸減河情形也。北岸求賢壩口殘壞，應行另建，並開小引河，達于舊河，其迤下間段淤阻，通爲開挑，順入黄花店月隄下，歸母猪泊，此辦理北岸減河情形也。自六工下溜勢，屢經北徙，若再徙北，則逼近東安、武清兩邑縣治。今歲溜勢，經葛漁城北馬頭南、條河頭地方，直往東行，因勢利導，開通北路，並於舊日已廢北埝十二號，築攔水土埝，以遏北徙，則逕達沙家淀，會鳳河下游，由雙口歸大清河，較爲直捷。鳳河淤淺，間段挑深，東岸卑淺廢缺者，量爲整理，惟永定河所患在沙，隨水停河底淤高，不能水由地中，以致旁趨，每年雖有挖中泓之例，但河流二百餘里，額定歲費，所挑不抵所淤，廳汛各員，若再經理不善，未免虚應故事。此次雖經疏治，水過仍恐停淤，應請每年於秋汛水落後，臣周元理親率道廳查勘一遍，按其所淤丈尺，估挑深通，以備下年過水，所需錢糧，若數在額定五千兩以内者，應照例估辦，倘在五千兩以上，則專摺奏明辦理。年年實力行之，則淤沙有減無增，計永定河各工約估銀十四萬一千八百餘兩，北運河各工估銀十五萬五千五百餘兩，王家務滚壩落低，筐兒港修築灰土，並疏濬兩減河，及培築南、北兩隄，約估銀十一萬四千一百餘兩，修補西沽等處疊道，添設橋座，開挑東岸引河，約估銀二萬二千四百餘兩，培築隔淀隄並千里長隄，約估銀六萬二千六百餘兩，以上約估共需銀四十九萬六千六百兩有奇。如蒙俞允，臣周元理查藩庫現在無銀可辦，應請皇上敕部挑發，現將永定河各工，責成該管道員滿保。三十七年六月，工部尚書兼管府尹事裘曰修奏：畿輔河道，蒙命將原估各工復勘，又於應行增益並應行節省處詳酌，工程將竣，蒙聖上添派藩司楊景素，一同收工。臣裘曰修此次於五月二十六日出京，藩司於六月初二日復來工所，將前次未經收完之工，次第收竣回省。臣裘曰修於永定河頭工乘船而下，至六工查視中流引河，由六工至新開下口，從條河頭出毛家窪，直達沙家淀諸處，轉至東淀，沿千里隄並子牙河東西兩隄至西沽，從北運河筐兒港、張家莊、王家務以下至梅廠、大白莊，逐一覆查各工如式。臣於運河、永定河兩河上下左右，經行略遍，此番隄埝修整，凡殘缺坍損處，增高培厚。伏思永定河與黃河等，但黃河不煩轉輸，直達于海，此則入淀穿運，然後達海，然黃河綿長數千里，此則二百餘里內，人力可施。顧自改易下口，自六工二十號下，任其蕩漾既久，泥沙停積，南淤則北徙，遂以北隄改作南隄，迤北又建遥埝，再淤再北，則添越隄，昨歲又穿越隄而北，若非此番特命經理，則東安、武清縣治，將爲歸墟之壑。是以相度便利，於新開條河頭以下導之，使東斷其北徙之路，作通河尾閭，未可復以任其蕩漾之説悞之，則每歲皆當挑挖，分泥沙於兩旁，中間河槽，斷斷不可阻塞。向來河員講築隄，不言浚河，雖聖訓諄諄，頒諸諭旨，見於篇什者，亦既剴切著明矣，而河員以浚河艱於施功，不若築隄有丈尺可循，工料可算，其最不肖者，或更藉險工爲利，兼以下口蕩漾後，遂更有所藉口。而挑淤一事，徒存名色，不知淤日積則河日高，加隄而河身與之俱長，既不能下達，未有不旁溢者，此下口之疏濬，在今日不可不亟講也。其上六工，已無中流之形，東衝西激，在在皆成險工，連歲趙郙、公義郙等處漫工，皆在上截，蓋水就下，專恃隄埝爲保障，而沙土浮鬆，安能抵禦？此六工以上之疏濬，在今日又不可不亟講也。永定河額設挑濬銀兩，毋庸另議加增，只將歲修搶修之項，通爲一事，則辦理裕如。何以言之？淤灘日減，則水循中道；水循中道，則無東衝西激之患，而險工日少。無險工，則無埽工，而埽工之費移於挑淤，淤不厚，河流可以漸深，不專恃隄埝以爲防禦，所謂行其所無事也。不特永定河爲然，運河兩岸，險工林立，而所以有險工之故，則淤灘致之，東岸有淤，則水注於西，西岸有灘，則水注於東，側注之勢，偏刷隄根，於是加埽、加鑲、加戧，百計與之爲敵。曷若於水發之前，凡有淤灘，皆以川字河之法深濬溝槽，水到引入槽中，則險工可大減，亦請以險工之費移於挑淤，久之均化爲平矣。臣半歲以來，工次逐加曉諭，現在督臣周元理所見相同，議論符合，因永定河最關緊要，合詞奏請添設浚船，併與以器具，使得水中施功，以資挑濬，但必須通工文武大小員弁協力同心，方能奏效。永定河道滿保，近亦深能領會，所承造之浚船，限於本月二十日完工。原奏明偕同督臣，公同收驗。臣回京後，仍擬於本月二十四、五日間周元理在固安防汛，臣再往會同驗收船隻，於每汛過後，露出淤灘，記明段落，如某汛有淤幾段，次年能挑出幾段，能省埽工幾段，以截淤多少爲汛員殿最。總之，河不外疏、築二字，而築不如疏，理甚易曉，築而不疏，人特未心誠求之耳。又直省之弊，近水居民與水争地，如兩河之外，所有淀泊，本以瀦水，乃水退一尺，既報陞科，則呈請築埝，有司見不及遠，遽爲詳報，上司又以納糧地畝，自當防護，如塌河淀、七里海諸處隄埝，直插水中，其實原無隄埝之時，水發之後，仍然退出，而隄埝一立，水從缺口而出，漫溢既滿，被淹更甚，及退時不能仍從缺口而出，遂致久淹不退，積潦爲災，多由自致。而愚民無知，仍以築隄爲請，遂使曲防重遏，甚有横截上流，俾無去路者。現在既不能一一將廢隄之土普行除盡，只得多開涵洞，以爲出路，不能如原無隄之爲宣暢也。又往往倡爲防禦下游倒漾之説，殊不知倒漾之中，隨長隨落，不能經久，而不顧上游之全無出路，則誠知其一未知其二也。祈敕下所司，一切淀泊，原係蓄水之區，嗣後不許報墾陞科，淀泊中偶值涸出，不得横加隄埝，則凡水皆有歸宿，不致壅遏爲上游害。謹按：築不如疏，傍硃批：此語得之。三十七年十二月，直隸總督周元理奏：永定河自康熙三十七年築隄後，遷徙靡常，昔日之河身，悉爲今日之沙淤，南高北低，以致水勢日趨於北，誠如聖明洞鑒，不免今昔異形。自初次築隄至今，除節年歲修，或裁灣取直，或因勢導流，稍有遷移不計外，前後河道，共改六次，謹將改移地名、次數，並議改緣由，開簡明清單，恭摺奏呈御覽。清單：康熙三十七年，自良鄉縣老君堂築隄，開挖新河，由永清縣朱家莊安瀾城入淀，至西沽達海，爲永定河西岸築隄之始。此第一次河道改由安瀾城。康熙三十九年，因安瀾城河口淤塞於永清縣郭家務之下，改由霸州柳岔口歸淀入海，並接築兩岸大隄，即今之東老隄、西老隄。此第二次河道改由柳岔口。雍正四年，因柳岔口以上漸次淤高，於柳岔口稍北改爲下口，自永清縣郭家務起，開河引水，至武清縣王慶坨之東北，由三角淀、葉淀入大清河歸海，并自南岸六工永清縣之冰窖起，至王家坨止，北岸五工何麻子營起，至武清縣范甕口止，建築兩岸大隄，即今日之舊南隄、舊北隄。此第三次河道改由王慶坨。乾隆十六年，南岸六工以下，冰窖減水草壩，因凌汛水大，壩口掣溜，遂由冰窖改河，從舊有之東老隄開通歸葉淀入海，因於南岸自霸州之柳岔口起，接築至天津縣三河頭止，改爲南埝，北岸自六工十六號起，至鳳河西邊蕭家莊止，接埝一道，爲北埝。此第四次河道改由冰窖草壩。乾隆二十年，因冰窖河口以北，淤成南高北低，仰蒙聖駕親臨閲視，將北六工二十號以下開隄改河，於地勢寬廣之處，任其蕩漾，散水勻沙，仍歸沙家淀入海。此第五次河道改由北六工二十號以下，地名賀堯營。乾隆三十七年，興舉大工，水由北六工趨下，恐河流再向北徙，於下游條河頭一帶河道，挑浚寬深，使水勢直抵毛家窪，該處地面寬廣，足資容納，仍歸沙家淀達津入海。此第六次河道改由條河頭。以上各河道，自築隄後，共改六次，第一次之安瀾城，距今河身已徙北十餘里。冰窖改河之後，康熙年間之北隄轉爲南隄，雍正年間之南隄轉爲北隄，以今日河身而論，則凡屬康熙、雍正年間所築之南隄、北隄，俱在河之南矣。再查乾隆五年，因河流日漸北徙，於大隄起，由東安縣葛漁城至鳳河西岸止，築北埝一道。乾隆二十一年，因北埝不足恃，又於永清縣趙百户營築遥埝一道。此二埝久經汕刷殘廢，已成蕩漾之區。又乾隆二十八年，於北大隄永清之荆垡起，至武清之黄花店止，添築越埝一道。越埝與三頭以上之南埝，相距三十餘里。現在河流在此二埝中，本年大工案內，修理鞏固。又修涿州、良鄉縣河渠，會典事例七百一。又濬黄家河。據永清周志。閘壩詳下。

三十八年，培大隄北隄，修築金門閘等壩。

三月三日，總督周元理面奉諭：兩岸隄裏近河之隄根以及軟灘之上，應多種叵羅柳枝。二十三日，又諭：下口一帶南、北兩隄内，多有邨莊，應圍邨悉栽卧柳，以資捍衛。六月諭周元理：督飭河員，於金門閘過水之處，卽爲挑濬，務使積淤盡滌，水道暢行，以資疏洩。謹按：金門閘濬淤碑卽恭録此諭也。培兩岸大隄，用銀二千八百四十一兩五錢五分二釐。據永定河志十。金門閘挑水壩加長，北邨壩、求賢壩築挑水壩，如金門閘式，北隄七、八、九工加高培厚。

乾隆三十八年三月，直隸總督周元理奏：聖駕巡幸津淀，閱視永定河工程，臣於三月初四日，面奉上諭：南、北兩岸，俱在隄裏近根處種植卧柳。當卽傳諭永定道各廳汛，乘時栽種，已報於十三日清明前種齊。昨臣沿隄察驗，隄裏近根，已密種齊全。現在飭令各汛員，將每汛種柳若干，成活若干，由道廳驗明具報在案。倘有枯損，卽行補栽。並蒙面諭：下口南、北兩隄内，多有邨莊，圍邨密栽卧柳。亦飛行地方官，轉飭趕種。如是二、三年間，滋長茂密，足資保護。又金閘挑水壩，仰蒙皇上指示，再行加長，使水勢迴溜過壩。北邨壩、求賢壩兩處，亦蒙聖諭，照金門閘各築挑水壩。臣現又率同永定道滿保並廳汛各員，如式妥辦。臣由下口至盧溝橋一路查勘，此時正當河水消涸，凡有淤淺阻塞，一目了然。分飭道廳汛各官，從盧溝橋起，由下口直抵沙淀止，凡屬中泓淤塞處所，逐段勘丈。其小灘淤嘴，卽令浚船河兵挑挖，如有工段必須估方開濬，亦卽趕辦。兩岸隄工低薄處應加培鑲築，均於汛前辦竣，需費統於歲修項下動撥。六月，直隸總督周元理奏：永定河五月二十日河水長發，據報，全河水勢自六、七尺至八、九尺不等，該道滿保，督同廳汛各員，在工搶護，水勢雖猛，大溜直走中泓，迅趨下口，間有漾水泛至隄根，隨宜下埽鑲墊，兩岸十二工一律穩固。二十八、九暨初一等日，又連次得雨，於秋禾固屬有益，各處河水皆旋長旋消。初一日，金門閘辰時過水六寸，巳時卽已斷流，現據各廳具報，河水止深三、四尺，卽盧溝橋亦不過三、七尺不等，水勢極爲平順。至浚船一項，原係裘曰修與臣會商奏請添設，且河道爲臣之專責，何敢稍任因循！春間仰蒙聖明指示周詳，凡有應浚之處，該道廳督率河兵，往來挑挖。臣於五月初查工之時督勘，一應淤嘴，以及稍有阻礙地方，復飭令在在裁切疏濬。此番水發，溜走中泓，直達下口，未必不稍資浚船之益。臣本月初七日起程，至長安城防汛，天晴水落，又有沙淤，督令道廳等，分派河兵，駕船淘浚。六月，直隸總督周元理奏：由下口至七、八、九等工，查驗各處隄埝，工程穩固，臣乘坐浚船，順流察看河溜水勢，於發水後俱有遷改，而條河頭舊有河道，今年又向北徙，緣乾隆三十五、六兩年，在北岸二工、南岸頭工漫口出水，是以三工以下，流及下游者，其勢甚緩。至三十七年伏、秋二汛，水又平穩，則下口一帶不受沖激之患者已三年矣。本年五月二十一、六月初一等日，兩次汛期，發水極其迅猛，上游各工幸得搶護平穩，而大溜洶猛，直趨下口，將中泓河底刷深三、四尺，所有泥沙悉歸條河頭之舊道，淤成平地，其澄清之水，俱從條河頭以北散漫而下，所以沙淀不致受淤。臣查南、北六工以下，原皆任其蕩漾之區，而條河頭以北，地勢本窪，現在河水漸趨於北，雖係清流之水，恐將來日刷日寬，則七、八、九工之北隄，又不可不預爲防範。目下伏汛雖過，秋汛卽屆，已分飭委員，協同該汛官將北隄之八、九工加高加厚，委員分撥浚船，將向南新淤各處，督率河兵，竭力挑挖。蓋此蕩漾之地，苟能使南受一分之水，卽於北受一分之益。現與滿保酌商，白露後水勢歸槽，再勘形勢，或於條河頭以南復加挑通引河，仍由舊道，俾有分注，或另籌疏濬之方，容臣於趨赴熱河行在時陳奏。六月，直隸總督周元理奏：永定河下口改溜北徙，勘明具奏，硃批：知道了。又旁奉硃批：目下卽應具圖來。臣查本年汛水漲發，勢極迅猛，將中泓河底刷深三、四尺，以致挾帶泥沙，直注條河頭，舊河淤成平地，其蕩漾之水，改從北流，所有條河頭，春間聖駕經臨之地，本在河之北岸，今又在河之南矣。臣昨乘浚船，沿流查勘，水由洛圖莊以南，澄清散漫而下，經馬頭惠家鋪之後，響口邨之前，直達沙家淀，離北埝尚遠。現在北隄之七、八、九工俱已加高培厚，謹繪圖貼說，恭呈御覽。今改徙之大溜，深有四尺，其散漫之水，不過二、三寸，所有新淤，已分撥浚船挑挖。按：畿輔安瀾志所云，三十八年北口六工二十號淤灘二段，裁灣取直，其工當在三十九年。乾隆三十八年，永定河事宜碑：乾隆三十五、六年，兩岸永定、北運河水盛漲，決隄爲患。欽命大學士兩江總督高晉、工部尚書裘曰修、直隸總督周元理，會同查辦，發帑五十萬兩，興舉大工。永定一河疏築等工，共用銀十三萬六千五百餘兩，於三十七年汛前工竣。三十七年春，皇上親臨永定河，自北岸二工九號渡河，循南二工至頭工，駐蹕黃新莊，恭謁西陵，由天津回鑾，復至下口條河頭閱視全河，以河南巡撫何煟，素習河務，現在扈從，命同尚書裘曰修、總督周元理尋流而上，再加講求，具議以聞。巡撫何煟奏：永定河下口，已蒙皇上指示，開展寬闊，流導有方，既不阻下達之勢，更可免侵運之虞，上游河身雖窄，而中泓每歲挑挖，一律深通，可以暢導其流，且有金門閘、求賢北邨等灰壩以分其出山洶湧之勢，以六工現有之隄埝，隨時增高培厚，捍衛有資，卽此補修救弊之中，實具永久安甯之道，守此成法，歲歲實力疏濬修防，可以永垂利賴。惟是疏導修防，原屬治水不易之法，而人情厭常好異，每視爲平淡無奇，誠恐數十年後，或有妄爲高論，別立奇謀，轉致變壞成法，應請將現奉上諭及議定章程，摘叙簡明條款，刊勒豐碑，昭示來茲，庶成法永垂勿替。等因，具奏。經部議行，知照辦理。伏查聖駕閱視永定河，皆有御製詩章，治河要議，具載詩內，及屢次所奉諭旨，業已恭鐫碑碣，樹立隄頭，永昭法守。現在疏築宣防，俱係恪遵聖訓，隨時請示辦理，茲再摘叙簡明章程，勒石記載，以垂不朽云。一、石景山同知經管土石隄，自石景山起，東岸長二十二里八分，西岸長十四里，每年額設歲修銀二千兩。乾隆二十七年，奏明如有節省存貯，遇有不敷，於節存項内添補應用。三十七年大工，凡石工坍墊損裂段落，一律補修完固。一、南、北岸同知分管隄工，南岸長一百五十四里，北岸長一百五十五里四分，兩岸各轄九汛。乾隆十六年，改移下口，裁去下三汛。南岸同知轄州判、縣丞六員，北岸同知轄主簿、吏目六員。乾隆十五年，奏准沿河各汛，均兼巡檢銜，分轄附近十里邨莊。三十七年大工，將兩岸大隄間段加培，復添築月隄。一、兩岸額設歲修銀一萬兩，搶修銀一萬三千兩，每於秋禾登場之時，兩廳以各汛工程險易，酌估次年應需料物，開摺送道，核準發銀購辦，存貯各工，以備次年凌、伏、秋三汛之用，按月造送月報，據實請銷。一、中泓每年額設銀五千兩，凡有應行裁灣取直工程，預期估報，於河枯時趕辦，均限汛前報竣，係動撥十里内民夫，每土一方給銀四分。三十七年大工，疏挑引河，每方給銀七分。一、閘壩工程，乾隆三年，南岸二工建金門石閘一座，金門寬五十六丈。乾隆六年，因壩面過高，不能洩水，海墁中路二十丈，落低一尺五寸。至三十五年，河身漸次淤高，微漲即過，復添建石龍骨一道，高二尺五寸。三十七年大工，補築灰土壩。三十八年，聖駕臨幸，諭令添築攔水草壩，俾水過有回溜之勢。伏汛時，諭令每水過後，即將金門及河流去路隨時挑濬，務使積淤盡除，水道暢行，永遠照此辦理。欽此。一、南岸三工舊有北邨草壩一座，北岸三工舊有求賢草壩一座，年久勢須拆修。乾隆三十七年，大工興舉，遂改建灰壩，以資永久。金門各寬十六丈，並遵旨於金門迤上，各建攔水草壩，亦使其迴溜過水後，如有積淤，挑除淨盡。一、金門閘外引河，舊名牤牛河，至牛坨分爲二股，一爲牤牛支河，歸中亭河；一爲黄家河，入津水窪歸淀。三十七年大工，將牤牛河暨黄家河一律挑濬，復於牛坨分流處建草壩一座，俾水勢三分歸支河，七分歸黄家河。北邨壩外舊有引河，自米各莊歸牤牛河，因形勢向西不順，改挑引河一道，自南白柏邨歸牤牛河，北岸求賢壩減河一道，由北隄外入母豬泊。三十七年大工，間段挑濬深通。以上各引河，每年地方官於農隙時勸民挑濬一次。一、三角淀通判經管南隄自冰窖邨接南隄起，長七十九里一十四丈，北隄自小荆垈接北隄起，長四十九里一百二十八丈，兩隄各分七、八、九工，設縣丞、主簿分管，各管轄河淀。州判一員，專司疏濬下口，額設銀五千兩，每年著看水疏濬，引河歸沙家淀，鳳河入大清河達津。乾隆三十七年大工，將南、北隄間段加培，由條河頭、毛家窪歸沙家淀。三十八年春，聖駕臨幸，親加指示，諭令將望河亭改爲龍神廟，是年伏、秋泛漲，河水改由河頭迤北洛圖莊南一帶歸沙家淀，奏奉硃批：足見無定矣。現在用船多，濬水溝使水勢向南一分，北隄即受一分之益，並將北隄培築高厚，以資抵禦。奉旨准行。一、鳳河東隄長五十九里九分，專設外委經管，隸三角淀通判管轄。三十七年大工，挑築鳳河，培築東岸隄工。一、添設浚船事宜，乾隆三十七年，奏設五艙浚船八十隻，三艙浚船四十隻，共一百二十隻，按工分給南岸共五艙船四十隻，三艙船五隻，北岸共五艙船三十六隻，三艙船五隻，交兩岸汛員經管；下口撥五艙船四隻，三艙船三十隻，係淀河州判並把總一員、外委一名經管，仍飭三角淀通判，董率疏濬，每歲各汛將應挑淤嘴、淤灘，於水漲之後，確估造報，土多則照中泓之例，按方給價，惟兩岸自麥秋至白露，計八十日，兵丁上隄防汛，不能撐駕船隻，議准添僱民夫駕船撈濬，所撈沙土，照船丈尺折算，每方給銀七分，即在額設中泓銀内動支，分晰報銷。一、沿隄柳缺，春融時河兵栽種。乾隆三十八年春，皇上閱視永定河，諭令兩岸大隄内幫多種卧柳，以資捍禦。當即欽遵辦理。一、河營官兵，乾隆四年，題設河營守備一員，轄石景山千總，南、北岸千總共三員，南、北岸把總二員。三十七年，復設浚船把總一員，額設河兵共一千二百三十名，撥各汛疏濬修防。碑在道署。

三十九年，培隄，濬淤，疏洩鳳河溝。

周元理培兩岸隄，用銀八千二百六十二兩二錢一分五釐，永定河志十。下口北埝起七工十九號，至九工三號，長二十九里，加高培厚，底寬五、六尺，頂三丈，高七、八尺不等；南邊淤灘二段，裁灣取直，上口面寬五尺，下口面寬四丈，均底寬二丈，深五尺；疏濬淀水洩入鳳河之舊溝三，面寬三丈，底寬二丈，深三尺，共用銀五千九百九十七兩九錢二分二釐，據周元理奏。核減四十有八兩。永定河志十。

四十年，培南頭工隄，兩岸大隄，堵北三工南頭工漫口。

南岸頭工玉皇廟土隄，遠取膠土，培頂三丈五尺，底寬八丈五尺，高一丈及一丈一、二尺不等，長四百五十八丈，用銀三千六百六十三兩五錢五分，兩岸加培大隄，用銀五千九百十八兩七錢五分五釐。七月，漫北三工南頭工。諭：周元理堵築。乾隆四十年四月，直隸總督周元理奏：據永定河道滿保稟：南頭工汛內，有玉皇廟前土隄一段，計長四百五十餘丈，外雖鑲做草工，緣本年淩汛後，河流直徙隄根，雖溜勢極順，但土隄沙性浮鬆，隄外又有積水，屢經培護，總覺單薄，必須遠取膠土，大加培築。擬將隄頂加成三丈五尺，底寬八丈八尺，高一丈及一丈二、三尺不等，長四百五十八丈，估需銀三千六百六十三兩零等情。臣親詣察看，即係乾隆三十六年漫口之處。雖經三十七年大工案内培厚加高，並經鑲做草工，而土隄沙鬆，河流緊貼隄旁，一直順行，非遠取膠土，照估高寬丈尺培築，不足以資捍禦，所需土工銀兩，請在於道庫歷年節省存貯項下撥給，即委南岸同知陳琮駐工督辦，務於伏汛前竣工。臣再往驗南、北兩岸，尚有間段沙土隄工，應行加高培厚之處，臣亦勘明，令該道估計，即於歲搶修等銀内通融辦理。乾隆四十年七月，直隸總督周元理奏：初九日諭：熱河自初七日以來，雨水略勤，未知口内各屬陰雨情形若何？尚不致過多否？莊稼有無妨礙？永定河水勢有無增長？是否不致出槽？深爲廑念。著傳諭周元理，即速查確，據實覆奏，欽此。查本月初七日夜間得雨斷續，初七日辰刻至亥刻，雨更驟密，初八、初九兩夜大雨如注，永定河水勢騰涌，人力莫施，以致大溜先後沖激北三工、南頭工二處，隄岸倒塌漫口。並通省被雨，有無淹及窪地，業經通飭查勘。緣由經臣於初八、初十日兩次奏聞，現據附近之涿州、定興、安肅、新城、雄縣稟報，白溝、拒馬等河漲發，沿河窪地俱有水漫，並省城清苑縣東南二鄉，地本窪下，益有積水。又南運河之捷地壩，過水六尺二寸，興濟壩過水四尺一寸，北運河之筐兒港過水六尺，王家務過水七尺五寸，各工俱屬平穩。又據密雲縣具報：潮、白二河異漲等情。其餘各屬尚未報到。皆緣此處雨驟，宣洩不及，以致平漫，今於十一、十二兩日天晴，飛飭疏消積水，永定河漫口二處，北三工堵口甚易，不日可以報竣，其南頭工現在攢齊料物人夫，趕緊堵築，臣駐工督飭。

四十一年，南頭工開引河，築壩，濬鳳河。

南岸頭工二十四號、二十五號河形灣曲，大溜逼近隄根，開引河一道，長一千四百二十四丈，畿輔安瀾志。又玉皇廟築壩，共用銀四千六十五兩二分六釐。據永定河志十。十二月，總督周元理請濬鳳河一百七十餘里，需銀一萬二千三百八十三兩八錢。據周元理奏。硃批：如議，實力爲之。

四十二年，北三工築直隄，挑水壩。

七月，總督兼理河道周元理奏：北三工十號至十三號，添築直隄，長三百四十丈，上游斜築挑水壩四十五丈，需銀一千六百八十一兩三錢一分。據周元理奏。硃批：好。

四十三年，修隄壩。

河出下口，逆折北趨，北岸六工十九號以上隄身裏外汕刷，因就水勢，改洪字十八號出口向東過流，遂於南六工十七號頭築順水壩，斜接北六工十九號下隄頭，並將北六工二號舊隄培築。永定河志六。按：南六汛隄工通長一百五十三里，北六汛隄工通長一百五十三里七十二丈。見同前。又修三角淀隄，合之兩岸培隄用銀八千三百八十兩七錢五分三釐。據永定河志十。

四十四年，南、北三工拓河身，修舊隄，築新隄。

總督楊景素奏：北三工六號、南三工十五號以下河身，僅寬九十八丈至百五十丈，請於北三工四號至十號，展築新北隄九百三十五丈，又培築十號至十五號之舊北隄，南三工十五號至十八號之舊越隄，十八號至二十一號之舊南隄，其南北瀕河舊隄並廢，則河身寬四百丈以外，需銀五千九百七十五兩三分。據楊景素奏。硃批：著照所請行。又修鳳河東隄並斜埝，用銀二千四百九十六兩六錢四分。永定河志十。

四十五年，漫盧溝橋西岸北頭工，堵築之。

七月，盧溝橋西岸漫溢出槽，北頭工水過隄頂，洶涌異常，沖寬七十餘丈，由良鄉縣前官營散溢，求賢邨減河歸黃花店袁守侗堵築，補如原隄丈尺，開引溝八百丈，引溜歸河。據畿輔安瀾志。乾隆四十五年七月，直隸總督袁守侗奏：永定河因上游驟漲，漫溢出槽，今已晴霽，盧溝橋止水深五尺四寸，大河上游水深四尺四寸，誠如聖訓，永定河來源不大，惟應設法挑溜，大溜仍歸正河，一面將漫口上緊堵築，合龍尚易爲力。臣連日督率道廳等，將漫口兩頭壩臺趕築，西壩已築長八尺，出水五尺，壩前水深六尺，東壩築長三丈，出水六尺，壩前正係大溜，水深一丈七尺，西壩仍用軟鑲，東壩擬於二十六日下埽。臣親率員弁，趕緊辦理，設法挑溜，引水仍歸正河，俾得及早合龍。自漲水消落後，於二十二日上游大溜忽爾不走中泓，直向南趨，至頭工二十五號，始斜至北頭工四十一號而出漫口，其時南頭工二十五號隄前有淤灘五、六丈，當卽挂柳保護，一晝夜全行刷去，溜走根立，卽飭令用埽搶護，隨鑲隨陷，二十三日午刻，長水一尺，溜勢更緊，復多撥兵夫搶鑲，搶至二十四日寅刻，始得護住，計刷隄身長五十餘丈，寬一丈有餘，俟護隄埽工做完，卽於隄後加高培厚，補還原隄丈尺。築北埝四十九丈。永定河志六：北六工月埝，四十五年自本汛大隄八號接築至北隄工頭，長四十九丈，歸北隄七工經管。

四十九年，濬淤。

三月，命步軍分段挑盧溝橋下沙淤。永定河續志卷首。

五十一年，培南四、北三工隄，築南四工直隄。南岸四工，三號起至六工十九號，北岸三工，十五號起至六工十號，隨舊隄加高一、二尺至三、四尺，幫寬一丈二、三尺至二丈餘尺不等，南四工一號至三號隄曲，添築直隄四百一十五丈，用銀三萬九千二百十四兩二錢，疏濬中泓，工歸歲修。乾隆五十年十月，工部奏：盧溝橋以下，頭工至六工，長二萬七千七百餘丈，隄岸緊要。乾隆三十七年大工案内，原任欽差大學士兩江總督高晉等，准加培動項興修，硃批允行。今據直隸總督劉峩奏，請將南岸自四工三號起，至六工十九號止，北岸自三工十五號起，至六工十號止，隨舊隄加高一、二尺至三、四尺，幫寬一丈二、三尺至二丈餘尺不等，又南岸四工一號至三號，隄身灣曲，添築直隄四百一十五丈，估土方銀三萬九千二百十四兩零，於明歲春融時修築等語。均應如該督所奏辦理。

明年十二月，總督劉峩奏，河工穩固。乾隆五十二年十二月，直隸總督劉峩奏：十一月三十日，承准大學士和坤字寄，乾隆五十二年十一月二十九日上諭，抄發御製詩章二首，寄信到臣。伏查永定河工程，上自石景山，下至沙家淀，歷年恪遵定例，督率修防疏濬，自乾隆四十六年以來，迄今七載，連慶安瀾。上年復蒙發帑，另案加培南、北兩岸隄工更覺穩固。至於下口，自乾隆二十年，荷蒙皇上親臨閱視，指授機宜，於北岸六工洪字二十號開隄放水，改爲下口東入沙家淀，由鳳河入大清河，達津歸海，下口兩岸，有南隄、北隄以爲保障，中寬四五十里不等，足以散水勻沙，至今三十餘年，河南、河北歲獲有秋。明春聖駕巡幸淀津，輦路經由盧溝橋，凡永定河上源石景山一帶石工，及下游南、北兩岸隄工，均在聖明睿照之中。臣謹將永定河近年工程穩固情形，開具略節。謹查永定河發源山西馬邑縣，本名桑乾，行萬山中，夾岸奔馳，至石景山盧溝橋以下。康熙三十七年，蒙聖祖仁皇帝創建南、北兩岸隄工，賜名永定。自盧溝橋之石隄起接築，至永清縣之郭家務，水由安瀾城河入淀。康熙三十九年，又接築至霸州柳岔口，水歸東淀。雍正四年，因東淀受淤，於永清縣冰窖邨改築南、北兩岸，至武清縣王慶坨，水歸三角淀。乾隆十五年，又因三角淀淤平，冰窖草壩漫溢，水行南岸之外，入葉淀達津，將乾隆三年所築之格淀坦坡埝加培，改稱南埝。乾隆四、五年所築之北大隄，改稱北埝，移員駐守。乾隆十五、十八等年，仰蒙聖駕臨閱。乾隆二十年，又因舊南隄外地窄，不能容全河之水，復蒙聖駕親臨北六工，指授機宜，於洪字二十號開隄放水，改爲下口河流，東入沙家淀，會鳳河入大清河，達津。南面以南埝、舊南隄、舊北隄爲重門保障，北面節年加築遥埝、越埝各一道，河流每患北漾，經前督臣方觀承奏明，以越埝稱北埝，移員駐守，北埝至南埝，相距四五十里不等，地面寬廣，聽其蕩漾勻沙。三十七年大工案内，南、北兩岸及兩埝俱間段加培，並於下口條河頭之南，挑挖引河，引下口之水，由毛家窪入沙家淀。三十八年，蒙聖駕臨閱，改南、北埝爲南、北隄，作爲七、八、九工，是年汛水漲發，條河頭引河淤平，河流北徙，由東安縣響口邨入沙家淀。以上下口情形，六次改移，均經奏明。四十四年，因南三工十五號、北三工六號以下，隄束河身窄狹，難資暢洩，於南、北岸三工各展寬築直隄一道，將臨河舊隄廢去，河身一律寬展。五十一年，臣因南岸四工一號至三號河身過於灣曲，奏明添築直隄一道，又自南岸四工三號至六工十九號止，北岸十五號起，至六工十號止，請加高培厚。現在南、北兩岸上、下隄工一律鞏固。至下口南隄，上接南岸大隄，自二十年改移以來，已三十餘年，南隄久爲渾河所不到。又下口北隄，上接北岸大隄，三十七年大工以後，雖河漸北徙，但繼復南漾，近年北隄已爲渾水所罕經，現在下口河流仍循舊北迤東入沙家淀，即係乾隆二十年皇上指授改移下口之舊路，安流順軌，會鳳河入大清河，達津歸海。謹遵旨

開具略節。

五十四年，培南、北隄。

九月，劉峩奏：培南北岸一、二、三工土隄，需銀一千五百九十兩有奇，下口北隄七、八、九工，需銀二千七十一兩有奇。十月，及五十五年春，兩次培築，凡用銀三千六百六十一兩有奇。

五十九年，決北二工、南頭工隄，堵築之。

六月，北二工二十號決隄六十餘丈，河溜注求賢邨引河，由鳳河至永定河下梢入海，旋即斷流。又漫南頭工二十六號，決隄八十餘丈，水由老君堂莊馬頭入大清河，據梁肯堂奏。凡築南隄一百二十八丈七尺有奇，移避頂衝，較原報漫口多築四十丈，沈船墊埽，八月二日工竣，又於玉皇廟前築水壩。

乾隆五十九年八月，直隸提督慶成奏：永定河工，至七月二十九日，兩壩相隔僅有三丈，擇於八月初二日卯時堵合，而口門愈窄，急流湍激更甚，埽箇不能入槽。永定河安瀾已久，工員多未閱歷堵築事宜，龍門下埽，不甚便捷，以致大浪沖失兩埽，至午，人力漸乏，奴才聞有沈船墊埽之法，隨與喬人傑即用渡船橫置口門中間，多載膠土，鑿沈水底，前後填以沙囊，乘幾樁埽并力齊下，一面將引河頭挑開，勢如吸川建瓴，奔騰下注，分掣大溜，一舉成功。初二日申刻合龍，河流順軌，於玉皇廟前，加築挑水壩一座，大溜迴灣，鑲築攔水壩，合龍後新隄整齊，新工計長一百二十八丈七尺有零。緣初

漫時，搶築東、西壩臺，恐不堅實，具報後復棄去，水刷舊隄二段，約有二十餘丈，又堵時移避頂沖，不能盡循舊跡，增多十餘丈，實較原報漫口八十餘丈之數多做四十丈。現在天晴，新工分磁堅固，舊隄加防結實。

嘉慶二年，決北二工、三工，南頭工，堵築之。

七月，隄決北二工二百六十餘丈，三工五十丈，南頭工一百五十餘丈，金門閘龍骨二十餘丈，梁肯堂奏請嚴加議處。得旨：寬免。上緊堵築。下游過水，固安、永清、東安等縣，詳細履勘，實力撫綏。旋奏：新築隄工，因雨又塌二十餘丈。諭以督率工員，慎重進占，步步穩實，毋得草率從事。據直隸總督梁肯堂奏。八月合龍。嘉慶二年七月，直隸總督梁肯堂奏：此次永定河塌去隄身數處，七月初四日天晴水退，盧溝橋存底水七尺五寸。南頭工漫口，大溜較前稍緩。查南頭工漫水口，由良鄉縣屬之任家營、老君堂、官莊，並經過涿州所屬之桐邨等處入大清河歸淀。南二工漫口，現已斷溜。北二工、北三工已成旱口，其溢水係過宛平縣屬之趙邨、曹各莊、石垡、求賢等邨，固安縣屬之北張化等邨，由減河歸鳳河，仍入永定河下游。旱口工段各長數百餘丈及數十丈不等，必須層土層磁，補築堅實。臣已分派附近州縣，協同工員興辦。南頭漫工，丈尺較寬，永定河道喬人傑一人照料難周，復調清河道方受疇，帶同熟諳工程數員，至工幫堵，先於東、西兩壩逐漸軟鑲，各下邊埽，追壓到底，一面於口門相近處所，挑引河，俟合龍時，挑開河頭，俾掣溜得力。工程做有二分可用，月內合龍，金門閘口草壩沖去工段，俟合龍後，次第修復。此有水勢湍放中刷，河道更加深通。現在大溜經行之地，誠如聖諭，轉爲極好機會。惟水退不免淤塞，合龍後再行測量，應挑者挑濬深通。下游良鄉、涿州、宛平、固安、永清、東安、文安、霸州、武清、新城、雄縣等處田禾浸淹。八月，直隸總督梁肯堂奏：永定河自七月初一、二等日水漫隄等頂，南、北均有蟄塌，北岸漫缺處所旋成旱口，南二工亦已斷流，惟南頭漫工大溜，直注口門，嗣因溜急工鉅，又經奏明於口門下指定地面，挑挖引河三百餘丈，以備引溜歸槽。七月二十七日以後天晴，臣每日酌看水勢，次第下埽，至八月初六日，口門僅餘三丈，已刻趕緊堵築，一面挑開引河，大溜下注，由引河歸入正河，於未刻合龍。新工加高培厚，其金門閘龍骨及草壩等工，次第辦理。

三年，修隄。

三月，胡季堂奏：永定河隄工殘缺，應行補築。諭曰：近日河員往往擬將河隄增高，以禦汛漲。殊不知河底淤墊，不思設法疏濬，徒將隄頂日益加高，則河底豈不益高？於事仍屬無濟。著傳諭胡季堂，祇須將應修、應築事宜分别酌辦，不可輒事增高，以致徒費無益。

五年，培北七工隄。

六月，胡季堂奏：桑乾河於桑椹熟時，偶露乾涸，係主伏、秋水勢盛漲。今年閏四月間，盧溝橋以東既有斷溜之處，自當較往年倍加防護。命即派永定河道王念孫詳細履勘，將節省挑淤之項，移作加高培厚之工，總宜使工用咸歸著實，不得逾歲修經費。旋培北七工隄，底寬一丈四尺，頂寬一丈及一丈一尺不等，加高三、四尺，長二千三百七十八丈，八工以下，添築挑水壩。據直隸總督胡季堂奏。先是，鳳河西隄決口，爲武清縣邨落漫溢患四年，知縣議塞之，獲效。五年春，乃培高焉。河工册。鳳河隄工記：鳳河出自南苑，合涼水河，經大興、東安，東南流至天津入淀。其經流於武清境者百里，東、西各有隄，係民間估修，廢不修已歷年所。東隄地勢較高，自大石橋迤南，則以漸窪下，往往不免水患。隄向留缺，以爲疏洩瀝水計，顧西隄外各處瀝水，可由南泊瀉入永定河，無藉鳳河消納，而隄東邨落，東有運河大隄，南有斜埝，盛漲無路可消，第多留缺口，必致波及田舍，自宜改作涵洞。去年夏與士民議塞西隄缺口，河水漲而隄外千百頃地畝，晏然無恙，於是東、西兩隄外居民，信爲可行。今年春，西隄二十餘邨，東隄下游十餘邨，願量爲培高。爰與之約，自今每歲農隙，户出丁夫，通力合作，以加高五寸爲率。里中二三老成人董其役，當開工、竣工時，一再報呈，而官吏不之與焉。是説也，畧見于潘公季馴河防一覽，嘉慶五年十月，前知縣孫樹本、知縣朱杰立。

六年，修石土隄。

六月，決盧溝橋東、西兩岸石隄四處，土隄十八處，凡三千七百四十七丈。畿輔安瀾志。總督姜晟奏報遲延，拿交刑部治罪。革永定河道王念孫及南岸同知翟蓴雲、北岸同知陳煜職，一并拿問。命以侍郎熊枚署直隸總督，東岸工程著派侍郎那彥寶、武備院卿巴甯阿前赴拱極城駐紮督辦，其西岸工程，派侍郎高杞、祖之望前赴長新店駐紮，堵築缺口。

那彥寶奏勘下游。

諭以會同熊枚相度地勢，開挖引河，吸溜歸槽。又於部庫內撥銀五十萬兩，內務府庫儲司庫內撥銀五十萬兩，交那彥寶等收領備用。物料等項，准其照依市價購辦，修築土隄，仍照例著落各員攤賠四成外，其堵築石隄及挑挖淤仰各費，令那彥寶等估計用銀確數，查明自乾隆三十八年起，至嘉慶五年止，歷任直隸總督，永定河道暨廳汛各員，分別正任、署任，年月久暫，開單具奏，酌令攤賠，以示懲儆。十月三日，那彥寶、巴甯阿、陳大文奏：北上頭工合龍，全河水勢復歸故道。奉旨嘉獎，旋召那彥寶等回京。河工冊。

七月，那彥寶、巴甯阿奏：永定河石土各隄，七月十九、二十四等日開工。石隄漫口四處，內東岸第十四號石工較長七丈，今照依舊式，下截補砌青砂大石五層，頭卧縫，下生鐵，銀錠底面灌漿，上砌片石，又加壓面石一層，背後地脚下柏木釘築，打灰土五步，上砌片石，已於二十六日修築完竣，其背後戧隄，衝沒二十九丈，應築灰土三十二步，已築十二步，培護土隄二十三步，已築四步，西岸税局後身不列號漫口六十八丈，現在地脚柏木釘俱已下完，灰土三步亦經打竣，下截外皮大料石五層，現已安砌一層，背後石字，亦安砌一層。又橋南頭第二號漫口，計六十二丈五尺，內迤北四十五丈五尺，脚根尚屬結實，無庸下釘。所有應築灰土三步，現在已築一步，南邊十七丈尚有積水，現經淘戽，俟露出根底，再行分別土性，酌量下釘築土。至東岸第二十三號漫口一百五十餘丈，又坍塌三十餘丈，口門一帶深處，急溜衝刷，甚屬洶湧，雖時逾秋分，而正溜深處，尚有丈餘，若待消涸再爲堵築，不惟有悞大工，且明年淩汛更屬可慮，惟有一面挑挖引河，一面趕築攔水壩，將大溜掣入引河，興工修砌，但河身一帶，積年石子層積，一切釘樁難下，因設法編用柳囤，中填小大石塊，挨次布列，以作排樁，又將秫稭鋪草，包裹石子，捆紮成卷，俗名石牛，層疊囤傍，以作大埽，通計攔水大壩長一百七十餘丈，加緊搶築。又據永定河道陳鳳翔禀報：南、北兩岸土隄，旱口十七處，并展寬月隄二千八百三十餘丈，俱照依原估做法，夯硪堅實，於本月二十五、六等日一律完竣，并將頂衝緊要處所幫鑲邊埽，以資捍衛，其蓋頂兩幫，應用膠土，再行添築。八月，那彥寶、巴甯阿奏：兹據翟蓴雲禀：沿河測丈，除八、九工俱有河形，該處尚存積水，難以平丈外，自盧溝橋起，至下口七工條河頭上，計平過一百五十餘里，全河形勢，或起或伏，尚非一律高仰，所平各工，內有大淤灘二十二段，計長八、九百餘丈，高一丈一尺至三、四尺不等，或中梗河心，或偏墊岸側，此必挑挖深通者。其餘各處，較盧溝橋第五虹底石版，漸見低窪，現在尚可緩挑，等語。奴才等自到工以來，每以永定河自盧溝橋至下口一百八十餘里，計長三萬二千四百餘丈，若須全濬，則工段綿長，正在籌畫未定，一經抄平，幸河形大勢尚屬北高於南，現在只須間段疏濬。初六日集夫挑挖，一面挑引河，打壩掣溜歸槽，至兩岸之中泓，以及下口，所有必須裁灣取直，并開引分流之處，統俟明年凌汛後、麥汛前確勘，至需用人夫，隨時僱覓，應挑土方沙石，泥濘情形不一，價值亦不同，且寬窄淺深，臨時相度，開工之始，一切尚難預定。九月，那彥寶等奏：第二十三號壩工，一面將壩身加高培厚，一面安鑲大埽，督率兵夫搶築，於九月二十日酉時合龍。其壩南石子淤灘，順勢挑挖深通，引河暢流無阻，現在水勢趨入北上頭工水口。十月，那彥寶、巴甯阿、陳大文奏：臣等督率在工員弁，將水口堵築，一面將兩壩頭加培，惟口門漸窄，溜勢奔騰，臣等即飭令先將引河頭挑開，勢如吸川建瓴，分掣大溜，直達中泓，於十月初三日丑時合龍，邊埽戧隄，俱屬堅實。又慮挑挖淤工稍有阻滯，復令永定河道陳鳳翔，分派員弁，沿河按段查探，所有原估挑挖八千九百三十二丈，及續估六千一百八十七丈，均一律深通，安流順軌，全河水勢，復歸故道。查今歲永定河漫溢石隄四處，土隄十八處，計三千七百四十七丈五尺。

又濬黃家河，固安境自牛牤橋起，工分二段，九百二十丈，至永清境，起黎行邨，工分二段，一千二百八十丈，至霸州境，起坨里邨，工分九段，六千二百九十丈。又濬北邨引河，固安境自灰壩起，工分十八段，九千二百四十六丈八尺，口寬二丈至五丈不等，底均寬二丈，深各五尺。

據畿輔安瀾志。六年，那彥寶等奏：牤牛河長一百四十七里，自金門閘至米各莊二十里內，淤成平陸，並無河身。自此以下，至黃家河，俱深通無阻。北邨引河，並未淤墊。緣金門閘口寬五十餘丈，牤牛河寬不過五、六尺，河身褊淺，分洩不及，加以今夏盛漲，上下兩處漫水泛溢，水過沙停，故閘口附近地方，竟淤成平陸，其下游離閘較遠，因分流勢緩，沙停於上，水流于下，仍得疏通如故。通計牤牛河，淤者十之二，不淤者十之八，下游之不淤，是曾經挑挖之驗，上游之淤，顯係挑後新淤。請旨飭下直隸督臣，轉飭沿河州縣，按原挑尺寸妥濬。

七年，補六年未竣河工。

五月工竣。凡堵築石景山石隄漫口四處，共長三百二十四丈五尺，補二千二百有八丈，又補築土隄共長一千七百二十七丈四尺，又築二十三、四號攔水壩二道，長四百六十九丈；又濬二十三號引河，長四百六十五丈一尺，南、北岸培築土隄漫口十八處，長三千四百二十三丈，補舊埽段長七百四十七丈，築新埽段長二千二十九丈八尺，北上頭工濬引河長八百五十七丈，濬淤共長一萬四千二百六十二丈；疏濬下口中泓共長三千八百七十九丈，又培南、北岸上頭工至六工三角淀，南、北岸八、九工之土隄，共十八汛，內長二萬七千一百一十八丈二尺。按：會典事例七百一云六年，然工竣在七年。此次河工，用銀九十七萬一千三百二十一兩二錢六分，河工冊。并豁免乾隆五十年以前已故各員應賠銀八萬二千四百八十二兩零，乾隆五十一年以後已故各員應賠銀二十一萬四千三百七十二兩零，寬免一半，至現存各員，照數攤賠，如限完繳。七年，那彥寶等奏：石景山堵築石隄漫口四處，湊長三百二十四丈五尺，拆補拘抿，坍塌臌裂石隄，估計湊長二千二百零八丈，補築背後灰土素土各戧隄，先後估計共湊長一千七百二十七丈四尺，又築打二十三、四號攔水壩二道，湊長四百六十九丈，又二十三號引河，刨挖砂石，湊長四百六十五丈一尺，南、北兩岸堵土隄漫口十八處，湊長三千四百二十三丈，補還原舊埽段，湊長七百四十七丈，新添險工埽段，湊長二千零二十九丈八尺，去秋北上頭工引河，刨挖砂石，長八百五十七丈，挑挖淤灘，湊長一萬四千二百六十二丈，今春疏濬下口，挑挖中泓，湊長三千七百八十九丈，南、北兩岸三角淀土隄加高培厚，湊長二萬七千一百十八丈二尺。畿輔安瀾志：七年，培土隄，南、北岸上頭工至六工三角淀，北隄、南隄八、九工，共十八汛，內長二萬七千一百十丈，加高二、三尺至六、七尺不等，培厚一尺至三、四尺不等。那彥寶等奏：永定河到盧溝橋迤南，地勢漸平，流緩沙停，及至下口，又恐其挾沙入淀，乾隆二十年，督臣方觀承奏，將北岸六工第二十號改爲下口，中寬四、五十里，任其蕩漾，水散沙勻，俾澄清之水，由沙家淀會鳳河入大清河，是沙有來路，而無去路，非若黃河之沙，可直達海，每逢盛漲，上游既潰，下游益壅，誠如聖諭，渾河之患，總在淤沙，今欲令其暢流無阻，必須將全河淤沙挑挖淨盡。第查南、北兩岸相距自三、四里至五、六里不等，長一百數十餘里，下口寬四、五十里，每年疏濬中泓所挖之沙，仍堆河內，原非治河善策，若將此一百數十餘里之沙，全行運去隄外，所費浩繁，舊沙纔去，新沙又淤，況一歲之中，除三汛及水凍不能完工，只可裁彎取直，疏通梗塞，將隄身加高培厚，添做埽工，埽多可以護隄，隄固可以束水，水束可以攻沙。

八年，南、北岸無工處添埽。

南、北兩岸無工處所，因漲汕刷隄根，南上頭工十五號添埽五段，南下頭工四號添埽四段，十一號埽尾添埽九段，北上頭工十號添埽十七段，十三號添埽一段，北下頭工二十四號添埽二段，北三工十六號添埽二段，北五工十號添埽二段。會典事例六百九十三。

十年，堵築北二工、北下頭工漫口。

六月，漫決北二工二十一號，初報三十餘丈，後勘四十餘丈，北下頭工二號九十餘丈，其北二工十七號旱口各一，三工、四工旱口共五，凡決隄一百七十餘丈。命那彥寶往勘。按：畿輔安瀾志云，那彥寶于閏月往辦。為十年閏六月也。又云，七月漫溢。七字誤。閏六月，那彥寶奏：北下頭工於十七日合龍，其北二工漫口內四十餘丈，已挑挖引渠，就勢趕緊鑲築，進占至三十餘丈，亦於二十五日合龍，南岸、北岸頭、二、三、四等工蟄陷處，并添埽段及善後工程，共用銀六萬三千九百六十九兩五錢八分五釐。嘉慶十年六月，直隸總督熊枚奏：據永定河道稟報：入伏河流驟長，水與隄平，北岸三、四工漫旱口二處，二工漫溢過水等情。本月十八、十九、二十等日，雨澤連宵達旦，沿途溝渠盈滿，浸入大道，以致各支河均多浸溢永定河，匯聚下游，水勢漲發。二十日辰、巳二時，盧溝橋水長丈餘，連底水共一丈六尺。南北兩岸各工露險，南下頭南三、南五、北二、北三、北四等工，新埽陡蟄之處甚多，搶護無虞，惟北岸三工、四工，地勢稍低，致有漫溢，旋即掛淤，已成旱口。其北二工第二十一號，地勢亦低，因水長甚驟，漫溢三十餘丈，幸大溜仍走中泓口內，未曾掣溜，其下游水過之處，俱歸入低窪溝坎，於田禾尚不損傷。日内天晴水消，晝夜搶護。臣現飭該道於存貯道庫要工銀兩内動用。六月，户部侍郎那彦寶奏：永定河石景山兩岸石土各工鞏固，盧溝橋原存底水四尺四寸，二十日長水一丈有餘，連日長落相抵，連底水共八尺一寸，即遵旨由北岸往查二工漫口，行至北下頭工第二號，見隄身塌斷，大溜逼近隄根，口門約長九十餘丈，幸隄外地面稍高，過水尚屬平穩，已掣有三、四分溜在龐各莊、黄邨以南，係宛平縣地界，隄外舊有河溝，漫口水順勢南趨。查該處田禾，不無損傷，其附近民廬，尚不致淹浸塌壞。被水下游一帶，該縣已親往查勘，奴才隨即折回南岸，行走至二工，遇署督臣熊枚，亦因北下頭工稟報隄工冲刷，馳赴該處查看，途次接見，當即傳知面奉聖諭，飭令趕辦。永定河道朱應榮，亦來接晤並傳知諭旨，令其加意防守。熊枚將連日水勢長落各工平險，及添樁下埽各情形，詳悉告知奴才後，馳赴北下頭工。奴才仍由南岸沿途查勘，凡迎溜埽灣之處，露險喫重各汛，簽樁壓土，保護隄埝，現皆平穩。查至南三工，即坐船渡至北岸二工二十一號，查漫口一處，長四十餘丈，隄身距大河稍遠，水勢走中泓，口門不致奪溜，過水不過一、二分，業經盤護裹頭。至北二工十七號，有旱口一處，約二十餘丈，二十號有旱口一處，約三十餘丈，該二處雖有汕刷坑塘，堵築尚易。惟伏汛消長靡常，旱口掛淤，亦恐仍舊過水，自應乘時籌辦，但漫口工段所備搶險料物，堆貯無多，各工存料未便動撥，應分投採買，趕運赴工。上年秋收豐稔，購買秸料似易，惟分赴附近邨莊採買，未免需時，而椿木蓆蔴等物，亦須全行買足，人夫器具備辦齊全，方可開工下埽，必須先行籌款，請飭下督臣速籌，工竣再照例分賠歸款。閏六月，户部侍郎那彦寶奏：遵旨先於北下頭工二號漫口掛纜，簽椿進占口門計長九十八丈，壩前水深七、八、九尺至一丈一、二尺不等，雖經節次長水，尚未掣動全河，大溜過水，不過三、四分，連夜鑲築搶做，後戧加長壩臺，自兩壩催夫，一同進占，至十七日堵築合龍，簽壓堅實。北二工二十一號漫口，長四十餘丈，過溜亦有三、四分，壩前抵水較深，探量水勢，計一丈二、三尺至二丈不等，中有深塘一段，先於對面新淤灘上開挖引渠，俾水勢順流下趨口門，已進占三十餘丈，後戧亦進，各工旱口七處，共一百七十餘丈，已委員分投培築。再奴才奉命堵築隄工，并修防大汛，所有南、北兩岸上、下頭、二、三、四等工，間有迎溜頂衝，汕刷蟄陷處所，已添鑲埽段，搶護平穩。伏汛已過，秋汛方長，盧溝橋底水七尺九寸。閏六月，户部侍郎那彦寶奏：永定河北下頭工，於本月十七日合龍，北二工漫口寬四十餘丈，前已進占三十餘丈，緣對面淤沙將大溜逼緊，以致迴流倒漾，直冲口門，埽前水深二丈有餘，旋鑲旋蟄，溜勢甚急，隨將東壩簽椿裹頭，由西壩併力搶占，二十五日未刻，口門收束愈窄，溜勢愈急，一面開放引渠，一面搶鑲大埽，掛纜堵閉，頓見河流順下口門立即斷流，並加鑲邊埽幫築後靠，俱已穩固，隄外積水消涸，至旱口七處，亦皆分投趕築，工程俱有六、七分不等。但補築新舊土隄，一時最難膠固，且旱口向無邊埽，恐汛水再來，難資捍衛。已飭加鑲堅實，收工後再行具報。至大河水勢，於二十五日未刻陡長三尺二寸，河流浩瀚，處處盈岸拍隄，南北兩岸埽工，業經加鑲高厚，其迎溜頂衝蟄陷處所，俱經各廳汛員弁一一搶護平穩。惟南岸上頭工十三號、下頭工四號、三工六號、四工二號及北上頭工十號各土隄，向無埽段處所，大溜汕刷，露險喫重，已搶做埽段，鑲築堅實，今水漸平，連底水共存九尺二寸。

十一年，築南、北隄，石景山東埝，添埽，開引河。正月，署直隸總督裘行簡請築南岸上頭工、下頭工、二工至六工，隄長六千三百十七丈，加圈埝一道，長五十八丈，雞嘴壩一段，長五十五丈，北岸上頭工、中頭工、二工至六工，隄長九千八百二十七丈五尺，加圈埝一道，長二百四十四丈五尺，石景山汛東岸加石子埝工十三丈五尺，改築隄頂片石五十五丈，片石隄頂加高，石子埝長一百七十二丈五尺。據畿輔安瀾志。又以南岸四工之二號向無埽段，隄身迎溜頂衝，請于隄前添築魚鱗邊埽十一段，長六十一丈一尺，寬一丈一、二尺至一丈七、八尺，高九尺，加鑲十八層至二十一層有差。嗣以溜勢上提，復於埽鑲迤西添築磨盤壩三段，長十四丈五尺，高九尺，加鑲十八層至二十層有差，對岸灣處開引河長五百二十丈，面寬八丈至十六丈，底寬六丈至十四丈，深四尺至八尺。第二、三號加培隄工，長二百丈，内分二段，原隄頂寬一丈五尺至二丈四尺，底寬二丈八尺至六丈，外高五尺至七尺，幫加頂寬一丈八尺至三丈五尺，底寬一丈至四丈二尺，高五尺至七尺。又南頭工下汛第七號，添埽五段，北頭上工上汛第八號，添埽十一段，據畿輔安瀾志。七月，水漫北岸五工十號隄頂，決口一百餘丈，由減河注口門。諭：裘行簡督工修築。永定河道朱應榮，先行摘去頂戴，交部嚴議。永定河道，著陳鳳翔補授，速赴新任，堵築漫口。十月初一日，陳鳳翔奏：永定河北五工漫口工程，兩旬以來，趕緊加鑲，逐步進占，別行開挑河槽，宣洩大溜，已於十月初一日合龍。十月，直隸永定河道陳鳳翔奏：永定河北岸五工漫口工程，自督臣裘行簡到工，臣即隨同堵築，兩旬以來，趕緊加鑲，九月十八日大河水驟長，臣親駐壩臺，督率搶護，迎水加鑲邊埽，壓土簽樁，背後幫築戧隄，兩壩俱下沈水，大埽二十九日口門水寬三丈六尺，引河如式深通，因口門對面老坎逼緊，溜勢直注口門，兩壩喫重，復於老坎上首開挖河槽一道，長一百一十三丈，裁灣取直，分洩大溜，俾合龍時易於施工，仍歸入引河，直達下口。臣先期親至下口測量，地勢雖不高仰，但歷來係散水勻沙之處，誠恐水勢至此稍有停蓄，隨飭令楊瑛昶帶領兵夫，添抽河槽二道，共長七百九十三丈，各寬三丈有餘，深二、三、四尺不等，俾上下一律深通，宣洩益爲迅速。二十九日黎明，臣督率員弁兵夫掛纜堵合，在工人等亦俱踴躍出力，鑲至十月初一日寅刻，得以合龍，壓土堅固，一面開放引河，大溜奔騰，河流得歸故道。至藩庫撥動經費八萬兩，不敷之處，於道庫存款項下動用銀七千六百兩有零，俟事竣題銷。

十二年，培石景山及南、北隄，濬老坎，築北四工月隄。

二月，直隸總督温承惠勘石景山石隄東岸，二十一、二、四等號淤高隄卑，應加石子埝一百八十三丈，南岸土隄上頭工第十二號，溜近隄根，加高培厚，長五十五丈，下頭工第七號、第八號險工培厚，各長一百八十丈，二工第十三號險工加高，長三百六十丈，三工第十七號恐生新險，加培長一百八十丈，四工第八號亦恐生險，加培長一百三十丈，四工第二十五號溜近隄根，工長九十丈，五工第二十三號險工加後戧，工長九十丈，六工第十九號溜近隄根，加培長一百八十丈，北岸土隄頭工上汛第七、八號加高，工長二百丈，第十號加高，工長一百丈，頭中汛第十二、三號恐生新險，加培長一百六十丈頭，下汛第十三號亦恐生險，加培長一百八十丈，二工第二十一號險工，加培長八十三丈，三工第十二號險工，加培六十七丈，第十三號月隄加培長二百三十丈，第十八號恐生新險，加培長七十二丈一尺，挑挖老坎二：一、南五工老坎與北五工對迎溜頂衝，應濬洩大溜長四百七十三丈，深五、六尺有差，面寬十六丈，底寬八丈，一、北三工老坎與南四工斜對，挑溜直衝南四工第二、三號險要，應濬順溜勢，長三百八十九丈，深六、七、八尺有差，面寬十五丈，底寬七丈五尺，據畿輔安瀾志。用銀七千餘兩。永定河志十。嘉慶十二年，直隸總督温承惠奏：永定河上游下口逐漸淤高，一綫單隄，頻年衝潰，雖隨時鑲築，而下游邨莊被淹，糜費不少。如上年堵築漫口，已用銀八萬七千餘兩，此時欲圖久安長治，當將河身大挑，隄工普培。然經費浩繁，且亦不過數年平穩，究難變其沙淤之性，轉不若先事預防，盡目前補苴之法。自石景山至南、北兩岸，周歷履勘，盧溝橋一帶石隄，東、西岸僅高出水面數尺，距嘉慶六年挑挖時，河底已淤高丈餘，南、北岸河身老坎嫩灘，不一而足，兼有雞心灘挺峙河心，分溜頂衝，隄工必致喫重，而隄面隄幫殘缺卑薄，每年疏濬中泓銀五千兩，裁灣取直尚屬不敷，若河中生灘，施工更需經費，歷來未曾籌辦，歲搶修料價夫工，連加共銀四萬四千兩，止係埽段之用，向無加培隄工土方銀兩。伏思河工守護，全在隄防束水，攻淤刷深河槽，如果岸隄工堅實，則溜勢自趨中泓，下游日收暢注之功，上游冀免潰缺之慮。今大隄卑薄殘缺，河心又多淤灘，將緊要者按段估計，需用工料計銀七千餘兩，務於大汛前完竣。六月，水漫北四工第二十四號。温承惠請築月隄一道，長一百八十二丈五尺，頂寬三丈，底寬六丈及十二丈，高六尺及一丈一尺、一丈五尺、一丈八尺有差。畿輔安瀾志。六月，温承惠奏：北岸四工第二十四號，因本年六月十九日水漲，漫溢隄頂，當將土隄趕緊加培，并築順水壩，以防再漲，奏明在案。臣此次來工，詳加察看，該處隄身最卑，因水漲太驟，以致漫過，究與迎溜頂衝，微有不同，維時水甫退，添築順水壩已能得力，仍須加長，改成月隄，於重門保障之道更爲有益。

十三年，培盧溝橋稅局後石隄，加石子埝，又培南、北土隄。

二月，温承惠奏：盧溝橋税局後身沙淤，幾與石堤相平，須加砌石子埝二段；又南、北兩岸土隄内幫多被大溜汕刷，隄頂又爲異漲衝激，亦須另行加培，估計共需工料銀一萬八千四百五十餘兩。允之。據温承惠奏。

十四年，補北中汛隄。

七月，北岸中汛第一號平工生險，決隄一百十有八丈，搶護下埽二十一段，長一百五丈五尺，補隄長如舊，隄頂加高用銀二千四百八十六兩有奇。嘉慶十四年七月，直隸總督温承惠奏：據永定河道陳鳳翔稟：七月初一日，北中汛頭號河流側注，陡將老坎冲刷，大溜逼汕，隄根坍塌，隄幫、隄頂土性純沙，原係平工，不貯料物，隄外又係葦坑，兩邊皆水，且在北岸上游，立卽由南岸往看，全河大溜側注隄根，劈去土隄一百十有八丈，有坍塌過半者，有僅存一綫者，適上汛縣丞支甯祥、下汛縣丞沈淳厚聞信趨至，同北岸協備李存志、本汛縣丞沈鋭、主簿熊炯、從九蔣景暘等，竭力搶護，先後下埽二十一段，督率北岸同知陳春熙，四晝夜風雨無間，保護一綫單隄不致過水，業經簽樁壓土，窄狹隄頂加寬，加鑲埽段，搶修經費不敷，已於道庫要工項下墊發補還。冲塌原隄一百十八丈，加培外幫，加高隄頂及填地平土，共估土四千四百四十方七尺二分，需銀八百六十一兩有零，又搶險時新下埽鑲二十一段，計長一百五丈五尺，購料並運脚夫工約需銀一千六百二十五兩有零，緣搶修經費不敷，業在要工項下墊款給發，俟核實報銷，赴部領款。

十五年，培南、北隄，堵南頭工漫口及南、北岸旱口。

正月，温承惠奏：動款加培永定河兩岸隄工，需例價銀一萬四千八十八兩零，飭河道王念孫等認真妥辦。七月九日，永定河兩岸同時漫口。諭：温承惠卽日馳往永定河駐工，迅速堵合。又諭：王念孫著交部嚴加議處，先行革去頂戴，留工効力。温承惠交部議處。永定河道員缺，李亨特補授。温承惠到工，勘南下頭工漫口寬三百餘丈，已掣大溜，南二工、六工、北二、三、四、五、六、七等工，漫缺二十五處，俱成旱口，請先籌辦，估需工料銀二萬一千一百三十兩零。九月，旱口工竣，復挑引河，初九日合龍，共用銀十四萬六千七十八兩二分六釐。七月，直隸總督温承惠奏：初十日抵工，親赴南下頭工查驗，十號、十一號接連一處，口門寬三百餘丈，水深九尺至一丈一、二尺不等，已掣全河大溜，南下頭十一號以下，北下北八號以下，均已斷流，河身淤爲平地。現在飭令趕緊盤壩裹頭，以防汕刷。復周歷兩岸南二工十五號一處，南六工十二號接連十三號一處，北岸二工十四號、十七、八號、二十號四處，北三工七、八、九、十號四處，又老隄五號、十號二處，北四工二十一、二十五號二處，北五工十三號一處，北六工四、五、十號三處，十六、七號各二處，共七處，北七工四號、十號二處，悉係平工處所，缺口寬五、六丈至六十餘丈不等，因南下頭工奪溜，俱成旱口，委因本月初三、四、五等日，大雨連綿，水勢接續增長至二丈以外，實爲從來未有，以致漲水，高於隄頂，初五夜間，各工遂同時漫溢，南下頭係最險之工，屢次决口之處，土性純沙，隄外早成河形，最難堵合，秋汛正係長水之時，勢難施工，且現在旱口多至二十餘處，必須分別緩急，先將旱口確實估計，或止須復還原隄，或加做月隄，分晰開單奏辦，再堵築漫口。惟查該處口門寬三百餘丈，深至丈餘，秋水刷隄，恐口門愈刷愈深，須用料物甚多。現在附近地方，舊已購買無餘，新料尚未登場，只可先購椿麻橛木等項，俟新料登場，責令廳汛迅速購買。再，同時漫溢處所計二十餘處，每處皆積淤高仰，幾與隄平，計應挑引河一百數十里，必須挑挖寬深，方能掣溜，更須料物十分充足，俟秋汛過後，一氣呵成，立時堵合，方不致糜費帑項。臣一面檄調清河道孫樹本、河間府知府李逢亭二員來工，責成估辦，并飭藩司先撥銀三萬兩，交工備用。至此次河水異漲，通工埽段，在在蟄陷欹斜，亟應鑲做整齊。其被淹處所，因係南下頭工奪溜，距清河不遠，是以田廬不無淹浸，而附近邨莊民人，知雨大水長，皆來工受僱搶險。九月，直隸總督温承惠奏：堵築旱口完竣，及引河壩工情形，於初六日具奏，一面將水口趕緊進占，一面將兩壩加培厚土，查勘引河，挑挖深通，口門收窄，溜勢奔騰，臣即飭令將引河頭挑開，勢若建瓴，分幫大溜，直達中泓。初九日午刻合龍，申酉間龍門大埽已漸次追壓到底，忽風雨交作，秋水搜根，大溜復側注龍門，埽内陡然過水，牽帶兩壩，立時蟄陷。臣即親上龍門大埽，率同守備謝成等，指揮兵夫，加料壓土，幸天晴，月光照耀，自戌刻至初十日卯刻，大壩邊埽鞏固，全河復歸故道。

十六年，培南、北隄築壩，開倒溝。正月，總督温承惠奏：培南七汛、北八汛之隄，濬南六工對面老坎，又于北岸四、五、六等工上挑攔水斜壩，下挑倒溝，石景山東岸石工四段築攔水壩二，需銀五萬四千五百四兩有奇，另請於歲搶修項下添銀八千兩，議駁。温承惠又奏：南北岸新舊埽工六千六百餘丈，較之嘉慶七年，添至二千數百丈，請如前奏。允之。據温承惠奏。

十七年，修隄壩，開引河。

正月，總督温承惠請培北八工隄，起二號至二十一號，於九號對面開引河，上游築草壩，又接草壩至十一號築圈隄，又於二號至八號，十二號至二十一號築土壩十四道，需銀一萬九千九百兩有奇。嘉慶十七年正月，直隸總督温承惠奏：永定河三角淀爲全河尾閭，河流向由條河頭葛漁城達淀，歸大清河入海。迨後河勢北趨，葛漁城等處淤如平陸，水由北八工之黄花店下注。近年南淤北漾，每遇大汛時，北八工自二十號以上，河流逼近隄根，上年秋汛後，全河大溜忽於該工九號兜彎側注，逼成横流，而八號以至二號，又有支河并注，是北八工一汛，除頭號外，多係險工，迴異向時形勢。伏讀高宗純皇帝御製戊申觀永定河下口詩云：幸此州年來，無大潦爲咎。然五十里間，長此安窮久。註云：自乙亥改移下口以來，此五十里之地，不免俱有停沙，目下固無事，數十年後殊乏良策，未免永念惕然也。仰見聖謨廣運，燭照將來，瞭如指掌。查下口本係以埝作隄，甚爲卑薄，歷年僅令兵夫修補，並無加培公項，一交大汛，雨水夾隄，無從取土，該工距東安縣城僅止數里，城郭田廬，均關緊要。永定河道李逢亨詳細勘稟，請將北八工自二號至二十一號頭止，大隄内外幫分别加高培厚，然全河溜勢，由九號隄根側注，綿長十餘里，若普律全加埽鑲，需費甚鉅。擬於九號迤上對面舊淤河形挑挖引河，一面於九號横流上游估做攔水草壩，挑溜東行，復接草壩至十一號，估做圈隄，並做防風，以防水勢泛衍，俾得引溜仍歸舊河，又於二號至八號、十二號至二十一號，共做挑水土壩十四道，並儲備料物便用，共按例價估銀一萬九千九百餘兩。覆核尚無浮冒，如蒙聖恩俯允，此項銀兩即於藩庫動支。

十八年，培北七、八工壩埝。

八月，總督温承惠奏：北七、八工草土各壩刷塌，悉已加高，子埝加培。嘉慶十八年八月，直隸總督温承惠奏：永定河水叠漲，兹據該道李逢亨稟：自八月初旬以來，全河溜多側注，而秋水搜根，埽鑲易於蟄陷，南上汛六號尾溜勢横趨，刷動舊埽，趕下新埽三段，買土買料，搶鑲出水，並於上游添下裹頭埽一段攩護。又北下汛十五號，舊埽蟄陷二段，北二工六、七號舊埽蟄陷六段，均趕緊加鑲，簽樁穩固。又北三工十七、八號溜刷隄根，頗形喫重。前次伏汛所添新埽之上大溜上提隄根已潰，復於該二號各添新埽二段，連夜搶鑲，又經塌陷，復買土料，趕緊簽樁追壓，始得平穩。南四工因對岸兜灣將溜挑向横趨，頂衝第四號埽鑲，蟄陷三段，亦經加鑲，連簽大樁保護。又南二工十二、十九等號，迎溜埽灣之處，埽鑲蟄險七段，隨時搶鑲完固。又南下汛十號，溜勢搜根，旋鑲旋蟄，隨在上游搶下邊埽二段，將溜勢挑出，不致受險。此外南五、南六、北上、北五等工埽段，先後報蟄，隨時鑲護。北七、北八工草土各壩刷塌，悉已加高其子埝，卑薄處買土培根並紮把簽釘。

十九年，培隄。

閏二月，總督那彥成奏：補石景山隄，加砌石子埝，培南、北岸及三角淀下口之隄，加築月埝，挑水壩，需銀一萬九千七百一十七兩二錢二分九釐。諭：工部議，如奏行。據那彥成奏。

二十年，決北七工，築之。

二月，拆鳳河東隄民築土埝，去下壅也。嘉慶二十年二月，直隸總督那彥成奏：永定河下口之水，向由葛漁城東南流至三河頭，入大清河。嘉慶六年以後，水勢漸向北趨，將鳳河東隄沖有缺口數處，其水改從鳳河東隄以外行走，亦歸大清河。節經前任永定河道王念孫等勘稟，毋庸堵築，以資宣洩。上年冬間，據該道李逢亨面稟：有馬家口等邨民人，在鳳河東隄外私築土埝一道，應行拆壞。奴才諭，據該道稟稱，勘明該處缺口，已經深寬，若欲堵築，非四、五萬金不可，且缺口適當迎溜頂冲，堵合之後，一遇汛水漲發，必致復被冲缺，仍請無庸堵築。至下口爲永定河之尾閭，今鳳河又係尾閭之尾閭，必須通暢，庶可迅消盛漲。今馬家口等邨民人於此處築埝，阻遏河流，是下壅也。下壅卽恐上潰，應卽拆毁等情。奴才飭令永定河道李逢亨，會同天津道張五緯、新任通永道祝慶承等卽日拆毁。六月，永定河北岸七工二十四號，雨大水長，漫口塌寬六十餘丈。諭：那彥成確勘。七月，那彥成以南六工第十九號係昔日下口，有建瓴勢，請復故道。諭：派戴均元、温承惠會勘。八月勘奏：自舊河頭至尾九十餘里，居民遷移非易。硃批：所議甚是。是月二十日，北七工興工，開引河，長五千六百九丈，九月十九日合龍。諭：獎。七月，直隸總督那彥成疏：永定河北七工二十四號，於六月二十五日因暴漲漫溢，距下口甚近，水勢側注河身，大溜掣入口門後，仍循隄外減河歸入正河尾閭。先據報，蟄陷六十餘丈，及奴才赴勘，暴漲消落，現在口門業已掣涸，僅止四十餘丈，土性堅實，俱無汕刷，隨測量口門，水深一丈七尺，漫口以内水深五、六尺，七、八尺不等，漫口以外，水深一丈一、二尺不等。減河正身尚無淤墊過高之處，惟正河身因下淤勢形成高仰，通長應挑三十餘里，必須實力挑挖深通。日來天氣晴霽，俟稀淤曬涸，即可先期勘辦。至該處向係平工，並無舊料，其各工料物俱因搶險動用，所餘無幾，亦須留爲秋汛修防之用。刻下新料尚未登場，奴才與道廳各官籌酌，該工下游多係任水蕩漾之區，既不妨民間田舍，此時正不必急議堵築，一俟新料登場，趕緊僱買。定期八月内興工，此時先將引河挑挖深通，將來堵築亦不甚費手，所有應用錢糧，奴才所帶生息銀三萬兩，現在永定河道庫存貯，新舊防險及河淤地租，並各員賠項共銀五萬餘兩，共計八萬餘兩，儘此數目，撙節辦理。七月，直隸總督那彦成疏：永定河道李于培稟報：初十、十一、十二日大雨，永定河驟長水一丈餘尺，由北六廢隄十六號舊缺口奔騰而出，全注北七工，自第一號至十四號，水勢高出隄頂，直與埝平等情。十七日又據李于培稟稱：十二日夜水勢愈高，十三日丑刻，第十號隄埝水勢一湧而過，漫口三十餘丈，溜勢由東北折向東趨，仍循減河故道，歸入前次漫溢二十四號漫水下注工尾，任水蕩漾之區，減河迤北之埝上等十餘邨，距隄三、四里等，均有被淹，此外並無旁溢。現已差弁往查，另行稟報。其二十四號漫口，仍然分流，等情。奴才查北七工十號漫決，相去不遠，二十四號漫口興工堵合時，二者之中必有一斷流旱口，趕緊盤做裹頭。七月，直隸總督那彦成疏：永定河發源山西馬邑，行萬山中，挾沙奔馳，會歸各水，至直隸石景山盧溝橋以下，散漫無定。康熙三十七年間，蒙聖祖仁皇帝建南、北兩岸隄工，錫名永定。自良鄉縣老君堂築隄，開挖新河，由永清縣朱家莊匯安瀾城即狼城河入淀。康熙三十九年，因安瀾城淤塞，於永清縣郭家務之下，改由霸州柳岔口歸淀。雍正四年，柳岔口亦漸次淤高，又於柳岔口稍北，改爲下口，自永清縣郭家務起，開引河水至武清縣王慶坨之東北，由三角淀、葉淀入大清河。乾隆十六年，三角淀一帶淤成高仰，南岸七工冰窖草壩凌汛奪溜，隨由冰窖改河，從舊有之東老隄開通，歸入葉淀。乾隆二十年，因冰窖河口迤北淤成南高北低，仰蒙高宗純皇帝親臨閲視，將北六工洪字二十號以下賀堯營開隄放水，改爲下口河流東注，地勢寬廣，任其蕩漾，散水勻沙，歸沙家淀。乾隆三十七年，因下口年久地淤，形勢曲折，遂於東安縣之條河頭挖河，經由毛家窪直入沙家淀。此六次改移之原委也。惟時高宗純皇帝諭旨内，即有三十年以後，殊乏良策之語。計自乾隆三十七年改移下口以來，歷今四十餘載，挾沙淤積，而下口水勢散漫之處，高仰尤甚，一遇盛漲，不能暢注，即有漫溢之虞，今年下口兩次漫溢，是其明驗。奴才諮訪，南岸六工第十九號，即係舊北隄，隄外有舊河形，係乾隆三十九年以前之下口，此現在正河，地勢較低，詢之在工各員及附近老居民，皆稱：若將下口改移該處，可期暢洩。遂委坐補北岸同知張承勳、都司謝成，會同確勘。據稟：前往南六工第十九號，緊對乾隆二十年北岸洪字二十號，改移下口處所，較量正河河底，高於隄外平地二尺三寸，平地高於舊河底三尺，共計正河底高於隄外舊河底五尺五寸，實屬河高地低，順由舊河形處挨汛勘至韓家樹爲止，中間有深四、五、六尺者，因秋禾在地，不能逐段較量地平，詢之沿河邨民，僉稱：南六工地勢較南八工約高五、六尺，南八工地勢又較三河頭約高七、八尺，直至清渾交匯尾閭，探量水深六、七尺至一丈二、三尺不等，若改移下口，極爲順利。又勘得舊河形迤南，有南大隄一道，迤北有舊北隄一道，即今之南岸，南、北兩隄相隔約有二十餘里，中間東西坦坡埝一道，坦坡埝之中有缺口一處，名川心河。舊河形係自南岸六工十九號起，自西北斜向東南入川心河，東趨入淀。又勘得離舊河頭迤東，相離五、六里，緊靠舊北隄，有邨莊二處，一名柳坨邨，約有居民五、六十户；一名新莊，約有居民六、七十户，此二邨本在舊北隄外，因乾隆二十年間改移下口，搬至舊北隄内。又川心河迤東相離二十五里，有邨莊一處，即安瀾城，約有居民一、二百户。又安瀾城迤東，相離十五里，有邨莊一處，名宋流口，約有居民一、二百户，又宋流口迤東，相離十八里，有邨莊一處，即王慶坨，有居民四、五千户，此三邨皆緊靠坦坡埝。又南大隄内離隄四里，有邨莊一處，名唐兒府，約有居民八、九千户。又唐兒府迤南，相離六、七里，有邨莊一處，名得勝口，約有居民二、三百户。又得勝口迤南，相離五里，有邨莊一處，名東沽港，約有居民三、四千户。又東沽港迤南，相離三、四里，有邨莊一處，名裹安瀾城，約有居民二百餘户。以上九邨莊，皆坐落南、北舊隄之内，除柳坨、新莊二邨，係於乾隆二十年間始行遷住外，其餘七邨，皆係舊有。現在雖種植之地，亦皆歷年積水，而近東一帶較爲窪下，如將下口改移，水勢仍由舊河經行入淀，應從坦坡埝外安瀾城、宋流口、王慶坨三邨並南大隄之唐兒府、得勝口、東沽港、裹安瀾城四邨面前經過，該邨相距河身尚遠，均可無礙。惟此外尚有零星小户，自三、四户至五、六户不等，皆係附近居民，因圖種河灘地畝，歷年陸續遷居，必須令其搬移。約估修築隄埝等項工程，共需銀十一萬五千三百三十七兩零。奴才查南六工第十九號地方，既係昔日下口，較量地勢，比正河低五尺有餘，以下節節低下，至一丈二、三尺不等，實有建瓴之勢，仰墾聖恩，派令熟悉河工大員會勘。八月，戴均元等疏：勘得永定河南六工十九號南老隄以内，實有舊河形迹，較低於正河，由西北趨注東南，誠爲順利，錢糧亦不致多糜。但舊河淤墊既久，自舊河頭至尾閭，綿亘九十餘里，附近居民，私自遷移種植，俱成沃壤，現在高粱、黍豆，一望黄茂結實，若照例遷移，亦理所應得，但其中邨莊户口，除零星小莊不計外，其有名大邨九處，自一、二百户及四、五千户並八、九千户不等，内如柳坨、新莊、唐兒府，逼近舊河，一經改移，難免淹浸，其餘六邨水勢盛漲之時，亦難保不受水患。河身亦兼有沙埂填塞，俱栽種樹木蘆葦，根荄盤結，起除亦非易易。臣等會同籌酌，改移下口，實有建瓴之勢，工費不多，土性亦好，惟遷移爲難，即使以新淤河身按户撥給，小民安土重遷，辦理殊多未便，所有改移下口之處，應請毋庸辦理。八月，直隸總督那彦成疏：馳抵永定河，親詣北七工漫溢處所勘，因七月初十等日水漲，溜勢北趨，由北六工廢隄十六號舊缺口奔騰而出，向西倒漾十餘里，直至北六工廢隄與北七工正隄接通之處，仍折迴東注，以致北七工第十號堤埝過水，本較二十四號爲輕，現成旱口，止須築還土隄，並非口岸可比。惟二十四號漫口，仍然分流，應於中泓挑挖引河，並於上游築挑水壩，將溜勢挑入引河，方可施工堵合。雖白露爲日無幾，惟雨水過大，徧地稀淤，難以站脚，應緩至八月二十左右，再行辦理。惟查河道李于培，以未能諳練河工，不能看出形勢，以致照漫口具稟。奴才因在差次，未能親勘，據稟具奏，今經戴均元、温承惠俱同奴才親身履勘，實係旱口，並非口岸，雖屬冒昧具稟，究出之過於小心，仰懇天恩，免其議處，仍令將第十號漫口罰令填築。九月，直隸總督那彦成疏：永定河北七工水勢，自西折北，直注口門，應在西壩之上，築挑水大壩一道，逼溜東趨，並於現在迎溜坐灣處所，挑挖引河一道。惟估做挑水大壩，需項較多，奴才與温承惠等熟籌，此後水勢有落無長，若引河形勢順利，挑挖深通，將來開放，亦可得力。挑水壩工程應行節省，勘明即在舊河身稍南，離東壩畧遠地方，挑挖引河，該處間段尚有河形，較爲簡易。隨由引河頭迤邐而下，直至黃花店以東，至西洲止，共應挑引河長五千六百零九丈，估挑口寬二十四丈至三丈不等，底寬一十八丈至一丈五尺不等，深一丈二尺至三尺不等，至口門原寬六十四丈，嗣溜勢掣涸，現在水口僅寬四十一丈，水深八、九尺至一丈七、八尺不等，其掣涸之二十三丈，悉成旱口，用土夯築，固屬節省，第漫淹之後，土性已屬鬆浮，若不從新另做，難期堅固，必須刨挖深槽，節節多用軟草秸料鋪底，逐細鑲填，一律進占，以免溜勢搜根。現在溜勢向口門直注，形已入袖，堵合較爲費手，必須緩緩鑲做，步步穩實。且引河頭貼近東壩，不宜多做。擬東壩進占七、八丈，西壩進占五十餘丈，以順其東注之勢，於合龍較易爲力。奴才現將引河劃分段落，派員領銀挑挖，其東、西兩壩，文武各官以給支發銀兩，購買料物，催河收料，跑牌買土，彈壓巡查委員，共需文武一百餘員，均已派定，於二十五日興工。至此項工程，前經奴才奏明，攜帶鹽斤加價生息銀三萬兩，永定河道庫存儲新舊防險及河淤地租並各員賠項共銀五萬兩，統計八萬餘兩，儘此數目，已足敷用。再口門河槽甚深，堵合後倘遇水勢盛漲，隄身必致喫重。奴才與温承惠等商酌，擬於合龍後，築月隄一道，鑲築魚鱗埽，以爲重門保障，並將北七、北八兩汛隄身卑缺處，加高培厚。以上二條，統於善後工程內另行確估，奏請辦理。至第十號漫口，已經該道李于培罰賠填築堅實。北六工廢隄缺口，亦據該道修築完固。九月，直隸總督那彥成疏：永定河北七工二十四號漫口，原寬六十四丈，及八月間，奴才與温承惠會勘，僅寬四十一丈，奏蒙聖鑒在案。二十一日，據温承惠報稱：會同永定河道李于培，自八月二十五日開工引河，長五千六百零九丈，分派二十四段，於九月十二、三、四、五日挑完，深通如式。東、西兩壩察看大溜向背情形，分別多寡丈尺，以次進占，隨時加壓大土邊埽，後戧亦隨時鑲做，口門愈收愈窄，溜勢愈刷愈深。初十日以後測量，埽前水勢已深二丈二、三尺至二丈四、五尺不等。迨十八日，又陡長水數尺，金門刷跌，測量深至三丈六尺，僉稱：此次永定河水勢之大，爲從前所未有，波濤怒激，於十八日戌刻，西壩陡蟄數占，幸料物寬裕，人夫雲集，温承惠與李于培督率文武百餘員，分催料土，加鑲追壓，不令片刻停留。西壩甫經平穩，溜勢向東側注，東壩又復陡蟄，隨蟄隨鑲，水勢激湍，兩壩屹立。其時西北狂風大作，立將撲隄怒浪捲注東南，直射引河。温承惠察看情形，於開放引河事機，極其順利，時已十九日寅刻，將引河頭所留土埂起除開放，風捲水趨，星馳電掣，建瓴直注，迅於飛瀑怒濤，數刻之間，已將五千六百丈引河全行鋪滿，直達尾閭，埽前水勢立刻消退二丈餘尺，即於卯時掛纜合龍，竭一晝夜之力，於二十日卯刻，已堅實穩固，毫無涓滴滲漏，全河悉歸故道。善後事宜，奴才現已札致温承惠，督同道廳，確切估計，於明春另行辦理。此次堵築事宜，所有鑲做大壩，挑挖引河工段，皆同時並做，錢糧又務從節省。此次用銀總數，確實覈計，共用銀五萬五千四百九十七兩八錢九分七釐，除奴才等應賠銀二萬二千一百九十九兩零，例應銷銀三萬三千二百九十八兩零。

十月，那彥成奏：培隄壩土格，又以北岸七、八兩工四十餘里已成險工，請備稭料，共用銀八千五百四十七兩有奇。據那彥成疏。

二十一年，修石土各隄。

用銀三萬八千二百六兩有奇，又添埽段銀八百九十七兩有奇。據永定河續志三。

二十四年，堵北上、北二、南四各工漫口，補隄。

閏四月，總督方受疇請堵北岸六工十六號舊水口，先是，八號以下任其蕩漾無工，河流趨北，重工始矣。七月二十日，南四工二十號、北二工二十一號漫隄。命吳璥、那彥寶分投籌辦。二十二日，北頭上汛七、八、九號決隄四百四十丈，尋淤灘二百餘丈，水口約二百餘丈，初報三百餘丈，未及量也。既而吳璥馳往東河籌辦堵築漫口事宜，永定河漫口專交那彥寶、方受疇二人會辦。九月二十二日，堵合北上頭工。綜計此次河工，凡補南四、北二旱口如舊隄，北上汛引河濬長八千七丈有奇，計一百八十餘里，堵水口四百二十六丈，又南上、下二、三、四，北上、中二、三、四凡十汛，隄工總計用銀二十四萬一千六百九十五兩有奇，善後南、北兩隄新埽一百五十四段，與夫添備北上、北二、南四工料，用銀二萬一千七百九十八兩有奇，又各汛、各石土隄工一萬九千八百一十一兩有奇。直隸總督方受疇疏：據永定河道李逢亨稟報：據石景山同知馬金陞、署北二工良鄉縣縣丞王庚稟報：該汛二十一號，埽前大溜直注，二十日午刻，水漫過隄身，尚未掣動大溜。又據南岸四工報到，該工二十號同時漫隄，亦未掣動大溜。盧溝橋水勢現深一丈四尺二寸。二十四年，尚書吳璥等疏：臣吳璥到盧溝橋，與臣那彥寶面晤，公同履看北二工、南四工。初漫時，原係兩處分流，迨北上頭工漫開，地居上游，大溜奔騰，全歸該處漫口。其北二工、南四工俱已斷流，現在無船，難以測量實在丈尺，約計口門寬三百餘丈，連日晴霽，水落丈餘，自當次第經理，其趕辦料物及挑挖引河，業經臣那彥寶奏明，酌派州縣丞倅等分投趕辦，其挑挖引河，臣等已令北岸同知張泰運，先往口門下游，查明河身淤墊段落，分別高低，確切估計。惟查北岸上游，土性鬆浮，刻下先應派員於附近處尋覓好土，預爲運工，兩岸下游應辦之工甚多，如北二、南四，乾涸口門，補還原隄，其餘兩岸汕刷殘缺卑薄，隄工均需補築，所需土方高寬丈尺，應先勘估，其衝刷埽段防風，亦須補還，現飭永定河道率同廳汛估計丈尺，至漫口以正雜料物爲第一要務，引河亦需時日，應請勅下臣方受疇，札飭署藩司祥泰，迅速派員前來，分投承辦。其河水下注泛溢之處，據探水外委等回報，正河大溜向東南，由黃邨、東安、武清一帶地界，應歸於鳳河入海，尚有一分小溜，斜趨東南，由南苑高米店迤北，衝開牆垣八丈，向西紅門迤南流注。七月，直隸總督方受疇疏：據永定河道李逢亨禀稱：二十一日長水，共積深二丈一尺七寸。二十二日寅刻，據北岸頭工禀報：該汛八號水高隄頂。該道督同搶辦，跑買筐土，搶築子埝，距西北風大作，浪高丈許，撲過隄頂，登時潰蟄漫溢約二百餘丈，全河大溜雖未盡歸口門，但該汛地居上游大河，水深尚有二丈一尺四寸，誠恐跌塘過深，仍行奪溜，現在速即盤做裹頭，以免續塌，無如本年歲搶修銀兩，以及稭料椿麻，屢次搶險，時逾白露，全行用盡，現在另行籌款，委員分投採買等情。刻下全河水勢尚深二丈一尺四寸。七月，尚書吳璥等疏：北上頭工口門，原寬四百四十丈，令酌擬取直堵築，計口門實寬四百二十六丈，內已有淤灘二百餘丈，其餘俱係過水口門，兩邊水深五、六、七尺，中泓水深六、七尺至丈餘不等，現在盤做裹頭，一面履勘，北上頭工舊隄，原係灣曲而下，形如弓背，此次漫溢，衝成缺口，若照舊日隄根進築，不惟兜灣喫重，將來盛漲，尤爲可慮。臣等商酌，將東、西壩頭兩相斜對，進占時逐漸取直，復於壩工之後，加築堅實好土裹戧，與現存兩頭沙堆，連成一勢，工段既可節省十數丈，河勢亦較前順暢，即新築埽工，不致過形著重，似亦補偏救弊之一法。至南、北兩岸各工，因此次異漲，衝成旱口及刷塌堤身，不可勝計，北二，北中汛並南二、南四、南六等工，俱有旱口，應即早爲補築，加鑲防風邊埽，以備合龍，開放引河。其餘兩岸，汕刷殘缺卑薄，各隄身亦應補修，並恐新舊湊接之土工，一時不能粘䵒結實，亦須補鑲防風埽段，俟估確丈尺，即將南四工旱口遵旨交革員李逢亨前往，先行趕辦。其北二工及各處小旱口並兩岸應行加幫隄身邊等工，亦應責成該革員督率各汛員妥速經理，統俟該廳汛估報土方埽段丈尺確數到日，臣等即遴委大員覆查興築。至引河必須挑挖深通，使成吸川之勢，合龍時方能暢流下注。臣等已委北岸同知張泰運親往勘估，俟將下游淤墊高仰之處，逐一查明，覈準土方丈尺，即委員分投承挑。八月，直隸總督方受疇疏：南岸四工、北岸二工兩處口門，自北上頭工漫溢後，大溜歸併一處，南四、北二現已掛淤，惟北上頭工漫口，在盧溝橋之下，相距橋上十二里，地處上游，土屬浮沙，據該廳汛測量禀報：口門實寬四百四十丈，現在盤做裹頭，不使續塌，已有淤灘二百餘丈，中洪水深六、七尺至丈餘不等，連日天晴水落，臣與欽差臣吳璥、臣那彥寶商酌，如採買正雜料物，挑挖引河，刻不容緩，必須多派幹員，分投趕辦。臣於差次即已飛調道府丞倅、州縣佐雜各員，刻已陸續到工，臣前飭署藩司祥泰，賫銀十萬兩，迅速來工籌辦一切。現據該司禀報，銀兩業已分批起解。至開挖引河，經臣吳璥等飭委護理永定河道張泰運，勘定地面，覈准土方丈尺開工，南四工旱口及小口，遵旨交革員李逢亨前往趕辦，北二工及各處小旱口，亦責成該員督率廳汛各員，妥速辦理。下游大興、宛平、東安、武清、通州、固安、永清等縣被淹之狼垡、羊房、黃邨、宋家莊、馬駒橋各邨莊，飭署藩司祥泰往勘。八月，侍郎那彥寶疏：初四日，飭文武官弁盤護裹頭，初六、初七、初九，初十等日，籤報河水復長一尺有餘，現在中泓水深八、九尺不等，通工用繁，應辦之工，撙節估計，據總理局務之通永道任銜蕙及張泰運等禀稱：北上頭工漫口，長四百二十六丈，現在水口尚有二百一十七丈，自七月二十一、二日溢後，南岸四工以下，水未大消，北上頭工以下，大河隔路，而異漲所漫之大小旱口、水口、隄外跌塘，寬而且深，兼之北上頭工一帶，土性鬆浮，將來進占時，口門愈窄，逼偪溜愈刷愈深，不得不多備料物，正壩後戧，並須好土鑲築結實。惟附近隄身內外，均乏膠淤，現雖選有好土地方，又相距口門往返在十里以外，與通工文武員弁再三覈計，大壩正雜料物夫土約需銀十五萬一千餘兩。挑挖引河尤爲第一要務，灘面積沙較厚，必須疏通梗塞，以成建瓴之勢，現由北上汛漫口迤南起，至七工以下止，計程一百八十餘里，細心履勘，分別淤墊之高低間段，覈估湊長八千零七丈餘，共分爲四十五段，有應挑大河者，口寬二十四丈至八丈，底寬十九丈至五丈，深一丈五尺至三尺不等，有應於河底抽溝者，口寬五、六丈，底寬二、三、四、五丈，深一、二、三尺不等，其中旱水泥濘，水中撈泥，方價不一，約需銀七萬餘兩。又南四工大小旱口九處，北二工旱口一處，應須補還原隄，並鑲做防風邊埽，約需銀一萬八千五百二十餘兩，共約估銀二十三萬九千五百二十餘兩。又南岸上汛，南下汛南二工、南三工並北岸中汛、北三工、北四工等處，前經漲漫隄頂，僅止衝缺隄身，未成漫口，並補加蟄塌埽段，此時急須趕辦禦水各工，需銀二萬一千四百四十餘兩。以上通共約估銀二十六萬一千九百六十餘兩等情。臣等覆覈，俱無浮多，除部庫撥解十萬兩，藩司庫撥解十萬兩外，尚不敷銀六萬一千九百六十餘兩。臣方受疇已札飭署藩司祥泰，再由司庫照數撥解，毋庸請撥部庫銀兩。將來如有餘賸，即歸善後工程案內應用，臣等親督勾稽，限於九月底完峻。九月，侍郎那彥寶等疏：臣等恐水澤凝冰，難以措手，親督兩壩文武員弁，晝夜趕辦，於十九、二十兩日又進得十一丈餘，金門僅止三丈餘，以八十餘丈之河面，收束於三丈金門之內，水勢蓄高，驟至四丈五、六尺，兩壩喫重，東壩陡蟄數丈，加鑲追壓，西壩上水邊埽，又因迴溜淘刷，紛紛蟄險，牽連正埽，門占隨蟄隨鑲，竭兩晝夜之力，始皆保護平穩。臣等相度機宜，不可再强遏水勢，以致壩工過於著重，且四十五段引河，均已開放，清水一律深通，其時又適值西北順風，溜勢直射引河頭，因飭工員，於二十一日丑刻啟放。旋見河水建瓴而下，遂將引河全行鋪滿，大溜已掣動六、七分。臣等先派定員弁，分探水勢，隨據節次飛報，暢流下注，察看壩前之水，立見消退丈餘，遂於寅刻掛纜，層土層柴，併力搶築，將及到底，適於戌刻風雨交加，連宵達旦，在工文武，鼓勵兵夫，奮力追壓，並趕作關門大埽，直至二十二日午刻，漸次加填堅實，金門之下已見斷流，毫無涓滴滲漏。伏查永定河北上頭工漫溢，衝刷南苑牆垣，淹及沿河州縣地方，八月十六日興工以來，並未一日停輟，所有四百二十餘丈之壩工，一百八十餘里之引河，及兩岸數千丈之隄埽各工，將及四十日，得以普律告竣。

二十五年，修石土隄。

各汛修石土隄工，用銀三萬八千八百五十八兩有奇，搶添埽段，用銀二千二百二十八兩有奇，凌汛用缺歲搶物料買補用銀一萬二千四百九十五兩。據永定河續志三。

德清傅范初校

河渠志八

河工四

德清傅雲龍纂 江陰繆荃孫覆輯

永定河

道光二年，修北三工灰壩，堵合南六工漫口及求賢壩，修石土隄。二月，修北三工灰壩，用銀八百兩。六月，南六工第一號漫口，決隄四十餘丈。諭：顏檢俟白露後再行相度形勢，興挑引河。七月，顏檢奏：估計兩壩應用正雜料物，夫工護埽，並加添運腳，挑挖引河，共約需銀九萬餘兩，准其於司庫地糧項下先行動撥。八月，永定河水勢驟漲，南六工東、西兩壩共走失十三丈，限二十日堵築成功。三角淀通判陳鎮標，承辦壩工，致有閃失，革職，仍勒令在工效力。永定河道張泰運，總理失宜，賠還壩工，不准報銷。顏檢交部議處。九月合龍，用銀十萬三千八百九十八兩零，除走失壩工需銀五千五百七十五兩，著落該道張泰運賠繳外，實用銀九萬八千三百二十三兩零，前經在藩庫撥銀九萬兩動用，其不敷銀八千三百二十三兩零，准在道庫存貯要工並河淤地租項下動撥應用。顏檢又奏，永定河南六工善後緊要工程，估需銀一萬四千七百十兩零，在藩庫水利工程銀兩内動支。道光二年二月，直隸總督松筠奏：據永定河道張泰運稟：北岸廳屬之三工，有減水壩一道，宣洩盛漲，不應堵築。去冬今春，嚴寒最久，加以正月底兩次大雪，淩汛之水，較往年竟大至三、四尺，恐洩水過大，以致正流散漫，隨調官兵趕緊鑲築，因提要工項下銀八百兩動用，調船挂纜輭鑲，繞越進占，已作成四十丈，盤做裹頭，過水不致散漫等因。奴才當將正壩邊埽修築，春分節後方事耕作。此次南、北岸雖聞有漾水，天晴水勢消落，民田涸出，無妨農作。六月，直隸總督顏檢奏：據永定河道張泰運稟報：本月十四日寅刻至酉刻，盧溝橋籤報水長至一丈八尺一寸，漫水之埽，不一而足。北中汛十號，向係平工，前經密挂大柳搪護，今大河側注，溜勢頂衝，大埽全行衝去，潰傷隄身四十餘丈。又南岸南四工五號末十段，順長五十餘丈，埽鑲同時陡蟄入水，大隄間段潰傷，分投搶護。又南六工六號隄内，本有深塘，大隄連日雨淋水泡，坐蟄四丈等情。十八日辰刻，又據稟：十五日星夜帶同都司李存志，冒雨馳往南六工查看，行至該汛頭號，見大隄又復坐蟄，過水處所約寬四十餘丈，業已奪溜。六月，河工總督顏檢奏：據永定河道張泰運稟：南上汛八號、十二號，南下汛十一號，南二工十二、十九、二十等號，南四工五號末，南五工八號、十三、四號，北二工五、六號，北三工十二號，及北中汛新生險要處所，均經搶鑲平穩。臣逐段履勘，所有籤樁鑲埽各新工，俱屬結實。臣即住宿南五工工次，督率文武員弁等，查看水勢，加意防守。適是夜風雨大作，溜勢奔趨，湍激異常，而目擊各工新埽，均足以資搪護。惟查南六工頭號，向係平工，且屬下游，既非迎溜頂衝之處，何致隄身坐蟄四十餘丈？臣以形勢度之，實緣河水盛漲，凡險要各工，均在上游全力搶護，將溜勢在在偪趨，致下游轉爲喫重。風狂雨大，漲水累日，隄身盡成泥淖，同時坐蟄。現在漫口不甚寬深，亦不甚汕刷，測量口門，僅有四十餘丈。南六工之下游，即係永定河下口，本河流歸宿處，其漫水所過處所，惟附近之永清村莊及霸州界連地畝，不無被淹成災，然一經過水，即由大清河入海，此南六工漫口大概情形也。伏思堵築以集料爲先，宣洩以引河爲要，此次工程，需費無多，若將各工現存料物儘數動用，原不難剋期堵合，惟秋汛方長，險工林立，各工存料，仍須留備本工之用，且此時水未歸槽，諸事俱難預料，總須俟交白露節後，水勢漸平，不惟挂淤處所尚多涸出新灘，辦理較易，即舊時河身均已乾涸，得以相度形勢，以定引河工頭，引河得力，則放水通暢，將來收工尤易爲力，彼時新料登場，一面興挑引河，一面備料集夫，約八月中旬告竣。七月，直隸總督顏檢奏：飭令永定河道張泰運，將應挑引河及通工應用料物，撙節估計。據稟：南六工漫口計寬四十七丈，兩壩應用正雜料物夫工及兩頭大隄汕刷殘缺之處，計長二十五丈，須做護埽，並採買秫稭，加添運脚，共約需銀四萬兩，其引河自漫口迤下起至南八工邵家莊止，共長四千四百九十餘丈，閒段估計，口寬二十丈至六、七丈不等，底寬十四、五丈至四、五丈不等，深一丈六、七、八尺至三、四、五尺不等，其中水旱泥濘，方價不一，約需銀五萬餘兩，以上通共估需正雜料物夫工及引河方價銀九萬餘兩等情。臣覆核尚屬節省，除飭藩司鄭裕國在於地糧項下先行動撥銀九萬兩，委員解交該道，先將料物派員購足，承挑引河各員業已派定，限本月二十五日到齊及時興工。八月，河工總督顏檢奏：二十三日酉刻，將引河啟放，溜勢未暢，兩壩收窄，口門僅存三丈三尺，探量水深，竟至三丈八、九尺不等。二十四日寅刻掛纜，正在堵合間，適北風大作，水勢陡漲，直激金門，以致壩工節節喫重，西壩連蟄六、七丈。臣在壩督率文武員放手搶辦，隨蟄隨鑲。未申間，忽金門合龍處所並東壩正占邊埽，一齊陡蟄入水，計長五、六丈。臣即親督，分投搶護，奈水勢湍急異常，片段過長，風力愈猛，人力難施，至亥刻時分，連西壩共走失十三丈，未克如期合龍。現在趕緊盤頭裹護，添買料物，趁此兵夫齊集時，上緊興工，尚不過遲。惟引河尾閭，勢尚高仰，前次因節省錢糧，未經估挑，今擬於已挑引河二十九分之下，再挑一千八、九百丈，方能暢達。其已挑成之河，如有停淤，一併挑挖深通，非二十日不能蕆功，臣仍住工督催。九月，直隸總督顏檢奏：續估引河，已於九月初九日一律挑挖完竣，初十日先行開放清水，勢甚通暢，前次挑成之河，並未受淤，所存積水，亦均下注，臣隨督率永定河道張泰運，及兩壩文武，於十一、十二兩日內，晝夜趲辦，慎重進占，多壓重土，跟追堅實，步步穩固，金門僅存三丈一、二尺，水勢蓄高，驟深至四丈二、三尺不等，情形甚爲危險。幸壩身寬厚，出水面二丈有餘，雖屢經陡蟄，並未平水，亦未走失，加鑲追壓，隨蟄隨鑲，竭兩晝夜之力，一律保護平穩。察看溜勢，直射引河，即於十三日丑刻將引河所留土埂，起除開放，旋見河水建瓴，瞬息間已將大溜掣動，引河全行鋪滿，暢流下注，毫無阻滯，埽前之水立消數尺，遂於是日辰刻掛纜合龍，層土層柴，併力搶堵，並下關門大埽，追壓到底，金門之下，已見斷流，毫無涓滴滲漏，壩前隨時停淤，全河復歸故道。大隄後戧，業已跟做堅實，應辦善後事宜，已飭該道張泰運勘估。至此，大工用銀總數確覈，計共用銀十萬三千八百九十八兩零，除走失壩工十三丈，需銀五千五百七十五兩零，著落該道張泰運賠繳外，實用銀九萬八千三百二十三兩零，前在藩庫撥銀九萬兩，不敷銀八千三百二十三兩零，係在道庫存貯要工並河淤地租項下動撥。又堵閉求賢灰壩，用銀一千五百兩，修各汛石土隄，用銀三萬二千七百六十七兩有奇，搶添埽段，用銀三千四百九十四兩有奇。據永定河續志三。

三年，堵合北中汛漫口，及南二工、北三工旱口，又築越隄、草壩、補埽。

六月十二日，南二工二十號漫口五、六十丈，刷寬一百九十丈，注牤牛河，入大清河。十五日，北三工十二、三號漫口四十五丈，刷寬二百八十丈，漸成旱口。十七日，北中汛十三號漫口三十餘丈，刷寬九十八丈，大溜直注北二工五、六、七號，蟄埽四十四段，北下汛十五、六號埽蟄入水者四段，四號埽蟄平水者十四段，北上汛四號中起至五號中，隄身潰完，南上、下汛均有蟄埽。命蔣攸銛分別查明各汛搶辦情形，督飭道廳等駐工防護。八月，張文浩等奏：永定河北中汛堵築漫口。九月，又奏：大壩合龍，共用銀十三萬五千四百九十餘兩，於金門以下，添築順水草壩一道，金門以後添築越隄一道，其汛頭、二、三號並六、七、八、九、十等號，及北下汛二、三、四等號，大河俱走隄根，應築越隄四道，幫培越隄一道，以爲重門保障。南二、北三兩處旱口，補還隄埽，新工均需加高培厚。又南上、南五、南六、北上、北二、北五汛，隄身殘缺單薄之處，分別幫培，並加高隄頂，以資捍衛，共估需銀二萬一千八百二十三兩零，均照所請。

三年四月，直隸總督顏檢疏：永定河滙灤、恢、桑乾、壺流、三洋諸川之水，自西山建瓴而下，一過盧溝，地勢漸平，水流漸緩，而沙亦漸停，至下游則沙無去路，日漸淤塞。蓋永定河不能獨流入海，必南會大清河，又南會子牙河，及南、北兩運河，而後達津歸海。以全省地形而論，則四河皆在前，而永定河獨居其後，當大汛之時，清流前亘，衆水爭趨，渾流不能暢達，則水緩沙停，是永定有洩水之區，而無去沙之路，此其所以難治也。所恃以容沙者，惟四十餘里之下口，可以任其蕩漾。但歷年既久，南淤則水從北泛，北淤則水向南歸，凡低窪之區可以容水者，處處壅塞，已無昔日暢達之機。下口淤高，上游河身亦隨之而高，兩岸隄工遂形卑矮。今欲治全河之水，必先去全河之沙，但永定河自頭工至九工，長一百八十餘里，兩岸之寬，自三、四里至五、六里不等，下口之寬四十餘里，一歲之中，除三汛及冰凍時不能挑挖外，祇有三、四、九、十等月可以興工，計此四月之中，必不能將一百八十餘里之沙全行運出隄外，一經大汛，舊沙甫去，新沙又滿，是以每年疏濬中泓下口，但能裁灣取直，疏通梗塞，不能將淤沙挑除淨盡也。淤沙不能挑除，則惟有將兩岸隄工加高培厚，並添建新埽，增高舊埽，或再於上游高處添建減水壩，以分盛漲，亦補偏救弊之一法。六月，直隸總督蔣攸銛疏：永定河道張泰運十一日稟報：初十日起，至十一日午刻，盧溝橋報河水長至一丈九尺二寸，較之上年六月十五日盛漲之水，尚大一尺一寸，處處出槽漫灘，巨浪排山，無工不險，無埽不蟄。北三工十二、三號水高隄頂，搶護不及，是日酉刻，過水漫口，約寬四、五十丈。又十三日稟報：十一日馳赴上游，聞南二工二十號水上埽面，復漫隄頂，危在呼吸。當馳往督率廳汛，竭力搶護，於十二日午刻，漫口過水奪溜，漫口約寬五、六十丈等情。臣已札飭藩司，酌撥銀二萬兩，委員賫往，交道庫備用。至南二工漫口之水，係由牤牛河歸大清河，其北三工漫口，現已掣溜。續據該道張泰運稟：於十三日由北岸挨汛查看，北二工五、六、七號蟄埽四十四段內，有陸蟄入水及平水漫水者，又北下汛十五、六號埽蟄入水者四段，又四號埽蟄平水者十四段，該號埽工頭段以上，與中汛十三號，均因河勢坐灣，潰塌隄身。又北上汛四號中起，至五號中，因水大溜湧，河水頂衝，致將四丈寬大隄全行潰完。現在分別密掛大柳，趕下新埽。又南上汛六、七、八、十及十二號，南下汛十一號，均有蟄埽，喫水潰隄，竭力搶護平穩。惟十四日寅刻，盧溝橋籤報，河水復長至二丈一尺，大雨未息，隄身雨淋水泡，危險之極。六月，直隸總督蔣攸銛疏：據永定河道張泰運稟：北中汛十三號，全河大溜直注捲下埽，由不惜重價，遠買大柳密排，無如隨下隨漂，趕做後戧外幫，搶築越隄，十七日丑刻漫溢三十餘丈，過水二、三分，大河仍走溜七、八分，該汛七號暨北上汛十一號，現仍蟄埽潰隄，趕緊搶護。六月，侍郎張文浩等疏：北中汛漫口，現寬九十八丈，水深六、七、八尺至一丈八、九尺不等，溜勢湍駛，過水已有七、八分，業經永定河道張泰運督率廳汛，將兩壩盤頭裹護，追壓重土，籤釘大樁，可期不致刷寬。南二工漫口，寬一百九十丈，水落時兩頭俱有涸露，僅存水面五十餘丈，水深二、三尺，溜行微弱，且在北中汛下游，雖未斷流，遲日自可掛淤。北三工漫口，寬二百八十丈，業已乾涸，應先將北三工缺口估還原隄，補下埽段。南二工一經掛淤，亦即補還隄埽。至北，中汛漫口，地處上游，勢已將次奪溜，汛水方長，應俟秋分後，新稭登場，剋期興堵。口門以下河身，停淤墊必須挑挖引河，以便合龍時引水下注。現當泥淖難行，臣張文浩擬暫駐工次，俟七月間壩工引河可以料估時，督飭估計具奏。臣張文浩看得永定河情形，固不能比較黃河，但兩岸綿長四十餘里，隄工土性純沙，河勢變遷，水落則分流串注，並無正洪，漲發則拍岸盈隄，隨處出險，實有措手不及之虞，惟有嚴飭保護。八月，侍郎張文浩等疏：南二工斷流挂淤，當飭永定河道張泰運，將北中汛以下應挑引河，及應用料物，並南二、北三兩處旱口補還隄埽各工，撙節估計。據稟，北中汛口門寬九十八丈，兩壩必須較鑲，以免滲漏，接下丁頭大埽，仍於臨河密下邊埽，壩後幫助戧隄，以爲後靠，及兩頭大隄殘缺處，計長四十六丈，須做護埽，其引河自北中汛漫口以下起，至南六工上汛五號止，間段估挑，共長一萬零七百二十五丈，口寬十五、六丈至七、八丈不等，底寬十一、二、三丈至六、七丈不等，深二、三、四尺至一丈不等。又北三工旱口，寬二百八十丈，南二工旱口寬一百九十丈，均須補還隄埽，並填墊溝槽坑塘，以禦合龍下注之水。以上水旱漫口應用正雜料物夫工，並採買秫稭，加添運脚，隄工土方及挑挖引河方價，通共約需銀十五萬兩等情。臣張文浩確覈，委無浮多，所需銀兩，臣蔣攸銛兩次奏明，飭令藩司陸言先於藩庫借撥銀七萬兩，現在請撥經費銀兩，各省尚未解到。又於運庫生息項下借撥銀八萬兩，均經委員解貯工次備用，已足十五萬之數。新料漸次登場，檄飭將料購買，南二、北三旱口應需補還隄埽等工，發給銀兩趕辦，其派挑引河州縣，陸續到工，認段興挑。再漫口下游南、北兩岸各險工埽段，均應鑲做，各工俱有用存正雜料物，足敷鑲用，無須另估，錢糧將來仍歸搶修案內報銷。九月，張文浩等疏：連日進占，截至初九日，北中門口僅存寬三丈五尺，水勢驟然擡高，大溜湧注，壩前水深刷至三丈八、九尺，兩壩頭同時陡蟄丈餘，甚爲險要。幸料充人集，絕無瞻顧，隨蟄隨鑲，竭兩晝夜之力，鑲壓堅穩，高出水面二丈餘，溜勢直射引河，即於十一日丑刻，將河頭土壩起除開放，河水建瓴而下，瞬息已將大溜掣動，引河兩崖土坂隨溜潰塌，奔騰下注，埽前之水立消數尺，卯刻掛纜合龍，層土層柴，併力搶堵，並下關門大埽，追壓到底，金門之下頃刻斷流，壩前即時停淤，全河復歸故道。此次引河壩工用銀十一萬九千九百五十餘兩，南二、北三兩處旱口，補還隄埽工程，用銀一萬五千五百三十六兩零，通共用銀十三萬五千四百九千餘兩，較原估計節省銀一萬四千五百兩零。九月，張文浩等疏：永定河漫口合龍後，臣張文浩仍駐工次，督率加籤大樁，追壓重土，惟新築大壩，柴土未能十分粘結，難免日久墊矬，急宜加高培厚，於金門以下，添築順水草壩一道，金門以後，添築越隄一道，該汛頭、二、三號並六、七、八、九、十等號，及北下汛二、三、四等號，大河俱走隄根，形勢甚險，亦應築越隄四道，並幫培越隄一道。至南二、北三兩處旱口，補還隄埽新工，均需加高培厚。又南上、南五、南六、北上、北二、北五等汛，隄身經汛水衝刷，殘缺單薄之處，或培內幫，或培外幫，或加高隄頂，或幫培土壩，確估需銀二萬一千八百二十三兩零，大工案內節省銀一萬四千五百六兩零，即可動用，不敷銀七千三百十七兩零，准在本年請撥堵築漫口等項經費動支。又搶補隄埽銀六千四百九十二兩有奇。據永定河續志三。

四年，修金門閘，南上汛灰壩，及北岸越隄十一道。

金門閘減河疏濬三千四百六十丈，由大辛郵以下入清河。據永定河續志二。六月，程含章等奏治水大綱。

諭曰：興辦大工九處，如疏通天津海口，疏濬東、西淀、大清河，及相度永定河下口，疏子牙河積水，復南運河舊制，估辦北運河修築千里長隄，均著照所議估辦，先撥銀一百二十萬兩，妥議章程，責成分辦。此外，如三支黑龍港、宣惠、滹沱各舊河，沙、洋、洺、滋、洨、唐、龍汛、龍泉、豬龍、牤牛等河，及應修文安、大城、安州、新安等處隄工，著分年次第辦理，各州縣支港溝渠，著飭各地方官，俟秋收後勸諭農民，按畝出工挑挖，以資消洩。六月，侍郎程含章等疏：永定河發源山西，穿西山而出，每遇盛漲，夾沙帶泥，勢甚洶猛，自有南隄以東之，中腹日見沙停，下口易至淤積，百數十年改移下口不下十次，改一處，淤一處，東北勢成高仰。近年由三河頭橫漫而出，致淀水停緩不暢。今又在其上自東沽港、黄亭等處廢隄入淀，駸駸乎淤至楊芬港矣。濁流之淤愈寬，則清河之去路愈隘，現在淀水已穿入子牙，不早修治，恐全淀之水南注子牙，而永定河卽尾隨其後，橫決爲患。臣等反覆思維，實無良策，應請將格淀大隄趕緊培築高厚，攔住淀水，不使南入子牙，如能修築永定河南七工以下遥隄，增高培厚，接築隄尾至鳳河口止，攔住永定河水，不使衝入東淀，並挑濬鳳河，導引永定河水由鳳河口以會入大清河，庶可借清刷濁，不致淤積。而工段綿長，河遷無定，必須計出萬全。俟大汛，臣含章親往勘明新設閘壩減水情形，與道廳等再行定議。閘壩詳下。

五年，修南上汛壩、埝。

八年，修各汛石、土隄。用銀二萬九千一百九十七兩有奇。據永定河續志三。

十一年，河復東北故道，堵汪兒淀，口門收窄入淀，金門築補隄埝壩埽，修金門閘。先是，嘉慶二十四年，因河漸趨北，堵北六工舊水口，而下游溜折南八工隄盡處。道光三年，南趨汪兒淀，非復北行故道。四年，工部侍郎程含章勘議濬復，未果。十年四月，直隸總督那彦成奏：永定河渾水南徙東淀，直逼千里長隄，恐妨運道，親勘議修。旋又奏：勘明渾河淤淀刷隄，請辦土埽各工，並就杜家道溝隄身大加幫培，又多鑲埽段，估銀三萬六千八百五兩有奇。得旨：照所請。又奏：於大范甕口估挑引河，新隄南遥埝加高培厚，需銀六萬餘兩，又築九里橫隄。永定河續志二。報可。十一年春，河由南八工十五號改向東北，走溜十之七，逕竇淀，歷六道口、雙口，注大清河入海，其東南汪兒淀口門，僅走溜十之三，堵塞之水復故道。直隸總督王鼎勘奏：築新隄，補遥埝，收窄入淀金門，堵截河槽，添築隄壩埽鑲，用銀二萬九千一百十七兩有奇。又南八工壩埽銀一千三百六十七兩有奇。又培北七工隄，修南二工金門閘，銀八千九百兩有奇。十年四月，直隸總督那彦成疏：天津以西四大河，大清河在中，即係東淀下游，其南爲子牙河，又南爲南運河，均由天津海河入海，惟永定河自西北來，逼近大清河。當日臣工奏議，多言渾水不可入淀。康熙年間，奉旨創立永定河兩岸隄工，以束渾水。雍正四年，特降諭旨，著引渾河別由一道歸海。經怡賢親王欽遵，相度導之北流，繞王慶坨而東，引入長淘河，從此淀河無淤墊之害。乾隆己亥，高宗純皇帝親臨閲視，將下口移條河之南，由鳳河會大清河入海。聖製詩注云：數十年之後，殊乏良策。仰見神謨遠運，洞燭萬年。嗣後長淘、鳳河均已淤塞，渾水由三河頭横漫而出，尋至静海縣境之楊芬港。兹據天津道李振翥禀稱：自嘉慶二十三年永定河下游南移，將東淀楊芬港以下逐漸淤塞，致令大清河之水與永定河渾水合而爲一，俱由楊芬港東南之岔河，經杜家道溝歸韓家樹正河行走，杜家道溝即千里長隄隄身也。隄去河僅數十丈，渾水未發，則清水尚可以水抵水，若當永定河盛漲，河身既不能容，淀水亦不能敵，東行復不能暢，直衝長隄，勢所必至，一經漫溢，越杜家道溝隄半里而遥，串入子牙河，越子牙河數十丈，而串入南運河，運道淤淺，有誤漕運，且渾流横出，旁無隄岸，上下數百里民田廬舍，均受其害，惟議挑東淀，工費甚鉅，且大清河既受永定河渾水之害，旋挑旋淤，亦屬無濟，請復永定河南岸隄工，以塞其源，疏永定河下口，以掣其溜等語。臣查道光四年，直隸興辦水利，欽差工部侍郎程含章勘辦。彼時因渾水淤墊，擬估挑永定河下口至韓家樹止，並幫培舊埝，堵築河槽，以復舊制。其時通盤籌算，自南六工起，挑挖中洪，需費五十餘萬兩，若撙節由范甕口估辦，亦需二十餘萬兩，渾水易淤，糜帑鮮效，是以中止。閲今又復數年，淤墊日甚，工費愈增，國家經費有常，臣更不敢冒昧陳請，惟有於千里長隄險要之處，設法施工。當即札委永定河道張泰運議禀覈辦。據禀：杜家道溝河面寬四、五、六百丈，水深一、二、三、四尺不等，中有横淺泥淤，不能疏濬。緣永定河渾水淤墊，致將大清河擠至千里長隄隄根，是以水面如此寬闊，現在隄出水面，最矮者僅三尺，隄南即係子牙河，再南即係南運河，設汛期長水二尺，斷難保護，與運道大有關礙。請將杜家道溝隄身大加幫培，多鑲埽段，以爲補偏救弊之法。臣查永定河下口，既因費鉅不能辦，而挑挖東淀，旋挑旋淤，若稍事因循，設有漫溢，永定、大清、子牙、南運四河合而爲一，漕運生民，關繫綦重。瞬即汛期，張泰運所禀辦法，急則治標，不過爲目前之計。臣親往查勘，相機籌辦。四月，直隸總督那彦成疏：帶同天津道李振翥，永定河道張泰運，先赴天津、静海二縣交界之杜家道溝隄上察看形勢，乘坐小船，測量河水，直抵大清河下口。次日復由雙口至王慶坨，察看永定河舊下口淤墊情形。緣永定河自乾隆年間入鳳河，會大清河，歸北運河入海，迨鳳河淤塞，渾河從南隄缺口直注三河頭，爲淤淀之始。嗣後渾水日往南徙，東北愈形高仰。道光三年，由汪兒淀入大清河，近年由三河晋、道溝一帶横漫而出，以致直衝杜家道溝、楊芬港以東，大清河節節淤淺，瀰漫一派，並無一定河身，東、西二淀之水，均取道於岔河水溝之中，杜家道溝本係隄內水溝，面寬僅四丈，隄出水面僅三尺，隄根已被汕刷，一交大汛，永定河水洶湧而至，隄不能禦，勢必直灌子牙河，橫穿南運河，運河受淤，漕船阻滯，其時再籌疏濬，費帑愈多。道光三年，欽差侍郎程含章，亦以費鉅，未必得有把握，未及議辦。此時爲正本清源之計，自應以挑挖永定河下淤爲正辦，第工費浩繁，且五月下旬即交伏汛，爲期不及兩月，勢難剋期完竣。臣奏擬於杜家道溝隄工險要之處，設法施工，本屬急則治標之法，舍此亦別無長策。據該道等會議稟稱：此時疏濬永定河下口，趕辦不及，惟有就杜家溝隄大加幫培，以防漫溢，多鑲埽段，以禦風浪。請於當城村起，至哈嗎窪止，隄工一千六百餘丈內，分別幫頂、幫坡，加築子埝，一律做成隄出水面八尺五寸。又於極險之處，鑲做防風埽段，次險處隄根汕刷，捲埽搪護，撙節估計，共需土方秫料銀三萬九千九十餘兩，以爲補救，仍俟秋後籌議去路等語。臣查該道等所稟培隄鑲埽，仍非一勞永逸之計，如大汛果有異漲，亦難保護；若汛水與近年不相上下，隄頂加高，水不致於過隄，大溜頂衝之處，埽工尚足抵禦，自應照估興辦。然受病原在渾水，渾水不治，終於壅潰，俟秋令水落，再往察看熟籌，使清渾分行，得復舊制爲是。維時得有主見，即行奏請欽派大員會勘議奏。至現辦工程，係在天津道所管境內，永定河道熟諳工作，且大清河受永定河渾水之淤，亦未便令該道張泰運置身事外，應責成天津道李振翥督同廳縣，購料集夫，永定河道張泰運帶同廳汛，督辦工程，夫料短缺，惟李振翥是問，工有草率，惟張泰運是問，限端午前全完，由臣另派大員驗收奏報。大汛時，責令兩道督員駐工防守，臣復覈減銀二千二百九十兩，實准銀三萬六千九百五兩零一，俟欽奉諭旨，即飭藩司在於水利本款內照數動撥。九月，直隸總督那彥成疏：臣親歷下口，查得南岸隄工至南八工而止，以下二千餘丈，向無隄埝，迤東始有南遙埝，是以全河之水，均於無隄處南趨入淀。當飭永定河道張泰運，於該處接築隄埝，逼溜攔水，俾河流漸次東注於興辦下口。嗣據估辦，自南八工十七號起，至汪兒淀，創建新隄一千七百零八丈，其汪兒淀以下，仍留入淀金門三百五十餘丈，以防下壅。又於南遙埝二千九百二十丈內，修補殘缺，並添築埽壩等項，共用銀三千九百三十餘兩，稟經臣批准，俟辦理下口，併案具奏。動項歸款。自接築新隄以後，臣不時派員弁赴工查看，東水逼溜，極爲得力，大汛期內入淀之水，不過三、四分，其餘六、七分大溜，均已東注，再加疏濬，可冀河流復歸故道。此時將入淀金門，趕緊堵閉，一面將新隄、南遙埝一律加高培厚，使渾水不復南趨，洵當急速辦理。惟近隄有王慶坨村莊居民三、四千户，業已被水圍繞，若即將入淀金門堵築，全河之水併力散漫，村基勢成澤國，雖瀕河村莊例應遷徙，而該村人煙稠密，復飭該道先行履勘。據稟，自大范甕口河流坐灣處取直，估挑引河一道，使大溜直注下口，河身在王慶坨村北數里以外，即於引河頭截堵，河槽進占加鑲，塞入淀之源，南八工以下新隄，及南遙埝，一律加高培厚。十一年三月，直隸總督王鼎疏：永定河渾水，自乾隆年間由鳳河會大清河，歸北運河入海，本係自北而東，嗣屢移徙，河溜由南八工隄盡處，南趨汪兒淀，直逼千里長隄，致失北行故道。臣於二月二十六日，由盧溝橋據永定河道張泰運面稟：現當淩汛期內，水勢盛漲不消，大河忽由南八工十五號改向東北走溜七分，由竇淀窑歷六道口、雙口等處，歸大清河入海，其東南汪兒淀金門，僅止走溜三分，實屬大好機會等語。現在全河大溜，確已實走中洪，惟於汪兒淀舊河頭，細加查看，雖止走溜三分，仍應早爲堵閉斷流，以免牽掣。該處又俱係新噴軟灘，並無筐土可取，施工較難。查得迤下范甕口村，河槽水寬三十二丈，深四、五尺，尚爲得土得勢，即經多集兵夫，動用上冬預購料物，掛纜進占，軟鑲堵閉，河流一經收窄，溜勢洶刷愈深，探量計一丈二、三尺，而龍門水深竟至一丈七、八尺，經該道督率搶辦三晝夜，追壓堅實，前下護埽，後築土戧，俱已涓滴不漏，復於南首接築至隄根長三十六丈，北首接築長三十丈，俱下防風埽段，俾汛水不致散漫汕刷，從此大河全歸故道，可期淀不受淤等情。臣查永定河自南徙以來，曾於道光四年經欽差工部侍郎程含章履勘估挑，仍因渾水易淤，恐致糜帑鮮效，旋即中止。上年九月間，前督臣那彥成勘明具奏，請於大范甕口挑挖引河一道，並將新築隄工及南遥埝加高培厚，估需銀六萬餘兩，奏蒙俞允，先於司庫發銀三萬兩，下餘銀三萬兩，俟估勘引河時動撥。並經奏明，俟十一年春夏交，興辦挑挖，現在新隄遥埝，已於去冬做八分有餘，引河尚未開工。茲溜勢轉移，復歸故道，洵非意計所能預期，所有前督臣奏請挑挖引河銀三萬餘兩，應歸節省。惟據稟，入淀金門，尚寬七十餘丈，實爲刻不可緩之工，亟應趕緊堵築，並做護埽。查舊河由十五號至汪兒淀，計長二千四、五百丈，迤下應估攔河大壩三道，計湊長一百六十丈，亦於迎水估做埽鑲，以防汛漲串入，免致金門喫重。永定河續志三：道光十一年，收窄入淀金門，堵河槽渠隄壩，除用存料物外，用銀二萬九千一百十七兩零，南七、八工加護壩戧埽，一千三百六十七兩零，北七工培土四千五百四十兩零，金門閘工四千三百五十九兩零。

十二年，堵合南六上汛漫口，補各汛隄、埝。

三年以後報安瀾者凡八年。本年七月，南六工上汛漫口九十七丈，行溜四十餘丈，卽道光二年漫口處也。八月，諭：琦善相機妥辦，務期堵築，保固堅實，毋許虛糜工費。九月，琦善奏：請於漫口東西兩頭就灘面建立壩基越堵，計西首估築壩基八十九丈，東首估築壩基四十四丈，臨河一面仍鑲護埽，並添挑水壩，逼溜注引河頭，所有正壩，上、下邊埽，護埽挑壩，應用正雜料物、夫工、土方暨採買秫稭、加添運脚，及漫口以下旱口四處，約需銀三萬七千餘兩；其引河自漫口迤下起，至南七工十九號止，間段估挑，共長八千六百六十九丈，計估口寬十五、六丈至五、六丈不等，底寬八、九丈及十丈至五、六丈不等，深一丈二、三尺至四、五尺不等，約需銀五萬八千餘兩；通共估需銀九萬五千餘兩。詔從其請。閏九月十三日，堵合漫口，合之引河補隄，用銀八萬四千五百二十五兩有奇，較原估省銀一萬四百七十兩有奇。又善後議修新壩越隄，補南六、五，北四、五、六各工隄埝、填坑，需銀一萬八千七百七十五兩六分四釐。

道光十二年七月，直隸總督琦善疏：據永定河道張泰運稟：二十一日酉時至二十二日亥時，盧溝橋籤報，長水一丈零五寸，連存水一丈九尺九寸。灰壩過水三尺五寸，金門閘過水四尺五寸，爲從來未有之異漲。南二工蟄陷出險，搶護平穩。惟南六工上汛頭號以下一千餘丈大隄，普律上水尺餘，搶築子埝，隨築隨衝。二十三日申酉間，漫溢六、七十丈，業經奪溜等情。臣查南六工，本係道光二年隄身坐蟄過水處，其漫水經由下游之永清縣境滙入淀河歸海，即日馳工確查。八月，琦善疏：二十八日行抵該工履勘，除北下汛等處先經該道搶護平穩外，其南六工漫溢處所，計長九十七丈，西首業已掛淤，存口門四十餘丈，水深一丈五、六尺，正河已經斷流，不致分洩。所有漫口兩頭，本應亟爲裹護，第此時口門溜勢，係屬沿灘坐灣，若遽行盤頭，必致淘刷後潰，節節跟鑲，轉滋縻費。似應仿照歷次成案，隨時查看，再行酌辦。其大隄自南六工頭號起，至七號止，每號一里，計長一千二百餘丈，水漲普律漫過，隄頂殘缺不一而足。尚有旱口四處，自五丈至十餘丈不等。九月，琦善疏：永定河道張泰運稟稱：該處漫口九十七丈，現在行溜止寬四十餘丈，惟跌塘太深，若就原處興築，誠恐埽占收窄，壩身喫重。查漫口東、西兩頭，皆有老灘，擬就灘面建立壩基越堵，計西首估築壩基八十九丈，東首四十四丈，中留四十餘丈。壩基臨河一面，仍鑲護埽，並添築挑水壩，逼溜注引河頭，所有正壩上下邊埽，護埽挑壩，應用正雜料物、夫工、土方暨採買秫稭、加添運脚及漫口以下旱口四處，需銀三萬七千餘兩；引河自漫口迤下起，至南七工十九號止，間段估挑，共長八千六百六十九丈，計估口寬十五、六丈至五、六丈不等，底寬八、九丈及十丈至五、六丈不等，深一丈二、三尺至四、五、六尺不等，需銀五萬八千餘兩，以上共銀九萬五千餘兩。閏九月，琦善疏：前將引河完竣，啟放清水，並兩壩進占丈尺具奏。連日以來，邊埽及挑水壩均隨大隄鑲做，並於原估之外，添澆後戧，慎重進占，截至閏九月十一日，金門僅存寬四丈六尺，水勢驟然擡高，大溜湧注壩前，水深刷至三丈七、八、九尺至四丈二、三尺不等，兩壩俱形喫重。同時陡蟄數丈，隨蟄隨鑲，竭兩晝夜力，始克保護堅穩。壩高水面二丈餘尺，察看溜勢，直射引河。即於十三日寅刻，將河頭所留土硬起除，開放河水，建瓴而下，瞬息間已將大溜掣動，引河全行鋪滿，通暢下注，埽前之水立消數尺，遂於申刻合龍，併力搶堵，並下關門大埽，追壓到底，金門之下，頃刻斷流，毫無涓滴滲漏，全河復歸正道。引河壩工確實覈計，共用銀八萬三千一百七十三兩零，漫口以下旱口四處，繞越補還，並填殘缺，用銀一千三百五十二兩零，通共用銀八萬四千五百二十五兩零，較原估節省銀一萬四百七十兩零。

十三年，培各汛隄。

用銀二萬四千二十一兩有奇。據永定河續志三。八月，琦善奏：安瀾。據原奏。

十四年，堵北中汛漫口及北下、北三、南上等工旱口。

七月，水漫北下汛四號九十八丈，十四號一百六丈，北三工十一、二號一百九十丈，南二工金門閘牆南連土隄一百一丈，尋俱斷流；北中汛六號尾至八號首，漫口三百五十丈，奪溜由宛平前後辛莊、龐各莊、求賢灰壩循舊引河，逕黃邨、大營邨、張華邨至武清黃花店，仍歸正河尾閭入海。九月，直隸總督琦善勘奏：應將東岸旱灘一百六十三丈補築土隄，餘存口門一百八十七丈，必須一律輭鑲進占，接丁頭大埽，背後幫築戧隄，臨河一面鑲做護埽，其引河自漫口迤下至南八工下汛尾閭之單家溝止，間段估挑，共長二萬七千四百五十六丈五尺，正雜料物約計需銀十三萬兩。得旨：准其籌款動撥。十月二十日，北中汛漫口合龍，綜計用銀十萬八千六百五十餘兩，較原估省銀二萬一千三百四十餘兩，善後各工，用銀九千餘兩。十四年七月，直隸總督琦善疏：據永定河道張泰運稟稱：六月二十九日，南四工水勢陡長，該道馳赴南二、南三等工巡防，盧溝橋連底水長至二丈四尺有奇，較十二年盛漲之水，尚加至四尺八寸，連年雖已將隄埝加高，仍不免節節漫水，實爲數十年來未有之異漲。正在南二工搶辦，旋聞北三工十一、二號大隄及北下汛十四號，均已漫溢掣溜；北中汛八號，北下汛四號，亦多漫隄過水；南二工之金門閘閘牆迤南土隄，旋亦漫溢；南上汛灰壩並過水四尺五寸等情。臣赴工履勘。七月，琦善疏：履勘北中汛六號尾至八號頭，於七月初一日辰刻，漫溢三百五十丈，北下汛四號，漫溢九十八丈，又十四號漫溢一百零六丈，北三工十一、二號漫溢一百九十丈，南二工金門閘閘牆迤南接連土隄漫溢一百零一丈，此外埽段蟄塌，隄身後潰者，不一而足。其漫口坐落州縣，原報北中、北下二汛及北三工，俱在宛平縣界內，漫水由前後辛莊、龐各莊、求賢灰壩歸入舊減河，經黃邨、大營邨、張華邨至武清縣之黃花店，仍歸永定河尾閭入海。南二工係在良鄉縣界内，漫水由金門閘減河入清河，經白溝河歸入大清河入海。現在北下汛、北三工、南二工三汛，漫口俱已掛淤斷流，惟北中汛六、七、八號業已奪溜成河，計漫口三百五十丈，水行中洪寬一百五十餘丈，水深一丈四尺，溜勢歸並灌注，其正河已間段乾涸，不致再從旱口分行。所有被淹邨莊，先經臣飭委候補正佐各員，分投查勘，復經順天府尹臣委員一體確查均尚未據覆到。竊思漫水下注，有頂衝、旁溢、倒漾之不同，就使同一頂衝，而地勢或有遠近之別，即災分各有輕重之殊。此次漫水，經行多在宛平地面，良鄉過水較小，武清亦相距稍遠，大興、東安、固安、永清各縣被水處所，分別查辦。七月，琦善疏：永定河北中汛漫口，須俟霜清後方可辦理。正河雖已斷流，仍間段存有積水，緣大清河爲永定河下游，形勢橫亘於前，現在各州縣泛漲之水，分道滙歸成頂托，不能不稍待消落，將河內積水抽溝宣洩淨盡，再挑估引河。惟旱口隄埽各工，應責成永定河道先爲趕辦。茲據該道張泰運稟稱：南二工、北下汛、北三工三汛旱口等工，應補還原隄，鑲做護埽。又南二、北下兩汛，經此次河水異漲，大溜撞激塌潰之處，亦須將隄埽補還。又南二工十五、六、七、八等號，及北二工上汛十一、二、三等號隄身殘缺，坑塘俱應先爲補築。以上各工，經該道帶委員勘估，需銀三萬六千九百一十七兩零，旱口等工，估銀二萬一千三百五十五兩零，分別賠銷，其補還塌埽潰隄，填補殘缺坑塘等工，估銀一萬五千五百六十二兩零，照例覈銷。九月，琦善奏：臣在永定河工次回省，即飭該道張泰運，將應挑引河及需用正雜料物撙節確估。據稟：北中汛漫口原寬三百五十丈，應將東岸旱灘一百六十三丈補築土隄，餘存口門一百八十七丈，水深三、四、五尺至一丈一、二尺不等，土性純沙，一律軟鑲進占，接下丁頭大埽背後幫築戧隄，臨河一面鑲做護埽，方爲穩實，計應用料物、夫工、土方暨秫稭，加添運脚，約需銀六萬六千餘兩；其引河自漫口迤下至南北工下汛尾閭之單家溝止，間段估挑，共長二萬七千四百五十六丈五尺，計估口寬十丈及十一、二丈至五、六、七丈不等，底寬七、八、九丈至三、四、五丈不等，深七、八尺至三、四尺不等，需銀六萬四千餘兩，以上需銀十三萬兩。十月，琦善疏：北中汛趕築後戧，截至十月十八日止，口門僅存寬四丈，溜勢直射引河，於二十日寅刻，將河頭所留土硬起除開放，河水建瓴而下，瞬息大溜掣動，引河鋪滿，埽前水消數尺。是日辰刻掛纜合龍，全河復歸舊道。其旱口隄埽各工，業已先經補還，此次挑河築壩各工，力加撙節，用銀十萬八千六百五十餘兩，較原估計有節省銀二萬一千三百四十餘兩，留於善後案内動支，約須用銀九千餘兩，仍有餘存銀一萬二千餘兩，解還司庫。按：永定河續志云，道光十四年，堵築北、中、下，南二、三工水旱口，及善後工，用銀十四萬五千七百七十二兩零，核與原奏之數互異。

十五年，培各汛土隄。

用銀三萬二千四百三十六兩有奇。據永定河續志三。

十六年，培各汛土隄。

用銀九千九十六兩有奇。據永定河續志三。

十七年，培各汛土隄。用銀六千四百十七兩有奇。據永定河續志三。

十八年，培各汛土隄。用銀二萬五千四百八十五兩有奇。據永定河續志三。

十九年，修各汛石、土隄。用銀一千九百三十八兩有奇。據永定河續志三。

二十年，修各汛石、土隄。用銀一千九百五十八兩有奇。據永定河續志三。

二十一年，修各汛石、土隄。用銀一千九百四十七兩有奇。據永定河續志三。

二十二年，培各汛土隄。用銀八千八百五十四兩有奇。據永定河續志三。

二十三年，修金門閘北遥隄漫口，就北六工隄堵合補築旱口隄埝，修石、土各隄。閏七月，北遥隄十一號因大清河水勢過大，頂托渾水，初三、初四兩日，隄身蟄塌二十餘丈，漫淹二十餘里。諭：訥爾經額卽馳往察勘，趕做裹頭盤護。九月初六日合龍。此次挑引河，築大壩，凡用銀四萬八千五百餘兩，又補築旱口，培修全隄，估銀一萬一千四百餘兩。金門閘詳下。二十三年閏七月，直隸總督訥爾經額疏：據永定河道恆春稟稱：初二日接據北岸同知竇喬林轉據北六工汛員霸州州判嚴士鈞稟報：該汛北遥隄十一號，因大清河水勢過大，頂托渾水，水與埝平，該道聞信，馳往查勘，正在跑買土料，搶築子埝，初三、初四兩日，隄身蟄塌二十餘丈，漫淹二十餘里，水深一、二尺不等，臣已嚴飭裹頭盤護。閏七月，訥爾經額疏：履勘永定河北岸北遥隄，相離河流故道，本有十數里之遥，二十餘年並未經水，七月二十日以後，因大清河水勢頂托，河水不能暢行，每長水一次，下游即加一番淤高，來源急而去路緩。二十八日，河流驟然北徙，溜勢側注遥隄，隄身平漫過水。閏七月初三、初四日，蟄塌成口，河流故道業已淤墊，斷流水勢，倒漾北趨，即由永清、東安、武清地面仍歸鳳河，測量漫口，上寬二十丈，下寬十七丈，口門水深不及一丈，搶築裹頭，簽釘大樁，業已盤護穩實無虞，汕刷口門附近處所，一片沙灘，相距十餘里，始有零星村落。據永清、東安、武清三縣稟報：被水者共計一百三十六村莊，僅止穀豆被淹，高粱、玉粟並無妨礙。其被衝口門，應趕緊籌堵，築漫口全在引河通暢，而挑挖引河頭得勢，現距北遥隄漫口附近之處，既無引河頭尾，而正河若就其北徙之勢而行，盤折紆迴，實未見其暢順。臣與該道等籌勘，應就北六工正隄尾接築大壩，由柳坨村挑挖引河，即於彼處截流堵口，使大溜仍由故道歸於鳳河，匯大清河入海。合龍後，現在口門即成旱口，亦易堵合。衆論僉同，估計新築埽壩工三百餘丈，接築隄工七百餘丈，堵合軟鑲進占，接下丁頭，大埽背後幫築戧隄，臨河一面鑲做護埽，並挑挖引河七千餘丈，需銀四萬餘兩。臣未敢率行請款，由臣與永定河道倡捐，司道府廳州縣量力分捐，可期無誤。現已於十三日集夫興工，先行接築老隄，安作壩頭。九月，訥爾經額疏：八月二十九日，將引河挑竣，臣於九月初一日自工頭查至工尾，自下而上，逐段先放清水，以驗河流之緩急，水勢甚暢。初四、初五兩日，將所築大壩趕做邊埽後戧，慎重進占，多壓重土，跟追堅實，兩壩高出水面一丈四尺，口門僅存四丈，即於初六日丑刻，將引河頭所留土硬起除放水，大河建瓴而下，瞬息間大溜掣動，引河鋪滿，巳刻掛纜合龍，全河悉歸正道。再此次挑挖引河，接築大壩，共用銀四萬八千五百餘兩，覈之捐項，餘賸尚多。臣查北遥隄計長四十六里，二十餘年並未見水，亦未請欵修理，因本年河流驟然北徙，溜勢側注，致有漫口之事，現在改由北六工築壩堵合，其被衝口門，已成旱口，應即照舊補還，而全隄年久失修，應一律修培，估銀一萬一千四百餘兩，即在捐項內動支，請免造册報銷。按：永定河續志三云，二十三年，堵築北七工漫口，用銀五萬五千五百九十一兩零，接築隄埝七百十三兩零，補築旱口及善後工程銀萬二千八百九十四兩零，與奏不同。又各汛修石、土隄，用銀一千九百三十八兩有奇。據永定河續志三。

二十四年，決南七工隄，就南六工尾堵合，修各汛石、土隄。

南七工，平工也，六月雨漲，側注五號，大清河水頂托，渾流遂漫隄，初蟄十餘丈，旋刷寬四十八丈。先是，南六工十九號以下有舊河形，乃乾隆二十年改移下口廢河也。今之南隄，卽昔之北隄，隄外有中老隄、南老隄，厥根尚存，此次七工五號漫口之水，循舊河，穿中老隄、南老隄舊缺口，入大清河，達津歸海。直隸總督訥爾經額勘奏。諭：俟秋汛後，妥速辦理。至下口鳳河展寬挑深之處，引河放水，一併勘估。八月，訥爾經額奏：應挑引河，察勘測量，應迤北三里許北六工尾之河曲營邨前，定爲河頭，挑挖引河，於築壩合龍，形勢較順，估計自河西營起，至鳳河止，工長七十餘里，需銀八萬八千餘兩。又堵合原隄漫口，各工需銀三萬五千餘兩，又挑挖鳳河，需銀二萬五千餘兩，三共需銀十四萬八千餘兩。得旨：著照所議辦理。引河長七十餘里，深一丈七尺至四尺五寸有差。九月十三日工竣，鳳河起三鳳眼至大清河，工長二十餘里，面寬一丈至四丈，深四、五尺有差。十四日工竣，卽於十八日合龍。二十四年六月，直隸總督訥爾經額疏：據永定河道張起鵷稟：二十二、三兩日，盧溝橋籤報長水一丈，連底水至一丈八尺六寸，較上月盛漲時尚多二寸。北上汛、北二上汛、北二下汛、北三工、北五工、北四工、南上汛各工埽段，均有蟄陷，三角淀通判所屬之南七工五號隄身坐蟄，因水勢側注，隄面過水，已成漫口，約寬十餘丈，水深八、九尺至一丈餘不等。兵民僉稱：大清河水勢過大，頂托渾流迎溜，隄身無不矬蟄。該處係屬平工，並無稭料，正在跑買土料搶護加築。二十四日寅刻，隄身續又蟄陷，以致隄面過水，衝成缺口。現在尚難盤做裹頭，惟有趕緊捆下埽，由大隄外，有中隄及老隄各一道，漫口所出之水，至中隄迤南，循行舊河，入大清河，達津歸海。據永清縣稟：大朱家莊、三聖口、四聖口均有被淹處，此次添辦料物，堵築漫口經費，臣未敢率行請帑。查直隸省清河道庫存有滹沱河生息一款，係乾隆九年間，奏准借動清河道庫營田工本銀一萬五千兩，發商生息，以爲歲修滹沱河之用。嗣嘉慶十二年，因滹沱河水勢南徙，奏明停止歲修，其本銀照舊生息，遇有動用，隨時報部在案。茲查此項息銀，自乾隆九年起，積至道光二十二年，除動用外，實存銀三萬二千餘兩。請將前項積存息銀，動撥三萬兩，解存永定河道庫。六月，直隸總督訥爾經額疏：永定河南六工十九號以下，原有舊時河身一道，係乾隆二十年間改移，下口廢棄，現今之南隄，卽乾隆二十年前之北隄，是以現在南隄外尚有中老隄及南老隄隄根各一道。此次南七工五號漫口，所出之水，卽循行舊河，穿過中老隄、南老隄舊缺口，達津歸海。查勘漫口處所，因來原猛驟，溜勢湍急，續又塌卸。測量口門，寬四十八丈，深一丈二、三尺不等，業經該道督率廳汛，搶築裹頭，簽釘大樁，盤護穩實，口門附近之永清縣，漫溢十二邨莊，其餘永清、霸州所屬九十餘邨莊，被水較輕，田禾漸已涸出，應否撫卹？覈實詳辦。至漫口之水，現由舊河行走，如順勢而行，則漫口無須堵合，惟中老隄、南老隄二道，廢棄多年，現經委員分查，僅存隄基，河身亦早淤平。覈計築隄挖河，費既不貲，且查得兩隄之內，現有大小六十一邨莊，居民三千九百餘户，遷徙維艱，自應堵築漫口，俾河水仍歸故道。第堵口以集料爲先，洩水以引河爲要，各處存工料物，本年南、北兩岸因險工疊出，陸續動用搶護，存貯無多，伏、秋大汛正長，現在尚須買補添備，無可抽撥應用，且此次河水異漲，南七工口門以內，新河坎已刷深二丈上下，斷流之正河一律淤高，挑挖引河須長八十餘里，深二丈餘尺，尾閭則更須加深，方能引水，仍由鳳河入大清河，達津歸海。而上游引河挖深，設或鳳河高仰，水不能入，尤有關繫。此時正在大汛期内，河水長落靡常，情形尚難預定，未便遽議堵合，轉致水無去路。溯查以前舊案，堵築漫口，均在水退歸槽之後，自應循照辦理。現飭永定河道，分派員弁，先從下游河身抽溝放水，一俟乾涸，卽勘定引河工頭，俟秋汛後，新料登場，購買較易，一面挑河，一面備料，趕緊堵合，霜降前後，總可完工。臣現在挨查兩岸各工，點驗舊存新添料物，仍赴永定河尾閭查看鳳河、大清河、三河高下情形。查鳳河久爲永定河水淤淺，上年北遥隄漫口時，因查永定河下口與鳳河交滙處所，暨鳳河河身間段停淤，亟應挑挖。永定河下口，係武清縣所轄，鳳河係天津縣所轄，當經札飭永定、天津、通永三道，督同東路同知等，會勘估辦。旋據該廳縣等倡勸捐資，擇要展寬挑深三、四尺在案。惟現在永定河斷流，正河淤高，新河坎已刷深，將來覈計丈尺，挑挖引河，放水歸入鳳河，是否不至高仰頂托，臣當督同道廳，履勘測量深淺高下，如尚須挑挖，應一併估計另奏。八月，直隸總督訥爾經額疏：永定河南七工口門内新河坎刷深二丈上下，如就附近口門之處挑挖引河，須深至二丈二、三尺，長至八十餘里，非三十餘萬金不能興築，費鉅工繁，斷難估辦。挨次查勘測量河坎高下，惟迤北三里許，北六工尾之河西營前邨，河坎較低，河勢坐灣，以之定爲河頭，挑挖引河，築壩合龍，形勢較順。接查挑挖引河地段，逐漸低窪，亦不費手，捨此別無可以採用之處。估計自河西營邨起，至鳳河止，挑挖引河，深一丈七尺，遞減至四尺五寸，工長七十餘里，直達鳳河，由大清河入海，需銀八萬八千餘兩。又築壩合龍，堵合原隄漫口各工，估需銀三萬五千餘兩。又挑挖鳳河高仰淤淺，自三鳳眼起，至尾閭入大清河止，工長二十餘里，河面展寬一丈至四丈，挑深四、五尺不等，估需銀二萬五千餘兩。三共估需銀十四萬八千餘兩。除前次奏動之滹沱河生息銀三萬兩，尚存二萬四千餘兩湊用外，其不敷之銀十二萬四千餘兩，由臣與永定河道倡捐，司道府廳州縣量力分捐，現已於二十四日興工，務於九月合龍。九月，訥爾經額疏：臣駐工督率永定河道張起鵷等，將應挑引河七十餘里，並築做大壩工程，在於酌調之正佐官員，分別派定天津縣知縣毛永柏等十一員，承挑引河十一段，據稟，情願捐資挑辦，不煩公費。又應挑鳳河二十餘里，係屬天津地面，據天津道彭玉雯會同永定河道委員，分段挑挖引河工程，於九月十三日告竣。鳳河工程於九月十四日告竣。臣卽挨查驗照，依原估丈尺，以水平較量，並無草率偷減，遂自下而上，逐段試放清水，勢甚通暢。臣復督率道廳，將兩壩趕做邊埽後戧，慎重進占，至十五日，口門僅寬四丈，愈收愈窄，大溜湧注，壩前水深二丈有餘，隨蟄隨鑲，竭兩日夜之力，始克搶築堅實，壩高水面一丈八尺，卽於十八日將引河頭所留土硬啟除放水，頃刻大溜掣動，引河鋪滿，卯刻合龍，全河悉歸正道。先後動用過滹沱河生息銀三萬兩，應照例造册報部，其不敷銀十二萬餘兩，現在捐數計可敷用，由外捐辦，請免造册報銷。按：永定河續志三云，二十四年堵築南七工漫口，用銀十四萬五千九百三十九兩零，善後工程八千二百四十九兩零，與總督奏微異。又搶辦險工秸料，用銀五千二百五十兩，又修各汛石、土隄，用銀一千九百六十三兩有奇。據永定河續志三。

二十五年，築南上汛埝，修石、土各隄。

南上汛灰壩加築滚水灰埝，修補殘缺，用銀三千五百五十三兩有奇，又修各汛石、土隄，用銀一千九百六十八兩有奇。據永定河續志三。

二十六年，修石、土各隄。

用銀一千九百九十三兩有奇。據永定河續志三。

二十七年，修石、土各隄。

用銀一千九百七十二兩有奇。據永定河續志三。

二十八年，修石、土各隄。

用銀二千四百八十六兩有奇。據永定河續志三。

二十九年，修石、土各隄。

用銀二千四百七十四兩有奇。據永定河續志三。

三十年，堵合北七工漫口，修石、土各隄。

五月，北遥隄因上游水下注，下游大清河漲頂，由北七工八、九兩號漫口三十餘丈，水出舊減河，逕母豬泊，仍注鳳河。勘於馮家場北河灣處開引河八千餘丈，九月二十四日工竣。又新築隄工二千餘丈，加培長隄八百餘丈，十月初一日合龍，用銀八萬餘兩，由直隸總督訥爾經額等捐辦。夏五月，直隸總督訥爾經額疏：據永定河道熊守謙稟：本月十九、二十、二十一、二十二等日大雨，北遥隄地勢低窪，屢有蟄陷，搶護未曾歇手。及二十五日，上游山水下注，河水驟長，計連底水一丈八尺二寸。大清河水又復同時並漲，下游擎托未能宣洩，兼之南風大作，水勢擡高，致由北七工八、九兩號相連處所隄頂漫口三十餘丈。隄外舊有減河一道，漫口出水，由減河經行母豬泊，仍歸鳳河故道，趕緊盤做裹頭。八月，直隸總督訥爾經額疏：堵築漫口，全在引河通暢，挑挖引河，尤在河頭得勢，擇定馮家場北，正當河形坐灣處，對面復有沙灘挺峙，挑挖引河，易於吸溜，因勢利導，頗得建瓴之勢。並勘定大壩基址，培築隄工，於兩壩中間，酌留口門，議用輭鑲進占堵合，估計新築隄工二千餘丈，加培長隄八百餘丈，挑挖引河八千餘丈，並建築壩基，補還原隄缺口，應用工料土方，共需銀八萬餘兩。現當經費支絀，不敢率行請帑，已援案由臣與永定河道倡捐，司道府廳州縣分捐，定期九月初一日興工。十月，訥爾經額奏：北七工漫口，挑引河八十餘丈。九月二十四日工竣，鑲做上下夾工壩，築隄，口門收窄，僅寬四丈五尺，大溜湧注，壩前水深至十丈四尺不等。十月初一日，將引河頭所留土硬啟除放水，瞬息引河鋪滿，卯刻掛纜合龍。臣復親往查看，壩前業已停淤，全河悉歸正道。工程係屬捐辦，請免造册報銷。按：永定河續志三云，道光三十年，堵北七工漫口，用銀六萬九千八百五十一兩零，善後工程七千九十二兩零，與奏疏不符。又修各汛石、土隄，用銀二千四百八十三兩有奇。據永定河續志三。

咸豐元年，修各汛石、土隄。

用銀二千四百八十九兩有奇。據永定河續志三。

二年，修各汛石、土隄。

用銀二千四百八十兩有奇。據永定河續志三。

三年，修各汛石、土隄。用銀二千四百九十四兩有奇。據永定河續志三。

四年，補築南三工漫口。先是，三年六月，南三工十三號漫口三十七丈，掣動大溜，續決水口寬至七十五丈，經費支絀，四年四月始興工，開引河四千餘丈，溝八千餘丈，二十九日合龍，用銀三萬九千五百三十兩有奇。咸豐三年六月，直隸總督訥爾經額疏：據永定河道定保稟稱：六月初八日，長水一丈五尺二寸，連原存底水，共深二丈三尺四寸，南四、北三等工，均有水漫隄頂之處，分投搶護，幸保平穩。南三工十三號隄身坐蟄，時當黑夜，塌寬三十七丈，掣動大溜。九月，直隸總督桂良疏：永定河南三工十三號隄身坐蟄，坍寬三十餘丈。嗣據該道稟報：漫口西首，續坍三十餘丈，連前共寬七十五丈，已趕緊盤做裹頭，平蟄堅實，勘估築壩挑挖引河等項，共需工料銀七萬兩有奇，議請歸於河工地方各員，各半分捐。四年五月，直隸總督桂良疏：上年永定河南三工漫口工程，委員勘估，因經費支絀，奏明緩俟今春勸捐興辦。嗣以捐輸未能踴躍，而工程緊要，刻難延緩，設法籌畫，即將道庫銀款，先儘大工墊用，另籌歸補。於四月初五日興工，責成護理永定河道王仲蘭，督飭文武員弁，趕緊辦理，計挑挖引河四千餘丈，溝工八千餘丈，均於四月二十六日工竣，二十九日口門僅寬五丈五尺，愈收愈窄，雖時值桑乾，而河水並未斷流，大溜湧注，壩前水深一丈二、三尺不等，隨蟄隨鑲，壩高水面一丈二尺，並搶築挑水壩，俾溜勢直射引河，即於本月初三日將引河頭所留土硬啟除放水，寅時合龍，全河復歸正道。用銀三萬九千餘兩，係借動庫款，並將前已捐存銀兩湊用。所借庫款，容另籌捐歸補，此係外結之項，請免造册報銷。

六年，堵合北三工漫口，及北四上、南七等工旱口。六月，大雨連朝，南七工正隄河水疊長，隄身蟄陷，隄面漫溢過水，約四十餘丈，深約尺餘。七月，大雨不止，河水疊次增長，各汛隄紛紛被衝，大溜直漫隄頂，北四上汛北三工隄工衝決二十餘丈。諭：桂良馳赴北岸，嚴飭該管員弁，趕緊堵築。南七工、北四工尋成旱口，於七月興工，接挑引河。十月工竣，即堵合北三工漫口，及添築壩埽，凡用銀八萬九千餘兩。

咸豐六年六月，直隸總督桂良疏：河道崇祥稟：十五日石景山汛籤報：長水至一丈五尺二寸，北四上下汛、南四等工，埽段被衝，督飭搶護平穩。十九日戌刻，據署三角淀通判曹文懿稟稱：南七工於六月十四、五日水長五尺餘寸，連底水共深一丈四、五尺不等，該工大霸，新舊埽面，上水三、四尺，與壩頂相平。該廳先將存料並借撥南六工稭料鑲做，業已鑲出水面，詎河水復長八、九寸，又值風雨大作，壩身蟄陷十餘丈，壩面過水，直注壩外舊河形內。該廳率同汛員兵夫，齋集正隄五號防護。該處自道光二十四年修建大壩，以爲保障，化爲平工，並無存料，隄内舊河形至大壩，約長十五、六里，寬一百餘丈，當此全河之水湧入，舊河直注該處，水無去路，儘力跑買料物，搶鑲加築。十八日午未交，隄面漫溢，過水約四十餘丈，深約尺餘，現盤做裹頭，稟請參奏。八月，直隸總督桂良疏：永定河南七工旱口，於七月二十二日興工，北四上汛旱口，於七月二十八日興工，其辦理北三工漫口經費，臣先行倡捐，司道府州亦各量力隨捐，現已收交銀一萬兩，解交永定河道，購買稭料。委員查勘引河工頭工尾，及應挑寬深丈尺，籌議稟辦。轉瞬秋分水退，即行興工。十月，直隸總督桂良疏：永定河引河工竣，東西兩壩慎重進占，多壓厚土，步步跟追堅實，並鑲做上下夾土壩，及邊埽後戧，口門愈收愈窄，僅寬五丈，大溜湧注，壩前水深至二丈有餘。查看壩高水面一丈六尺。初七日卯刻，將河頭所留土硬啟除放水，瞬息間引河鋪滿，壩前水消數尺，掛纜合龍，下關門大埽，金門下頃刻斷流。初八日，臣復看壩前均已停淤，全河復歸正道。此次漫口工程，原估銀八萬九千餘兩，飭令永定河道崇厚，督同委員正定縣知縣錢萬青覆估覈減，實計引河大壩共用銀六萬八千餘兩，連補還旱口原隄，及添築壩座邊埽等工，通共用銀八萬九千餘兩，由外捐辦，請免造册報銷。按：各定河續志三云，咸豐六年，堵築北三、北四、上南七等工水旱漫口，及禦水工，用銀八萬二千八百五十五兩零，又永汛加修石、土隄工銀二千四百八十四兩，與桂奏數目互異。

七年，堵合北四上汛漫口。

六月，直隸總督譚廷襄奏：北四上汛第十號漫口二十餘丈，即行奪溜。諭：該督嚴飭該管員弁，趕緊盤築裹頭，毋令續有刷塌。後又刷寬二十餘丈。九月，引河工竣，二十五日合龍。

七年六月，直隸總督譚廷襄疏：北四汛十號内全河大溜逼注，一時埽鑲全行上水，計二、三丈不等，水面驟時擡高四、五尺，溢過隄頂，隄身於十八日巳刻漫塌二十餘丈，即行奪溜。七月，直隸總督譚廷襄疏：六月三十日，督同永定河道崇厚，勘得北四上汛上年旱口新工迤下，距東壩三丈許，於本年六月十八日，因上游山水盛漲，先行過水，旱口背後原有葦坑，地基較輭，驟被大溜衝激，掣動新工，亦即蟄陷二十餘丈，搶護不及，遂致奪溜，續又刷寬二十餘丈，現在兩壩裹頭業經該道盤築完竣，甚屬結實，口門兩旁掛淤，籤探中洪，跌塘一丈一、二尺，正河下游噴沙處所，亦不甚遠。比較上年工力，可省十分之五。惟值秋汛，擬將引河應挑工段，先行勘估，照節次漫口章程籌捐，俟白露擇日興工。九月，直隸總督譚廷襄疏：引河工竣，東西兩壩慎重進占，多壓厚土，並鑲上下夾工壩及邊埽後戧，口門僅寬四丈，大溜水深一丈七尺有餘，壩高水面一丈四尺。二十五日卯刻掛纜合龍，竭一日夜之力，金門斷流，連日再加培築，全河復歸正道。用銀四萬三千四百七十一兩有奇。又疏濬中洪下口，用銀一萬三千八百十二兩有奇。據永定河續志三。

八年，修各汛石、土隄。用銀二千四百七十九兩有奇。據永定河續志三。

九年，堵合北三工漫口。

七月，北三工十二號隄漫決四十餘丈，奪溜由舊減河而下，後又續決三十餘丈。諭：恆福已派員馳勘，著即盤築裹頭。十月，引河工竣，初十日合龍。用銀五萬三千八百二十一兩。咸豐九年七月，直隸總督恆福疏：據永定河道錫祉稟：六月二十八日、二十九日，河水疊長至一丈六尺六寸，南四、南五、北四等工，搶護埽段，均被衝刷蟄陷。該道往來工次，督飭各廳汛趕緊分頭搶護。七月初一日夜，水又長三尺餘寸，水面擡高三、四尺，北三工十二號隄身，於初二日寅刻漫塌四十餘丈，業經奪溜。此次漫水，係由舊減河順流而下，現在趕辦盤築裹頭。七月，直隸總督恆福疏：據永定河道錫祉稟：初二日後，河水增長，溜勢衝刷，致原塌北三工十二號口門續又衝塌三十餘丈，連前共計長七十餘丈，水深一丈二、三尺不等，已於七月初七日興工，盤築裹頭等情。九月，直隸總督恆福疏：據永定河道錫祉等稟：勘口門除東西壩臺十丈外，計寬六十八丈，須用輭鑲進占，並挑築攔水壩一道，跟做邊埽裹，以便進占，挑溜歸入引河，共估大壩攔水等工，需銀二萬一千餘兩。又口門迤下挑挖引河，需銀二萬七千餘兩。又下游兩岸各汛埽段隄工，均被抽刷殘損，加鑲培築，需銀六千八百餘兩。統計大壩引河禦水等工，估銀五萬四千八百餘兩等情。臣歷屆引河均係派令實缺州縣分段捐挑，大壩工程亦歸捐辦，事竣一併請獎。今歲因海防經費浩繁，已據各州縣捐輸，若令挑河，不無苦累，議將引河方價與大壩工需，均由司庫先行墊發興工，一面由臣與藩司設法將墊款趕緊歸補。九月十六日開工。永定河續志三：堵北三工口銀五萬三千八百二十一兩。善後工程用銀四百九十九兩有奇。

據永定河續志三。

十年，修各汛石、土隄。按：九月報安瀾。據永定河續志三。

用銀二千四百八十七兩有奇。

十一年，修各汛石、土隄。

用銀二千九百九十四兩有奇。據永定河續志三。

同治元年，修各汛石、土隄。

用銀二千九百九十四兩有奇。據永定河續志三。

二年，修各汛石、土隄。

用銀二千四百七十五兩有奇。據永定河續志三。

三年，築北七工壩，開引河，引溜復歸故道。

永定河勢日就北徙，以鳳河爲去路，亦漸淤淺。直隸總督劉長佑奏：與順天府尹卡寶第議，以全濬費鉅，卽在北六工下之柳坨築大壩，截北流，開引河，引溜歸咸豐九年以前正河故道。自柳坨而張坨，二十餘里，而胡家房，二十餘里，而東安之六道口，而武清之乂光，十二、三里，而二光、魚壩口，十四、五里，至雙口迤北，天津縣之天津溝八里餘。就舊大河形疏濬天津溝以下，鳳河入海，本無淤墊。十月，引溜復歸舊河。十七日合龍用銀四萬一千三百九十六兩有奇，善後工程用銀三千八百九十七兩有奇。三年九月，直隸總督劉長佑奏：永定河北七工以下，從前所設北八、北九兩汛，早經裁汰，該處下口尾閭無工處所，近年因河日北徙，鳳河爲河水去路，近亦淤墊過高，致倒漾之水，漫灌隄外邨莊，頻爲民患。本年東安縣屬之孟東等邨，亦經被淹，曾與府尹臣卞寶第函商疏濬。臣親勘情形，與永定河道徐繼鏞暨霸昌道德林、通永道范梁、天津道李同文等悉心籌議，擬於柳坨地面挑挖中洪，築壩堵截北流，引溜歸入舊有大河形之處，自柳坨至張坨、馬家場、胡家房等處，將河形展寬挑深，入义光、二光、魚壩口、天津溝，達津入海，形勢極順。已飭會同署藩司李鶴章，設法籌款興辦。十一月，直隸總督劉長佑疏：永定河必得溜走中洪，方可直注鳳河，由津達海。溯查下口地面，寬廣四五十里，志書載明，所以寬廣之故，係爲散水勻沙，任其蕩漾，北岸北七工以下，從前尚有北八、北九兩汛，自嘉慶十一年及道光四年，因河流全行南趨，無須修守，經前任督臣先後奏明裁汰，該處久已無工無汛。乃近年來河勢北趨，鳳河淤墊，以致尾閭無工處所倒漾之水，繞越浸灌。東安縣屬之孟東等三十餘邨，連年被水，亟應設法疏導。查北岸達鳳河之區，淤墊高仰，水無去路，必須於河身另擇舊有河形之處，從新挑挖，引溜南趨。而全行濬疏，非經費數十萬不可。當此庫藏支絀，焉能籌此鉅款？本年春間，臣與府尹臣卞寶第函商，飭令永定河道派員查勘，因節省經費，擬於吉安屯試行挑挖引溜，乃有武清縣無知愚民馬兆鳳等，聚集多人，赴工次求緩，當經出示曉諭，並遴委諳練河務之候補同知直隸州陸慎言赴工，會同查勘。旋以大汛將臨，詳請緩至秋後再勘。復有武清縣紳民楊冠瀛等赴都察院具呈，擬請改挖天河身。咨交府尹臣札飭通永道范梁訊辦，並由臣飭令霸昌道德林與該道范梁帶同楊冠瀛等履勘，天河身係在南隄之外，若挖天河身，水勢必直走大清河，定將大清淤墊，其患更大，且又須培築舊南隄身，仍歸鳳河，經費甚鉅，尚恐難禦水勢。該紳民自認冒昧，出結存案。並據永定河道徐繼鏞等查明下口地方，從前因河流改道，小民佔居日久，相沿漸成村落，乾隆年奉有諭旨，嚴飭地方官，諭令遷徙，不得與水爭地，致礙河流。聖訓煌煌，志書具載。馬兆鳳等赴工求緩，及楊冠瀛赴京呈請改挖天河身之舉，皆係因圖佔下口河身淤地，竟忘爲應讓河流之區。臣於八月杪親赴工次，督同永定河道徐繼鏞、通永道范梁、霸昌道德林、天津道李同文詳勘，如在吉安屯引溜，尚須疏濬鳳河，亦非數十萬金不可，惟有在於北六工以下之柳坨地面，挑挖引河，引溜歸入舊有河形之處，計自柳坨至張坨二十餘里，再由張坨至胡家房止有二十餘里，展寬挑深，入义光、二光、魚壩口、天津溝，達津入海，蓋天津溝以下，鳳河通暢，並無淤墊，且係咸豐九年以前正河，覈實估計，堵築大壩，挑挖引河，堵截北流，實爲必不可緩之工，故雖經費爲難，不敢率請帑項，惟有飭令該司道暫行借墊，設法歸補。即於九月初八日大壩開工，由永定河道徐繼鏞與委員陸慎言親駐工次，督率文武員弁，認真趕辦。復經府尹臣卞寶第檄委候補知縣石衡赴工，幫同稽查。嗣據該道徐繼鏞具稟：原估工段，挖至胡家房止，茲帶同委員陸慎言周歷查勘，自胡家房以下，由東安縣所屬之六道口，至武清縣境之义光，約長十二、三里，又自义光至二光、魚壩口，均係武清縣所屬，約長十四、五里，魚壩口以下至雙口迤北之天津溝，係天津縣所屬，約長八里，餘雖均有大河形，而數年節節漫淺，風沙填墊，現令一律辦理溝工。溯查永定河歷屆大工，引河從無挑挖如此之長者，即下游抽溝，亦無抽至天津溝地面者，惟目下情形，關係全局，何敢稍涉畏難，使下游河身邨民有所藉口，籌思至再，惟有於此次工程項下，再行設法節省，估計土方，將胡家房以下三十餘里溝工，一律舉辦。卽遇伏、秋大汛，亦不致久淹等情。稟經檄飭妥辦，茲已工竣，該道徐繼鏞逐段勘丈，均係按照原估挑挖，承辦各員並無草率偷減等情事，卽將兩壩慎重進占，因連日風雨，河水陡長三尺，探量壩前之水，深一丈四尺餘，兩壩仍形喫重。該道厚集土料，加鑲搶護，一面將引河頭所留土硬啟放，溜勢直射引河，暢流而下，壩前之水立平，遂卽層土層料，並力搶堵，於十月十七日卯刻合龍。臣派委候補道柏春馳往查勘，大壩堵合，悉臻鞏固，溜勢直走，引河形勢極爲暢順。該道柏春復會同徐繼鏞前赴下游葛漁城、胡家房、天津溝一帶詳勘，因抽挖長溝，水勢下注等情。臣查全河，復歸正道。永定河續志三：同治三年，北七工築大壩，用銀四萬一千三百九十六兩零，善後工程三千八百九十七兩零。先是，乾隆四十三年，改六工十九號爲下口，卽以十八號爲北隄工尾。道光至同治間，於六工尾三次築壩接隄。同治三年後，北岸正隄以七工大壩十號爲工尾，而六工八號迤東之斜隄四十六里爲七工所轄汛段，謂之遙隄，永定河志稱越埝，又爲北埝北隄者卽此，遙隄南謂之圈埝，卽乾隆二十一年所築遙埝，並隸於北七工云。據永定河續志三。

四年，修各汛石、土隄。

用銀二千四百七十四兩有奇。據永定河續志三。

五年，修各汛石、土隄。

用銀二千四百九十六兩有奇。據永定河續志三。

六年，堵合北三工漫口，南上汛灰壩。

七月，北三工隄漫決三十一丈，南上汛灰壩口五十六丈，一律過溜，逕壩外減水枝河，由水碾屯入清河，北三工已成漫口。諭：加意守護，不准稍有疏懈。各工惟引河爲鉅，自南上汛灰壩，直達尾閭，合之堵合漫口禦水各工，凡用銀五萬三千餘兩。十二月，南七工六號因冬煖冰泮，於十二日水長，蟄隄二十餘丈。

六年七月，直隸總督劉長佑疏：據永定河道徐繼鏞稟：入伏山水陡漲，七月初二、四等日，連長四次，南三汛二十一號，南四汛十八號，北四上汛八、九號，衝刷蟄陷，危險已極，幸皆搶護平穩。七月初七、八等日，大雨連宵，河水疊次長至二丈餘尺，全河宣洩不及，初八日據報，北三汛五號危險，溜勢逼注圈隄，間段汕刷，埽鑲漂没，趕緊挂柳搪護，跑買土料，冒險搶鑲，詎料雨勢愈大，兩日兩夜未歇片時，水又陡長二丈餘，兼之西南風大作，水面擡高四、五尺，雨大風狂，人力難施，北三工五號隄身初九日丑刻漫坍三十餘丈，業經奪溜，漫水係由減河順流，現在盤築裹頭。九月，直隸總督劉長佑疏：據革職留任永定河道徐繼鏞，會同委員直隸州知州陸慎言稟：北三工五號於七月初九日丑刻漫溢奪溜，經該道徐繼鏞飭委石景山同知王茂壎等，趕緊購料盤築裹頭，七月二十二日興工，八月初十日工竣。南上汛灰壩，七月初八日龍骨過水，嗣因宣洩過甚，迄未斷流，該道籌發經費，催飭搶鑲，乃於七月二十三、二十八、九等日，疊次長水，灰壩新進占子埽段，隨蟄隨鑲，幸而搶護平穩。而南上汛十一號以下，又復出險。是本年河水之大，實爲近年所未有。現風浪稍平，隨即同赴北三工五號口門周歷直勘，量得口門計長三十一丈，並無續塌。新做裹頭至南上汛二號灰壩工次，勘得壩口原寬五十六丈，全行過溜，壩臺龍骨，均未衝決，測量壩前水深二、三尺，壩外有減水枝河，至水碾屯，歸入大清河，南北兩越埝，新做工程，南面進占二十餘丈，北面接築土埝，進占十餘丈，均已加鑲邊埽，籤樁穩固，正河身已斷流，涸出嫩灘，幸未淤高。沿河履勘，本年伏、秋盛漲，雖屬異常浩瀚，所幸上游連設閘壩，猶得分勢減怒，益信前人施設，具費經營。即如此次北三漫溢口門，苟非灰壩分掣溜勢，則汕刷必更寬深，安能遽成旱口！將來接築大壩，進占籤鑲，合估土工料物，費將不可勝計。今幸大溜全歸灰壩，北三工漫口乾涸，雖挑河補隄，仍須工作，而難易懸殊。南上二號以下河身並無淤墊，間有不能十分暢順處，只須挑溝引水，計費無幾。所有引河工段，仍自北三工五號以下分段估辦。再據革職留任永定河道徐繼鏞稟：前據南上汛霸州州同何承祜稟報：南上汛灰壩過水，即經飭委署南岸同知余汝偕，並派文武員弁馳往幫同經理，一面力籌經費接濟。七月二十一、二等日，據報，設進占挑溜，仍歸正河。乃二十三日後，水勢迭長，幸有灰壩分溜宣洩，搶護平穩，而壩上水勢，仍復湍急，因思閘壩爲宣洩盛漲而設，與隄埝漫溢不同，第水過甚，恐致衝決，不得不即籌搶堵。該道遂復會同委員陸慎言，馳至灰壩工次，周歷查看，南北壩臺並未刷動，測探龍骨海墁，亦未損壞，南北新進水占三十餘丈，如果不惜重資，盡力搶堵，原不難剋期堵閉，第灰壩既閉，則正河大溜必致全歸北三口門，該處土性沙鬆，不特兩壩裹頭邊埽，墊鑲不已，且恐口門愈深，跌塘過甚，堵築需費更鉅。計塘堵閉開壩，較之堵合丈工，其省力省費，不啻倍蓰。現擬變通辦理，現在北三漫工已成旱口，先層土層硪，實力堵合，俟下游引河完竣，再將灰壩堵閉合龍，所省實多。且由灰壩過水，壩外尚有減水枝河，不致泛濫旁溢，較由北三口門過溜所淹情形亦輕，況灰壩下有三合土龍骨海墁，不致跌搪刷深，是以正河亦無淤墊，將來堵合較易，經費亦減。當茲籌款維艱，可否將南上汛灰壩歸入大項辦理？俟北三工漫溢旱口工程補還原隄，挑挖引河，辦有端倪，再將灰壩合龍使全河復歸故道。十二月，直隸總督官文疏：據永定河道徐繼鏞稟稱：本年大工，惟引河最長，工費最鉅，且工非一處。先據石景山同知王茂壎等估需銀七萬三千餘兩，一再覆覈，減銀一萬五千二百餘兩，計實用正項河壩銀四萬九千八百餘兩，禦水工七千一百餘兩。緣本年工程，在灰壩工已較歷屆成案省逾鉅萬，惟引河一項，查咸豐九年自北三工起至南五以下撒手，同治三年改挖下口案内，自北七工起直達尾閭，各用銀二萬餘兩。此次自南上汛灰壩起，直達尾閭，實合兩屆爲一，歲歉糧貴，再四删減，計需銀三萬餘兩，已屬萬分支絀。至禦水工，係發交各汛，擇要修培，以禦合龍下注之水，尤屬必不可緩。本年工程計需經費銀五萬三千餘兩，當因時已九月，款無可籌，萬分焦灼，若不趁此秋深水弱，及時趕辦，轉瞬凍難施工，遲至淩汛水漲，需費更多，值此庫款支絀，既不敢率請帑項，又不敢坐失機宜，祇有援照成案，由外籌捐，先在司庫借撥濟用，隨後籌議歸補，另文詳辦。自九月二十日興工，至十月二十四日合龍，大工完竣。正繕摺間，据永定河道徐繼鏞稟稱：永定河南七工汛，本屬下口，近接尾閭，土性純沙，夙稱老險，前因隄身卑薄，曾令該汛員陳楓加意承修，並委候補縣丞馬光泰前往辦理加高培厚，並於内幫鑲做埽段，預防明年長水，藉資抵禦。十月二十八、九等日，忽據該廳汛等稟報：水驟長，該汛六號情形喫重。經該道馳往，督同搶護平穩。詎於十一月十七日，据三角淀通判朱津轉据南七工汛員陳楓，會同委員馬光泰稟稱：本月初十、十一日，天氣驟煖，全河冰泮，水勢增長，至十二日酉時，水又續長四尺餘，六號隄身本係高出水面二、三尺，此番陡長，水與堤平，加以西風大作，又將水勢擡高尺許，隄面登時水過，相機堵護，多方搶禦，無奈黑夜之際，風狂水湧，人力難施，至十二日亥時，六號隄身坐蟄二十餘丈，河水漾出隄外，惟查所過村莊無多，現已由道相機裹頭，不使續行汕刷。隆冬盛漲，事涉罕聞。又修各汛石、土隄，用銀二千四百八十八兩有奇。據永定河續志三。

七年，堵合南四工及南七工漫口，修各汛石、土隄。

四月，直隸總督官文奏：南四工漫口，掣動大溜，刷寬口門二十餘丈。先是，六年，南七工旱口未合，至是與南四工於四月十八日興工，估需銀十三萬兩有奇。八月，南上汛漫口，其南四、南七之大壩引河，先於五月工竣，而合龍則期以九月二日。南七工引河直達尾閭，南四工大壩南之坑塘，圈出隄外，十八號溝漕，十七號原隄，次第補完，故堵合如期。南上汛漫口盤築裹頭，未及堵合。同治七年四月，直隸總督官文疏：據署永定河道蔣春元稟：南下汛、北四下汛埽段蟄陷，搶辦平穩。又接署南岸同知余汝偕轉據南岸四工固安縣丞胡彬稟：該汛十七號水勢疊長，串溝水由十八號倒流側注，溜勢南趨，衝刷隄身七、八丈等情，竭力抵禦，並將子埝加高。十三日戌刻，北風大作，火燭盡滅，埽由柳株全行走失，撒手搶辦，無如水勢又長，擡高三、四尺餘，漫上埝頂，一湧而過，掣動大溜，口門約寬二十餘丈。閏四月，直隸總督官文疏：据署永定河道蔣春元稟：南工漫口，南七工旱口，現擬開挖引河，併案堵合，於四月十八日動工，約需銀十三萬餘兩，請飭藩司籌欵借撥等情。奴才當飭藩司盧定勳，無論何項，趕緊借撥銀數萬兩。五月，直隸總督官文疏：據署永定河道蔣春元、委員候補同知直隸州知州陸慎言會稟：四月十八日，動工一月之久，次第完備，騐得引河寬深丈尺，覈與原估相符，試放清水，暢行無滯，兩處大壩，層土層硪，追壓甚固，其南四東西兩壩進占，夯築堅實，南七工、壩工、引河均已一律報完，惟將上、下游引河騐收後，陰雨連綿，水勢陡長，本定於閏四月二十二日丑時合龍，奈風雨不止，勢難拘定準期。據掌壩廳員稟請緩至秋後合龍。該署道蔣春元意見相同。再南四工現係另築大壩，其原隄衝塌十七號口門，接連十八號坑塘，均已圈出在外，惟尚未合龍，則現在來源，仍由十八號隄身行走，昨因水勢太猛，間有刷成溝槽，查看仍歸舊河形東下。八月，直隸總督官文疏：據署永定河道蔣春元稟：永定河有灰壩、金門閘，宣洩盛漲，年來因過水奪溜，先後堵閉，不敢開放。六月二十九至七月初六、七等日，秋雨連朝，据石景山外委籤報：疊長水積至二丈四尺。據署北岸同知程迪華稟：北三汛之五號、九號、十三號、北四上汛之二號、十號埽段全蟄。署南岸同知余汝偕稟報：南上汛頭二、七、八、九及十五等號，水與隄平，南下汛之二、三、四、五及九、十等號，南二汛之三、四、五、六及十五等號，南三汛之六、七、九及十五等號，南四汛之四、九及十二等號，各埽間段蟄陷，搶護無虞。其中惟南四汛之九號，南上汛之十五號，尤爲危險，一面飛飭南岸同知余汝偕馳赴南上汛十五號督率搶辦，該道蔣春元親赴南四汛九號，密掛大柳，不惜重資，跑買，調集渡船，窮一晝夜之力，始得平穩。星夜趕赴南上汛，途次據余汝偕稟報：十五號大溜，逼注隄身，間段漫水，多集村民，跑買土料，加高子埝，又復掛柳捲由防護，漸形得手。初七夜水勢續長，北風大作，駭浪越過埝頂，相持兩時。初八日丑刻，水又陡長二、三尺，護埽柳株，全行漂失，大溜一湧而過，口門刷坍十餘丈。九月，直隸總督官文疏：永定河南上汛十五號隄工，前於七月初八日漫溢失事，經奴才專摺奏參，茲據布政使盧定勳、署永定河道蔣春元會詳：通計引河大壩，暨各汛土埽各工，需銀十一萬三千餘兩，飭藩司會同籌欵議辦。永定河兩隄綿亙四百餘里，嘉慶六年漫口，奏請動用帑銀一百萬兩。十五年漫口，用銀十四萬六千餘兩。二十四年漫口，用銀二十六萬餘兩。道光三年漫口，用銀十三萬五千餘兩。十四年漫口，用銀十三萬兩，均係奏奉諭旨，發帑興辦。自道光二十三年後，庫欵支絀，不得已始由外設法籌捐，委曲遷就，工用不充，諸從覈減，以致二十三、四年及咸豐六、七等年，連歲漫溢。再查嘉慶十七年以前，每歲均奏請另案土工銀萬餘至數萬兩不等，道光年間，亦尚間一、二年奏辦另案一次。自二十二年後，土工永停未辦，其每年額設歲搶修，並備防秸料運脚等項，自咸豐三年以後，奉部裁減一半，計每年又覈減銀四萬六千餘兩。嗣因議行票鈔，又於減存一半中，搭給五成票鈔，計每歲又減實銀二萬餘兩，雖於同治三年奏准停給票鈔，第就此權且敷衍，已歷十一、二年，五廳二十汛，祗守此有限錢糧，支撐局面。今河受病實深，去秋至今，雨水多而來源旺，更爲數十年來所未有，兩岸層疊失事，病正在此。現值軍需甫竣，善後事宜需欵甚鉅，司庫空如懸磬，若由地方捐輸，而瘡痍滿目，祇能加意撫恤，而此項堵築大工，必須趁此秋深水弱，及時堵合，以免天寒地凍，趕辦不及，轉瞬來年三汛，仍屬岌岌可危，欲求節用於目前，恐致虛糜於事後，因思另案久停，節省固已不少，就此歲額減半給領，歷今十有五年，亦省帑項六十餘萬兩，值此無款可籌，惟有援照向年成案，請奏辦理等情。仰懇恩准，敕部迅撥實銀十一萬兩。十二月，直隸總督官文疏：據永定河道蔣春元、候補直隸州知州陸慎言稟：該道等自五月親駐南四工次，嚴守兩壩，督帶廳汛弁兵，晝夜巡守，前值盛漲，均經隨時跑買趕搶，得臻穩固，且歷大汛，愈覺堅實，止須加高培厚，加土加硪，埽鑲再行籤樁。南七汛大壩，前已堵閉，現亦僅須加修。兩處引河，前未啟放，均尚無恙，但經夏秋風雨飛沙，亦應挑符。原估九月初二日動工，分馳南四、南七，嚴催晝夜趕做，於九月初九日合龍。查今歲秋雨過多，南四汛以上大壩，間段積水甚大，昨經疏通啟放，歸入引河，並所存雨水，順流至南七工引河，直達尾閭，所有南四汛大壩以南之坑塘，早經圈出在外，十八號溝槽，十七號原隄，均於此次補完。至南上汛隄工，失修年久，前經秋汛，漫口時間段衝破，殘缺者或數十丈、或十數丈不等，汛後又復盛漲，間有刷成溝槽之處，會同委員候補知府張承擇要施工，盤築裏頭等情。委候補道蔭德泰馳驗，工堅料實。又修各汛石、土隄，用銀二千四百八十六兩有奇。據永定河續志三。

八年，堵合南上汛上年漫口，又堵合北四下汛漫口，修南七汛引河大壩圈埝，疏濬中洪下口。

三月，直隸總督曾國藩修通工二十汛隄埝壩埽，疏濬龍王廟以下河淤，開子河。四月初七日，堵合南上汛七年漫口，用銀十三萬兩有奇。五月，決北四下汛五號，三十丈有奇。諭：嚴飭各員，趕緊搶辦合龍。七月，曾國藩奏：未能合龍，必須疏濬中洪下口。九月，曾國藩奏：南七之六、七號爲下游第一險工，擬自第五邨東南隅挑引河，長七百丈，下與舊挑河接，南七工頭、二號築截水大壩，長百丈，撤入新引河，不入坑塘，於壩根兩旁作一圈埝，長千丈，計需銀一萬六千兩有奇，此切近下口之工也。龍王廟上下河身，加挑至十二丈寬，竇店窑以下五百丈亦宜挑寬加深，需銀一萬八千有奇，此疏通下口之工也。南六、南五、北五兩岸以上至張家墳西，節節挑挖，裁灣取直，只存南五十七號、北六十三號兩次險工，餘皆撤去，需銀二萬二千兩有奇，此挑挖中洪之工也。北四下汛，壩工堅實，惟金門口尚有十二、三丈引河加挑，并搶辦之費，需銀二萬四千兩有奇，此北四決口之工也。共需銀八萬餘兩，覈減九千兩。

八年五月，直隸總督曾國藩疏：永定河南上汛漫口等工，趕緊修築，擇定四月初七日合龍。附片奏報，當經聲明，俟經盛漲，再將合龍正摺另奏在案。兹據永定河道徐繼鏞、候補道蔣春元稟：五月初三日，渾水直抵壩前，高八、九丈，壩埽穩固，啟放引河，導溜東趨，當派員弁兵夫，連夜跟水東行，直抵南七。初六日申刻，逕達尾閭，滙入鳳河，全河復歸故道等情。臣查此次南上漫工，先據該道廳等估需銀十一萬餘兩，經督臣官文奏蒙恩准，奉部撥款。臣出京時，先赴工次，沿隄履勘。心疑：通工頹廢，情形何遽至於此極？旋復周諮博訪，僉稱：自咸豐三年以後，前此所定經費，僅發四分之一，迄今十五、六載，領款太短，到工又遲，各汛左支右絀，不得不因陋就簡，以致隄愈削薄，河益淤高，年甚一年，遂至於此。否則漫溢失事之案，從未有似此連月疊出者。臣因取該道等所呈估摺，按照所歷情形，一一覆覈，南四、南七、引河丈尺淺窄，地段亦短，尚須加挑寬深，因與申明，昔年挖濬中洪之舊例，謂引河若果深通，即中洪亦已疏濬，名異而事實相同，新工與舊例相合，因許於原估銀數外酌加兩倍，增銀二萬二千有奇。此外隄埝有應添培高厚者，有應酌增壩埽者，全河可慮之處，均須擇要添做，即於本年應領歲搶修銀內，指款速辦，仍許以事竣酌增銀數千兩，以補歲搶修之不足。又與該道及廳汛等嚴定約束，此次大工，務先痛除向來河工舊習，一切購料辦工，事事力求真實，上不准絲毫剋扣，下不准絲毫浮冒，其大工估定之銀，與年例應領之款，均於二、三月撥發，許爲奏乞天恩，免追賠款，宜各激發天良，認真報効。并又遴派熟諳河工之候補知府徐本衡、候補知縣陳贊清、朱錫慶等，暨地方官西路同知鄒在人、南路同知蕭履中等多員赴工襄辦。該河道徐繼鏞，派駐南七，督辦兩岸培隄切坎築壩挑淤事宜，及南七引河各工委員，候補道蔣春元，添駐南上，督辦漫河兩壩鑲築事宜，及南四引河各工。旋據呈報：擇於三月初一日興工，督飭掌壩、隨壩員弁，率領兵夫趕辦，鑲進水占壩邊，接做水埽，層土層料，密籤長樁，加壓厚土，多派兵丁，層層夯硪，重打堅實，並添做夾土壩，堅築土櫃養水盆，金門口僅賸五丈餘，雖上游甫經水涸，而壩前尚有清水二、三尺深，即於四月初七日丑刻掛纜合龍，追壓到底，隨下關河埽，加釘大樁，均係候補道蔣春元逐日在壩親驗監催。其南上、南下、南四、引河加深、展寬、添長地段各工，亦經按照添估委員分辦報竣。該河道徐繼鏞督率員弁，堅做壩埽，疏濬引河。先是，龍王廟以下河身，節節淤塞，并有高仰及坐灣不順之處，現均逐一詳勘，一律加深展寬，裁曲取直，添挖子河，兼做溝工，至竇店窑迤下，均已通暢。復周歷兩岸各險工，如南上、南下、南二、南三、南四等汛，加培隄埝，添做土埽，北三汛加築子埝，添辦五號圈隄，十二、三號土工，并添做魚鱗埽段，北四上汛二號、十號挑水壩，北四下汛，鑲做埽段，南四汛四號加做挑水壩護埽，并將各處切坎工程，均按添做之式，飭屬趕辦完竣。是此次堵築南上汛一處漫口，實將通工二十汛之隄埝壩埽，均已普律全修。雖南七、南四引河，臣尚嫌其逐漸偪窄，難容全溜，而詢訪民間，皆稱老坎工程堅實，已爲近二十年所未有，轉瞬伏、秋漲發，靡有定程，事難懸揣，應即責成該河道，督飭廳汛員弁，振刷精神，隨時搶護，務保無虞。臣於四月初四、五等日，驗收引河大隄各工。其南上大壩引河各工，亦經委員候補道任信成驗收，據覆：工堅料實，足資經久。目下渾水漲發，自上而下，新做壩埽，均經洪流衝刷，悉保穩固，大溜鋪滿暢行，引河無阻。六月，直隸總督曾國藩疏：接永定河道徐繼鏞稟：通工以南上、南下爲最險，而南四新工尤險，因十八號以下，引河過於偪窄，漫灘水普律出槽，拍岸盈隄，十分喫重，分投搶護，將各埽段加鑲壓土，窮一日之力，漸臻穩實。旋據代理北岸同知王維清稟：北四上汛十三、四號起，至北四下汛三、四、五號及於工尾二十餘里之間，水勢近逼隄根，續漲不止，愈擡愈高，串溝水漫過五號隄埝，趕即掛柳捲由，多方搶護。三號又復馳報水勢直漫隄岸，危險萬分，分飭汛員弁兵，招集村民，跑買土料，設法搶救。不意二十二日酉、戌間，大風陡起，激浪騰空，北四下汛五號水越埝頂，刷塌口門十餘丈，昏黑間措手不及，據實稟報。該道即馳往，冀以力回天，乃值風狂溜急，駛至北三工，冒險渡河，行抵北四下汛三號，因漫水將隄身隔斷，不能徑赴五號，又復連夜渡河，折回南岸。二十二日，繞由南五過河查看，北四下汛五號漫口，已經奪溜，衝刷口門三十餘丈。此次漫口，係由減河順流而下，現經盤築裹頭等情。臣查永定河隄工，前經臣親歷細勘，誠屬廢弛已極，第上年請帑十一萬金，臣又加撥二萬餘金，爲款已鉅，原冀引河加長，中洪稍寬，又將歲搶修年例應發之銀，全數早發，亦冀全工擇要修培，庶保無虞。乃北四下汛五號，竟被漫越隄頂，刷塌三十餘丈。伏、秋兩汛，接續將至，汛期正長，上游險工林立，而歷年以來，河身並無中洪，本年所挖南四、南七引河，既短且窄，不能容受全溜，臣前摺所慮即在於此。河身既不能容，即隄埽處處可虞，亟應上緊防護，盤做裹頭。七月，直隸總督曾國藩奏：永定河北四下汛漫口，前據該道等以引河淤墊無多，口門亦尚不寬，請就半月搶辦堵閉，以贖前愆。當經准其試辦，而又料其全無把握，曾於上次摺尾聲明在案。茲據永定河道徐繼鏞稟稱：六月初二日起，晝夜趕辦兩壩進占，兼做夾土壩，挑築背後上土，並鑲做邊埽，加壓頂土，至十六日止，共進十二占，連小壩共二十四占，僅留金門口四丈七尺，其河身淤墊處所，引河溝工，亦經間段挑挖，本定十八日合龍，因十七大雨竟日，兵夫不能站立，是以改至十九日。當於是日卯刻掛纜，測量金門口水深一丈二、三尺不等，溜勢湍急異常，兩壩十分喫重，不惜重資，竭力跑買，無如伏水性極勇猛，勢若排山，金門口隨鑲隨蟄，壩前水愈擡高，以千餘人搶辦三時之久，迄未能追壓閉氣，又值水適驟長，勢更難與强爭，祇可以保全大壩爲急，不得已將金門口土料折去，俾河流得有去路，免致傷及壩身，俟秋後水弱，再將引河加挑寬深，方可合龍等情。臣查全河受病已久，下口太高，無尾閭可以宣洩，中洪太淺，無河身可以暢流，即使北四下汛幸而堵合，隄埝單薄，處處可虞，不決於此，或溢於彼，總坐河無可歸之槽，溜無容受之處，將來秋冬合龍之後，必須將挑挖中洪，疏濬下口，二者認真籌辦，庶可補救萬一。九月，直隸總督曾國藩疏：永定河北四十汛隄岸，於五月二十一漫決，接連伏、秋二汛，未克合龍。八月間，奏派候補道蔣春元前往署理，籌度興工，並飭詳勘下口是否疏通，中洪是否無阻，免致此處甫經合龍，彼處又報決口。蔣春元稟報：永定河自南北七汛以下，河道寬至數十里，由道光二十三年至今，所謂下口者，或傍南岸而行，或傍北岸而行，或歸中道而行，均下抵鳳河，以達於海，遷徙不常。茲勘得舊傍北岸之河北七頭號至三十一號，均屬河身，寬深距隄亦遠，行勢極順，無如三十一號以下，河距隄身太近，其形甚窄，至四十八號以下，並無隄身，水出則漫淹武清、東安，是改歸北岸之議，未可舉行。其舊行中道之河水，由北七二、三、四號向望河樓調，河頭仍入中道，距南北兩隄均遠，一綫順流，無所依傍，直達鳳河，形勢亦順，無如間段淤塞，漸成平陸，有并無河形者，所需經費過鉅，是引歸中道之議，亦未可行。惟近年水傍南隄之河，即係道光二十二年以前之故道，目前水入下口，不能不循此道而行，人力稍覺易施。惟下口即傍南岸而行，則南七各號，即係切近下口喫重之地。查南七五號，同治六年漫口，秋後堵閉，因限於經費，未將攔河大壩修復，合龍之後，淩汛漲發，即已鼓裂塌陷，幸去年南四決口，該處未經過水，今年南上合龍，大溜甫過該處，水上埽面，與隄相平，岌岌可危。現在隄身受病，隄內坑塘太深，頭分引河太窄，是南七之六、七號實爲下游第一險工。茲擬向前第五郜之東西隅，另挑引河，工長七百丈，下與舊挑之河身相接，並於南七工頭、二號做一截水大壩，鑲埽簽樁，工長百尺，撇水入新引河，不入坑塘，仍於壩根兩傍作一圈埝，工長千丈，以衛前半之隄，估計土埽各項，需費實銀一萬六千兩有奇，此南七切近下口，預防危險，擬辦引河壩埝之工也。至龍王廟上下河身甚窄，並未刷寬，須加挑至十二丈寬，寶店窑以下五百丈，亦宜挑寬加深，估需實銀一萬八千兩有奇，其餘河槽稍寬，及離鳳河較近之區，姑置後圖，此疏通下口之工也。南六、南五、北五兩岸以上，至張家灣墳西頭，工段甚長，紆曲過多，水來則壅積難下，以致上游擡高，急應節節挑挖，或裁灣取直，或切坎順軌，只存南五十七號、北六十三號兩處次險之工，其餘一切險工，皆已撇去，盛漲來時，或可勢同建瓴，徑行無滯，估需銀二萬二千兩有奇，此挑挖中洪之工也。至北四下汛壩工，均皆蟄陷堅實，惟秋汛以來，金門口刷寬，現尚有十二、三丈，應行進占，金門口水深一丈一、二尺、一丈三、四尺不等，新估背後之土，加寬加高，又添做養水盆，河頭則須向南展寬，以順來流，引河又須加挑，以通去路，并前此搶辦時用過之費，共估需實銀二萬四千兩有奇，此堵合北四決口之工也。此數者惟北四下汛堵口，係屬正案，其餘皆係另案，然不辦中洪下口，則合龍後水勢不能下行，不惟新工喫重，即凡水經過之處，隄身處處堪虞，四項工程，共估需銀八萬餘兩，伏乞源源發款，及時趕辦。至向來方價料價，皆有常例，此次剔除積習，覈實力減，以求撙節等情。臣查永定河工近年多係內外捐辦，去歲經署督臣官文奏請帑項十一萬兩，仰荷聖恩允准。臣今春到工，又於南七、南四引河增撥銀二萬三千兩，已屬非常之舉。今冬又需專款八萬，殊覺糜費過鉅。第既據該道暨各員勘明，不辦中洪下口，則水勢不能暢行，仍恐合龍之後，旋即失事，隄身受病已久，本屬在在堪虞，臣不得已札飭覈減銀九千兩，准其一面興工，至由外勸捐，歷年成案皆係由司庫借撥現銀，再於歲修項下按年攤扣歸款。歲修等銀，久經裁減，又加扣去捐款，則河員之領項愈微，到工之實銀愈少，河務所以日壞，皆在於此。臣愚以爲欲整頓河務，必須停止攤捐，發給現銀，免致廳汛有所藉口，即以作弁兵夫役之氣。合無籲懇天恩，勅部撥銀四萬兩。尚少三萬餘兩，臣即於江南協直項下撥發。今年直隸水旱報災近七十縣，民力窮困，藩庫無可動撥，伏希聖慈亮鑒，如蒙俞允，當分別辦理。張家墳一帶挑挖中洪，龍王廟以下疏通下口，二者皆多年失修之工，即用部撥之款。其北四下汛堵塞決口，南七六號添做壩埝，係近日應辦之工，即用分籌之款，區別造報，庶不失慎重帑項之義。十一月，直隸總督曾國藩疏：本年北四下汛漫口，經臣請撥款項，檄令趕辦。據該署道蔣春元稟報：定於十月十二日合龍。臣當即親往驗收，奏報在案。惟是歷屆堵築漫工，祇將決口堵完，引河挖通，即爲蕆事。此次期於搜除病根，規畫久遠，是以專從下游著力，一面估築大壩，深挑引河，一面開挖中洪，疏濬下口，使大溜建瓴直瀉，可免下壅上潰，此塞彼決之虞。茲據署永定河道蔣春元稟：自興工以來，駐紮北四下汛壩次，會同前任道徐繼鏞，及各委員，分別經理，石景山同知王茂壎掌管北四大壩，督率各員嚴飭兵夫，慎重進占，接做上下邊埽，密簽長樁，加壓厚土，層硪夯築堅實，並添做後戧夾土櫃，養水盆，署南岸同知朱錫慶等，掌管南七截水大壩，董率各員，鑲做邊埽，悉係深槽密樁，層土層硪，均臻堅固，其中洪下河委員，接段挑挖，均於十月初十日完竣，寬深丈尺，與原估符。金門口僅賸四丈五尺，愈收愈窄，水深一丈四、五尺不等。十二日卯時掛纜合龍，湍急異常，兩壩均形喫重，同時陡蟄，幸兵夫雲集，料物充盈，隨蟄隨鑲，悉臻穩固。當即挑挖河頭土硬，啟放引河，建瓴而下，迅如箭激，大溜掣動，引河全槽鋪滿，暢流下注，隨下關門大埽，層土層料，追壓到底。惟金門以下，尚未斷流，復不惜重賞，撒手跑買，併力搶辦，竭一晝夜之力，於十三日巳刻全行閉氣，金門以下養水盆，旋即斷流，並無滲漏，遂派弁查看，十二日午刻至十四日辰刻，未及兩晝夜，直達鳳河尾閭，全河復歸故道，兩壩一律鞏固。除飭趕辦善後工程外，調往委員並在工廳汛各員，極爲出力，可否准其擇尤保獎？應請奏明辦理，等情。臣到工勘驗，北四下汛暨南七兩處壩工，均各工堅料實，張家墳一帶所挑中洪，南七以下所挖引河，直注下口，此後但能按年挑挖，修治隄埝，俾河身不致淤墊，則盛漲無虞。永定河續志三：同治七、八兩年，堵築南上、南四、南七、北四下等水旱口，疏濬中洪下口，各工用銀三十萬五千九百八十八兩零。

九年，堵合南五工水旱漫口。

六月，直隸總督曾國藩奏：初九日南五工十七號漫口十餘丈，續漲奪溜，口門刷至二十餘丈。二十六日，南五工十號口三十餘丈。諭：著曾國藩督飭在工各員，趕將口門盤裹，以防續坍。築南五工十七號旱口，補隄如初，於南六工一號、南七工十七號舊河之引河工尾築土格，南七大壩以下築迎水埝，於是築南五工十號後戧土壩，集打冰船，十月二十八日堵合漫口，用銀八萬八千九百四十四兩八錢七分四釐七毫，又一萬一千二百八十二兩二錢二分五釐一毫，作爲善後工用。

九年六月，直隸總督曾國藩疏：據永定河道李朝儀稟：六月初七、八日，南三工之六號、十四號，南四工之九號、十二、十八號，同時水長埽面，各埽蟄動。三角淀通判朱津報：初八日南五工十七號水漲，溜急埽段，走失汕刷，隄身間段漫水，當飭跑買土料，加高子埝，掛柳捲由搶護。初九日午刻，水過埝頂，開口門十餘丈，漫口業經奪溜，口門刷至二十餘丈等情。臣查永定河廢弛已久，上年奏請分年疏濬，期以數年之後，方冀稍有補救，甫挑濬數處，全河中洪仍未一律深通，此堵彼決，本年疏濬下口工竣，臣已委候補道劉樹堂前往驗收，而南五工十七號遽報漫決，由河身過高，隄埝過薄。七月，曾國藩疏：六月十八日，曾將南五工七號漫口具陳，七月初二日續據永定河道李朝儀稟，南五工十七號盤築裹頭。該道督飭興工，往來查看，該汛十號舊險，迤西老灘，距隄約有二、三十丈，自十七號漫口後，河水日益南趨，老灘逐漸汕塌，督飭廳汛員弁，捲由掛柳，力爲保護。乃於六月二十三、四兩日大雨水漲，老灘刷没無存，南坎忽生出灘嘴，挑水由北坎折回，逼溜直注南隄，頂衝入袖，土性純沙，大溜洶湧，愈刷愈深，水不能出，十分危險，即飛調兵夫，齊集搶護，買料挽救。無如水深二丈有餘，隄埝坐潰。二十五、六日，風雨交至，水又陡長，掛柳柳即漂失，捲由由亦衝没，雖竭四晝夜之力，總以坎高水深，不能得手。二十六日戌刻，漫溢奪溜，口寬約三十餘丈。此次漫水出隄，行二、三里外即入，前次漫河已將口門盤裹等情。臣查六月雨多，水無所容，潰而四出。閏十月，直隸總督李鴻章疏：永定河南五工十號、十七號漫口，添派候補道員祝塏前往，會同李朝儀，督飭廳汛印委各員弁，分投趕辦，嗣據稟，興工以來，陰雨水漲，大壩進占，迭形危險，節經厚加土料，趕緊搶鑲，並於南六頭號、南七十七號，舊河身內，及第八分、十四分引河工尾，各添築土格一道，南七大壩以下，添估迎水埝一道，又於引河內添估裁灣取切坎等工，復經臣批令相機利導。兹據稟稱：十月十四日以後，天氣晴霽，嚴飭在工員弁，督率兵夫，將南五工十號工程鑲進水占，接做邊埽，層料層土，隨蟄隨鑲，跟即密簽長樁，追壓厚土，金門愈收愈窄，僅留五丈，添做後戧夾土壩，養水盆等工。南五工十七號旱壩，亦經上緊築做，補還原隄，夯硪堅實，鑲做護壩埽段，一律高整。引河按段挑挖，次第報竣，逐加勘收。測量金門口水深二丈二、三尺不等，下游各汛禦水工，亦已分別辦理。惟二十四、二十七等日，西北風大作，河水驟凍，上游冰凌隨流而下，趕即調集打凍器具，船隻用巨綆在兩壩牽挽鑿打，添做鹿角密齒木牌，在金門口兩面，節節推盪，即於十月二十八日未時掛纜合龍，親督在工人等跑買土料，撒手搶辦，趕下關門大埽，追壓到底，而大溜洶湧，金門下尚有滲漏，窮兩晝夜之力，全行閉氣，將引河所留土埂啟放，溜入引河，勢如建瓴，復歸故道。按：永定河續志三云，九年堵築南五工水旱漫工及善後用銀一萬四百六十八兩零，與奏數微異。

十年，堵合南二工等旱口，修各隄。

六月，直隸總督李鴻章奏：南二工六號漫口。七月，又奏：南岸石隄五號尾續成漫口，掣溜九分，逕良鄉、涿州注大清河入海。南二工已成旱口。八月初四日，石隄五號口門續刷一百餘丈，又南二工十六號、南七六號、西小堤二號、北下十三號、北二十五號、北四上二號、衝刷石、土各隄，或數十丈，或百數十丈，分段補築，添築圈埝土格。九月，南二工旱口堵築，惟石隄五號尾未及合龍。

十年六月，直隸總督李鴻章疏：據永定河道李朝儀稟：五月二十八至六月初三日長水，連底水二丈三尺五寸，較上年多三尺九寸，各工生險，搶護平穩。惟南二工六號、十六號，因水漲汕刷埽檔，大溜逼注隄根，掛柳捲由，趕緊搪護。十六號水已漫出，尚在撒手搶辦。六號又飛報隄身坐潰，水高隄埝，馳往設法挽救，不意風雨大至，水又續長，無從著手。初六日丑刻，漫越隄頂，大溜一湧而過，奪溜口門約三四十丈。臣查永定河以經費支絀，未能大加修濬，去冬堵築漫口後，迭經飭該道多挖引河，分濬下口，冀殺盛漲之勢，若雨水較少，或可勉力補苴。奈五月中旬以來，大雨日夜間作，平地水深數尺，爲直省十餘年前僅見。有北運河迭報搶險，而永定河尤重。據報：北四上汛二號、北二上汛五號，均已走埽潰隄，適南二工六號漫溢成口，掣動大溜，南北口下險工，皆爲斷流。臣現在天津，辦理日本議約事宜，不克分身前往，即委妥員馳往查勘，嚴飭該道，飛飭上遊各汛，盤築裹頭。

七月，直隸總督李鴻章疏：永定河南岸二工六號漫口，經臣於六月初九日具奏。七月初二日據永定河道李朝儀稟：將南二工六號漫口，盤築裹頭。又值河水盛漲，石景山外委籤報，水深二丈三尺七寸，較上次尤爲浩瀚。據盧溝橋巡檢鄭官賢報：南岸盧溝橋以下，石隄五號尾漫水，高出隄面尺餘，汕刷背後去埝，漸有分溜之勢。上汛各汛水均出槽，分投搶護，一面派委候補縣丞王仁寶，隨同南岸同知朱津馳往，趕將過水處設法堵築。該道因北下汛十三、四號斜對南二工六號口門抽掣過甚，溜逼隄根，情形喫重，親往查勘。該汛十三號走埽劈隄，已有漫水，即飭掛柳捲由，添雇民夫，趕做後戧保護，水又續長，大溜衝激，隄土純沙，又經久雨，溼透隄身坐潰，掣出大溜三分，撒手搶辦，水忽陡落，上游石隄五號尾漫身甚大，汕塌土埝，掣動大溜，該處本無埽工，又無積土儲料，僅仗集夫挑土築埝搶堵。六月二十四日亥刻，將石子埝衝決，奪溜成口，掣出大溜九分，其一分仍入大河。水如稍落，勢必全歸口門。現在口門約寬四、五十丈，詢之老民，僉稱，盛漲之水，高於隄面尺餘，自嘉慶六年後，數十年所未有。臣查盧溝橋以下兩岸石土隄，舊歸石景山同知總理，向未設汛。嘉慶七年，分撥盧溝橋巡檢兼管。二十一年，將南岸石土隄十四里改爲南岸同知經管，並無埽工。此次南二工六號漫口，甫經興工盤裹，而上游石土隄五號尾又復漫決，實緣河身受病已深，暴雨兼旬，口外山水暴漲，濱河低窪處所積潦數尺，下游疏消不及，河身不能容納，漫越刷衝，委前任永定河道候補道徐繼鏞，馳往南岸二工六號，會同該河道李朝儀查勘漫口情形。現聞該處已成旱口，全溜由上游奪路，繞良鄉、涿州、雄縣一帶，併歸大清河入海。仍飭徐繼鏞，馳赴盧溝橋五號尾漫口處所，查勘盤裹保護。目下天氣暢晴，天津海河爲直晉豫東諸水滙歸之處，雖一時宣洩不及，秋深可冀漸消，惟永定河河身高仰，歲歲有漫溢之事，此次盛漲，又數十年所未有，不溢於下游，而溢於上游，既漫於上游之土隄，又衝塌上游之石隄，其水勢之浩瀚可知，河身之高墊亦可知。大興工作，誠恐無此財力，卽築缺口，亦非鉅款莫辦，乞勅部臣籌畫。八月，直隸總督李鴻章疏：本年六、七月間，永定河南岸二工六號，暨盧溝橋石隄五號尾，先後漫口，兩次馳奏。七月初六日上諭：仍著該督督飭該河道等，覈實勘估，詳細奏聞，聽候諭旨。等因。據永定河道李朝儀稟：盧溝橋石隄五號尾水口門，盤築裹頭，尚未竣工。七月二十九至八月初四日，大雨六晝夜，續將口門以下土隄刷寬一百餘丈，復經批令，督飭另立壩基，趕緊盤築裹頭，將各工勘辦。茲據該河道李朝儀稟：勘估此次大工，實緣引河太長，上游須修補石隄，下游又須改濬河道，加以各汛禦水善後等工甚多，是以經費稍增。茲將應辦各工必不可緩者，詳審覈估，需銀三十七萬零等情。臣查永定河夏、秋險工迭出，七月間，盧溝橋石隄五號續漫成口，南二等工決口之水奪溜南趨，皆成旱口。八月初，又大雨連宵，續將該處口門刷寬一百餘丈，南北兩岸節經盛漲衝激，隄塍殘缺，土石塌卸，自數十丈至一百七、八十丈不等，除南二六號旱口外，如南二十六號、南七六號及西小隄二號、北下十三號、北二十五號、北四上二號等處，均已衝刷斷缺，河身淤墊，下口又爲沙泥壅遏，辦法於堵築大壩決口之外，尤以分挑引河，疏濬下口爲要，兩岸殘缺隄工，亦須分段補築，中間裁灣切坎，添築圈埝土格，皆不可少。又所挖引河，自盧溝橋南上汛界起，順勢間段挑深，寬長不一，而下游南七工北柳坨邨至盧家鋪，約長四千八百丈，又下游自于家墳至鳳河，約長七千丈，工程最鉅，加以禦水善後各工，斷非巨款莫辦。溯查嘉慶六年，永定河南北兩岸漫口十餘處，盧溝橋石隄衝塌，仰蒙仁宗睿皇帝頒帑百萬興工，次年夏蕆工，綜計用過工料實銀九十七萬餘。本年北方大水，及永定隄工，實與嘉慶六年無異。惟現值經費支絀，部臣方以庫儲未裕，奏請停撥內外工需，卽東南財賦之區，亦須奉撥京協，各緊餉催提急迫，未遑兼顧。臣久忝封圻，深知中外同此艱苦，何敢不力求撙節，共維大局。自永定河漫決後，臣卽派道員徐繼鏞馳赴該處，諄諭道廳各員，務須格外覈實勘估，不准稍有浮糜。該河道李朝儀，稟性誠慤，昨復來津面稟，求寬爲籌撥。臣思永定河切近畿郊，若因籌款維艱，一任隄防廢壞，來歲春融水漲，必至横流四溢，無可抵制，且被水十數州縣，災黎輾轉求食，除截漕十萬石外，並未敢另請發帑，趁此興辦隄工，亦可以工代賑，一舉兩得。臣與李朝儀面加覈議，暫酌減爲二十六萬兩，直隸雖係缺額省分，又值水災歉收，而工需不得不先其所急，業與藩司錢鼎銘擬在省城練餉局江蘇解到協餉項下，陸續撥銀十萬兩，並司庫無論何款，儘數提撥銀六萬兩，其餘不敷銀十萬兩，擬請旨飭撥有著之款，並懇
大恩，勅下各督撫臣，務於冬月內如數籌撥，委員解赴工次。

十一年，修金門閘壩，堵合石隄旱口，北下汛漫口，修石、土各隄。正月，直隸總督李鴻章奏：修金門閘壩，疏濬引河由童邨入小清河，長四千一百七十丈，用銀六萬四千七百四十二兩有奇。三月，因石隄五號尾於十年漫口，未及堵築，至是引河挑竣，長一萬

八千餘丈，於二十日合龍。先是，與南二等工合估，需銀二十六萬兩，茲因引河加長，增修隄壩，添銀三萬五千兩，合之善後各工，共用銀三十一萬一百五十四兩。又修各汛石土隄銀二千四百七十一兩有奇。七月，北下汛十七號漫口六、七十丈。九月初十日堵合。北上汛漫口，動支道庫節存，各員賠款而外，用銀四萬四千兩。又各汛加培土工銀三萬一百五十兩有奇，又修補石景山石工銀五千兩。

同治十一年正月，直隸總督李鴻章疏：永定河連年漫口，此次督飭河道及委員等，逐段履勘，講求疏濬之法。南二之金門閘減水石壩一座，建自乾隆三年，南北各築壩臺，中段用石料修築龍骨，底鋪海墁石板，外接出水石簸箕，下又有出水灰簸箕，其壩臺外護以魚鱗埽段，工程極爲堅固，每遇大汛盛漲，賴以分減水勢。嗣因水漸淤高，乾隆三十五年、道光三年、十一年、二十三年，逐將龍骨加高至八尺七寸，尚可洩水數寸，迄今又將三十年，河底愈淤愈高，已與龍骨相平。若驟放水，恐成決口。是以同治五年以後築埝堵閉，雖連遭漫口之患，涓滴不敢宣洩，石壩亦遂廢而不治。因思欲去河患，必須先將上游減水石壩認真修築，並將引河逐段挑挖，俾有分消，且本年瀕河各屬，被災地畝多未涸復，二麥補種不及，正須預籌接濟，若乘此時興修，亦可以工代賑，一舉兩得。臣飭據永定河道李朝儀、候補知府周馥等詳勘，現在河身若僅就原有龍骨之上再行增高，必致水入倒灌，跌成坑塘，於海墁金牆，皆有所礙。議將龍骨中段二十丈，升高四尺，兩旁十八丈，各升高五尺，所有舊龍骨之高八尺七寸者，全行拆缺，其重建之新龍骨，放長進身六丈，下接舊海墁，上作坦坡之形，使水勢平緩過閘，方無跌坑掣溜之虞。其舊有海墁，與南北舊金牆，均分別填補拘抿，北壩臺東面應移建九丈，與龍骨緊接。壩臺內外，應遵舊式鑲做埽段，仍於龍骨上添築攔水土埝一道。該處引河，係由童村入小清河，查勘河身，尚有溝槽可就，計工長四千一百七十丈，均應一律挑挖通深，連建御碑亭、汛房、器具，善後各工程，覈實撙節，共估需實銀六萬四千七百四十二兩七錢九分二釐。經臣札飭升任藩司錢鼎銘，在同治十年秋災賑撫項下，如數通融，籌交該道領回，購灰石料物，及時興辦，事竣造銷。三月，直隸總督李鴻章疏：上年永定河南二工六號旱口，及殘缺工程，修築完竣，其石隄五號尾水口門，因屆冬至停工，俟春融剋期合龍，一面分挑引河，深挖下口，以工代賑，於上年十一月內，附片具陳。開春興辦，至三月初九日，據報：引河八十六分，計長一萬八千餘丈挑竣。茲據該河道等會稟：自二月初二日起，督率員弁分晝夜兩班，鑲埽簽樁，培土堅厚，金門收窄，大溜愈加湍急，水深至二丈餘，埽段旋鑲旋蟄，原定三月二十日合龍，十九日戌刻密雨連宵，改二十一日丑時合龍，河水陡長，溜勢危急，甫下關門，大埽壩前之水，擡高三尺餘，卯刻開霽，啟引河頭大溜下注，由引河直趨而下，復歸故道。兩岸殘缺，普律修培等情。臣查盧溝橋五號尾，正當渾流出山之處，上年雨水過大，伏、秋兩汛泛漲異常，衝決多處，通河隄段，皆潰爛不可收拾，實爲嘉慶六年後所僅見。臣初意以工程太鉅，請款太少，懼難必底於成，嚴飭各員，痛除積習，勤苦覈實，以求有濟。今春冰泮，口外萬山之水奔流下射，益難施工，所需稭麻樁橛等料，水災之後，採辦既艱，挽運又遠，該道府等督飭召集饑民，傭工就食，不下數萬人，晝夜搶辦，刻期蕆事。七月，直隸總督李鴻章疏：永定河道李朝儀稟：六月二十七日起，大雨徹夜，連朝不止，西北口外山水暴發，平地數尺，滙流入河。七月初一日巳時，石景山外委籤報：河水長一丈六尺，酉時又長一丈九尺六寸。初二日子、丑交，又長至二丈三尺五寸，盧溝橋面均見水痕，較之上年八月盛漲，尤爲迅猛，中洪容納不下，兩岸水與地平各工埽段，全行蟄動，多方搶救，掛柳護隄，柳則被浪湧至隄頂，繫船護埽，船復被水推擱埽面，雖啟金門閘，放水二尺五寸，而水勢消洩不及，南上十二號，南下八號及南三、南四、南五、南六、北二、北三、北四、北六等汛埽段，多有蟄陷，均設法搶鑲保住。惟南七工六號、北五工五號、北二上五號、北下十七號情形尤險，該道冒雨馳赴南七號查勘，六號東小隄、舊大隄均有漫水處，其北五工五號走失埽段，亦間段漫水。又據石景山同知王茂壎飛稟：初一日水長溜急，北二上汛五號漫刷壩檔，間段過水，極力搶護，隄身業將坐潰。而北下汛十七號水過隄巔，兼之風雨大作，將隄面衝成溝槽，趕調兵夫，並集附郵民，挑土填墊，不意子刻水又續長，昏夜驚濤，無從著手。初二日丑刻，大溜越隄，一湧而過，漫口業已奪溜，口門約寬六、七十丈。十一年九月，直隸總督李鴻章疏：永定河北下汛十七號漫口，經臣添派候補知府周馥、徐本衡會同永定河道李朝儀，督飭廳汛印委員弁，趕購料物，設法搶堵，節據該道等稟，自七月十六日動工，疊遇陰雨盛漲，將上游各汛，搶護平穩，一面調集兵夫，趕購樁料，進占鑲埽，惟新料尚未登場，採買近隄柳枝，不敷應用，又值秋穫農忙，挑夫稀少，添募文安、大城、霸州一帶被水貧民到工，幫同挑築，總以秋汛正旺，風雨不時，河水長落無定，搜刷埽腳，動有疏失，幸中秋前後，天氣晴爽，工料略爲順手，分班趕做，密籤長樁，多壓厚土，占埽隨進，隨蟄隨鑲，先擬八月底堵合，後值陰雨數日，口門不敢遽收，九月初十日丑時，掛纜龍門口，水深二丈五、六尺，溜勢愈急，趕下關門大埽，竭力搶作追壓，全河復歸故道。其北二上、北五、南七等汛殘缺工程，分投堵築。下游兩岸埽段禦水各工，亦鑲做穩固。永定河續志三：同治十年，堵築南岸石隄漫口，並南二工旱口，南七工旱壩禦水善後各工，用銀三十一萬一百五十四兩零，又各汛加修石、土隄工二千四百七十一兩零。十一年，堵築北下汛漫口及禦水工，除用道庫節存暨各員賠款外，用銀四萬四千兩，又修金門閘六萬四千七百四十二兩零，又各汛加培土工三萬一百五十兩，又石景山修補工銀五千兩零。

十二年，堵合南四工漫口，修南上灰壩，又修各汛石、土隄。

閏六月，直隸總督李鴻章奏：南四工九號，於十五日漫口五、六十丈，奪溜由霸州境牤牛河東流。八月，内閣學士宋晉奏：近畿連年被水，請飭以工代賑。諭：著李鴻章統籌

全局，悉心酌覈。引河增長，於九月二十三日堵合南四工漫口。十二年閏六月，直

章疏：初十日前，水漲四

盧溝橋以下，連底水深至一丈七、八尺，開放金門閘及南上灰壩。閏六月十一、二日後大雨，上游宣化府屬白洋河，據報新漲陡加三尺六寸，連盧溝橋以上附近，山水奔騰迸注。十四日戌、亥交，永定河陡長至二丈五尺，金門閘灰壩宣洩不及，南上、南二、南三、南四、南五、南七、北中、北二下以及北三各工號段，或水上埽面，或坍坎近隄，分投搶護。惟南四工九號埽段走失，汕刷隄身尤危，該河道馳往督辦，加高子埝，掛柳捲由，沈壓土袋，竭力搶護。十五日黎明，甫漸順手，而對岸挺生沙嘴，將全河大溜橫衝對激，直逼隄埽，全不移動，亥刻增漲，狂風駭浪，水勢擡高數尺，大溜漫隄而過，口門約寬五、六十丈，業經奪溜。臣查現已晴霽，惟水勢浩瀚，即委道員周馥，馳赴工次，會同該河道，督飭廳汛員弁，趕緊盤做裹頭，以防續坍，並妥籌勘估搶堵，續行奏辦。仍飭上游各廳汛，加謹防護，暨行各地方官疏消漫水，查勘被淹情形，量爲撫卹。再查南四工九號，係同治七年漫溢舊口，水由固安縣城東沿霸州下東淀，歸津入海。疊據霸州知州周乃大稟，永定河漫口之水，十七夜已由該境牤牛河東趨，情形尚不甚重。蓋水歸淀泊，終有蕩漾之處，附近固安、霸州、文安、大城等境秋稼，不免傷損。八月，內閣學士宋晉疏：伏讀七月二十一日上諭，本年夏間，直隸雨水過多，永定河南岸決口，被水地方，田廬多被衝没，小民蕩析離居，著加恩於東南各省釐金、關稅、鹽課項下，撥銀三、四十萬兩，以資賑濟等因，欽此。竊惟近畿地方，連年水患，雖因雨水過多，實由水道漫溢，東南各省向少水災，皆由河道疏通，旱則資其灌溉，澇亦易於宣洩，而直隸獨洪流徧野，居民蕩析，臣愚以爲併力籌賑，不如擇要修工，與其逐年循例爲修築之舉，不如統籌全局爲備禦之計。可否勅下直隸總督，以現撥帑金酌提一半，先行勘驗災區，拯卹老弱，以一半趕擇河道緊要者，速爲修治，庶幾工賑兼施，兩收其效。惟直隸河道失修已久，目前自以永定河爲最要，永定河經行宛平、固安、永清、良鄉、霸州、涿州、東安、武清、天津等數州縣，遷徙靡常，一遇大雨時行，會合各處之水，奔騰四溢，未有不爲鉅患。急須疏濬，多開減河、引河，以殺盛漲，多建閘壩，以資控洩，或擇曠地爲淀，以停蓄其勢，或兼治溝洫，以疏通其脈，總貴因其舊迹，不拘成見，去淤沙以通河身，擇堅工以築隄岸，而又須任廉明耐苦之員，錢糧不假胥吏之手，且既以工代賑，必須優給傭資，而各州縣百姓，連年被災，即向有小康之户，亦無不轉徙遷流，失其家業，更不得藉口借資民力以召怨咨。查雍正年間，命怡賢親王、大學士朱軾勘辦直隸水利，成水田六千餘頃，及今雖淹没已多，而成迹可循，不難重行疏濬。至或有田廬墓舍，民間習占已久，如有實礙要道者，亦可量價給資，令其遷移。要之，興大工者不惜小費，亦在辦理得人耳。至現發帑金，尚不敷用，亦請勅下直隸總督，審度全局，再行奏請於東南各省釐金、關稅、鹽課項下，續撥數十萬，以成鉅工。但使節中外之費，即可全億萬生靈之命，則隱爲國家所撙節者，奚止數百萬哉！九月，直隸總督李鴻章疏：永定河南四汛九號，於本年閏六月十五日漫口，經臣奏報，將管河道廳汛各員參辦，即派候補道周馥，馳赴工次，會同該河道李朝儀，督飭盤做裹頭，上游各廳汛，加緊防護，一面酌發銀兩，撫卹災黎。節據該道等稟，先將口門兩隄頭盤做，因河中停生沙灘，逼溜橫激，勢如飛弩，須就河中老灘處兩頭進占，方易堵閉。其原隄俟後補築。七月十六日興工，上游紛紛報險。該道等迭飭員弁分投搶護，加長壩臺，搶做後

戕，所挖引河，深至一丈九尺，稀淤陷沙，人難立足，段段倒塘戽水，工料俱費，幸固安、霸州、文安、大城一帶被水災民，源源而來，計工授食。八月底即擬合龍。乃屢遇風雨，而大溜洶湧壩埽蟄陷，未能順手。該道等加募人夫，加厚大壩，添做邁埽，並將引河添長，復築挑水壩一道。九月初十日後，口門收窄，止留五丈，壩前水深二丈八、九尺。九月二十一日丑時掛纜，竭三日夜之力，大小壩追壓到底。二十三日，金門下斷流，引河一律通暢，全溜東注，復歸故道。下游兩岸，擇要修理，老隄補還，除將各員賠款撥用外，臣因經費支絀，責令該河道於本年歲搶修復額項下，設法勻提銀一萬二千兩濟用。又本年復額項下長出兩江協款銀一萬兩，長蘆原解南河奏明留抵永定河工需銀七千兩，分別照數墊撥，湊作堵口工費。又於江海關月協直隸賑餉河工項下，撥用銀三萬二千兩，本年東南各省協解直隸賑款項下，撥用八千兩。此項工程係招集被水災民承做，以符以工代賑之意，所給土方工價，皆實銷，多與例價不符，覈計尚爲節省，請免造報。賠款外，用銀五萬七千兩，修各汛石、土隄工，用銀四萬七百二十兩有奇。據永定河續志三。壩詳下。

十三年，修求賢、灰壩各汛石、土隄，金門閘。

修各汛石、土隄工，用銀二千四百九十六兩有奇。據永定河續志三。金門閘、求賢壩詳下。

德清傅范初校